SFV

Protokolle
der
Wiener Psychoanalytischen Vereinigung

Band III
1910–1911

Protokolle
der
Wiener Psychoanalytischen Vereinigung

Band III
1910–1911

Herausgegeben von
Herman Nunberg † und Ernst Federn

Übersetzung des Vorworts und der Anmerkungen von
Margarete Nunberg

S. Fischer

Die *Protokolle der Wiener Psychoanalytischen Vereinigung* erschienen unter dem
Titel *Minutes of the Vienna Psychoanalytic Society* bei International Universities
Press, Inc., New York, zunächst in Englisch. Für Band III:
© 1974, International Universities Press, Inc.
Für die deutsche Ausgabe:
© 1979, S. Fischer Verlag GmbH, Frankfurt am Main
Umschlagentwurf Roswitha + Eberhard Marhold
Satz und Druck Laupp & Göbel, Tübingen
Einband G. Lachenmaier, Reutlingen
Printed in Germany 1979
ISBN 3 10 022739 5

Inhalt

(Ein zusammenfassendes Namen- und Sachregister erscheint am Ende von
Band 4.)

X

Zum dritten Band

Ursprünglich war die Veröffentlichung dieser Protokolle in drei Teilen vorgesehen; aus technischen Gründen entschied sich der amerikanische Verleger aber seinerzeit für vier Bände. Herman Nunberg war inzwischen gestorben, und so wurde sein Vorwort sowohl dem dritten als auch dem vierten Band der amerikanischen Ausgabe vorangestellt. Dies erscheint uns für die deutsche Edition nicht nötig, wir bringen es deshalb nur im vorliegenden dritten Band.

Zum Inhalt des Vorworts – es wurde vor zehn Jahren geschrieben – darf aus der Sicht des heutigen Lesers vielleicht bemerkt werden, daß wir die wachsende Unabhängigkeit von Freuds Schülern, die Nunberg kritisiert, aufgrund der gewonnenen Erkenntnisse über die Eigengesetzlichkeiten von Gruppenprozessen inzwischen besser verstehen können.

Es bleibt mir nun noch denen zu danken, die mit mir zu einem richtigen Team geworden sind: Margarete Nunberg, Ilse Grubrich-Simitis, Ingeborg Meyer-Palmedo, Hans Lobner und meiner Frau. Sollte nichts Unvorhergesehenes eintreffen, werden dank dieser Zusammenarbeit alle vier Bände der Wiener Protokolle 1980 vorliegen können.

Dezember 1977   Ernst Federn

Vorwort

Wie bereits in der Einleitung zum ersten Band dieser Protokolle hervorgehoben, war ich in meiner Funktion als Herausgeber bemüht, so neutral wie möglich zu bleiben. Wo ich Fußnoten hinzufügte, tat ich es lediglich, um etwas aufzuhellen oder um auf Textstellen hinzuweisen, die mir nicht völlig klar und verständlich erschienen.

In den Protokollen der letzten zwei Bände findet sich etwas äußerst Befremdendes, nämlich daß die ergebensten Anhänger Freuds beginnen, seine Errungenschaften herabzusetzen; und gelegentlich macht es fast den Eindruck, als handelten sie in gegenseitigem Einverständnis, das sogar Tausk, Federn, Hitschmann, Sadger, diese treuesten Schüler Freuds, teilen. Zuzeiten scheinen sie vergessen zu haben, was Freud gelehrt hatte.

Man kann nur bewundern, mit welcher Geduld Freud ihnen ihre Irrtümer klarzumachen versuchte und von ihnen die Anerkennung der Grundsätze der Psychoanalyse forderte, die ja das Fundament für ihre eigene Arbeit bildeten.

Herman Nunberg

Bemerkungen über die neu
hinzugekommenen Mitglieder

BERNHARD DATTNER (1887–1952) war zuerst Jurist und wurde später Mediziner. Im Mai 1914 verließ er die Vereinigung. Nach dem Ersten Weltkrieg wurde Dattner ein prominenter Neurologe an der psychiatrischen Klinik Wagner-Jauregg des Wiener Allgemeinen Krankenhauses. Er emigrierte 1938 nach den Vereinigten Staaten, wo er als Professor für Neurologie und Psychiatrie an der New York und Columbia University wirkte. (Beginn der Mitgliedschaft: 22. Februar 1911.)

LEONID DROSNÉS, Psychiater in Odessa und St. Petersburg, war 1911 Mitbegründer der psychoanalytischen Vereinigung in Rußland. Er hatte den als »Wolfsmann« berühmt gewordenen Patienten behandelt und zu Freud gebracht. Außer den Titeln einiger wissenschaftlicher Veröffentlichungen konnten wir über ihn nichts weiter herausfinden, nicht einmal seine Lebensdaten. (Beginn der Mitgliedschaft: 18. Januar 1911.)

JAN E. G. VAN EMDEN (1868–1950), Mediziner, einer der Pioniere der Psychoanalyse in Holland und persönlicher Freund der Familie Freud, wurde 1919 Präsident der Holländischen Psychoanalytischen Vereinigung. Er veröffentlichte zahlreiche wissenschaftliche Arbeiten. (Beginn der Mitgliedschaft: 11. Oktober 1911.)

FRANZ GRÜNER (1887–1917) war Rechtsanwalt und hatte großes Interesse an Kunst und Literatur. Er fiel im Ersten Weltkrieg als Leutnant an der italienischen Front. (Beginn der Mitgliedschaft: 26. Oktober 1910.)

GUSTAV GRÜNER (1885–1938) kam ebenso wie sein Bruder Franz aus allgemeinem Interesse für Kunst und Wissenschaft zur Psychoanalyse, vermittelt durch den gemeinsamen Freund Paul Klemperer, der uns auch biographisches Material zur Verfügung gestellt hat, das aber für die Psychoanalyse ohne Belang ist. (Beginn der Mitgliedschaft: 12. Oktober 1910.)

GUIDO HOLZKNECHT (1872–1931) war Professor an der Universität Wien und ein Pionier der Röntgen-Diagnostik. Er starb an den Folgen seiner Arbeit durch Krebs. Enge Freundschaft verband ihn mit Paul Federn, der ihn auch ärztlich bis zum Tode betreute. (Beginn der Mitgliedschaft: 12. Oktober 1910.)

HANS KELSEN (1881–1973) war von 1911 bis 1930 Professor für Rechts- und Staatswissenschaften an der Universität Wien. Später emigrierte er nach den Vereinigten Staaten, wo er aber nur in Fachkreisen bekannt wurde. Er ist der Begründer der »Reinen Rechtslehre« und gilt als einer der bedeutendsten Rechtsgelehrten des 20. Jahrhunderts. Die Verfassung des Staates Österreich nach 1918 war sein Werk, und auch die Zweite Republik nahm diese als Grundlage ihrer neuen Konstitution. Von ihm stammt ein bedeutender Beitrag zur Anwendung der Psychoanalyse: ›Der Begriff des Staates und die Sozialpsychologie. Mit besonderer Berücksichtigung von Freuds Theorie der Masse‹ (*Imago*, Bd. 8, 1922, S. 97–141). (Beginn der Mitgliedschaft: 13. Dezember 1911.)

PAUL KLEMPERER (1887–1964) war ein Cousin von Paul Federn, mit dem ihn eine enge Freundschaft verband und der ihn – damals noch Student der Medizin – zu Freud brachte. Er wanderte 1921 nach den Vereinigten Staaten aus und wurde ein berühmter Pathologe und Professor an der Columbia University. Klemperer, der in der Entwicklung der amerikanischen Medizin eine bedeutende Rolle spielte, diente einigen Autoren als Quelle für den Konflikt zwischen Freud und Adler. Dadurch bekam seine Persönlichkeit eine gewisse Bedeutung auch für die Geschichte der Psychoanalyse. In höherem Alter betrachtete Klemperer seine Anhängerschaft an Adler mit einem gewissen Humor und als ein Zeichen jugendlicher Unerfahrenheit. Anläßlich eines Besuchs in Österreich bat er Federn, eine Aussprache mit Freud zu ermöglichen. Federn versuchte das auch, aber Freud konnte den damaligen Abfall von der »Sache« der Psychoanalyse nicht vergeben und weigerte sich, Klemperer zu empfangen. (Beginn der Mitgliedschaft: 12. Oktober 1910.)

LEOPOLD RECHNITZER. Über ihn konnte nichts ausfindig gemacht werden. (Beginn der Mitgliedschaft: 12. Oktober 1910.)

THEODOR REIK (1888–1969) wurde in Wien geboren und studierte Germanistik und französische Literatur an der Universität Wien. Nach Ranks Einziehung in den Militärdienst übernahm er dessen Funktion als Sekretär der Vereinigung und behielt dieses Amt bis zu seiner Übersiedlung nach Berlin im Jahre 1928. Von 1934 bis 1938 lebte er in Holland und emigrierte dann in die Vereinigten Staaten, wo er als Laienanalytiker auf große Schwierigkeiten mit der dortigen psychoanalytischen Vereinigung stieß, obwohl er als einer der ältesten und bedeutendsten Schüler von Freud bekannt war. Er begründete schließlich seine eigene Vereinigung für Psychoanalyse (National Psychological Association for Psychoanalysis) und bildete eine Reihe bekannter Psychologen und Psychotherapeuten aus. Reiks Bücher – er war ein außerordentlich vielseitiger Schriftsteller – sind sehr bekannt und in viele Sprachen übersetzt worden. (Beginn der Mitgliedschaft: 15. November 1911.)

JOSEF REINHOLD (1886–?), zum Zeitpunkt seines Beitritts noch stud. phil. et med., wurde später ein prominenter Neurologe und Psychiater, Chefarzt der Priesnitzschen Kuranstalt in Gräfenberg, Schlesien. Eigene Beiträge zur Psychoanalyse scheinen von ihm nicht vorzuliegen. Er muß sich aber großer allgemeiner Wertschätzung erfreut haben, denn eine Reihe bekannter Psychoanalytiker und Psychiater wirkten an der Festschrift zu seinem 50. Geburtstag mit. Im selben Jahr – 1936 – verfaßte er den Abschnitt ›Psychotherapie‹ im *Handbuch der Neurologie*, hrsg. von Bumke und Förster. Über die anschließenden Jahre konnte nichts mehr von ihm in Erfahrung gebracht werden. (Beginn der Mitgliedschaft: 24. Mai 1911.)

GASTON ROSENSTEIN (1882–1927), Mathematiker und Dr. phil., nannte sich nach dem Krieg Roffenstein. Er war Mitbegründer und führender Kopf des Wiener ›Vereins für angewandte Psychopathologie und Psychologie‹ und beschäftigte sich mit Fragen der wissenschaftlichen Methodologie, wobei er den Freudschen Lehren kritisch, aber nicht feindlich gegenüberstand. 1914 verließ er die Psychoanalytische Vereinigung. Kurz vor seiner Habilitierung als Privatdozent an der Universität Wien wurde er von einem Auto überfahren. (Beginn der Mitgliedschaft: 14. Dezember 1910.)

HANNS SACHS (1881–1947), Jurist. In Wien geboren, übersiedelte Sachs 1918 zunächst nach Zürich und 1920 nach Berlin, wo er Lehranalytiker am Berliner Psychoanalytischen Institut wurde. 1932 emigrierte er nach den Vereinigten Staaten. Dort spielte er in Boston eine bedeutende Rolle als einer der wenigen nichtärztlichen Psychoanalytiker. Hanns Sachs ist einer der Pioniere für die Anwendung der Psychoanalyse auf die Humanwissenschaften und gehörte zum »Komitee der Sieben«, das die Internationale Psychoanalytische Vereinigung nach der Trennung von Adler und Jung viele Jahre lang führte. In diesem Komitee saßen neben Sachs noch Rank, Ferenczi, Abraham, Eitingon, Jones und natürlich Freud selbst. (Beginn der Mitgliedschaft: 12. Oktober 1910.)

HERBERT SILBERER (1882–1923) beschäftigte sich hauptsächlich mit der Psychoanalyse des Traumes, seiner Symbolik und Beziehungen zur Magie und Alchimie. Er beging Selbstmord; von seinem Leben ist nichts bekannt geworden. (Beginn der Mitgliedschaft: 12. Oktober 1910.)

SABINA SPIELREIN-SCHEFTEL, Medizinerin, wurde in Rußland (1886?) geboren und verschwand auch dort nach dem Jahre 1933. Sie war die Lehranalytikerin von Jean Piaget und zuletzt Professorin an der Nordkaukasus-Universität in Rostow am Don. Sie soll als erste den Begriff des Zerstörungstriebes verwendet haben. (Beginn der Mitgliedschaft: 11. Oktober 1911.)

AUGUST STÄRCKE (1880–1954), Mediziner, obwohl niemals ein ausübender Psychoanalytiker; gilt als ein bedeutender Pionier durch seine wissenschaftlichen Arbeiten. Sein Aufsatz ›Psychoanalyse und Psychiatrie‹ (Beiheft Nr. 4 zur *Intern. Zschr. f. Psychoanal.*, Leipzig und Wien 1921) erhielt den Freudpreis. (Dieser war 1918 aus Geldmitteln des Budapester Gönners der Psychoanalyse, Dr. Anton von Freund, 1880–1920, gestiftet worden; er bestand aus 1000 österreichischen Kronen und wurde für eine besonders wertvolle psychoanalytische Arbeit verliehen. Vgl. S. Freud, *G. W.*, Bd. 12, S. 335; Bd. 13, S. 435). Die letzten zwanzig Jahre seines Lebens war Stärcke unglücklicherweise so krank, daß er nicht mehr arbeiten konnte. (Beginn der Mitgliedschaft: 11. Oktober 1911.)

RICHARD WAGNER (geb. 1887) war Kinderarzt und Assistent an der Kinderklinik Pirquet der Universität Wien. 1938 emigrierte er nach den Vereinigten Staaten, wo er Professor für Kinderheilkunde der Tufts University, Boston, wurde. Er blieb zeit seines Lebens der Psychoanalyse freundlich gesinnt. (Beginn der Mitgliedschaft: 12. Oktober 1910.)

ALFRED FREIHERR VON WINTERSTEIN (1885–1958), Dr. phil., veröffentlichte eine Anzahl von Arbeiten zur Anwendung der Psychoanalyse auf Probleme der Philosophie, Literatur, Humor u. ä. Seine historische Bedeutung liegt darin, daß er während des Zweiten Weltkrieges in Wien geblieben ist – nicht ohne Gefahr für seine Person –

und 1945 zusammen mit August Aichhorn sofort an den Wiederaufbau der Wiener Psychoanalytischen Vereinigung ging. Er war nach Aichhorns Tod 1949 Obmann der Vereinigung bis 1957. (Beginn der Mitgliedschaft: 26. Oktober 1910.)

MOSCHE WULFF (1878–1971), russischer Psychiater, wurde nach der Revolution Dozent an der Universität in Moskau. 1927 verließ er Rußland und ging zuerst nach Berlin, von dort 1933 nach dem heutigen Israel. Er war Mitbegründer der Palästinensischen Psychoanalytischen Vereinigung, als deren Präsident er nach dem Tode Eitingons zehn Jahre lang amtierte. Er veröffentlichte zahlreiche Arbeiten auf verschiedenen Gebieten der Psychoanalyse. (Beginn der Mitgliedschaft: 3. Mai 1911.)

113

Vortragsabend: am 5. Oktober 1910

Neuntes Vereinsjahr
1910/11

Gegenwärtiger Mitgliedstand: 27* 38* 40 [1]

Dr. Alfred Adler*	I. Dominikanerbastei 10*
	II. Czerningasse 7*
Dr. Guido Brecher	Meran, Pension Erlenau
Dr. Paul Federn	I. Riemergasse 1
Dr. S. Ferenczi	Budapest VII, Elisabeth Ring 54
Dr. S. Freud	IX. Berggasse 19
Dr. Josef K. Friedjung	I. Ebendorferstr. 6
Dr. Carl Furtmüller*	V. Zentagasse 6*
Dr. Max Graf	XIII/10 Wattmanngasse 7
	III/2 Unt. Viaduktgasse 35*
Hugo Heller	I. Bauernmarkt 3
Dr. Hilferding*	X/1 Favoritenstr. 112*
Dr. Eduard Hitschmann	I. Rotenturmstr. 29
Dr. Edw. Hollerung	Graz, Schillerstr. 24
Dr. Franz von Hye*	I. Seilerstätte 7*
Dr. Ludwig Jekels	Bistrai b. Bielitz, Schlesien
Dr. Albert Joachim	Rekawinkel
Dr. Stefan Maday*	Innsbruck, Mandelsbergstr. *
	VI. Stumpergasse 48, I/20*

---

[1] Die mit einem Stern versehenen Ziffern und Namen sind im Original ausgestrichen.

Wir haben versucht, auch diese Mitgliederliste – wie die der früheren Jahre – so genau wie möglich wiederzugeben. Eine Anzahl kleinerer Eintragungen sowie Kreuze und stenographische Zeichen in Bleistift mußten weggelassen werden. Sie zeigen an, daß wir es hier mit dem Arbeitsblatt des Sekretärs zu tun haben, der offenbar keinen Kataster geführt hat, sondern sich der Präsenzbüchlein bediente, um seine Eintragungen zu machen.

1

Dr. Richard Nepallek	IX. Lazarettgasse 16
Dr. E. Oppenheim*	II. Zwerggasse 4*
Otto Rank	IX. Simondenkgasse 8
Dr. Rudolf Reitler	I. Dorotheergasse 6
Dr. Oskar Rie	I. Stubenring 22
Dr. I. Sadger	IX. Liechtensteinstr. 15
Dr. Maxim. Steiner	I. Rotenturmstr. 19
Dr. Wilhelm Stekel	I. Gonzagagasse 21
Dr. Viktor Tausk	XVII. Syringgasse 5
	III. Ungargasse 165*
Dr. Rudolf Urbantschitsch	XVIII. Sternwartestr. 74 [Cottage Sanatorium]
Dr. Fritz Wittels*	XVIII. Sternwartestr. 74*
Dr. D. I. Bach*	VII. Wimbergergasse 7*
Doz. Dr. G. Holzknecht	I. Liebiggasse 4
Gustav Grüner*	VIII. Schlößlgasse 11*
Paul Klemperer*	I. Tuchlauben 7*
General-Direktor Leopold Rechnitzer	I. Kärntnerstr. 51
Dr. Han[n]s Sachs	XIX/1 Peter Jordanstr. 76
Herbert Silberer	I. Annagasse (Annahof)
Richard Wagner	IX. Porzellangasse 4
Alfred Freih. von Winterstein	IV. Gußhausstr. 14
Franz Grüner*	VIII. Schlößlgasse 11*
Gaston Rosenstein	IX. Fluchtgasse 9* (I. Franz J[osefs] K[ai] 13)
Erwin Wechsberg*	XIX. Sandgasse 31*
Dr. Leonide Drosnés	St. Petersburg, Jamskaja 2 Odessa*
Dr. jur. Bernhard Dattner	IX. D'Orsaygasse 11/14
	IX. Elisabeth Promenade 17/21*
Dr. M. Wulff	Odessa, Puschkinskaja 55
Dr. Josef Reinhold	IX. Borschkegasse 6

Anwesend: Adler, Federn, Freud, Friedjung, Furtmüller, Heller, Hilferding, Hitschmann, Nepallek, Oppenheim, Rank, Reitler, Sadger, Steiner, Stekel, Tausk.

[113.] PROTOKOLL²

Tagesordnung

I. Bericht des Obmannes.
II. Bericht des Kassiers.
III. Bericht des Bibliothekars.
IV. Bericht des Schriftführers.
V. Anträge und Interpellationen.
VI. Wissenschaftlicher Vortrag.

Ad I. 1) Der OBMANN teilt mit, daß die Statthalterei die Gründung des Vereines gestattet habe und daß demnach in der nächsten Sitzung die konstituierende Generalversammlung abgehalten werde, wobei die Funktionäre des Vereines zu wählen seien.

2) liegen folgende Bewerbungen um Aufnahme in die Vereinigung vor:

Herr Dozent Holzknecht
Herr Dr. jur. Han[n]s Sachs
Herr Herbert Silberer
Herr Gustav Grüner
Herr stud. med. Paul Klemperer
Herr stud. med. Richard Wagner
Herr General-Direktor Leopold Rechnitzer,

deren Anmeldung in der nächsten Sitzung zur Abstimmung gebracht werden soll. Eventuelle Äußerungen über die Aufnahmswerber sind entweder dem Ausschusse, eventuell auch dem Plenum bekanntzugeben.

Herr Dr. Stefan Maday, der sich im laufenden Jahre studienhalber in Innsbruck aufhalten wird, bittet für diese Zeit um Suspendierung seiner Mitgliedschaft.

Herr Dr. Fritz Wittels ist vor einiger Zeit aus dem Verein ausgetreten.³

3) fordert der Obmann zur Anmeldung von Vorträgen auf.

---

² Von nun an sind die Protokolle mit der Schreibmaschine geschrieben. Einen Eindruck hiervon möge die Wiedergabe auf S. 91 vermitteln. Das Präsenzbüchlein ist aber nach wie vor handschriftlich geführt worden.
³ Einer der Gründe für den Austritt war der Konflikt zwischen Wittels und Karl Kraus, dem Herausgeber der *Fackel*. (Vgl. dazu die ›Bemerkungen über die Mitglieder der Psychologischen Mittwoch-Gesellschaft‹ in Bd. 1 der vorliegenden Veröffentlichung, S. XXXIX, sowie in Bd. 2 das 93. Protokoll und die kurze Erwähnung im 103. Protokoll, Bd. 2, S. 439.)

SADGER plädiert für strenge Durchführung der Gepflogenheit, wonach sich jedes neueingetretene Mitglied mit einem selbständigen Vortrag einzuführen habe, eine Anregung, die ADLER nur begrüßen und aufs kräftigste unterstützen kann.

Ad II. gibt der KASSIER bekannt, daß der Mitgliedsbeitrag, inklusive des Beitrags für die »Internationale Vereinigung«, für Ärzte K 60.–, für Nichtärzte K 30,– pro Jahr betrage und jeweils halbjährig im vorhinein mittels Erlagscheines zu entrichten sei.

Ad III. legt der BIBLIOTHEKAR den Büchereinlauf vor und beantragt das Abonnement der Mollschen *Zeitschrift für Psychotherapie [und medizinische Psychologie]* sowie des Zentralblattes für Neurologie.[4]

FURTMÜLLER schlägt vor, die Zeitschriften im Wege von Tauschexemplaren zu verlangen, worauf ADLER die Abonnementfrage zu verschieben beantragt.

Auf Antrag HELLER wird das *Journal of abnormal Psychology* auf drei Jahre im voraus abonniert.

Ad IV. Anfrage des SCHRIFTFÜHRERs, in welcher Weise er die Berichte an das *Korrespondenzblatt*[5] abfassen soll; insbesondere ob nur die Titel der Vorträge oder auch die kurze Inhaltsangabe anzuzeigen sei.

STEKEL meint, daß eine Inhaltsangabe von ein bis zwei Zeilen genügen dürfte, da die Absicht bestehe, die Sitzungsberichte ständig vom Sekretär im *Zentralblatt*[6] referieren zu lassen.

---

[4] Es ist nicht sicher, ob damit das *Zentralblatt für die gesamte Neurologie und Psychiatrie* (Springer, Berlin) oder das von Kurt Mendel herausgegebene *Neurologische Zentralblatt* (Veit & Comp., Leipzig) gemeint ist.

[5] Das *Korrespondenzblatt der Internationalen Psychoanalytischen Vereinigung* erschien in Zürich vom ersten Mal im Juli 1910 und bestand bis zum Herbst 1911, wo es im *Zentralblatt für Psychoanalyse* aufging. (Vgl. dazu die Anm. 4 des 146. Protokolls, unten, S. 270.) Als 1913 die *Internationale Zeitschrift für (ärztliche) Psychoanalyse* gegründet wurde, gehörte ein ›Korrespondenzblatt‹ zu ihrem ständigen Inhalt.

[6] Das *Zentralblatt für Psychoanalyse. Medizinische Monatszeitschrift für Seelenkunde* erschien erstmals 1911. Über die hier protokollierte Sitzung steht im Bd. 1, S. 80, unter ›Varia‹: »Die ›Wiener Psychoanalytische Vereinigung‹ hat ihre wissenschaftliche Tätigkeit am 5. Oktober im Vortragssaale des ›Wiener mediz. Doktoren-Kollegiums‹ mit einer Diskussion über ›Das einzige Kind‹ begonnen. Referenten waren die Kollegen Dr. Sadger und Dr. Friedjung. Wir werden über die Arbeiten der Vereinigung fortlaufend referieren.« Der Sitzungsbericht über diesen

FEDERN und HILFERDING machen dagegen geltend, daß die Ungezwungenheit der Diskussion darunter leiden würde, und auch

FREUD meint, daß der bisherige Modus seine Vorzüge habe. Kurze Berichte über den Inhalt der Vorträge wären ganz erwünscht, wobei die Art des Referats zwischen dem Sekretär und dem Herrn Vortragenden zu vereinbaren ist. Die Diskussion jedoch müsse man wohl freigeben. – Die Redaktion sollte sich aber auch der Sitzungsberichte von Zürich, Berlin und Budapest versichern.

ADLER ist auch für kurze Mitteilungen im Sinne Freuds, da die Stimmung im allgemeinen geneigt sei, sowenig als möglich freizugeben; auch dieses wenige wäre am besten dem Vortragenden und dem Ausschuß vorzulegen. Auch wäre zu gestatten, daß der Vortragende manchmal ein kurzes Autoreferat zur Darstellung bringe. Für das *Korrespondenzblatt* dürfte die bloße Titelangabe genügen.

STEKEL erklärt sich mit dem Antrag Freud völlig einverstanden, meint aber doch, das eine oder andere treffende Wort aus der Diskussion in den Bericht aufnehmen zu sollen; natürlich nur mit Einwilligung des Referenten.

Ad V. verliest Dr. OPPENHEIM eine Zuschrift von Dr. J. Breuer, die auf den Beitrag ›Unus multorum‹ aus der Selbstmordbroschüre [7] Bezug nimmt und die Verwunderung darüber ausspricht, daß keiner von den Diskussionsrednern auf den so wichtigen Punkt näher eingegangen sei, daß die meisten dieser jugendlichen Selbstmörder den Begriff des Todes nicht zu realisieren vermögen.

Prof. FREUD hält diesen Punkt tatsächlich für das Entscheidende und meint, Breuer knüpfe mit dieser Bemerkung an das an, was in der *Traumdeutung* über die Vorstellung des Kindes vom Totsein ausgeführt sei. [8] Ein Stück dieser Anschauung scheint sich bis in die Zeit der Pubertät hineinzuziehen, was sich auch mit der direkten Beobachtung in vivo decke. (Ein elfjähriger Knabe äußert kurz nach dem Tode seines Vaters: »Daß der Papa gestorben ist, verstehe ich sehr gut, aber warum er nicht zum Nachtmahl kommt, kann ich nicht begreifen.«)

---

ersten Vortragsabend findet sich im gleichen Band, S. 131 f. Die darauffolgende Diskussion vom 12. Oktober wird aber darin nur mit einem Satz erwähnt.

[7] *Über den Selbstmord, insbesondere den Schülerselbstmord*, Bergmann, Wiesbaden 1910. Vgl. dazu auch die Protokolle 104 und 105 in Bd. 2 der vorliegenden Veröffentlichung.

[8] S. Freud, *Die Traumdeutung* (1900); *G. W.*, Bd. 2/3, S. 259–62 und S. 264 f.; *Studienausgabe*, Bd. 2, S. 258–60 und S. 263.

TAUSK legt zehn Selbstbekenntnisse von Maturantinnen vor und stellt sie einem Interessenten zur Verfügung. Furtmüller übernimmt sie zur Durchsicht.

Zur Psychologie des einzigen und des Lieblingskindes
Referent: Dr. Sadger
Korreferent: Dr. Friedjung

SADGER hebt eingangs hervor, daß der Titel seines heutigen Themas zu enge gefaßt sei, da die Psychologie des Lieblingskindes bei der Psychologie der betreffenden Eltern anfange. Jene Kinder sind nämlich buchstäblich die Geliebten ihrer Eltern, zumal des andersgeschlechtlichen Teils, wobei die Knaben besonders exponiert sind. Solche Eltern suchen die Kindeszeit häufig zu verlängern durch allerlei künstliche Mittel und kommen den bei Lieblingskindern meist von Haus aus verstärkten erotischen und Zärtlichkeitsbedürfnissen in überschwenglicher Weise entgegen. Daraus wird ihre besondere Disposition zu den verschiedensten Neurosen sofort verständlich.

Referent bespricht dann den individuellen Einfluß, den jeweils Vater oder Mutter auf ihr Lieblingskind ausüben, und geht dabei ausführlich auf das bei weitem intensivere und folgenschwerere Verhältnis zwischen Mutter und Sohn ein. Der Einfluß der Mutter beginne meist schon bei der Beschränkung der Kinderzahl auf dieses eine, das sie ungeteilt besitzen will, und sie suche dann in maßlosem Auskosten des Mutterglücks, das wir durch Freud als Auffrischung der eigenen infantilen Perversionen kennengelernt haben, die in der Ehe vermißte Befriedigung (Anal- und Urethralerotik, Schau- und Exhibitionslust). Sie suchen das Kind von jeder Kameradschaft und Erotik fernzuhalten (soweit sie sich auf andere Personen beziehen) und erschweren, ja, verhindern so die notwendige Ablösung von den ersten Objekten, nämlich der eigenen Person des Kindes und den Eltern. Daß mit solchen Kindheitseindrücken die Bedingungen für psychische Impotenz respektive Natura frigida bei Frauen gegeben sind, liegt auf der Hand. Anderseits erwächst aus dem langen Festhalten und der gesteigerten Intensität des Autoerotismus eine verhängnisvolle Neigung zur Homosexualität (Mutterliebe und Narzissismus) wie zur Dementia praecox (Autoerotismus). Auch wird die zur kulturellen Einordnung und Entwicklung so notwendige Sublimierung mindestens

6

gehemmt, und diese Kinder behalten ein großes Stück Perversität fürs Leben, was wieder ihre normale Entwicklung erschwert. Referent schließt seine Ausführungen mit dem treffenden Worte von Wittels, man solle den Kindern möglichst viel Freiheit lassen und sowenig als möglich an ihnen herumerziehen.

FRIEDJUNG bemerkt, daß er keinen abgerundeten Vortrag bieten könne (er habe nämlich die Absicht, später in der Gesellschaft der Ärzte über dasselbe Thema zu sprechen[9]), sondern lediglich sein gesammeltes Material zur Diskussion stellen wolle.

In den letzten zwei Jahren habe er 91 Fälle von einzigen Kindern beobachtet; die Lieblingskinder habe er ausgeschaltet, weil dabei der Willkür des Beobachters zuviel Spielraum gewährt sei, und ebenso habe er nur Kinder von zwei Jahren aufwärts in die Statistik aufgenommen, weil ja jedes erste Kind über ein Jahr lang das einzige sei. Es handelte sich um 41 Knaben und 50 Mädchen im Alter vom vollendeten 2. bis zum 14. Jahre. Es bestätigt unsere Erwartungen, daß unter diesen 91 Kindern nur 12 normale oder annähernd normale waren, die anderen 79 dagegen mehr oder minder pathologische, namentlich pathologisch-neurotische Anzeichen aufwiesen; darunter sogar 17 ziemlich schwere Anzeichen. – Im Gegensatz zu Neter[10] und Sadger konnte Referent beobachten, daß die Mädchen schwerer erkrankten.

Die Erkrankungen zerfallen in zwei Gruppen:
I. Allgemeine Symptome
II. Organsymptome
Diese zerfallen wieder:
a) in solche rein körperlicher Natur (Distrophie)
b) in solche psychischer Natur.
Hier interessieren uns besonders nur die letzteren. Abgesehen von den bei den anderen Autoren gewürdigten Charaktereigenschaften des einzigen Kindes (wie Mangel an Mut etc.) sind in der Gruppe II b beson-

---

[9] Friedjung veröffentlichte eine Arbeit unter dem Titel ›Die Pathologie des einzigen Kindes‹ sowohl in der *Wiener medizinischen Wochenschrift*, Bd. 61, 1911, Sp. 376–81, als auch in den *Mitteilungen der Gesellschaft für innere Medizin und Kinderheilkunde*, Bd. 10, 1911, Beiblatt Nr. 2, S. 58–67. Dort ist jeweils in einer Anmerkung erwähnt: »Nach einem in der pädiatrischen Sektion der ›Gesellschaft für innere Medizin und Kinderheilkunde in Wien‹ am 10. November 1910 gehaltenen Vortrage.«

[10] Dr. med. Eugen Neter, *Das einzige Kind und seine Erziehung. Ein ernstes Mahnwort an Eltern und Erzieher* (= Heft 25 der Buchreihe ›Der Arzt als Erzieher‹), Verlag der ärztlichen Rundschau, 3. und 4. Aufl., München 1910.

7

ders hervorzuheben: die ungewöhnliche *Ängstlichkeit* (22 Knaben, 29 Mädchen), die in verschiedenen Graden auftreten kann. Dazu gehört auch die nächtliche Unruhe, die sich bis zu der pathologisch wichtigen Erscheinung des Pavor nocturnus steigern kann (ausgesprochen 8 mal). Auf die Launenhaftigkeit und Ungeselligkeit dieser Kinder möchte er nicht weiter eingehen. Einige von ihnen zeigten sich direkt eifersüchtig. Bei fast allen war der Intellekt weit über den Durchschnitt entwickelt, bei einem Kinde nur fanden sich Züge von moralischer Schwäche.

Ad a) zeigten sich 14 Knaben und 18 Mädchen ausdrücklich distrophisch, was in der Mehrzahl der Fälle auf Appetitlosigkeit zurückging. Damit greifen wir auf Gruppe II über; es erweist sich die Verdauung dieser Kinder nach drei Seiten hin abnorm:

1. Geringer Nahrungsbedarf
2. Erbrechen
3. Stuhltätigkeit gestört.

Auch das Nässen spielt bei diesen Kindern eine große Rolle (Pollakisurie, Enuresis: 8 Knaben und 2 Mädchen), ferner kann [man] sehr häufig bei ihnen das sogenannte Wegbleiben beobachten, das mit dem Morbus sacer[11] nichts zu tun hat und bei dem oft der bloße Milieuwechsel hilft. Auch nervöses Asthma findet sich nicht selten. Endlich ist noch der Nesselausschlag zu erwähnen (25 Knaben, 28 Mädchen), von dem hauptsächlich die neurotischen Kinder sehr belästigt werden.

Auch im Wirken des Arztes macht sich die Einzigkeit des Kindes unangenehm bemerkbar, und zwar bei drei Formen von Krankheiten: 1. wo nervöse Komponenten ins Spiel treten (so dauert z. B. eine Pertussis bei einem einzigen Kind länger), 2. bei Blutungen und 3. bei besonders schmerzhaften Erkrankungen.

Referent hofft, daß seine Beobachtungen als Relief zu den Ausführungen Sadgers nicht unwillkommen sein werden.

[Diskussion]

Prof. FREUD hebt als wissenschaftlicher Vorsitzender die beiden Referate als interessantes Beispiel hervor, auf wie verschiedenen Wegen man dasselbe Thema angreifen kann und daß die Diskussion nach beiden Richtungen, nach der der Beobachtung wie der Erklärung, gewiß vieles hinzuzufügen haben werde.

---

[11] Epilepsie.

8

Der VORSITZENDE [Adler] schließt die Versammlung, indem er die Abhaltung der Diskussion aufs nächste Mal vertagt, mit zwei technischen Bemerkungen, die er an die beiden Referenten richtet. Sadger möchte er auf eine Arbeit von Häberlin aufmerksam machen, die sich mit dem Inhalt seines Vortrages berührt und den Titel führt: Zärtliche und unzärtliche Erziehung. [12]

Friedjung möchte er zu bedenken geben, daß seine Absicht, in der Gesellschaft der Ärzte über dasselbe Thema zu sprechen und dabei einzelne in unserer Diskussion vorgebrachten Gesichtspunkte zu verwerten, vielleicht nicht sehr politisch sei; es könnte bei dieser Gelegenheit, wo von unserer Seite selbst die Psychoanalyse vor das Forum der Wiener Ärzteschaft geschleppt würde, der lange schon vorbereitete Sturm losbrechen. Es wäre also erwünscht, auch diese technische Frage mit zur Diskussion zu stellen, womit sich FRIEDJUNG bereitwillig einverstanden erklärt.

---

[12] Paul Häberlin, 1878–1960, Professor der Philosophie in Bern und Basel, ›Zärtliche und strenge Erziehung‹, *Zeitschrift für Jugenderziehung*, Zürich 1910.

114

Vortragsabend: am 12. Oktober 1910

Anwesend: Adler, Federn, Freud, Friedjung, Furtmüller, Hilferding, Hitschmann, Jekels, Nepallek, Rank, Reitler, Sadger, Steiner, Stekel, Tausk.

[114.] PROTOKOLL

Tagesordnung

I. Konstituierende Generalversammlung.
   Wahl der Funktionäre.
II. Abstimmung über die Aufnahmswerber.
III. Berichte der Funktionäre.
IV. Anträge und Interpellationen.
V. Diskussion: Zur Psychologie des einzigen
   und des Lieblingskindes.

I. findet die konstituierende Generalversammlung statt, deren Protokoll dem Archiv einverleibt ist.[1]

Auf Vorschlag FRIEDJUNGs wird der bisherige Ausschuß per Akklamation gewählt.

II. Die sieben angemeldeten Aufnahmswerber werden mit Einstimmigkeit in den Verein aufgenommen.

---

[1] Dieses Schriftstück ist nicht Teil des Originalmanuskripts. Kopien davon hängen jetzt in den Räumen der Wiener Psychoanalytischen Vereinigung. Wir geben Faksimiles des Protokolls wie auch des Antrags auf die amtliche Bescheinigung über den Bestand des Vereins auf den nachfolgenden Seiten 12–15 wieder.

III. Der BIBLIOTHEKAR berichtet, daß Herr Prof. Freud der Vereinsbibliothek die bisher erschienenen Bände der *Anthropophytheia*[2] sowie zwei Werke von Ellis[3] gespendet habe.

STEINER erstattet den Kassabericht und bittet angesichts des dem Verein voraussichtlich bevorstehenden Mankos um die Erlaubnis, den neueintretenden Mitgliedern die Subskriptionsliste vorlegen zu dürfen.[4]

Revisor FEDERN hat den Kassabestand in bester Ordnung befunden.

ADLER bittet vorläufig von weiteren Subskriptionen abzusehen, da sich der Ausschuß mit dieser Angelegenheit befassen werde.

IV. STEKEL stellt und begründet den Antrag, es seien von der Vereinigung aus Kurse zum Lehren der Psychoanalyse zu veranstalten, an denen alle Herren, die praktische Erfahrungen haben, sich beteiligen können.

ADLER weist auf die Wichtigkeit dieses Antrags hin und stellt zunächst nur die Frage zur Diskussion, ob der Verein als solcher derartige Kurse überhaupt ins Leben rufen soll.

Prof. FREUD meint, der Verein selbst eigne sich wegen der Ungleichartigkeit seiner Zusammensetzung nicht zum Lehrkörper, wohl aber einzelne Persönlichkeiten, die sich ja eventuell durch Hinzuziehung anderer Kollegen verstärken könnten.

SADGER meint, man könne solche Kurse nicht, wie Stekel vorschlug, mit verteilten Rollen lesen. Jeder erfahrene Analytiker, deren es ja nicht allzuviele gebe, solle einen eigenen Kurs lesen und im *Zentralblatt* ankündigen.

---

[2] *Anthropophyteia. Jahrbücher für folkloristische Erhebungen und Forschungen zur Entwicklunggeschichte der geschlechtlichen Moral.* Vgl. dazu auch die Anm. 8 des 46. Protokolls in Bd. 1 der vorliegenden Veröffentlichung.
[3] Havelock Ellis, 1859–1939, englischer Sexualforscher. Die *Studies in the Psychology of Sex* (1897–1928) gehören zu seinen Hauptwerken. Vgl. auch die Anm. 2 des 2. Protokolls in Bd. 1 der vorliegenden Veröffentlichung.
[4] Zwei lose Blätter ohne Datum, überschrieben ›Subskription‹ bzw. ›Zur Geschäftsordnung‹, lagen dem *Original* bei, gehören aber wahrscheinlich zu früheren Protokollen. Die vier Punkte ›Zur Geschäftsordnung‹ waren vermutlich zur Zeit des 103. Protokolls niedergelegt worden, wie man aus einem Vergleich mit den folgenden Stellen in Bd. 2 der vorliegenden Veröffentlichung schließen kann: 1.) S. 439, Abs. 10 (»Punkt X . . .«); 2.) S. 433, Abs. 4 bis 6; 3.) S. 438, letzter Abs., bis S. 439, Abs. 1 und 2; 4.) S. 440, Abs. 8 (»In der Abstimmung . . .«). Die Liste ›Subskription‹ könnte aufgrund des im 104. Protokoll erwähnten Antrags von Steiner »auf Einleitung einer Subskription« angelegt worden sein. Das Geld sollte helfen, die Kosten für ein neues Vereinslokal aufzubringen. Vgl. dazu die Diskussion über Punkt 1 der Tagesordnung auf S. 445 in Bd. 2. – Beide Schriftstücke sind hier als Faksimiles wiedergegeben; s. S. 20 bzw. 21.

P R O T O K O L L
==

vom 12. Oktober 1910.

Über die Sitzung Xder constituierenden Versammlung der
" Wiener psychoanalytischen Vereinigung " in Wien I.Roten.
turmstrasse 19(Saal des medizinischen Doktorencollegiums.)
Um 9 Uhr abends eröffnet der Proponent, der Wiener psychoanalytischen Vereinigung und Einberufer der Versammlung,
Herr Dr Alfred Adler, praktischer Arzt in Wien die Versammlung und legt ein Exemplar der Statuten der Wiener psychoanalytischen Vereinigung vor,nach deren Inhalt laut Erlasses
der k.k.n.ö.Statthalterei vom 29.September 1910 Zl.V.4057/10
die Bildung der Wiener psychoanalytischen Vereinigung inWien
nicht untersagt wird, und schliegt folgende Tagesordnungvor:
a) Constituierung der Wiener psychoa nalytischen Vereinigung
b.)Wahl des Vereinsvorstandes;
c.)Wahl des Revisors;
d.)Festsetzung des Mitgliedsbeitrages;
e.) Wahl des wissenschaftlichen Präsidenten.

Die Versammlung beschliesst hierauf auf Grund und in
Gemässheit der vorgelegten und genehmigten Statuten die Constituierung der Wiener psychoanalytischen Vereinigung mit
dem Sitz in Wien(I.Rotenthurmstrasse 19).

Die vorgenommene Wahl des Vereinsvorstandes ergab
folgendes Resultat :

Mit Stimmeneinhelligkeit wurde zum Obmann Herr Dr
Alfred Adler,praktischer Arzt in Wien II.Czerningasse 7
gewählt.Dieser erklärt, die Wahl anzunehmen und übernimmt
den Vorsitz der Versammlung.

Auch die Wahl der übrigen Funktionäre erfolgt mit
Stimmeneinhelligkeit und zwar:
Obmann-Stellvertreter : Herr Dr Wilhelm Steckel, praktischer
Arzt in Wien I.Gonzagagasse 21,
Bibliothekar: Herr Dr Eduard Hitschmann, praktischer Arzt
in Wien, I.Gonzagagasse 16,
K a s s i e r : Herr Dr Max Steiner, praktischer Arzt in
Wien I.Rotnthurmstrasse 19,
Schriftführer : Herr Otto Rank,Schriftsteller in Wien IX.
Simondenkgasse 8.

Zum Revisor wurde einstimmig Herr Dr Paul Federn,prakti-
scher Arzt in Wien I.Riemergasse 1 berufen.

Sämmtliche Funtionäre nehmen die Wahl an.

Hierauf beschliesst die Versammlung über Antrag des gewählten Kassiers Herrn Dr Steiner den jährlichen Mitgliedsbeitrag mit 50 + 10 K zusammen 60 K festzusetzen.

Gleichzeitig wird dem Vorstand die Ermächtigung er-
teilt,einzelnen Mitgliedern über spezielles Ansuchen eine
Ermässigung des Jahresmitglieds-Beitrages ~~XXXXXXXXXX~~ zu
gewähren.

Ueber Antrag des Obmannes Dr Adler wird zum wissenschaftlichen Vorsitzenden ~~~~ Acclamation Herr Prof.Dr Sieg-
mung Freud,Wien IX.Berggasse 19 gewählt, der sich zur
Uebernahme dieses Amtes bereit erklärt.

Nach Besprechung einzelner interessanter Fälle durch
die Anwesenden schliesst der Obmann, Herr Dr Adler, um
12 Uhr nachts die Versammlung.

Otto Rank
Schriftführer

Dr Alf Adler
obmann.

Wien, 12 Oktober 19..

13

Z. V- 4057/10

An die k.k.

n.ö. S t a t t h a l t e r e i

W i e n !
- - - - - - - - - - - -

Wiener psychoanalytische Vereinigung
in Wien, vertreten durch den Obmann
Dr Alfred Adler, Arzt in Wien II-
Czerningasse 7

um Bescheinigung des Vereinsbe-
standes.

einfach 2 Beilagen

14

.\1
.\2

Unter Vorlage eines korrekturenfreien Statu-
tenexemplares ./1 und des Sitzungsprotokolles der
constituierenden Versammlung ./2 stellen wir unter
Bezugnahme auf die hä.Entscheidung vom 29.September
1910 Zl. V -4057/10 die

B i t t e :
----

uns den Bestand unseres Vereines zu bescheini-
gen und diese Bescheinigung sowie das mit der
Bescheinigungsklausel versehene Statutenexem-
plar uns zu Handen unseres Obmannes zuzustel-
len.

Wien am 13.Oktober 1910

...VII PSYCHOANALYTISCHE VEREINIGT.

Otto Rank,
Schriftführer

Dr Alfred Adler.
Obmann.

K.K.N.Ö.STATTHALTEREI 5
1 3 OCT. 1910 eingel.

V 4057 | Beil: 2
| Stemp:

4057 -10

15

FEDERN wünschte eine Autorisation der Kursveranstalter durch den Verein, FREUD denkt sich die Kurse überhaupt vom Verein veranstaltet, welchem Modus sich auch ADLER anschließt und verkündet, daß der Ausschuß nächstens darüber berichten werde.

Zur Psychologie des einzigen und
des Lieblingskindes

[V.] Nach einem kurzen Resümee, das die beiden Referenten [des Vortragsabends vom 5. Oktober] über ihre Ausführungen geben, ergreift das Wort in der

Diskussion

Dr. HITSCHMANN, der die beiden Referate als höchst different bezeichnet. Sadger habe in anklagendem Ton über die Liebesbeziehungen zwischen Eltern und Kindern gesprochen und sei dann zu deutlich fixierten Schlüssen gekommen, denen man jedoch nicht bedingungslos zustimmen könne. Im Gegensatz dazu habe Friedjung ein rein statistisch-medizinisches Material gebracht und die psychologischen Momente gänzlich weggelassen, während er die körperlichen stark hervorgehoben habe. In diesem Sinne sei gewiß gegen seine Absicht, den Vortrag in der Gesellschaft der Ärzte zu halten, nichts einzuwenden.

Man könne das Thema auch so stellen: Woher kommt die neurotische oder sonstige schlechtere Veranlagung bei einzigen Kindern? Sehr häufig hat die Einkinderehe der Eltern organische Ursachen (Sexuelle Abnormität, Lues etc.), oder es ist die Ehe unglücklich, was gewiß den Keim zur Neurose des Kindes in sich trägt. Es sind oft Eltern, die der Sterilität ziemlich nahe stehen, oder neurotische Menschen mit gewissen Insuffizienzen der Erziehungskräfte. Das Hauptschicksal der einzigen Kinder sei jedoch, daß sie nicht in gemischt geschlechtlicher, gleichaltriger Sphäre aufwachsen, also ohne Geschwister. Damit im Zusammenhang bildet sich ein lebhaftes Ichgefühl, großer Egoismus, Trotz, kurz, die von Adler betonten Charaktereigenschaften aus. Nach Freud müßte auch der Forschertrieb bei diesen Kindern geringer sein. Neben dem Mangel an Geschwistern ist für diese Kinder verderblich, daß sie zuviel Eltern haben. Sie müssen auch mehr und relativ länger Kind sein. Anderseits gibt es Fälle, wo eine Mutter in ihrem Sohne schon vorzeitig den Mann sehen will und ihn danach behandelt. Interessant wäre es auch zu sehen, wie solche einzige Kinder später als Erwachsene werden. Ein Sprichwort sagt:»Die einzige Tochter sollst du frei'n, den einzigen Sohn sollst du scheu'n.« Über die Therapie gegen diese Schäden wurde nichts vorgebracht. Es wäre zu warnen gegen die Überzärtlichkeit, zu empfehlen die Heranziehung eines Gespielen oder Erziehung des Kindes in der Fremde. Redner schließt mit Verlesung eines Gedichtes von Mörike [5], wonach man glauben könnte, er sei ein einziges Kind gewesen; tatsächlich hatte er eine Schwester, die er zärtlich liebte.

REITLER meint, die beiden Referate erfordern eine gesonderte Besprechung. Friedjungs Tatsachen habe er nichts hinzuzufügen, schließe sich jedoch den Bedenken Freuds bezüglich der Wiederholung des Vortrags in der Gesellschaft der Ärzte an.

Sadgers Ausführungen haben nichts Neues gebracht; was er als psychologische Momente hervorgehoben habe, treffe auch für alle anderen Neurotiker zu. Dagegen dürften diese Kinder zu dem von Freud geschilderten Rettertypus [6] besonders neigen.

Neben den von Hitschmann hervorgehobenen Gründen der Einkinderehe seien hauptsächlich die sozialen Momente hervorzuheben. Aber die zur Kinderverhütung angewendeten Maßregeln führen meist zur Neurose der Eltern, welche wieder die Kinder ungünstig beeinflussen. In seiner eigenen Praxis habe er noch keinen Fall eines einzigen Kindes [gehabt]. Jedoch sei der Unterschied zwischen einzigen und erstgeborenen Kindern kein besonderer in bezug auf die schädlichen Einflüsse, wie die Krankengeschichte eines von seinem Vater ständig beobachteten Jungen zeige, der erst in seinem 4. Jahre ein Schwesterchen bekam.

FEDERN kann sich in der Diskussion nur an Allgemeines halten. Er findet es selbstverständlich, daß dieselben psychosexuellen Grund-

---

[5] Eduard Mörike, 1804–1875, der deutsche Dichter. Das erwähnte Gedicht wurde im *Zentralblatt* (Bd. 1, 1911, S. 133) wie folgt abgedruckt:

Selbstgeständnis
Ich bin meiner Mutter einzig' Kind,
Und weil die andern ausblieben sind,
Was weiß ich, wieviel, die sechs oder sieben,
Ist eben alles an mir hängen blieben;
Ich hab' müssen die Liebe, die Treue, die Güte
Für ein ganz halb Dutzend allein aufessen.
Ich will's mein Lebtag nicht vergessen.
Es hätte mir aber noch wohl mögen frommen,
Hätt' ich nur auch Schläg' für sechse bekommen.

[6] ›Über einen besonderen Typus der Objektwahl beim Manne‹ (1910); *G. W.*, Bd. 8, S. 70–77; *Studienausgabe*, Bd. 5, S. 189–95.

17

lagen, die wir auch sonst in der Neurose zu finden gewohnt sind, beim einzigen Kinde ebenfalls aufzuzeigen sind. Es handelte sich nur darum, ob bei einzigen Kindern die Neurosen andere Formen annehmen, da sie Liebe nur von Erwachsenen und nicht von Gleichaltrigen empfangen. Daß die Einzigkeit spezifische Ursache bestimmter Schädigungen wäre, ist aus Sadgers Ausführungen nicht erwiesen. Er selbst habe unter zwölf Fällen von Impotenz kein »einziges Kind« behandelt. Ebenso kenne er fünf Fälle von Dementia praecox, die alle Geschwister haben.

Friedjungs Referat erscheine mit Rücksicht darauf, daß es fast gar nichts Psychoanalytisches bringe, zum Vortrag in der Gesellschaft der Ärzte sehr wohl geeignet. Interessant wäre es zu untersuchen, warum die zwölf »einzigen Kinder« normal geworden sind. Als Ergänzung der Statistik wäre die Zahl der neurotischen Eltern wünschenswert, ebenso wie die Durchschnittsziffer der Erkrankungen in kinderreichen Familien. Distrophische Kinder trinken meist vom ersten Tag an schlecht.

Wenn die einzigen Kinder eine besondere Disposition zur Neurose haben, so erhält sie sich zumindest nicht, da er keinen Neurotiker kenne, der ein einziges Kind sei. Die Einzigkeit habe auch ihre Vorteile, und die psychische Isoliertheit, der Mangel an Liebe, über den der Neurotiker klagt, trifft für das einzige Kind nicht zu. Von besonderer Schädlichkeit ist nur, daß die Einkinder nicht nur der übermäßigen Zärtlichkeit, sondern auch einer gesteigerten Sexualverdrängung von seiten der Eltern unterliegen.

FURTMÜLLER bezweifelt auch, daß die Beschränkung auf ein einziges Kind vornehmlich auf gewisse psychologische Verhältnisse bei der Mutter zurückzuführen sei, und möchte doch die wirtschaftlichen Verhältnisse als die maßgebenden bezeichnen, zu denen nur in gewissen Fällen die psychologischen hinzukommen. Die Frage des einzigen Kindes lasse sich nur einreihen in einen großen sozialen Zusammenhang: in die Krise, in der sich die Familie heute befindet.

Bei mehreren Kindern profitieren sowohl die später geborenen dadurch, daß die Eltern bei jedem Kind ein Stück Erziehung zulernen. Aber auch den älteren wird die Ablösung leichter gemacht, wenn die Eltern noch jemand haben, der unter ihrer Autorität bleibt. Beim einzigen Kind wird auch das mitspielen, was Adler als dialektisches Verhältnis geschildert hat. In diesen Kindern wird einerseits ein gesteigertes Selbstgefühl genährt, anderseits werden sie von der erwachsenen Umgebung an ihre nicht gänzliche Vollwertigkeit stets gemahnt, ein

Widerspruch, der sicherlich auch zur Entwicklung einer neurotischen Disposition beiträgt.

Den Schäden in der Erziehung des einzigen Kindes kann nur abgeholfen werden, wenn man in der Auflösung der Familie fortfährt und den Schwerpunkt der Erziehung außer Hause verlegt, wobei besonders der Koedukation eine bedeutsame Rolle zufallen wird.

Prof. FREUD möchte Sadger gegen verschiedene Vorwürfe in Schutz nehmen, ihm jedoch nahelegen, gegen solche Liebesverhältnisse mit gleichsam gehemmtem Sexualziel toleranter zu sein, als gegen solche, wo das Sexualziel erhalten ist. Im übrigen habe Sadger gar nicht die Absicht gehabt, etwas Neues zu sagen; er wollte nur von einem gewissen Standpunkt aus ein psychoanalytisches Zustandsbild liefern, das treffend gelungen sei.

Mit Recht sei von der Unersättlichkeit dieser Kinder gesprochen worden. Dieser Charakterzug sei jedoch einer weiteren psychoanalytischen Auflösung fähig. Wenn man ein Kind erotisch reizt, so macht man es unersättlich dadurch, daß man in ihm die Erwartung von gewissen Befriedigungen anregt, die es [sich] nicht vorstellen kann. Natürlich genügt ihm dann kein Ersatz des eigentlich Geahnten. Das uns vertrauteste Beispiel dieser Art ist der Fragedrang der Kinder.

Die Figur des Vaters, der seine Tochter nicht hergeben will, scheint so selten nicht zu sein, da sie ja auch eine mythologische Verwertung gefunden hat.

Das Weittragendste in Sadgers Ausführungen, die Behauptung, daß einige Kinder besonders zur psychischen Impotenz, Dementia praecox und Homosexualität prädisponiert seien, läßt sich für zwei dieser Zustände tatsächlich theoretisch rechtfertigen. Das Verweilen auf der Übergangsstufe des Narzißmus disponiert entschieden zur Homosexualität und zur Demenz (Bleulers »Autismus«), es kann uns jedoch bei der Komplexheit der neurotischen Zustände nicht wundern, daß diese bei einzigen Kindern besonders ausgeprägte Selbstliebe in der komplizierten ätiologischen Formel nicht immer voll zum Ausdruck gelangt. Theoretisch ist die Behauptung Sadgers nicht von der Hand zu weisen, auch wenn ihm die Tatsachen zunächst nicht Recht geben sollten. (Die gesteigerte Selbstliebe gibt auch die Erklärung für den Größenwahn, der nichts ist als die Sexualüberschätzung des Ich.)[7]

Friedjungs Referat zeige sehr hübsch, wie man sich dem Gegenstand von einer ganz anderen Seite nähern könne; Referent hätte nur

---

[7] Diese Gedanken werden später alle zur vollen Reife gelangen.

Zur Geschäftsordnung.

1) Über Neuanschaffungen für die Bibliothek (Bücher, Zeitschriften) entscheidet nach eventl. Beratung mit dem Vorstand resp. Plenum (Zeitschriften einmal im Jahr) der Bibliothekar.

2) Neuaufnahmen sind beim Vorstand anzumelden, der an alle Mitglieder mündlich od. schriftlich die Aufforderung richtet etwaige sachliche und begründete Einwendungen gegen den Aufnahmevorschlag dem Vorstand bekannt zu geben, der auf Grund dieser Information den Kandidaten dem Plenum zur Abstimmung vorschlägt oder nicht. —

3) Im Vorsitz alternieren regelmäßig: das vieruntletzte Vorstandes, der Obmann und dessen Stellvertreter. Außerdem steht es dem Vorstande frei für einen bestimmten Vortragsabend jeweils ein Vereinsmitglied zu ernennen. — Die Art und Form der Diskussionsführung ist dem Vorsitzenden anheimgestellt.

4) Neuaufzunehmende Mitglieder dürfen vor ihrer definitiven Aufnahme nicht als Gäste beigezogen werden. Doch kann der Vorstand die Haltung eines Probevortrags verlangen.

Subskription.

D. Adler	K	20.—
„ Brecher	„	20.—
„ Federn	„	30.—
„ Ferenczi	„	50.—
Prof. Freud		50.—
D. Friedjung		20.—
Herr Heller		20.—
Dr. Hitschmann		30.—
„ Frh. v. Hye		50.—
„ Jekels		30.—
„ Rpalleck		30.—
„ Oppenheim		20.—
„ Reitler		20.—
„ Rie		50.—
„ Sadger		20.—
„ Steiner		50.—
„ Stekel		30.—
„ Urbantschitsch		200.—
„ Witels		20

in dieser Annäherung weitergehen sollen. An einer Stelle könnte man versuchen, dies nachzutragen, und zwar bei den Appetitstörungen. Bei diesen zeigt sich eine entschiedene Verringerung des Nahrungstriebes bei gleichzeitiger Steigerung des Sexualtriebs. Es käme hierbei das Erhaltungsprinzip zur Anwendung, wonach ein Organ, das neben seiner Allgemeinfunktion eine erogene Funktion habe (in diesem Falle die Schleimhäute des Mundtraktes), nach der einen Richtung zu versagen beginne, sobald es nach der andern zu sehr in Anspruch genommen werde.

Mit der Koedukation habe man in Amerika nach dem Urteil Halls [8] schlechte Erfahrungen gemacht, da die den Knaben in der Entwicklung voraneilenden Mädchen sich in allem überlegen fühlen und den Respekt vor dem männlichen Geschlecht verlieren. Dazu kommt noch, daß in Amerika das Vaterideal herabgedrückt erscheint, so daß das amerikanische Mädchen es zu der für die Heirat notwendigen Illusion nicht bringt. Das Hauptmittel aber, wodurch die Amerikaner bei ihrer kolossalen Sexualverdrängung doch dem allgemeinen Verfall in Neurose entgehen, liegt in ihrem Erziehungssystem, das darauf beruht, den Einfluß der Familie möglichst herabzudrücken und so den Kernkomplex frühzeitig zu entwerten. [9]

STEKEL kann das Lob Sadgers nicht unterschreiben und möchte sich eher der Ansicht Federns anschließen: daß er uns doch wieder nur das Bekannte zeigte, von der besonderen Psychologie des einzigen Kindes uns nichts sehen ließ und daß auch seine Schlußfolgerungen nicht haltbar seien angesichts so vieler widersprechender Tatsachen auch aus seiner eigenen Erfahrung.

Zum Charakter des einzigen Kindes wäre viel zu sagen. Das Grundmotiv sei eine Art psychischen Anarchismus in jeder Beziehung. Es habe ungeheure Größenideen, wolle alles für sich haben, sei frühreif fürs ganze Leben (will immer ältere Freunde etc.). Anderseits sind auch Kleinheitsideen (Adler) vorhanden. Es zeige häufig Ängstlichkeit als auch deren Kompensation in Frechheit. Es charakterisiert sie das hartnäckige Festhalten des psychischen Infantilismus. Die Schulung durch die Geschwister hat ihnen gefehlt. – Das Thema des Lieblingskindes wäre einer gesonderten Behandlung wert.

TAUSK konnte wirklich Neues aus dem Referat nicht erfahren.

---

[8] G. Stanley Hall, 1844–1924. Vgl. die Anm. 5 des 79. Protokolls in Bd. 2 der vorliegenden Veröffentlichung.
[9] Diese Bemerkungen Freuds zeigen deutlich die Mischung von zeitbedingten Vorurteilen und zeitloser psychologischer Einsicht.

Das einzige und das Lieblingskind lassen sich nicht trennen. Interessant ist, daß unter den großen Männern der Geschichte sich gar keine einzigen Kinder befinden. – Sadgers Hinweis, daß für einzige Söhne Damen von Welt keinen Reiz haben, sondern meist nur Dirnen, sei vielleicht daraus verständlich, daß diese Söhne in besseren Familien fast immer mit den als minderwertig angesehenen Dienstmädchen ihre ersten Sexualerfahrungen und Erfolge haben, was eine Degradation des ganzen Sexualverkehrs zur Folge habe.

Aus eigener Erfahrung kenne er vier einzige Kinder und Schicksale von Lieblingskindern, bei denen all die Probleme schärfer hervortreten. Sie sind sämtlich Exhibitionisten mit homosexuellen und Inzestneigungen. Die bevorzugten Kinder spielen eine besondere Rolle unter den späteren Neurotikern und geben ein Identifikationsvorbild für ihre Geschwister ab, das oft zur völligen Entpersönlichung derselben führt.

HILFERDING geben gewisse Annahmen Sadgers Gelegenheit zu mancherlei Einwendungen. So z. B., daß die einzigen Kinder eine[n] von Haus aus gesteigerte[n] Geschlechtstrieb besitzen. Ebensowenig läßt sich bestätigen, daß sich die Frigidität der Frauen häufiger bei einzigen Töchtern finde. Auch sei es eine Einseitigkeit, daß Sadger lediglich vom Verhältnis zwischen Eltern und Kindern ausgegangen sei und die Existenz der Geschwister nicht berührt habe. Die Appetitlosigkeit und die Verdauungsstörungen erklären sich vielleicht daraus, daß das einzige Kind in Ermangelung von Gespielen weniger Bewegung macht. Als Grund der Sterilität sei wohl häufiger als alle anderen Krankheiten die Gonorrhö anzusehen. Daß unter den großen Männern der Geschichte sich wenig einzige Kinder finden, komme wohl daher, weil das einzige Kind ein Produkt unserer gegenwärtigen Gesellschaftsordnung sei.[10]

SADGER betont in seinem Schlußwort, daß seine Ausführungen nicht als besonderer Vortrag, sondern lediglich als Anregung und

---

[10] Es ist fesselnd zu beobachten, wie diese Menschen sich um ein Verstehen des Kindes bemühen. Viele ihrer Ideen haben nach wie vor Gültigkeit. Was wir heute aus Erwachsenen- und Kinderanalysen als wahr erkannt haben, nämlich daß eine Neurose der Eltern die Entwicklung des Kindes beeinflußt, konnte damals bloß vermutet werden. Kinderneurosen sind nur scheinbar von Eltern oder Großeltern übernommen; in Wahrheit sind sie vielmehr Reaktionen auf elterliche Neurosen oder überhaupt deren Fortsetzung.
Wie zeitgemäß diese Diskussion noch immer ist, zeigt ein ›Editorial‹ von Arn. van Krevelen, dem bekannten holländischen Kinderpsychiater, über ›Aktuelle Einzelkinder‹ in *Acta Paedopsychiatrica; The International Journal of Child Psychiatry*, Bd. 42, 1977, S. 196.

Einleitung in die Diskussion zu würdigen gewesen wären. Es stecke mehr Einzelerfahrung dahinter, als in dem knappen Referat zum Ausdruck kommen konnte. Er begnügt sich wegen der vorgerückten Stunde mit der Berichtigung einiger kleiner Mißverständnisse.

FRIEDJUNG bemerkt, daß die meisten Redner aus wenig eigener Erfahrung an einzigen Kindern gesprochen haben, so daß sein Material immerhin eine notwendige Ergänzung gewesen sei, wenn er auch die theoretische Erklärung noch nicht zu liefern vermochte.

Als Folie zu seinem Berichte habe er auf Anregung Federns eine Statistik von Kindern aus kinderreicher Familie hinzugefügt. Von 103 Kindern aus 44 Familien waren 71 gesund, also ein bedeutend höherer Prozentsatz, und von den Nichtnormalen waren die allermeisten erste und letzte Kinder. Übrigens gebe es manche Familien mit zwei »einzigen« Kindern (wo ein Knabe und ein Mädchen vorhanden ist). Einzige Kinder, die nicht neurotisch wurden, verdankten das nur der verständigen Erziehung, die ein Übermaß von Zärtlichkeit vermied.

Redner bittet schließlich mit Berufung darauf, daß er vor allem Kinderarzt sei und glaube, der pädiatrischen Literatur diese notwendige Bereicherung nicht vorenthalten zu dürfen, darum, den Vortrag in der Gesellschaft der Ärzte in einer Form halten zu dürfen, welche die psychoanalytische Forschung in kein Gedränge bringen werde.

Prof. FREUD macht den Redner darauf aufmerksam, daß es sich keineswegs darum handle, die verdienstvollen Befunde der Publikation zu entziehen, sondern lediglich um die Abhaltung des Vortrags in der Gesellschaft der Ärzte, die gerade im gegenwärtigen Zeitpunkt entschieden abzuraten sei. [11]

Nach längerer Diskussion, in der verschiedenes pro und kontra vorgebracht wird, schließt der Vorsitzende (ADLER) die Versammlung mit dem Bemerken, daß die Angelegenheit des Vortrags in der Gesellschaft der Ärzte eine rein persönliche des Herrn Referenten sei.

---

[11] Nach dem gegenwärtigen Stand der Freud-Forschung konnten wir nicht feststellen, ob eine spezifische Situation in Wien Freud veranlaßte, so vorsichtig zu sein. Wahrscheinlich waren es allgemeine Überlegungen. 1910 war ja das Jahr, in dem die Psychoanalytiker sich offiziell als internationale und nationale Bewegung organisiert hatten.

115

Vortragsabend: am 19. Oktober 1910

Anwesend: Freud[1], Adler, Federn, Friedjung, Furtmüller, Hilferding, Hitschmann, Jekels, Oppenheim, Rank, Reitler, Sadger, Steiner, Stekel, Tausk, Holzknecht, Grüner, Klemperer, Rechnitzer, Sachs, Silberer, Wagner.
Frischauf [als Gast].

[115.] PROTOKOLL

[Geschäftliches]

Der OBMANN begrüßt die neuerschienenen Mitglieder und kündigt die Neuanmeldung der Herren Alfred Freiherr von Winterstein und Franz Grüner an.

Er erstattet ferner Bericht über den Beschluß des Ausschusses, mit den vom Verein veranstalteten Lehrkursen schon in diesem Semester zu beginnen. Von Mitte Dezember ab werde jeder der angemeldeten Herren monatlich einen Kurs lesen. Die näheren Details sowie die Ankündigung wird in unseren Blättern erfolgen.

Ein kleiner Beitrag zur hysterischen Lüge[2]
Vortrag[ender:] Dr. Adler

Der Vortragende zeigt an einem Falle, daß sich hinter jeder im Verlaufe einer Kur auftauchenden Lüge die Absicht verberge, den Arzt

---

[1] Im Original steht der Name Freuds noch einmal nach dem von Federn.
[2] Der Vortrag erschien unter dem Titel ›Ein erlogener Traum. Beitrag zum Mechanismus der Lüge in der Neurose‹ im *Zentralblatt*, Bd. 1, 1911, S. 103–08.

zu demütigen und sich über ihn zu erheben. Die Lüge ist also eine Form der Aggressionseinstellung gegen den Arzt, und der Kampf des Patienten läßt sich regelmäßig in den Gegensatz von oben und unten auflösen. Den Patienten, der sich seines Minderheitsgefühles[3] bewußt ist, erfüllt der männliche Protest, und die Lüge ist ihm ein Mittel, sich über den Arzt zu erheben.

Es handelte sich um ein 20jähriges intelligentes Mädchen, die wegen Enuresis und Kotschmieren in Behandlung kam. Die Züge des männliches Protestes waren bei ihr vollkommen vorhanden und verrieten sich unter anderem auch in einem häufig wiederkehrenden Traum vom Geschlechtsverkehr mit einem Manne, der unter ihr liegt. Sie drückt in diesem für die männliche Einstellung typischen Traum im sexuellen Jargon aus, was ihr ganzes Leben bewegt: die Gier, oben zu sein. Ebenso erweist sich die Enuresis als Symbol der männlichen Tendenz, was sich aus ihrem in der Regel nach einer tief empfundenen Herabsetzung erfolgenden Auftreten sowie aus enuretischen Träumen ergab, in denen das Mädchen in hohem Strahle (also wie ein Mann) urinierte.

Aus ihrer Familiengeschichte ist hervorzuheben, daß ihr ganzes Leben bisher erfüllt war mit Kämpfen gegen die Mutter. Ihr Streben war, den älteren, bevorzugten Bruder bei der Mutter auszustechen und die Rolle des Vaters zu spielen; sexuelle Regungen des Mädchens zum Vater kamen nicht zum Vorschein.

Sie hatte schon frühzeitig eine Neigung zum »Anschmieren« (d. h. zu lügen) und bildete auch die Sexualphantasie, ein Mädchen mit einer Salbe anschmieren bedeute mit ihm Geschlechtsverkehr haben. Sie hat ein besonderes Vergnügen daran, junge Leute »anzuschmieren«, d. i. zum besten zu halten, und ihre männliche Einstellung bezieht sich auch auf das Anschmieren von Mädchen. Das gleiche versuchte sie nun ihrem Arzte gegenüber, indem sie von einem im Verlaufe der Kur gedeuteten Traum behauptete, es sei gar kein Traum gewesen, sie habe damit den Arzt nur anschmieren wollen. Die Aufklärung über diese vermittelst der Wortbrücke vom infantilen Kotschmieren übertragene Neigung ermöglichte die ungehinderte Fortsetzung der Kur, die gegenwärtig noch nicht abgeschlossen ist.

Schließlich weist der Vortragende noch auf die bei Verbrechern übliche Gewohnheit hin, die Gegenstände am Tatorte mit Kot zu beschmieren (Grumus merdae) oder, wie Wulffen[4] von den Griechen und Arabern berichtet, dort zu onanieren, was sich auf Grund des vorlie-

---

[3] Zu dieser Ausdrucksweise Ranks vgl. die editorische Anm. 5 des 86. Protokolls in Bd. 2 der vorliegenden Veröffentlichung, S. 279.
[4] Dr. Erich Wulffen, berühmter deutscher Kriminologe.

genden Falles als Ausdruck der Überlegenheit dem anderen gegenüber ([mit Hilfe der Wort-]Brücke »anschmieren«) erklären ließe.

Diskussion

STEKEL benützt die Gelegenheit zur Bemerkung, daß Adler mit dem gewiß wertvollen Begriff des männlichen Protestes Mißbrauch treibe. So stehe er z. B. selbst auf dem Standpunkt, daß jeder Traum bisexuell sei, müsse aber doch die Adlersche Behauptung bestreiten, daß jeder Traum den männlichen Protest zeige. Es gebe im Gegenteil eine Reihe von Träumen, in denen sich Männer weiblich benehmen und fühlen, die also gewissermaßen einen weiblichen Protest zeigen.

Die Mundgeburt, die in der Phantasie des Volkes eine große Rolle spiele, sei vielleicht nur eine Verlegung von unten (Aftergeburt) nach oben. – Der Grumus merdae scheine eher ein[en] Ersatz für das Geraubte darzustellen. – Auch sei es durchaus nicht richtig, daß die Onanie immer ein männlicher Protest sei; es gebe Onanisten mit der exquisiten Phantasie, ein Weib zu sein.

Es sei fraglich, ob die für diesen Fall gewiß zutreffende Aufklärung der Lüge auch für andere Fälle Geltung habe.

TAUSK hebt als Tendenz der Lügenhaftigkeit hervor, daß dem Neurotiker die Realität unerträglich sei und daß die Verwandlung der Realität in die Lüge dasselbe bedeute wie im Traume, nämlich eine Wunscherfüllung.

Der von Wulffen (nach Helbig)[5] zitierte Bericht über den Grumus merdae stamme von ihm. Die Albanesen haben die Gewohnheit, einen solchen »Leichenwächter« bei einem Ermordeten zurückzulassen. Adlers Erklärung treffe darauf nicht zu, weil dort das Wort »anschmieren« nicht bekannt sei. Es scheine sich vielmehr um ein Opfer für den Teufel zu handeln, damit er die Entdeckung des Verbrechens verhüte.

Aus der Analyse des Tagtraumes eines Mannes, der sich in die Rolle

---

[5] Erich Wulffen, *Der Sexualverbrecher*, Ein Handbuch für Juristen, Verwaltungsbeamte und Ärzte, Langenscheidt, Berlin 1910.

Dr. jur. Albert Hellwig (Berlin), 1880–1950, veröffentlichte mehrere Arbeiten über den Grumus merdae, u. a. ›Einiges über den Grumus merdae‹ und ›Weiteres über den Grumus merdae‹ in der *Monatsschrift für Kriminalpsychologie und Strafrechtsreform*, Bd. 2, 1905/06, S. 256 f. bzw. S. 638–43; ›Die Bedeutung des Grumus merdae für den Praktiker‹ im *Archiv für Kriminal-Anthropologie und Kriminalistik*, Bd. 23, 1906, S. 188–91; ›Der Sinn des Grumus merdae‹, im gleichen *Archiv*, Bd. 30, 1908, S. 379 f.

eines Detektivs hineinphantasierte, ergibt sich eine interessante Vermengung von Lüge und Tagtraum. Diese Detektivrolle erwies sich
einerseits als Sexualphantasie (aufdecken, erfassen, niederwerfen etc.),
anderseits hat sich der Mann damit in seine eigenen Dienste gestellt.
Er war nämlich ein alter Enuretiker, der stets eine Entdeckung fürchtete und seit seiner Kindheit deshalb beständig log.

Schließlich erwähnt Redner noch einen Artikel von Bezzola[6], der
davor warnt, die Hysterischen wegen ihrer Lügenhaftigkeit zu behandeln.

STEINER findet, daß sich Adler weniger mit der hysterischen
Lüge als mit deren Akzidentien befaßt habe und daß erst der Hinweis von Tausk gezeigt habe, wie der Hysteriker, in dem Bestreben,
die Welt zu negieren, auch zur Lüge komme. Zur Erfüllung der
Krankheitstendenz, sich an der Umgebung zu rächen, sei doch nichts
geeigneter als die Lüge. Im übrigen betrügen die Patientinnen einen
Arzt mit dem andern, als ob es Liebhaber wären.

HITSCHMANN findet auch, daß Adler nicht das Thema des Titels
gebracht habe. Daß der Psychoanalytiker so selten etwas von den allgemein behaupteten Lügen der Hysterischen sieht, komme wahrscheinlich daher, weil man früher das Unbewußte nicht beachtet hat. Die
Hysteriker produzieren ja reichliche Wunschphantasien (Attentate).
Es sei zweifelhaft, ob die eine vorgebrachte Lüge der Patientin als hysterische Lüge zu bezeichnen sei.

Adlers Betrachtungsweise sei von der unseren sehr verschieden; die
von ihm herangezogenen Charaktereigenschaften des Kindes stehen
nicht immer in einem so engen Zusammenhange mit der Neurose wie
die sexuellen Ursachen. Gewiß sind die Neurotiker oft verschroben,
aber diese Charaktereigenschaften sind nicht immer – wie Adler meint
– Ursachen der Neurosen, sondern entweder Folgen derselben oder
parallel laufende Erscheinungen. – So sei nicht klar geworden, ob der
Trotz die Bedingung oder die Folge des Kotschmierens war, ob die
Enuresis als Pollution anzusehen ist; ferner ob die Eltern das Kind
belogen haben, ob es enttäuschende Erfahrungen gemacht habe. – Der
lügenhafte Charakter sei einmal von Rank in einem Vortrage reicher
ausgeführt worden.[7]

---

[6] Dumeng Bezzola, 1868–1936, Schweizer Psychotherapeut. Vgl. Bd. 1 der vorliegenden Veröffentlichung, S. 150.
[7] S. Ranks Vortrag ›Zur Psychologie des Lügens‹, 75. Protokoll in Bd. 2 der vorliegenden Veröffentlichung.

Der Grumus merdae dürfte eher den Sinn der Verachtung oder Bosheit haben (vgl. den Wiener Ausdruck:»Ich scheiß ihm was.«).

SADGER möchte Stekels Ausführungen beipflichten. Im übrigen sei er von seinen Patienten sehr selten belogen worden. In der Analyse erweise sich die hysterische Lüge als Reaktion auf den Mangel an Liebe und Vertrauen. – Wie Prof. Freud einmal ausführte, beginnen die Kinder nicht spontan zu lügen, sondern erst wenn ihr Vertrauen zu den Eltern durch eine Lüge derselben (Storchmärchen) erschüttert wurde.[8] Die simpelste Form der Lüge, die Aufschneiderei, ist im wesentlichen eine Wuscherfüllung. Dichter erzählen übrigens häufig, daß sie ausgesprochene Lügner waren (Grillparzer, Goethe).

RANK möchte bezweifeln, daß jeder Traum die bisexuelle Empfindung (Stekel) oder gar den männlichen Protest (Adler) verraten müsse, trotzdem er selbst heute ein Beispiel berichten könne von einem Traum, der nicht nur die männliche Tendenz eines Mädchens deutlich verrate, sondern direkt wie eine Übersetzung der Adlerschen Theorien in die Traumsprache anmute. Es handle sich hierbei eben um einen erwiesenermaßen besonders krassen Fall von psychischem Hermaphroditismus, und es soll im übrigen gar nicht bestritten werden, daß es zweifellos auch Träume mit bisexueller Bedeutung gebe.

Schließlich möchte Redner noch darauf hinweisen, daß er seinerzeit in einem Vortrage die Entstehung des lügenhaften Charakters (und seines Gegensatzes, eines besonderen Wahrheitsfanatismus) aus Art und Grad der Masturbationsbetätigung und -verdrängung abzuleiten versuchte.

FEDERN möchte die Gelegenheit nicht mißbrauchen, um über die Stellung des Adlerschen Systems zur Freudschen Lehre zu sprechen. Die Lüge selbst habe häufig ihren Grund in der Feigheit oder Eitelkeit und sei häufiger als passive Einstellung anzusehen. Der Grumus merdae gehe wahrscheinlich zurück auf ein Durchbrechen aller unbeherrschten, antinomen Triebe beim Verbrecher.

STEKEL möchte nachtragen, daß Adlers Patientin ein Fall von Infantilismus sei; sie will wie als Kind von der Mutter gereinigt werden, und ihr Trotz verrate nur ihre ungeheure Liebe zur Mutter.

---

[8] Vgl. dazu Freuds Diskussionsbeitrag zum Vortrag von O. Rank über die Psychologie des Lügens, 75. Protokoll, Bd. 2 der vorliegenden Veröffentlichung, S. 182.

FRIEDJUNG berichtet von einem Dienstmädchen, das vor Verlassen des gekündigten Platzes in den Salon defäzierte, was den Grumus merdae vielleicht doch als Racheakt erscheinen lasse.

Daß die Tendenz, die Laster der Enuresis und Masturbation zu verbergen, zur Lüge führe, erwies sich an zwei Fällen von jungen Leuten, die Wahrheitsfanatiker wurden, weil sie Autoerotiker in dem Maße waren, daß sie für die Umgebung gar keine Liebe mehr zur Verfügung hatten.

FREUD anerkennt, daß Adler mit gewohnter Meisterschaft die pädagogische und soziale Einstellung des Falles aufgezeigt habe, daß aber anderseits seine Ausführungen wie gewöhnlich der psychoanalytischen Ergänzung bedürfen. Interessant sei ihm an diesem Falle von widerstandsmäßiger Einstellung gegen den Arzt gewesen, die seinerzeitige Aufstellung zu überprüfen, daß sich die Widerstände in der Kur (bei männlichen Patienten) auf den Vaterkomplex zurückführen ließen. Bei weiblichen Patienten müßte das Analoge in bezug auf die Mutter stattfinden, was sich in diesem Falle vollkommen zu bestätigen scheine.

Zur Diskussion der Adlerschen Ansichten im allgemeinen gebe dieser Fall keinen Anlaß; es handle sich um keine reine Hysterie, sondern um einen gemischten Fall von hysterischer Perversion mit verbildetem Charakter. Die hysterische Lüge ist in diesem Falle zweifellos zu kurz gekommen. Wertvoller wäre eine Untersuchung über die hysterische Lüge außerhalb der Kur.

Zur unbewußten Determination der Lüge gibt der Redner ein Beispiel eines Schulmädchens, das dem Lehrer gegenüber hartnäckig auf einer Unwahrheit bestand, und zwar, wie sich in der späteren Analyse ergab, auf Grund einer Identifizierung mit dem Vater, die sie eine bestimmte Rolle zu spielen nötigte.

Die Lügenhaftigkeit der Hysterischen erinnere an das alte Paradoxon von den Kretensern: Wenn eine Hysterika behauptet, sie habe gelogen, so kann gerade diese Behauptung eine Lüge sein.

Der Fall Bezzolas sei insoferne lehrreich und wohlverdient, als Bezzola das Sexuelle gänzlich aus der Behandlung ausschloß und dann die Patienten begreiflicherweise in ihrer Art ihm das Sexuelle entgegenbrachten, ein Fall, der gerade dem Psychoanalytiker nicht passieren kann.

Der Grumus merdae hänge unzweifelhaft in seinen Grundbedingungen mit mythologischen Motiven zusammen, biete jedoch nach dem psychoanalytischen Denkprinzip der Überdetermination auch für eine Reihe anderer Motive Raum.

Die Behauptung, jeder Traum müsse bisexuell sein, ist eine Überschätzung dieses Prinzips, und er selbst habe diese Forderung in ihrer Unbedingtheit bereits für das hysterische Symptom bestritten.

KLEMPERER möchte auf den Unterschied zwischen absolutem Lügen und dem Akt des jemand Belügens hinweisen. Beim Belügen jemandes spielt das Gefühl des Schwächerseins eine Rolle, das Lügen an sich habe aber ganz andere Motive.

SACHS bemerkt zum Grumus merdae, daß nach dem *Handbuch* von [Hans] Groß[9] die Zigeuner am Tatorte jedes Verbrechens Unkrautsamen zurücklassen, was vermutlich ein Symbol für die Masturbation sei. Was die Lüge betreffe, so möchte Redner auch zwei Typen unterscheiden: Lügen mit und ohne Täuschungsabsicht.

SILBERER bemerkt, daß über den Grumus merdae häufig noch ein Hut gestülpt werde, was als ein unfehlbares Mittel gegen die Entdeckung des Verbrechens gelte. Redner möchte hierin entschieden Freud recht geben, daß dieser Brauch mit dem Zauberglauben zusammenhänge, und auch der Unkrautsamen der Zigeuner wäre eher mit den Zauberpflanzen in Zusammenhang zu bringen.

OPPENHEIM verweist auf die Verwendung des Begriffes »anschmieren« als Sexualsymbol: in einem erotischen Lexikon der *Anthropophytheia* sei eine Reihe von Worten mit Doppelsinn angeführt, die sowohl den sexuellen Akt als auch betrügen bezeichnen (anschmieren). Aus diesem Doppelsinn würde sich erklären, daß phallische Gottheiten, wie z. B. Hermes, zugleich diebische Gottheiten sind; es scheint die Ausübung des Geschlechtsaktes zugleich als ein Drankriegen aufgefaßt. Die große Bedeutung der Entblößung im Zauber läßt vermuten, daß auch der Verbrecheraberglaube eine Schutzwehr gegen dämonischen Einfluß darstellt.

TAUSK fügt hinzu, daß das Wort »koitieren« im Kroatischen zugleich »betrügen« heiße. Die betrügerische Gottheit sei diejenige, die einem Mädel ein Kind mache und es dann sitzen lasse.

---

[9] Hans Groß, 1847–1915, österreichischer Kriminologe, war der Begründer der wissenschaftlichen Kriminalistik; sein Sohn Otto, 1877–1919, war einer der ersten Anhänger Freuds. Das hier erwähnte *Handbuch für Untersuchungsrichter als System der Kriminalistik* erschien zuerst 1893 in Graz, eine 8./9. Aufl. wurde 1954 publiziert. Die erwähnte Abhandlung über den Grumus merdae befindet sich in der 4. Aufl. (bei J. Schweitzer, München 1904) im Bd. 1, S. 427.

GRÜNER meint, der von Adler aufgedeckte Zusammenhang sei schon durch die Existenz des Wortes »anschmieren« erwiesen. Es handle sich nur um die Feststellung, wieso die Stuhlfunktion zu dieser Bedeutung kommen konnte? Vielleicht weil das Kind schon angeschmiert sei, dem man sage, daß der Stuhl die Kinder seien. – Bei der hysterischen Lüge handle es sich immer um ein Verdecken der sexuellen Tatsachen.

FRISCHAUF weist darauf hin, daß »schmieren« im Wiener Dialekt auch »schmeicheln« heißt.

REITLER möchte auch verschiedene Formen der Lüge unterscheiden und besonders auf eine Form der pathologischen Lüge aufmerksam machen, wo die Lüge zum Selbstzweck geworden zu sein scheint. Er möchte diese Form in Parallele stellen mit der Fragelust der Kinder und der Kleptomanie (Stekel). Wenn Kinder ohne sichtbaren Grund lügen, so ist anzunehmen, daß sie die Wahrheit in bezug auf ihre sexuellen Laster verbergen wollen.

ADLER möchte in seinem Schlußwort zunächst den Einwand beseitigen, daß der Inhalt seines Vortrages dem Titel nicht entsprochen habe; er wollte ja nur einen kleinen Beitrag geben. Die geltend gemachten verschiedenen Formen der Lüge (insbesondere auch Freuds Beispiel) widersprechen in keinem Punkte seinem Mechanismus. Auch bei der pathologischen Lügenhaftigkeit handle es sich um dasselbe Prinzip (Falstaff).

Federns scheinbar überzeugender Einwand, daß die Lüge eine weibliche Art der Einstellung ist, wie auch das Volksbewußtsein meint, und Stekels »weiblicher Protest« seien nur Stücke aus der Dynamik des Ganzen. Man finde die Lüge eben auch bei sich weiblich dünkenden Knaben, die eine männliche Rolle spielen wollen.

Als das Wichtigste hätte er zeigen wollen, daß der Hysteriker sowie auch der Normale nur für sein Bewußtsein lügt, daß er aber aus dem Unbewußten heraus nicht lügen kann. Es ist also Lüge, soweit wir Bewußtseinsforschung treiben, es ist aber Wahrheit, wenn wir auf den Sinn aus dem Unbewußten zurückgreifen.[10] Auch dieser Fall zeigt, daß der Sinn der neurotischen Einstellung unmöglich von der Patientin verfälscht werden kann. Was immer sie bringt, sie bringt uns damit ein Stück aus ihrer neurotischen Einstellung.

---

[10] Eine interessante Auffassung der neurotischen Lüge.

116

Vortragsabend: am 26. Oktober 1910

Anwesend: Adler, Federn, Freud, Friedjung, Furtmüller, Heller, Hilferding, Hitschmann, Jekels, Nepallek, Oppenheim und Frau, Rank, Reitler, Sadger, Steiner, Stekel, Tausk, Grüner, Klemperer, Rechnitzer, Sachs, Wagner.
Frischauf [als Gast].

[116.] PROTOKOLL

[Geschäftliches]

Der OBMANN bringt die beiden kandidierten Aufnahmswerber zur Abstimmung. Es wird Baron Winterstein mit 19, Herr [Franz] Grüner mit 20 Stimmen zu Mitgliedern gewählt.
Eine Neuanmeldung des Herrn stud. med. Max Bing aus Budapest liegt vor mit Berufung auf Dr. Ferenczi.

HITSCHMANN erwähnt in seinem Bibliotheksbericht unter anderem das Erscheinen der ersten Nummer des *Zentralblattes*.

Prof. FREUD bezeichnet diesen Moment als eine wichtige Etappe auf dem Entwicklungsweg der Psychoanalyse und dankt den beiden Kollegen, die das Unternehmen ins Leben gerufen haben, aufs wärmste.

Dr. STEKEL richtet hierauf einen dringenden Appell zur Mitarbeiterschaft an die Mitglieder der Wiener Gruppe.

Dr. STEINER als Kassier lädt die neuen Mitglieder zur Beteiligung an der Subskription ein und wirft die Frage auf, ob das Vereinsjahr nach dem Vorschlage der Züricher vom April oder, wie es bisher bei uns üblich war, vom Oktober zu rechnen sei. Die Entscheidung hierüber wird auf Vorschlag FEDERNs dem Ausschuß überlassen.

Über die zwei Prinzipien des psychischen Geschehens[1]

Vortrag[ender:] Prof. Freud

Redner geht aus von der Tatsache, daß die Neurosen den Erfolg haben, den Kranken unfähig für die Realität zu machen, und führt als extremen Fall die halluzinatorische Verworrenheit an, wo die Person sich von der Realität abwendet, weil sie das Ereignis, welches die Ursache ihres Leidens ist, nicht anerkennen will. Was sich so als Folge der Symptome darstelle, das sei also eigentlich die Tendenz des Leidens. Dieses Verhältnis der Neurose zur Realität in Formeln zu fassen sei die Absicht der folgenden Ausführungen.

Untersucht man die Stellung des psychischen Lebens des Individuums zur Realität und geht dabei von den unbewußten Vorgängen aus, die wir für die primären halten, so findet man als die Tendenz, welche alle diese unbewußten Vorgänge beherrscht, das *Lustprinzip*.

Wir müssen nun annehmen, daß dieses Lustprinzip ursprünglich alle psychischen Vorgänge beherrschte, deren die junge menschliche Seele fähig war. Jetzt hat sich darin eine Veränderung vollzogen, die man sich so vorstellen muß, daß die Not des Lebens der Herrschaft des Lustprinzips ein Ende macht. Man darf sich z. B. vorstellen, daß vom Säugling ein Bedürfnis als störend empfunden wird und zunächst der Versuch gemacht wird, das lustbringende Objekt zu halluzinieren. Die Unbefriedigung durch die bloße Halluzination führt dann zum Ersatz des Lustprinzips durch ein anderes Prinzip, von dem wir wissen, daß es unsere bewußten Instanzen regelt. Der Mensch beginnt nun seine psychischen Aktionen nach der Übereinstimmung mit der Realität zu richten, und damit tritt an Stelle des Lustprinzips das *Realitätsprinzip*.

Diese Abänderung hat bedeutsame Folgen für das seelische Leben gehabt. Zunächst durch die größere Bedeutung, die den *Sinnesorganen* als Verbindung mit der Außenwelt zukam, und durch die Einsetzung der *Aufmerksamkeit*, welche die Außenwelt periodisch absucht und davon eine Niederschrift macht, welche uns als Gedächtnis bekannt ist.

Ferner wird damit im Zusammenhang eine *Realitätsprüfung* notwendig, welche jede der in uns auftauchenden Vorstellungen auf Grund der vom Bewußtsein gelieferten Daten der Außenwelt prüft. Es tritt

---

[1] Erschienen unter dem Titel ›Formulierungen über die zwei Prinzipien des psychischen Geschehens‹ 1911 im *Jahrbuch*, Bd. 3, S. 1; *G. W.*, Bd. 8, S. 229; *Studienausgabe*, Bd. 3, S. 13. Wir erfahren aus James Stracheys ›Editorischer Vorbemerkung‹ (*Studienausgabe*, Bd. 3, S. 15), daß Freud mit der Präsentation seiner Überlegungen unzufrieden war. Er begann erst im Dezember mit der endgültigen Niederschrift.

damit das mehr unparteiische Urteilen an die Stelle des alten Verdrängungsreflexes (das deutsche »verurteilen« enthält noch einen Nachklang der verwerfenden Aktion).

Eine weitere Folge, die soviel bedeutet als den komplizierten Aufbau des Seelenapparates, ist, daß das Handeln nunmehr aufgeschoben werden muß, was vermöge des jetzt eingeschalteten *Denkens* geschieht, ein Prozeß, der nun zwischen Reiz und Aktion eingeschoben wird.

Aber dieser Ersatz des Lustprinzips hat wie jeder Verzicht auf Lust psychische Nebenfolgen, welche sich an zwei Stellen aufzeigen lassen. Die Ersetzung des Lustprinzips geschieht nicht, ohne daß sich der Mensch eine bestimmte Denkbetätigung vorbehält, die ausdrücklich von der Realität abgehalten und nur dem Lustprinzip unterworfen ist, nämlich die *Phantasie*. Mit der Einführung des Lustprinzips[2] scheidet sich die Phantasiewelt von der realen Welt.

Aber diese Ersetzung des Lustprinzips vollzieht sich nicht an allen Trieben zu gleicher Zeit; sie vollzieht sich wesentlich und vorwiegend an den Ichtrieben, während die *Sexualtriebe*, die zunächst mit dem Objekt unabhängig von der Außenwelt sind (Autoerotismus), das Lustprinzip später aufgeben, was sie dann bei der Objektfindung in einen engen Zusammenhang mit der Phantasie bringt; dagegen sind sie von vornherein vom Bewußtsein abgesperrt, und in diesen Eigentümlichkeiten ihrer Entwicklung liegt ihre Bedeutung für die spätere Neurose. Denn der pathogene Prozeß bei den Neurosen beginnt mit der Verdrängung unbewußter Phantasien.

Wie schwer diese Ersetzung dem Seelenleben wird, ersieht man daraus, daß die endopsychische Wahrnehmung dieser seelischen Katastrophe in Form der mythologischen Projektion nach außen geworfen wird und als religiöses Postulat der Menschen von einer *Belohnung im Jenseits* erscheint. Es liegt diesem Postulat das Prinzip zugrunde, für einen Verzicht auf Lust entschädigt zu werden. (Das Jenseits heißt in der Rückübersetzung: Es war einmal so im unbewußten Seelenleben.) Die weiteren Entwicklungen dieses Mythus sind bekannt. Die *Religion* hat sich seiner bedient, um den vollkommenen Verzicht auf die Genüsse dieser Welt durchzusetzen, indem sie die Askese forderte; sie hat damit das Lustprinzip natürlich nicht überwunden. Eine Überwindung desselben bringt nur die objektive *Wissenschaft* zustande, und auch die ist nicht ganz unabhängig, da sie einerseits die Lust des intellektuellen Forschens und Erkennens gewährt und anderseits in letzter Linie zur Erhöhung unserer Lebensbedingungen beiträgt.

---

[2] Es sollte natürlich »Realitätsprinzips« heißen.

In Wirklichkeit ist das Lustprinzip nicht aufgegeben, wenn es durch das Realitätsprinzip ersetzt ist; denn dieses letztere hat nichts anderes als die Sicherung des Lustprinzips zur Aufgabe. Es handelt sich nur darum, die momentane Lust aufzuschieben, um sie einmal durch eine spätere, dauernde, straffreie Lust *(Endlust)* zu ersetzen.

Aus diesen Einsichten ergeben sich zwei Formulierungen; die eine drückt das *Wesen der Erziehung* in psychoanalytischer Auffassung dahin aus, daß unsere Erziehung eigentlich in nichts anderem besteht als in einer Anleitung, Vorlust durch Endlust zu ersetzen (das Mittel dazu ist das Versprechen der Liebe von seiten der Eltern). [3] Ferner ergibt sich eine andere psychoanalytische Formulierung nach dem *Wesen der Kunst.* Der Künstler befindet sich mit seinen starken Wünschen, deren Erfüllung ihn entschieden von der Realität weg und ins Phantasieleben führt, auf dem Wege zur Neurose, und er müßte auch neurotisch werden, wenn er nicht mit der in ihrem Wesen noch unbekannten (wahrscheinlich motorisch aufzufassenden) künstlerischen Begabung den Weg von der Phantasie in die Realität wiedergewänne. Wenn er es versteht, die Bilder seiner Phantasie real darzustellen, so ist er wieder in der Realität. Er kann auf dem Wege des Künstlers werden, was er in Wirklichkeit nicht kann; daß er es kann, beruht auf Konvention: Weil die Menschen dieselben Bedürfnisse haben wie der Künstler, darum lassen sie ihn gelten. Die Kunst dient durchaus dem Lustprinzip, aber sie findet den Rückweg zur Realität wieder. Auch sie hat das Lustprinzip nicht überwunden, aber es dank dieser Konvention der Menschen mit dem Realitätsprinzip ausgesöhnt.

Endlich könnte dieser Ersatz des Lust- durch das Realitätsprinzip noch ein Licht auf ein Problem werfen, das sich bisher der Einsicht entzogen hat, dem Problem der *Neurosenwahl.* Da die Disposition zu allen Neurosen in der Entwicklung liegt und die Sexualtriebe im Gegensatz zu den Ichtrieben sich der Einführung des Realitätsprinzips länger widersetzen, so ergeben sich von hier aus eine Reihe von Möglichkeiten, die mit der Neurosenwahl in Verbindung zu bringen wären. Die später gewählte Form der Erkrankung kann abhängen davon, an welcher Stelle der Entwicklung sich die erotischen Triebe befunden haben, als die Entwicklungsstörung eintrat, und in welcher Verfassung sich das Ich befunden hat, als es darauf mit der ersten Verdrängung reagierte (ob es sozusagen ein Lust- oder ein Realitätsich war).

---

[3] Mit anderen Worten: Die Erziehung will dahin führen, daß der Mensch Enttäuschung, Spannung, Aufschub ertragen kann.

Diskussion

TAUSK weist nach einigen einleitenden Worten darauf hin, daß er seinerzeit auf ganz anderen Wegen zu einigen kleinen Thesen gekommen sei, denen jedoch das Substrat, die Genese des Mechanismus, wie wir sie heute gehört haben, fehlte. Er habe ausgesprochen, daß die Realität für den lebendigen Organismus unerträglich sei und daß ihm die Aufgabe obliege, für die Realität ein Ersatzgebilde zu schaffen, das erträglicher ist: die Kultur. Bei dieser Leistung dient das Bewußtsein, das von den Schwächeren hervorgebracht ist, als Waffe zur Sicherung und Erwerbung von Lust, die alles geschaffen habe, was wir heute Kultur des Lebens nennen. Freud habe uns den Rückweg zur Realität gezeigt. Die Tatsache aber, daß alles, was der Mensch bis heute geschaffen hat, aus der Schwäche stammt, macht uns die pessimistische Lebensauffassung so vieler Philosophen verständlich.

In einem Aufsatze über die Philosophie der Schauspielkunst habe er auch ausgeführt, daß der Künstler die Realität darstellt durch Distanzierung.[4]

FRIEDJUNG hebt die interessante Übereinstimmung zwischen Onto- und Phylogenese auch in diesem Punkte hervor. Ferner, daß an dem einzelnen Menschen ein Kreislauf dieser Entwicklung zu beobachten ist. Die Senilität ist doch nichts anderes als die wieder emportauchende Infantilität. – Die heutigen Ausführungen haben wieder gezeigt, daß man Psychoanalyse ernstlich nicht betreiben kann, ohne sich eine entsprechende Weltanschauung aufzubauen. – Interessant ist diesbezüglich ein Vergleich zwischen Optimismus und Pessimismus. Der Weg der Kultur ist, die reale Welt mit der Lustwelt zur Deckung zu bringen. Wer an diese Möglichkeit glaubt, ist Optimist, wer nicht daran glaubt, Pessimist. – Auch müßten mit der Abnahme der Religiosität die Neurosen nicht zunehmen, wenn wir erst imstande wären, an die Stelle der alten Religion eine optimistische Weltanschauung zu setzen.

STEKEL kann nur ein Lustprinzip anerkennen; alle Realität ist ihm nur Unlust (Tausk) und das Realitätsprinzip demnach nur das negative Lustprinzip. Ebensowenig könne er sich einer Teilung der Triebe in Ich- und Sexualtriebe anschließen. Es gebe nur einen Sexualtrieb, von dem ein Partialtrieb sich zum Ich hinauf entwickelt habe. –

---

[4] Vielleicht denkt Tausk an Projektion, wenn er von Distanzierung spricht. Um welchen Aufsatz es sich handelt, konnte übrigens nicht festgestellt werden.

Alles Bewußtsein ist nur Verdrängung. – Die Frage sei, ob nicht überhaupt das Primäre die Unlust ist. Die Religion ist Angst vor der Unlust. – Zur Neurosenwahl möchte er auf die Entstehung der Zwangsneurose hinweisen, die nach seinen Ausführungen dann zustande komme, wenn das Individuum in seiner Liebe sehr früh zwischen zwei Individuen gestellt werde. Es handle sich dabei, wie er ausgeführt habe, um ein Schwanken zwischen Symbol und Realität. Der Zwangsneurotiker will immer nur mit Lust arbeiten und lehnt die Wirklichkeit ab.

FURTMÜLLER hatte Stekels Bedenken im ersten Moment auch; aber diese Einwendung beruhe auf einem Mißverständnis. Es seien zwei verschiedene und parallel gehende Erscheinungen mit einem Namen bezeichnet: eine, die unser Denken bestimmt, und eine, die unser Handeln bestimmt. Beim Denken sind die beiden Prinzipien gegensätzlich. In bezug auf das Handeln ist die Lust immer das Maßgebende, entweder nach dem direkten Lustprinzip oder auf dem Wege der Endlust.

Das Urteil ist in seinem Wesen nichts Ablehnendes und Negatives, sondern der primäre Urteilsakt ist etwas Positives.

Die Religionsfrage scheine keine kulturhistorische zu sein; man könne nicht von alter und neuer Religion reden. Das religiöse Bedürfnis könne immer nur eines sein, und zwar eine Flucht aus der Wirklichkeit.

HILFERDING scheint die Annahme, daß der Säugling bei Unlustempfindung zur Halluzination der Lustempfindung komme, nicht ganz klar und zutreffend, da es Situationen beim Säugling gebe, wo die Halluzination einer lustvollen Befriedigung unmöglich sei. Auch Erwachsene haben mitunter diese Halluzinationsfähigkeit nicht, die man somit nicht als etwas allgemein Menschliches ansehen könne.

FEDERN möchte richtigstellen, daß Freud bereits dasselbe wie Stekel gesagt habe, wenn er das Realitätsprinzip nur als eine andere Form des Lustprinzips bezeichnete, und führt dann den Unterschied der Wirkung des Lust- und Unlustprinzips im Unbewußten und im Bewußten näher aus.[5] Das Bewußtsein bringe durch Setzung der Zeit und Kausalität das Ewigkeitsbedürfnis der Lust hinein, während

---

[5] Am 11. Mai 1914 hielt Federn in New York einen Vortrag unter dem Titel ›Lust-Unlustprinzip und Realitätsprinzip‹, der in der Z., Bd. 2, 1914, S. 492–505, veröffentlicht wurde.

im Unbewußten immer nur die momentan vorhandenen Energien wirken. Im Kunstwerk gelingt es, etwas Unwirkliches wirklich darzustellen. Damit es wie die wirkliche Erfahrung gelte, dazu gehört eine psychologische Bedingung und eine spezifische Bedingung des Künstlers. Dadurch daß der Künstler imstande ist, seine Erfahrungen jederzeit mit seinem Unbewußten zu verbinden und danach zu modifizieren, ist es ihm möglich, die unbewußte Phantasie der Wirklichkeit entsprechend zu gestalten.

ADLER warnt davor, einen Begriff, der eine so riesige Ausdehnung habe wie der Begriff der Lust, zur Erklärung bestimmter Probleme heranzuziehen. Er selbst habe behauptet, Lust bedeute ursprünglich die ungehemmte Arbeit des Organs. Dieses Lustprinzip kann man vielleicht nur dem Embryo zuschreiben, denn schon das Neugeborene wehrt sich, indem es schreit; schon hier ist also das Realitätsprinzip zu finden. Ist die Lust dem Organ verwehrt, so ist das Organ gezwungen, einen Umweg zu beschreiben, den es auf eine der Außenwelt feindselige Weise zu gewinnen sucht. In diesem Sinne ist die Psyche und das Bewußtsein als ein Angriffsorgan anzusehen. Wo wir es mit minderwertigen Organen zu tun haben, sehen wir, wie aus dem Kampf dieser Organe der Umschlag aus dem Organischen ins Psychische erfolgt. Im Verhältnis zur Außenwelt können wir aber jedes Organ als minderwertig ansehen.

Mit Stekel und im Gegensatz zu Federn meine auch er, es sei schwer anzunehmen, daß zwei Prinzipien, die in eins verfließen, sich gegensätzlich stellen könnten und also zur Aufdeckung des Leitfadens alles psychischen Geschehens Verwendung finden könnten.

Wenn Freud aus der biologischen Anordnung einer frühzeitigen Reife des Sexualtriebes allein schon die Disposition zur Neurose erklären will, so müssen wir fragen, woher kommt diese Verfrühung des Sexualtriebes in den Fällen von Neurose? Die Richtung, in die das Kind gedrängt wird, hängt ab vom Grade der Minderwertigkeit seiner Organe und von der Furcht, eine untergeordnete (weibliche) Rolle zu spielen. – Was das Problem der Neurosenwahl betreffe, so scheine eine einheitliche Lösung der Frage heute nicht möglich. Der halluzinatorische Charakter, ohne den keine Neurose zustande komme, weise gleichfalls auf eine primäre Organminderwertigkeit (auf gewisse Kitzelgefühle) hin.

Als allgemeine Grundformel des psychischen Geschehens möchte er aussprechen: das psychische Geschehen gehe nach der Wirkung des Kontrastes vor sich.

FREUD dankt im Schlußwort für die seinen Ausführungen geschenkte Aufmerksamkeit und bemerkt, daß ihm die meisten Diskussionsredner das Antworten sehr leicht gemacht hätten. Stekel habe eigentlich dasselbe gesagt wie er selbst in seinem Vortrag. Ähnlich habe Furtmüller ganz richtig festgestellt, daß unter den psychischen Vorgängen das Handeln ausgeschlossen sei. Hilferding sei zu erwidern, daß diese Vorgänge beim Säugling selbst nie entschieden werden können, daß wir aber eine Reihe indirekter Beweise für die Wahrscheinlichkeit der Halluzination von der die Unlust beseitigenden Handlung haben. Federn habe ihn nur unterstützt. Adler möchte er in zwei Punkten widersprechen und im allgemeinen danken. Er habe den im ersten Satze als zu weit abgelehnten Begriff der Lust im zweiten Satz selbst anerkannt als brauchbar. In der Gegenwehr des Säuglings haben wir noch keine Äußerung des Realitätsprinzips zu suchen, da die Aktionen zunächst vollkommen ausgeschlossen seien. Im übrigen möchte er ihm danken für die Zutaten biologischer und genetischer Art.

117

Anwesend: Adler, Federn, Freud, Furtmüller, Hilferding, Hye, Jekels, Nepallek, Oppenheim, Rank, Reitler, Sadger, Steiner, Stekel, Tausk, Holzknecht, Grüner F., Grüner G., Klemperer, Sachs, Silberer, Wagner, Winterstein.
Frischauf [als Gast].

[117.] PROTOKOLL

[Geschäftliches]

Nach Begrüßung der neuerschienenen Mitglieder schlägt der OBMANN vor, die Abstimmung über Herrn stud. med. Bing (Budapest) zu verschieben, bis Näheres über ihn bekannt sein werde.

Berufswahl und Neurose
Vortrag[ender:] Dr. W. Stekel

Der Vortragende spricht zu Beginn seiner Ausführungen die Hoffnung aus, daß viele der Anwesenden werden erzählen können, auf welche Weise sie zu ihrem Berufe gekommen sind, unter der Voraussetzung, daß jeder in gewissem Sinne ein Neurotiker ist, eine Annahme, die später begründet werden soll. Von diesen Geständnissen sei reiche Belehrung und Erkenntnis zu erwarten und der gegenwärtige Vortrag solle in diesem Sinne nur als Lockspeise dienen.

Wenn wir von Berufswahl sprechen, so müssen wir zunächst die nicht unwesentliche Tatsache berücksichtigen, daß eine Menge von Neurotikern gar keine freie Berufswahl hat, sondern zu einem Beruf gezwungen wurde. Alle Neurotiker zeigen darum eine Unzufriedenheit mit ihrem Berufe, und jeder [er]hofft von einer Veränderung seines Berufes eine wohltätige Wirkung für seine Neurose. Bei diesen gezwungenen Berufen ist nun auffällig das Streben nach Selbständigkeit, womit der Neurotiker die ihm mangelnde innere Freiheit symbolisch erreichen will und die Unabhängigkeit von jeder Autorität. Ebenso auffallend ist ein Zug zum Journalismus, wobei vielleicht gewisse erotische Motive mitspielen, die in der Zeitung etwas symbolisiert sehen, was ungefähr einer Dirne ähnlich sieht und wobei sie mitarbeiten möchten; eine Symbolik, die aus gewissen Witzen und Träumen eine sichere Stütze erhält. Mitunter vertrete die Zeitung auch, wie Wittels einmal ausgeführt habe, den Vater.[1] Noch häufiger zeigt sich bei den Neurotikern eine Tendenz, möglichst viel zu verdienen bei möglichst geringer Arbeitsleistung, eine Tendenz, die dann in einer Art neurotischer Faulheit zum Ausdrucke kommt. Aber nicht allein dies Moment zieht den Neurotiker von der Arbeit ab, sondern noch mehr der Wunsch, sich ungehindert mit seinen halb bewußten, halb unbewußten Phantasien beschäftigen zu können. Deswegen ist es so ungeheuer schwer, ihn wieder in die Arbeit zurückzubringen, weil diese ihm nun als ein Unlustgefühl, als Störung seiner Phantasietätigkeit imponiert.

Wurde bisher von Berufen gesprochen, zu denen die Leute gezwungen werden, so erübrigt jetzt ein Eingehen auf das eigentliche Thema, die freie Berufswahl, womit wir zugleich aufs Infantile hingedrängt werden. Ist doch die wichtigste Frage, welche die Kinder beschäftigt, die nach ihrem zukünftigen Berufe. In einem in der Sammlung *Was am Grunde der Seele ruht*[2] abgedruckten Artikel ist ausgeführt, daß sich die Kinder in dieser Hinsicht nicht viel voneinander unterscheiden. Die meisten wollen Kutscher, Kondukteure werden, überhaupt mit Instrumenten arbeiten, die eine Bewegung vollführen (Luftschiff). Fast regelmäßig ist ebenfalls die Phantasie vom Soldaten nachzuweisen, die sich oft Jahre hindurch erhält und zu einer später oft bereuten Berufswahl führt. Eine weitere häufige Phantasie der Kinder ist auch, Detektiv zu sein. Alle diese infantilen Phantasien zeigen eine große Übereinstimmung mit dem Traumleben, besonders der Neurotiker, was bisher nicht genügend gewürdigt wurde. Wenn man sich über die Bedeutung dieser Phantasien klar werden will, so muß man die Freud-

---

[1] Vgl. Wittels' Vortrag ›Die »Fackel«-Neurose‹, 93. Protokoll in Bd. 2 der vorliegenden Veröffentlichung.
[2] *Was am Grunde der Seele ruht. Bekenntnisse eines Seelenarztes*, Paul Knepler, Wien 1909; eine Sammlung von Stekels Aufsätzen.

sche Formel von der polymorphen Perversität des Kindes nach einer anderen Seite hin ergänzen. Das Kind ist nämlich daneben auch ein universell Krimineller. Es gibt kein Verbrechen, und wäre es noch so grausam (abgesehen von Diebstahl[3]): Brandstiftung, Mord, auch Leichenschändung, Massenattentate etc., mit denen sich die Phantasie des Kindes nicht beschäftigte. Diese Phantasien bleiben oft bis ins reife Leben hinein bestehen und bilden dann die Grundlage des kriminellen Schuldbewußtseins beim Neurotiker.

Wie bekannt, beschäftigen sich die Kinder mit dem Problem, wie sie die ihnen im Wege stehenden Personen beseitigen könnten, und da sie von dem Wunsch beseelt sind, diese Hindernisse auf jede Weise zu entfernen, beschäftigt es sich so häufig mit dem Problem des Todes. Es sei nicht richtig, daß die Kinder dieses Todesproblem so harmlos auffassen, wie Freud meine, insbesondere treffe das für viele grausame Phantasien der Kinder absolut nicht zu. Müssen wir uns die Phantasie des Kindes erfüllt mit all diesen Verbrechen vorstellen, dann begreifen wir, wie die Rudimente dieser kriminellen Phantasien in den neurotischen Phantasien wieder auftreten, aber durch die fortgesetzte Unterdrückung so verändert, daß sie nicht mehr in ihrer autochthonen Form erscheinen. Deswegen haben wir nach Aufdeckung des Sexuellen im Neurotiker noch eine kriminelle Schichte wegzuräumen, die sich gewöhnlich in Dienst des Sexuellen stellt. Oft ist es aber auch der Aggressionstrieb im Sinne Adlers, der sich auf diese Weise äußert. – Auch in den Träumen spielt der Tod eine viel größere Rolle, als bis jetzt angenommen wurde. In einem demnächst erscheinenden Buche: *Die Sprache des Traumes*[4], seien eine Menge von diesen Todessymbolen mitgeteilt. Es ergibt sich da, daß der Kutscher vornehmlich die Rolle des Todes spielt, eine Vorstellung, die auch in Mythen und Sagen belegbar ist. Das Kind hört und sieht fortwährend vom Überfahrenwerden, und auch die Eisenbahn tritt in diesem Sinne als Todessymbol auf; ist doch schon im Worte »abfahren« der Begriff des Todes enthalten, ebenso wie eine Beziehung besteht zu den Vorfahren und Nachfahren. Diese Symbolik ist sehr deutlich und ermöglicht uns, aus den Träumen die Todesgedanken herauszulesen. Der Freude am Fahren ist außer dem sexuellen Genuß auch die Phantasie

---

[3] Stekel wußte, daß Diebstahl bei Kindern akzeptiert wurde, daher sieht er von ihm ab.
[4] W. Stekel, *Die Sprache des Traumes. Eine Darstellung der Symbolik und Deutung des Traumes in ihren Beziehungen zur kranken und gesunden Seele für Ärzte und Psychologen*, Bergmann, Wiesbaden 1911.

einer ungeheueren Macht beigemengt, die es ermöglicht, nun alle
Feinde zu überfahren. In ähnlicher Weise wird auch der Soldat, der
ein Mordinstrument trägt und von Haus aus zum Morden bestimmt ist,
als Tod katexochen aufgefaßt; in diesem Sinne ist das Soldatenspielen
der Kinder gar nicht so harmlos. Andere Kinder phantasieren, daß sie
Teufel sind, einen bösen Blick haben, der töten kann etc. Das Kind ist
also nicht nur ein Perverser, sondern auch ein Krimineller, und schon
in der Berufswahl des Kindes zeigt sich das Bestreben, diese kriminellen
Gelüste anzudeuten. Hierbei ist hervorzuheben, daß alle diese Regungen auch in negativer Form auftreten können. So wird das Kind, das
ursprünglich Brandideen hatte, beim Eintritt der ersten Verdrängung
Wasserspiele und Löschen bevorzugen. Ähnlich wird der Verbrecher
im Kinde sehr leicht dazu geführt werden, Detektiv zu spielen, der
einem Verbrechen nachspürt.

Wenn wir versuchen, die Berufswahl zu gruppieren, so können wir
beiläufig fünf Formen der Berufswahl normieren:

1) die Identifizierung mit dem Vater, die oft die Tendenz hat, den
Vater zu übertreffen, was auf die zweite, bei weitem interessantere
und zahlreichere Gruppe der

2) Differenzierung vom Vater führt. Diese zeigt sich besonders bei
Politikern in krasser Weise. Söhne von politisch tätigen Vätern haben
selten die politische Anschauung ihres Vaters, und die Erscheinung,
daß eine herrschende Partei nach einer gewissen Zeit von der Oppo-
sition abgelöst werde, erkläre sich dadurch, daß sich diese Ablösung
in der Familie individualistisch vollziehe. Von hier aus wird uns auch
der Anarchismus verständlich, den wir so häufig bei unehelichen Kindern antreffen. – Auch die Tatsache, daß so viele der jungwiener Li-
teraten aus Kaufmannshäusern stammen, erklärt sich aus diesem Dif-
ferenzierungsbestreben, ebenso wie die von Sadger hervorgehobene Erscheinung, daß große Dichter so häufig die Söhne trockener, pedan-
tischer Väter sind.

3) ist zu nennen der Versuch, die erotischen und kriminellen Triebe
zu sublimieren. Das einfachste Beispiel dafür ist der Sadist, der später
den Beruf des Chirurgen ergreift. Das ist auch das Geheimnis, weshalb
sich so viele Philanthropen bei der Analyse als Sadisten enthüllen.
Von Jack dem Aufschlitzer[5] bis zu dem berühmtesten Chirurgen führt
eine fortlaufende Kette der Entwicklung.

---

[5] Jack the Ripper, ein berüchtigter Londoner Prostituiertenmörder der neunziger
Jahre, dessen Identität jedoch unaufgeklärt blieb.

4) ist eine Berufswahl möglich, die sich in den Dienst der unbewußten Tendenzen stellt, welchen Vorgang am besten ein Beispiel aus der Praxis illustriert. Ein Patient, der nur in Begleitung seiner Mutter ausgehen kann und seinen Posten aufgeben mußte, hat den Wunsch, wieder auf seinen alten Posten zurückzugehen, und ist ganz unglücklich, als sich das als unmöglich erweist. Er produziert dann einen Traum, worin er an der Brust einer Frauensperson liegt und an ihren Brüsten saugt, was ihm großes Wohlbehagen bereitet. Dann kommt seine Mutter ins Zimmer. Der Traum heißt: Ich habe bei meiner Mutter getrunken. Patient ist ein Typus jener Neurotiker, die man als ewige Säuglinge bezeichnen könne. Er hat den alten Posten aufgegeben, um sich ein Milchgeschäft (= Ammenbrust) zu errichten, ist aber dabei zugrunde gegangen und zur Mutter zurückgekehrt. Diese Phantasie drückt er in den Worten aus: Ich möchte auf den alten Posten, d. h. an die Mutterbrust zurückgehen. Der Patient hat also mit dem Aufgeben seines Berufes und der Rückkehr zur infantilen Phantasie gleichsam auch eine Berufswahl begangen; er saugt jetzt seine Eltern, die arme Leute sind, aus, und diese müssen ihn noch einmal ernähren; es ist das eine Phantasie, die sich in anderer Form bei Wucherern wiederfindet. – Im Dienste unbewußter Tendenzen steht auch folgende Berufswahl: Ein 14jähriger Realschüler zeigt plötzlich ein besonderes Interesse für alte historische Quellen, was auf die Verankerung bei seiner Großmutter zurückging, die eine solche alte vertrocknete Quelle war, eine Erscheinung, die uns mit Bezug auf archäologisch-philologische Studien noch beschäftigen wird.

5) gibt es Berufe, welche zum Schutze, zur Sicherung (Adler) gegen unbewußte Tendenzen gewählt werden. Hierher gehört der schon erwähnte Fall, daß ein Krimineller Detektiv wird und ihm das Verständnis des Verbrechens aus seiner eigenen Brust kommt.

Es werden nun einige Berufe besprochen und Ergänzungen beziehungsweise Erweiterungen dieser lückenhaften Angaben in der Diskussion erwartet. Was zunächst den Beruf des Arztes betreffe, so ist der Vortragende selbst nicht etwa aus einer besonderen Vorliebe dazu gedrängt worden, sondern durch das Verlangen, sich von der elterlichen Autorität loszumachen, indem ihn gerade das Studium der Medizin zwang, eine fern von seiner Heimat liegende Universität aufzusuchen. Auf ähnliche Weise gelinge es Leuten, die aus ihrer Heimat weg nach Amerika auswandern, ihr seelisches Gleichgewicht herzustellen. – Ein 9jähriger, wegen Stottern in Behandlung stehender Knabe erklärte, Arzt werden zu wollen, weil man dann die Frauen nackt sehen könne. Dieser Wunsch ist sicher bei einer großen Anzahl von

Medizinern entscheidend. So ist es bekannt, daß Frauenärzte gewöhnlich auch Frauenliebhaber sind und nicht mit Unrecht viele von ihnen den Titel eines Don Juan führen. Männer mit einer gewissen homosexuellen Neigung werden sich eher die Behandlung von Geschlechtskrankheiten wählen oder Urologen werden, um ihr großes Interesse für den Penis zu betätigen. Überhaupt ist der geheime Lustgewinn bei den medizinischen Spezialfächern ein ungeheuer großer. Unter den Neurologen gibt es [eine] Menge Psychopathen, die ihren Beruf nur ergriffen haben in der Hoffnung, sich kurieren zu können. Ebenso wird ein großer Teil der Psychoanalytiker auf dem Wege der Selbstanalyse praktischer Psychoanalytiker. So befriedigen die Ärzte in ihrem Berufe teils das Bedürfnis nach Ausgleichung ihrer eigenen Minderwertigkeiten, teils Exhibitionismus, Voyeurtum und Sadismus. Zahnärzte sind oft Leute mit ausgesprochener Munderotik, und das Interesse für den Mund zeigt sich oft in ihrer Neurose begründet, indem eine Verlegung von unten nach oben diese Phantasie unterstützt. So bedeutet das Herumarbeiten im Munde eigentlich etwas ganz anderes, und darum wird es einen nicht wundern, wenn sich unter den Zahnärzten so viel Homosexuelle finden.

Kein Zufall ist es auch, wenn sich unter Advokaten, Richtern und Staatsanwälten so häufig Zwangsneurosen finden. Die Zwangsneurose ist die Neurose des ausgesprochen kriminellen Menschen, was sich darin zeigt, daß jede Zwangsvorstellung die Todesklausel enthält. Die genannten Berufe sind eigentlich von Haus aus Verbrecher, sie sind nur aus Sicherungstendenzen in diese Karriere gebracht worden. Der Beschäftigung mit dem Recht liegt bei vielen Zwangsneurotikern die Phantasie zugrunde, zu lernen, wie sie sich am besten schützen könnten. Diese Leute werden Diener der Gerechtigkeit, um sich gegen den Durchbruch ihrer Mordinstinkte zu sichern. Steigern sich diese Instinkte, so kommt es zum Ausbruch der Zwangsneurose, was sich an zahlreichen Beispielen zeigen lasse. Es zeigt sich, daß ein Teil jener Gedanken des Nichterreichens und Sichhetzens ihren Ursprung in solchen Verbrecher-Phantasien haben, in denen sich die Betreffenden von Detektiven verfolgt glauben. Diese Leute scheuen die Sackgassen, haben Angst, über eine Brücke zu gehen (Phantasie, daß sich der Verbrecher zur Rettung über das Brückengeländer schwingen müsse) etc. Der Neurotiker ist ein Schauspieler, der seine Lieblingsphantasien beständig darstellt. Die Angst vor engen Räumen hat neben der Mutterleibsphantasie auch zur Grundlage die Furcht vor der Zelle des Verbrechers. Solche Neurotiker werden rebellisch, sobald irgendein großer Prozeß die Öffentlichkeit beschäftigt; es ist der Verbrecher in ihnen, der sich mit dem andern identifiziert. Als die »Hofrichteraffäre«[6] in Wien so ungeheures Aufsehen erregte, gingen viele Menschen mit der scheinbar verrückten Idee herum, man könnte sie für den gesuchten Mörder halten. Detektive und Polizisten werden aus ähnlichen kriminellen Instinkten zu diesen Berufen gebracht. Hier ist darauf aufmerksam zu machen, daß das ganze Interesse für Sherlock-Holmes-Geschichten und ähnliches den kriminellen Instinkten entgegenkommt. So verstehen wir es, daß der Räuber im Mittelalter und zum Teil auch heute noch eine poesieverklärte Gestalt ist, da das Interesse für den Mord im Volksbewußtsein ungeheuer groß ist.

Ähnlich wie der Verbrecher, so ist auch der Philosoph meist ein Zwangsneurotiker, und zwar mit Grübelzwang. Man staunt oft über die Kühnheit der philosophischen Probleme, die von Zwangsneurotikern vorgetragen werden, und [es] steckt hinter dem ganzen komplizierten System nichts als die Neugierde nach dem Ding an sich, dem Penis oder der Vagina. Die Philosophen beschäftigen sich immer mit dem sexuellen Problem, das sie auf symbolische Weise zu lösen versuchen. – Die Mathematik scheint sehr trocken zu sein, aber auch hier spielen oft genug ähnliche Motive mit, wie z. B. eine Briefstelle von Multatuli[7] beweise, in welcher er die Mathematik wie ein Weib schildert und behandelt. In diesem Sinne ist es sehr instruktiv, die Prüfungsträume nach dem Gegenstand zu sondern, und dabei zeigt es sich, daß für viele hinter der Mathematik die Mutter (Ma...ma...) sich verbirgt. Auch scheint die Beschäftigung mit Zahlen eine ganz besondere Lustbedeutung zu haben. Historiker und Philologen sind Menschen, die ihre eigene Kindheit nicht vergessen können, bei denen sehr viel Lust an dem Alten haftet; ihm wird das Rätsel seiner eigenen Kindheit ersetzt durch das Rätsel der Menschheit.

Einen besonderen Mechanismus zeigt eine andere Gruppe von Menschen, bei denen die Reaktion ins Kriminelle durch die Flucht in die Frömmigkeit erfolgt. Wir wissen, daß jeder Mensch eine fromme Periode hat, die beim Neurotiker niemals aufhört. Es ist unmöglich, einen wirklich nichtfrommen Neurotiker zu entdecken. Intellektuell haben wohl viele die Religion überwunden, mit dem Affekt stecken sie aber noch tief im Glauben, was sich dann in ihren abergläubischen, spiriti-

---

[6] Eine berühmte Kriminalaffäre, die sich 1910 in Wien ereignete. Um schneller befördert zu werden, vergiftete ein junger Offizier vier seiner nächsten Vorgesetzten und verwendete dazu Aphrodisiaka, die er ihnen hatte besorgen sollen.
[7] Pseudonym (»Ich habe viel getragen«) für Eduard D. Dekker, 1820–1887, den holländischen Dichter und Kritiker des Kolonialsystems.

stischen, übersinnlichen Anwandlungen zeigt. Eine Reihe von Seelsorgern, Mönchen, Nonnen sind auf dem Wege des Verbrechens in die Frömmigkeit gekommen. Zur Buße für die eigenen verbrecherischen Phantasien haben sie eine Flucht in die Frömmigkeit vollzogen.

Ein ähnliches Gebiet ist das der Krankenpflege: Es liegt ihr eine Tendenz zugrunde, sich mit Schmerzen zu befassen, die auf die Verwertung sadistischer Neigungen im Dienste der Menschheit hinweist. Eine etwas niedrigere Kategorie stellen die Badediener dar, unter denen ein ungeheurer Perzentsatz von Homosexuellen zu finden ist, was gleichfalls für das Bäckergewerbe zutrifft, wo die Leute mit nacktem Oberkörper arbeiten.

Eine merkwürdige Psychologie weist auch die Tätigkeit der Erfinder auf; es gibt eine Menge von Menschen, für die das Erfinden Beruf ist. Vom Erfinden philosophischer Systeme war schon die Rede. Wie kriminalistische Instinkte in den Dienst der Erfinderkunst gestellt werden, erläutert der Vortragende an einigen Fällen aus der Praxis.

Daß das Soldatenspielen der Kinder mit sadistischen Regungen zusammenhängt, zeigt sich an der Häufigkeit der Soldatenmißhandlungen, und es ist charakteristisch, daß anläßlich des bosnischen Rummels die Kastrationsphantasie so große Erregung hervorrief.[8] Es gibt eine Anzahl von Leuten, die direkt darauf warten, in den Krieg zu gehen, um alles, was damit zusammenhängt (Jungfernschändung, Mord, Plünderung etc.), begehen zu können. Daß Fleischer und Schinder, ebenso wie Jäger aus sadistischen Momenten heraus handeln, braucht wohl nicht ausgeführt zu werden. Auch Kritiker sind Sadisten; sie schlachten Leute ab in einer sublimierten Form; die Verbindung dieser hämischen Grausamkeit mit einer gewissen Impotenz hat etwas Infantiles.

Daß Postbeamte und Kassiere so vielfach an Platzangst leiden, hängt mit der beständigen Versuchung zusammen, der diese Leute ausgesetzt sind; alle diese Leute kämpfen mit dem Gedanken durchzugehen, haben die Phantasie, erwischt, verfolgt und eingesperrt zu werden. Solche Personen wechseln öfter ihre Barttracht und Frisur etc., alles in der Vorsorge, eventuell nicht ertappt zu werden.

Auch verschiedene Formen von Fetischismus kommen in der Berufswahl zur Geltung, z. B. beim Schuster, Schneider. Auch das Ergreifen des Schreiner-, Schlosser- und anderer Handwerke hängt zum Teil mit perversen Regungen zusammen.

---

[8] Zur Zeit der Annexion von Bosnien und der Herzegowina durch Österreich-Ungarn im Jahre 1908 gingen – ebenso wie in späteren Balkankriegen – zahlreiche Gerüchte um, daß die »wilden Balkanvölker« gefangene Soldaten kastriert hätten.

Bei Apothekern und Drogisten spielt die kindliche Phantasie vom Vergiften eine große Rolle, die das Kind deswegen so häufig bevorzugt, weil es auch seinen schwachen Kräften die Möglichkeit gibt, große Menschenmassen aus der Welt schaffen zu können. In der Zwangsneurose sehen wir dann die Angst vor Gift und Vergiftung in einer sonderbaren Form auftreten. Hinter ihrer Angst, sie könnten mit einem zufällig an ihrem Körper haftenden Gifte jemanden schädigen, steckt ihr alter Wunsch zu vergiften. Deswegen werden sie Apotheker, und viele Vergreifungen und Verwechslungen werden uns nach dem Muster der Symptomhandlung verständlich.

An dieser Stelle wäre auch die Psychologie des Pädagogen zu besprechen, der häufig aus homosexueller Neigung den Beruf ergreift und hinter dessen altruistischen Bedürfnissen, Kinder zu belehren und zu erziehen, oft das Gegenteil steckt. Der Sadismus bricht bekanntlich bei vielen Pädagogen in einer Form durch, die den meisten aus ihrer Mittelschulzeit in unliebsamer Erinnerung ist.

Über den Künstler haben Rank und Stekel so präzise Angaben gemacht, daß weitere Ausführungen sich erübrigen. Interessante Aufklärungen, wieso manche Menschen zum Künstlerberuf greifen, erhält man von Musikern, insbesondere Violin- und Klavierspielern. Die Geige ist den meisten ein Symbol des Weibes, und es darf uns nicht wundern, wenn manche Spieler plötzlich versagen, sobald diese Vorstellung die Oberhand gewinnt. Für eine Klavierspielerin erwies sich das Spiel als ein Ersatz für die Masturbation.

Daß der Schauspieler dem Neurotiker sehr nahesteht und die Möglichkeit, verschiedene Gestalten zu spielen, seinen kriminalistischen Instinkten entspricht, wurde schon angedeutet.

Endlich wäre zur Schließung des ganzen Kreises noch über den Verbrecherberuf als solchen zu sprechen. Da zeigt sich, daß alle diese Dinge deutlich erotische Beziehungen aufweisen und ganz individuelle erotische Phantasien ausdrücken, was man am besten aus dem Studium der Verbrechersprache ersieht. Diese Vermengung des Erotischen und Kriminellen führt uns wieder auf die Beziehungen des Kindes zum Verbrecher. Der Verbrecher ist ein Mensch, der auf dem infantilen Standpunkt stehengeblieben ist. Und da jedes Individuum die Entwicklung der Menschheit wieder durchmacht, so zeigt auch das Kind wieder alle brutalen Triebe und Regungen. Beim Verbrecher sind diese Triebe in ihrer ursprünglichen Gestalt stehengeblieben, er hat die Hemmungen der Kultur nicht aufgenommen. Der Neurotiker hat sie zwar aufgenommen, war aber nicht imstande, diese Triebe zu sublimieren. Der Neurotiker ist – dies die kürzeste Formel für ihn – der Verbrecher ohne den Mut zum Verbrechen.

Diskussion

ADLER glaubt das Wort ergreifen zu dürfen, da sich ihm aus seiner Erfahrung im Laufe der Jahre eine Anzahl von Gesichtspunkten zur Berufswahl aufgedrängt haben, auf die er gelegentlich auch schon hingewiesen habe. So habe er in seiner Arbeit über den Aggressionstrieb[9] eine Anzahl von Berufen namhaft gemacht, welche sadistisch-masochistischen Triebregungen ihre Entstehung verdanken (Soldat, Lehrer, Arzt, Geistlicher usw.). Die Frage sei nur, ob dieser Sadismus dem Kinde wirklich ursprünglich angeboren sei oder aber, wie in der Arbeit über den Aggressionstrieb dargelegt sei, ob er erst als eine spätere Bildung auftrete, wofür eine Anzahl von Gründen spricht. Ursprünglich zeigt das Kind eine schrankenlose Triebausbreitung, die insoferne nützlich ist, als das Kind dadurch die Welt austasten lernt. So kommt es aber, daß ein Kind, welches im Stadium der Triebausbreitung als Sadist erscheinen könnte, später als Erwachsener mit sehr subtilem Zartgefühl ausgestattet ist. Denn wirklich gute Menschen sind nur die, die in der Kindheit alle Möglichkeiten des Schmerzes und der Qualen ideell ausgekostet haben. – Diese ursprünglich schrankenlose Triebausbreitung wird gehindert von zwei Momenten: durch das Erwachen des Schuldgefühls und durch die Furcht vor Erniedrigung und Blamage. Dadurch wird das Kind in das Gefühl der Minderwertigkeit zurückgeworfen; weitere Momente sind die Suche des Kindes nach seiner Geschlechtsrolle und die Empfindung des Minderwertigen als weiblich. Man kann nun die Berufswahl von jedem der genannten Punkte aus zu determinieren versuchen, aber es [ist] nicht möglich, sie von einem dieser Punkte aus vollständig zu erreichen. Stekel hat sich hauptsächlich auf das Moment des Kriminellen respektive Sadistischen gestützt. Für das Kind gilt diese Auseinandersetzung weniger. In dem Verlangen, Kutscher zu werden, kann ebensowohl der Wunsch, oben zu sein, zum Ausdruck kommen, und ähnliches könnte man auf alle

---

[9] ›Der Aggressionstrieb im Leben und in der Neurose‹, *Fortschritte der Medizin*, Bd. 26, 1908, S. 577–84; wiederabgedruckt in Alfred Adler, *Heilen und Bilden* (Erstauflage bei Reinhardt, München 1914), wiederveröffentlicht als Fischer Taschenbuch Nr. 6220, Frankfurt am Main 1973, S. 53–62. Vgl. Anm. 2 des 53. Protokolls in Bd. 1 der vorliegenden Veröffentlichung.

andern der genannten Berufe auch anwenden. Von Wichtigkeit sei auch die Beziehung des Berufes zur Organwertigkeit. So gebe es Patienten mit Augenfehlern, die alles sehen, denen nichts entgeht, wie ähnliches ja auch aus Autobiographien (z. B. von Freytag[10]) bekannt sei. Hier tritt zugleich die Sicherungstendenz in Evidenz, sich nämlich zu sichern gegen die von der Minderwertigkeit des Organs drohenden Schädigungen. Wo es sich um einen Neurotiker handelt, der in seiner Berufswahl schwankt, da ist gewöhnlich der eine Beruf der sichere.

Bezüglich der Philosophen sei ein Typus namhaft zu machen, Leute, die immer sagen:»Ich kenne mich nicht aus«, was regelmäßig auf den infantilen Zweifel bezüglich der Geschlechtsrolle führt. Bei Pädagogen handle es sich weniger um homosexuelle Züge; die treibende Tendenz ist die Sehnsucht nach Triumph. Bei Musikern steht auch die sexuelle Symbolik nicht im Vordergrund, die überhaupt nicht als treibendes Motiv imponieren könne, sondern ebenfalls ein deutlich sadistisches Moment.

Stekels Definition des Neurotikers ist nur cum grano salis zu verstehen. Man müßte hinzufügen, der Neurotiker glaubt nur ein Verbrecher zu sein, denn in Wirklichkeit müßte er sich vor seinen Versuchungen nicht fürchten. Sonst ließe sich ja nicht einsehen, wieso wir mit der Freimachung der sadistischen Regungen keinen Schaden anrichten.

TAUSK berichtet von einem nach manchen Richtungen interessanten Fall eines jungen Mannes, dessen Berufswahl unter die Sublimierung kulturwidriger Neigungen einzureihen wäre. Es handelt sich um einen mit exhibitionistischen und homosexuellen Neigungen behafteten Maler, der Angst hatte, Bilder auszustellen, obwohl seine Arbeiten von entschiedenem Talent zeugten. Auf psychoanalytischem Wege wurde er dazu gebracht auszustellen, d. h. die hemmende Verdrängung der Exhibitionslust zu sublimieren und seine homosexuellen Gefühle im Dienste der Damenmode zu verwerten.

HILFERDING scheinen einzelne Punkte in Stekels Ausführungen zuviel verallgemeinert. Vor allem ist die Unzufriedenheit mit dem Beruf keine Eigentümlichkeit des Neurotikers. Ferner erscheinen viele Dinge, die Stekel als ursprünglich in die Kindheit versetzt, erst später hineingetragen (so entstehen z. B. die Brandinteressen viel später als die beim täglichen Bad geweckten Wasserspiele). Überhaupt scheine die ganze Kriminalität erst durch spätere Erfahrungen des Kindes in sein Seelenleben hineingetragen.

---

[10] Gustav Freytag, 1816–1895, der bekannte deutsche Romanschriftsteller.

In bezug auf die Medizin seien eine Menge von Stekels Ausführungen durchaus gelten zu lassen. Anderseits werde man heute oft genug Spezialist nicht [so sehr] aus Neigung als weil man die entsprechende Protektion besitze. Es wird die polymorph-perverse Anlage eben nach verschiedenen Richtungen entwicklungsfähig sein und wird dann je nach dem Berufe, den der Betreffende ergreift, ausgestaltet und betätigt. Endlich hebt die Rednerin noch hervor, daß sie in das Studium der Medizin ganz zufällig aus rein praktischen Erwägungen gekommen sei, zum Studium der Naturwissenschaften aber auf dem Wege der Sicherungstendenz gegen einen Rückfall in das üppige Phantasieleben.

SADGER möchte den Zulauf zum Journalismus wie den häufigen Berufswechsel überhaupt mit dem Belastungsstigma des Assoziationswiderwillens in Beziehung bringen. Ferner berichtigen, daß das Bestreben nach möglichst geringer Arbeitsleistung und großem Einkommen ein neurotisches Spezifikum sei. – Die Behauptung von der universellen Kriminalität sei für das Kind vor der Pubertät nicht zutreffend. Wo sich das Kind kriminell fühlt, fühlt es sich erotisch schuldbewußt. Im übrigen zeige sich Stekel stark beeinflußt von Wulffens *Sexualverbrecher* [11] und von Wittels' neuem Roman [12]. Der eigentliche Detektivinstinkt wurzele darin, den Eltern dahinterzukommen, was sie machen. Ebenso haben auch die andern mit den Tötungsphantasien in Beziehung gebrachten Berufe einen erotischen Hintergrund. Zu richtigen Verbrechernaturen gehören allerdings die Zwangsneurotiker.

Recht glücklich sei die Einteilung in die fünf Gruppen, im übrigen habe Stekel jedoch nichts besonders Neues gesagt. Daß das Gefühl der Strafbarkeit den Juristen determiniert, wissen wir längst. Der Sadismus ist die Grundlage zu zwei noch nicht genannten Berufen: dem des Polizei- und Steuerbeamten.

Die Differenzierung vom Vater ist ziemlich allgemein, und jeder fast hat in der Periode der Pubertät eine Zeit, wo er Atheist, eventuell auch Anarchist ist. Merkwürdig ist in dieser Hinsicht auch die Beziehung zum Sozialismus. Sozialist wird man nur, wenn man eine Reihe von ungestillten Rachegedanken hat, die sich meist auf Vater oder

---

[11] Erich Wulffen, *Der Sexualverbrecher*, aaO.
[12] Sadger bezieht sich höchstwahrscheinlich auf den Roman, *Ezechiel, der Zugereiste*, der zum Teil für Wittels' Austritt aus der Wiener Psychoanalytischen Vereinigung verantwortlich war. Der Roman wurde 1910 in Berlin bei E. Fleischel und in Wien bei Hubert & Lahme veröffentlicht. Vgl. das 93. Protokoll, Anm. 1, S. 346, im Bd. 2 der vorliegenden Veröffentlichung.

Mutter beziehen. Diese Leute sind oft persönlich gerade die anständigsten und liebenswürdigsten Menschen.

Pyromanie und Kleptomanie sind begründet nicht in verbrecherischen Impulsen, sondern im Sexuellen. Die Frauen stehlen meist den Penis des Vaters, das Zündeln knüpft an die ursprüngliche Urethralerotik an. In der Pubertät können dann die Dinge eine Auflagerung nach der kriminellen Seite erfahren.

STEKEL möchte noch kurz feststellen, daß er das Kriminelle nicht als selbständige Wurzel, sondern nur als Aufbau über dem Sexuellen und damit Hand in Hand gehend aufgefaßt habe; das gehe ja aus seiner Auffassung der Kleptomanie hervor.

Auf Vorschlag des Vorsitzenden (Prof. FREUD) wird die Diskussion auf den nächsten Sitzungsabend verschoben, ebenso die Beratung darüber, ob sich dieses Thema zur Publikation in den »Diskussionen«[13] eigne. Prof. Freud wünschte nur für die Fortsetzung der Diskussion eine stärkere Berücksichtigung der Beziehungen zwischen Berufswahl und Neurose, wobei die Selbstbekenntnisse als nicht unter diese Beziehung fallend auszuschließen wären ebenso wie anderseits die Berufsphantasien der Neurotiker, die eine gesonderte Behandlung erfordern würden.[14]

---

[13] Gemeint ist die Buchreihe ›Diskussionen des Wiener psychoanalytischen Vereins‹, die ab 1910 bei Bergmann in Wiesbaden veröffentlicht wurde.
[14] Hier sehe ich [H. N.] mich genötigt, der in der Einleitung zum ersten Band dieser Protokolle ausgesprochenen Absicht entgegenzuhandeln, an keinem der Diskutanten Kritik zu üben. Dieser Vortrag von Stekel ist einer der verwirrtesten, die in den Protokollen zu finden sind. Abgesehen davon enthält er eine Reihe ungerechtfertigter Deutungen und Verallgemeinerungen. Die anschließende Diskussion spiegelt die Steckenpferde einiger der Diskutanten wider. So hatte Stekel einen besonderen Spürsinn für Symbole, und man kann mit Recht sagen, daß Freud, der sich ursprünglich nicht allzusehr für Symbolik interessierte, Stekel zögernd in dieses Gebiet folgte. Adler seinerseits fällt wieder auf seine »Organminderwertigkeit« und den »männlichen Protest« zurück, um die Berufswahl zu erklären. In Wahrheit verhält es sich natürlich so, daß Berufswahl weder mit Symbolik noch mit Organminderwertigkeit allein erklärt werden kann.
Manche der »Reformatoren« der Psychoanalyse – zu denen übrigens nicht nur Adler und Stekel, sondern eine Reihe anderer (Jung, Rank etc.) gehörten – entdeckten den einen oder anderen der beteiligten Faktoren und machten diesen dann zum Angelpunkt der Psychoanalyse. Selbstverständlich gibt es Symbole, doch drückt sich nicht das gesamte Unbewußte in Symbolen aus. Ebenso kann man von einem Minderwertigkeitskomplex (oder wenn man das vorzieht, von einem männlichen Protest) sprechen, aber der Mensch läßt sich einfach nicht aus einem einzigen Faktor heraus verstehen.
Zu dieser vor fünfzehn Jahren geschriebenen Anmerkung darf aus heutiger Sicht noch hinzugefügt werden, daß auch unter gegenwärtigen sehr erfolgreichen Autoren dieselben Übertreibungen und Einseitigkeiten gefunden werden können, wie sie hier Stekel produzierte. [E. F.]

118

[Anwesend:] Adler, Brecher, Federn, Friedjung, Furtmüller, Hilferding, Hitschmann, Jekels, Joachim, Nepallek, Oppenheim, Rank, Reitler, Sadger, Stekel, Tausk, Grüner F. und G., Klemperer, Sachs, Silberer, Wagner, Winterstein.[1]

[118.] PROTOKOLL

[Geschäftliches]

Der OBMANN beantragt, die Abstimmung über die Aufnahmswerbung des Herrn stud. med. Bing zu verschieben, bis Mitteilungen über ihn eingelangt sein werden.

Auf Antrag STEKEL soll darüber abgestimmt werden, ob die heutige Diskussion im Rahmen der »Wiener Diskussionen« publiziert werden solle. SADGER beantragt, den Erfolg der heutigen Diskussion abzuwarten, und FEDERN meint, es solle auch diese Frage von den einzelnen Rednern in Diskussion gezogen werden. Hierauf wird die Abstimmung auf den Schluß verschoben.

Diskussion über Berufswahl und Neurose

Der Vorsitzende (STEKEL) bringt vor Eröffnung der Diskussion noch einen Nachtrag zu seinem Vortrag, und zwar zwei Geständnisse von Berufswahl oder eigentlich von Berufsänderung, die zeigen, wie tief

---

[1] Der Leser sei darauf aufmerksam gemacht, daß an diesem Abend zum ersten Mal Freud nicht anwesend ist, obwohl er es war, der die Fortsetzung der Diskussion vorgeschlagen hatte.

die Berufswahl von der Neurose beeinflußt wird. Jeder Wechsel des Berufs ist nämlich genau motiviert durch das Stadium der Neurose.

WINTERSTEIN hat den Eindruck, daß mehr über den Zusammenhang von Berufswahl und Sexualität gesprochen wurde als von Berufswahl und Neurose. Doch komme dem Ichtrieb und den ihm untergeordneten Trieben (wie Nahrungstrieb, Machttrieb, Geselligkeitstrieb sowie den einzelnen Organtrieben) eine große Bedeutung für die Berufswahl zu, insoferne man überhaupt von einer solchen sprechen könne, da die Möglichkeit einer Wahl oft nicht gegeben ist und anderseits viele Menschen nur eine Beschäftigung und keinen Beruf haben.

Eine Reihe von den genannten Organtrieben wird erst sekundär in den Dienst des Sexualtriebs gestellt. Ein Typus der Berufswahl entspränge der Fähigkeit, einen solchen perversen Partialtrieb zu sublimieren und zu einem Berufe zu vergeistigen, in welchem Falle aber gerade die Neurose verhütet werden müßte. Deswegen finde man dann bei solchen Menschen eine besondere Liebe zum Beruf, weil er für sie eigentlich eine Sexualbetätigung darstellt und die Sexualität das größte Affektreservoir ist. – Ein zweiter Typus sind die Gesunden, die weder pervers noch neurotisch sind und sich zu jeder Art von Beschäftigung bereit finden, denen dafür aber auch die Gefühlsbetonung von der Sexualität her fehlt. – Ein dritter Typus ist der Neurotiker, der entweder durch Reaktionsbildung an der Betätigung seines dominierenden Sexualtriebs verhindert ist oder durch Ablehnung zum Neurotiker geworden ist. Der Neurotiker ist auf die Dauer zu jedem Beruf untauglich. Ihn fördert die Sexualität nicht wie den ersten Typus, noch läßt sie ihn unbelästigt wie den zweiten Typus, sondern sie stört ihn. Der Neurotiker ist nicht mit seiner Beschäftigung unzufrieden, sondern mit seiner Sexualität, und das drängt ihn zu beständigem Berufswechsel.

Bei der Identifizierung und Differenzierung vom Vater seien zwei Fälle möglich: dieselbe oder die entgegengesetzte Eignung kann zufällig vorhanden sein, sie kann aber auch auf Grund der Einstellung auf den Elternkomplex erfolgen.

SILBERER erhebt die Frage, wie der Vortragende den Begriff des Kriminellen aufgefaßt habe. Er selbst möchte wie Adler meinen, das Kriminelle wäre erst möglich, wenn Schuldgefühle da seien. Welches Individuum dann Neigung zeige, die Hemmungen der Triebe zu überwinden, das sei kriminell. – Bei den Kindheitsphantasien sei Stekel weit gegangen; so sei z.B. die Vorliebe für den Kutscher einfacher aufzulösen: es verdichtet sich darin der Wander-, Seh- und Fortbewegungstrieb der Kinder.

FURTMÜLLER hat die Themenstellung von den sozialen Seiten her interessiert, da doch die Berufswahl in einer Reihe von Fällen von ökonomischen Verhältnissen bestimmt wird. Immerhin scheint es möglich, gewisse Charaktertypen der einzelnen Berufe zu entwerfen, und speziell bei den Juristen scheine das Stekel gelungen zu sein. Doch müßte man auch da zwei Klassen unterscheiden, solche, die aus verdrängtem Sadismus und solche, die aus unverdrängtem Sadismus diesen Beruf ergreifen. Immerhin bleibt das Problem schwierig, und man muß sich hüten, allzuschnell eine bestimmte geistige Beschaffenheit mit der Vorliebe für einen bestimmten Beruf in Beziehung zu bringen. Jeder Beruf ist so vielseitig, daß er immer verschiedenen Bedürfnissen entsprechen wird. Es ist auf diesem Gebiete geraten, sich nicht auf die individuell psychologischen Erkenntnisse der Psychoanalyse zu verlassen, sondern ihre Kreuzung mit den sozialen Verhältnissen zu studieren. So z. B. wird beim Übergang so vieler Bäcker zum Badedienergewerbe vor allem zu berücksichtigen sein, daß zwischen den beiden Berufen technische Beziehungen bestehen. Bei der Identifizierung und Differenzierung sei ein methodischer Fehler zu bemängeln. Die Psychoanalyse dürfe nicht solche Fälle zur Bestätigung heranziehen, die auch dem Laien selbstverständlich sind, sondern sie muß die Verhältnisse in solchen Fällen aufzeigen, wo sie der gesunde Menschenverstand nicht sieht. – Auch in der Politik treten die Verhältnisse nicht immer so kraß hervor. Eine häufige Reaktion sei, daß der Sohn des politisch interessierten Vaters politisch uninteressiert sei. – Der von Sadger entworfene Typus des Sozialdemokraten sei eine vollkommen reale Unmöglichkeit.

REITLER kann die Stekelsche Auffassung des Kutschers bestätigen; das Sterben ist jedoch hier nur eine sekundäre Symbolik. Zunächst bedeutet der Kutscher den Vater, der die Familie (Wagen) lenkt und leitet und dem das Kind auch das Recht der Tötung zuerkennt. Von Kriminalität könne man mit Silberer erst sprechen, sobald ein Schuldbewußtsein aufgetreten ist. Das Kind hat unethische Triebe, die es aber nicht als solche empfindet, und so ist auch die Vorstellung des Todes bei ihm harmlos.

An den häufigen Attentatsbeschuldigungen der Zahnärzte sei die Mundperversion der Frauen schuld, die bei Entfernung der Zähne den Mund mit der Vagina identifizieren.

Daß die Ausübung der Musik auf Geige und Klavier ein häufiger Ersatz für Onanie sei, wird an einem Falle gezeigt.

Die fünf Formen der Berufswahl ließen sich auf zwei reduzieren: Sublimierung in der Richtung des Partialtriebs und in der Gegenrichtung.

HITSCHMANN findet es bei einem Thema, welches sich mit dem Charakter beschäftigt, begreiflich, daß die Adlerschen Auffassungen sich in den Vordergrund drängen, da bei der Berufswahl nicht nur die Sexualität, sondern auch die andern Triebe eine große Rolle spielen. Doch unterscheidet sich der Aggressionstrieb und der männliche Protest nicht viel von dem, was wir sonst als leben wollen, leisten wollen, sein wollen etc. bezeichnen. Von Interesse wäre es, im Vergleiche mit der Häufigkeit der Neurosen jene Zeiten in Betracht zu ziehen, wo man sich keinen Beruf wählen konnte, die Zeit der Kasten.

Wenn gewisse Menschen (z. B. aus dem Hochadel), die sonst nicht gezwungen wären, einen Beruf zu wählen, das dennoch tun, so sind das meist die Neurotischen; ähnliches galt in früherer Zeit für die Frauen. (»Wenn eine Frau sich wissenschaftlich interessiert, so ist etwas an ihrer Geschlechtlichkeit nicht in Ordnung.« Nietzsche.)

Daß die sexuelle Unklarheit zur Medizin führt, ist ziemlich sicher. Endlich ist von Interesse, daß die Vertreter gewisser Berufe eine äußere Ähnlichkeit aufweisen und daß es Berufe gibt, die im Nichtstun bestehen.

TAUSK berichtet von vier Studentinnen der Medizin, die Homosexuelle sind und zur Medizin kamen, um sich sexuell zu informieren. Es sei das ein verhältnismäßig großer Perzentsatz.

Zu dem Thema Berufsänderung und Neurose kenne er einige praktische Fälle, aus denen sich ergibt, daß die Berufsänderung mit der Änderung der Frau zu schaffen hat.

SACHS bemerkt zur Frage des Kriminellen, daß, wer sich auf den Standpunkt des Kindes stelle, nur Aggression sehen könne. Wer aber den Moralkodex des Erwachsenen anlege, der müsse natürlich Kriminelles sehen. Derselbe Zwiespalt sei aber auch ein Hauptgrund der Neurose. Denn die spätere Regression, die Rückkehr auf den infantilen Standpunkt, fällt in eine Zeit, wo sich das Individuum bereits den Moralkodex angeeignet habe.

KLEMPERER bemerkt, daß für viele Leute das Ziel des Berufes sei, keinen Beruf haben zu müssen, und für andere, einen großen Herrn zu spielen; jedenfalls stehe die Betonung der Ichtriebe im Vordergrund.

WAGNER verweist darauf, daß Künstler sich oft in ihrem Berufe vergreifen. Dabei wären auch die so genannten verbummelten Genies zu erwähnen, die analog dem Neurotiker, der es in der Liebe zu nichts bringt, es in keinem Berufe zu etwas bringen. – Man könne sich sehr schwer vorstellen, daß das Kind von Hause aus die Kriminalität mitbringe.

BRECHER möchte die Frage aufwerfen, wie die Berufswahl auf die Neurose wirke. Es gilt das für die Fälle, wo die Einzwängung in einen Beruf die schon konstellierte Neurose zum Ausbruch bringt.

HITSCHMANN weist an dem Beispiel Winckelmanns[2] auf den Zusammenhang der Philologie mit der Homosexualität hin.

OPPENHEIM wollte dasselbe eben bemerken und das Beispiel von Winckelmann deutlicher ausführen. Bei den Genies könne man, wie einer der Vorredner, von einem Vergreifen des Berufes nicht sprechen, da solchen Geistern jeder Beruf zu enge gewesen wäre.

Den Zusammenhang von Musik und Sexualität zeigt die Volkskunde besonders deutlich durch eine Reihe von Symbolen.

FEDERN möchte sich polemisch zum Vortrag wenden, insoferne als in den Gesamtausführungen nicht von neurotischer Berufswahl als vielmehr von der normalen Berufswahl die Rede gewesen sei. Das sind Menschen, die aus den Partialtrieben heraus den Beruf wählen (Winterstein). Stekel kommt zu dieser Verwechslung, indem er fälschlich als neurotische Berufswahl diejenige beschreibt, bei der dieselben Triebe sich äußern wie in der Neurose. So hat Freud z. B. gezeigt, daß unter den Zwangsneurotikern sich viele Juristen und Sadisten finden, eine Berufswahl, die nun Stekel fälschlich als neurotische beschrieben hat.

Ebenso unzutreffend sei Stekels zweiter Satz von der universellen Kriminalität des Kindes; er wollte damit offenbar nur sagen, wir finden Sadismus. Ebenso falsch sei, daß die Neurotiker durch Feigheit gehindert werden, zu Verbrechern zu werden; vielmehr sind es die kulturellen Hemmungen, welche sie hindern.

Über den Einfluß der Neurose auf die Berufswahl erkläre er sich mit Winterstein einverstanden. Hervorzuheben ist der Einfluß einer

---

[2] Johann Joachim Winckelmann, 1717–1768, der deutsche Archäologe.

gut kompensierten Minderwertigkeit, obwohl die beste Berufswahl aus einer Organmehrwertigkeit hervorgehen wird. Die Wahl nach dem Vater ist deswegen so häufig, weil die Organ- und Triebverwandtschaft gegeben ist.

Die Berufswahl, zu der der Neurotiker in seiner Bedrängnis geführt wird, ist meist die des Philosophen, Künstlers, Religionsstifters. Die Neurose tut hier das, was die ganze Menschheit getan hat, und aus solchen einzelnen neurotischen Berufswahlen hat sich die Kultur zusammengesetzt.

ADLER hebt als die Hauptfrage hervor, was die Berufswahl für die Neurose bedeutet (Brecher). Die Berufswahl ist wie die Liebe der Punkt, an dem der Disponierte sich zu erkennen gibt.

Für das Kind existiere das Kriminelle nicht, es ist nur die besondere Form des Aggressionstriebes, die uns den Eindruck des Kriminellen macht. Aber auch in der Kulturgeschichte wechselt der Begriff des Kriminellen außerordentlich.

Wie das Kutschersein nichts anderes ist als der Wunsch, oben zu sein, so ist das Überfahrenwerden nichts als das Unten-, das Weibsein. Dazu kommt, daß in den kindlichen Phantasien vom Geschlechtsverkehr der Tod eine große Rolle spielt; das Kind empfindet das Untenliegen als etwas sehr Gefährliches.

Daß Dichter oft Talent zur Malerei haben, hängt mit der Minderwertigkeit des Auges zusammen, ähnlich wie der blinde Musiker oder die audition colorée[3] aus dem Nebeneinander zweier minderwertiger Organe sich erklärt.

Hitschmann sei zu erwidern, daß dieses Lebenwollen beim Neurotiker etwas ganz anderes bedeute, daß es ein überhitzter Mechanismus sei.

HILFERDING möchte, ohne zu bestreiten, daß früher meist neurotische Frauen Berufe ergriffen haben, erwähnen, daß heutzutage weder das Ergreifen des Berufes selbst noch die spezielle Wahl eines solchen eine freie sei, am wenigsten bei Frauen, für die ja nur Medizin und Philosophie möglich sei. − So zahlreiche Fälle von Homosexualität, wie sie Tausk angeführt habe, seien ihr unwahrscheinlich. Viel eher dürfte der Beobachter mit einer vorgefaßten Meinung an diese Dinge herangegangen sein.

---

[3] Auditio colorata: subjektive Farben- und Lichtempfindungen bei Wahrnehmung von bestimmten Tönen.

STEKEL betont in seinem Schlußwort, daß ihn die Diskussion sehr enttäuscht habe. Nicht etwa wegen der Kritik, die ja zum Teil lehrreich sei, sondern weil meist theoretische Betrachtungen und nicht reale Beobachtungen vorgebracht wurden.

Die Frage nach der Auffassung des Kriminellen könne er nur dahin beantworten, daß das Kind mit allen kriminellen Trieben zur Welt komme und wisse, was der Tod sei. Sonst hätte ja die Phantasie des Tötens beim Koitus, die tatsächlich eine große Rolle spiele, keinen Sinn. Der Begriff des Kriminellen ist, wie Adler gesagt hat, sehr relativ und kommt überhaupt hier nur individuell in Betracht. Im übrigen bilde er sich nicht ein, das Thema erschöpft zu haben.

[Geschäftliches]

Der Antrag auf Publikation der Diskussion wird mit allen gegen eine Stimme abgelehnt.

119

Vortragsabend: am 16. November 1910

[Anwesend:] Adler, Brecher, Federn, Freud, Friedjung, Furtmüller, Heller, Hilferding, Hitschmann, Jekels, Nepallek, Oppenheim, Rank, Reitler, Sadger, Steiner, Stekel, Tausk, Grüner G., Grüner F., Klemperer, Wagner, Winterstein.

[119.] PROTOKOLL

[Geschäftliches]

Der OBMANN bringt ein Schreiben von Dr. Ferenczi zur Kenntnis, wonach persönlich gegen Herrn stud. med. Max Bing nichts vorliege, der aber sachlich noch auf keine positive Leistung hinweisen könne. Er macht den Vorschlag, darüber einig zu werden, ob über die Aufnahme abgestimmt werden solle. Nach längerer Diskussion wird auf Antrag STEINERs beschlossen, der Obmann möge privatim Herrn Bing mitteilen, daß er sich scheue, die Anmeldung dem Plenum vorzulegen, ehe nichts Präziseres über die Person des Aufnahmswerbers bekannt sei und dieser sich nicht durch Vorlage einer Arbeit einführe. Prof. FREUD bemerkt dazu, daß in Zürich eine Agitation im Zuge sei, um die Aufnahme auf akademische Mitglieder zu beschränken; und wenn er sich auch entschieden gegen diese Einschränkung aussprechen müsse, so liege doch eine gewisse Warnung darin.

Ferner bringt der OBMANN eine Zuschrift des Herrn Dr. jur. Bienenfeld[1] zur Verlesung, womit unter Berufung auf Prof. Freud um

---

[1] Franz Rudolf Bienenfeld, 1886–?, war ein angesehener Rechtsanwalt in Wien und blieb sein Leben lang in Kontakt mit Freud und der Psychoanalyse, obgleich er nicht Mitglied der Vereinigung wurde. Unter dem Pseudonym Anton van Miller veröffentlichte er das Buch *Deutsche und Juden* (Soziologische Verlags-Anstalt, o. O. [Kittls Nachf., M.-Ostrau], 2. Aufl. 1937).

Aufnahme in die Vereinigung ersucht wird. Mit Rücksicht auf einige ablehnende Stimmen, die sich erheben, sieht sich der Obmann veranlaßt, die Angelegenheit einige Zeit in suspenso zu lassen, und gibt dem Wunsche Ausdruck, daß es in solchen Fällen der beste Ausweg wäre, wenn der Aufnahmswerber von seinem Ansuchen zurückträte.

FRIEDJUNG stellt und begründet einen Antrag, die Sitzungen pünktlich um 9 Uhr zu eröffnen.

HITSCHMANN stellt den Antrag, die Adlerschen Lehren einmal im Zusammenhang und insbesondere im Hinblick auf ihre Divergenz gegenüber der Freudschen Lehre eingehend zu diskutieren, um, wenn möglich, eine Verschmelzung beider Anschauungen oder mindestens eine Klärung der Differenzen zu erzielen. ADLER erklärt sich bereit, darüber zu diskutieren, meint jedoch, daß Hitschmanns Wunsch nicht so leicht erfüllbar sei. Prof. FREUD möchte den Antrag dahin modifizieren, daß nur über einen Punkt der Adlerschen Anschauungen gesprochen werde, der ihm nicht geklärt erscheine, nämlich über das Verhältnis des männlichen Protestes zur Verdrängungslehre, die in den Adlerschen Arbeiten keine Rolle spiele. Natürlich müßte dann Adler selbst — und nicht etwa Referenten — über dieses Thema sprechen. Nach Ablehnung eines Antrags STEKEL, die letzte Arbeit Adlers zum Ausgangspunkt einer Diskussion zu machen, wird der Antrag FREUD angenommen, und Adler erklärt sich bereit, in acht Tagen ein Thema namhaft zu machen, das Gelegenheit bieten soll, den Gegensatz zu beleuchten.[2]

Nach einem Appell an die Mitglieder, der insbesondere an die Neuankömmlinge gerichtet ist, sich mit Vorträgen an der positiven Arbeit zu beteiligen, und der von FRIEDJUNG und STEKEL kräftig unterstützt wird, eröffnet der OBMANN die wissenschaftliche Versammlung.

Referate und kleinere kasuistische
sowie sonstige Mitteilungen [I]

STEINER berichtet über einen Vortrag von Prof. Böhm[3] in St. Louis [U.S.A.], der sich mit dem Einfluß der Prostata auf die Neurosen be-

---

[2] Mit Hitschmanns Antrag kam die Diskussion über Adlers Abweichungen ins Rollen, die mit dem Austritt Adlers und seiner Gruppe ein Ende nahm. Vgl. dazu die Protokolle 125, 129, 130, 132 sowie 146 im vorliegenden Band.
[3] Über Prof. Böhm konnte nichts Näheres eruiert werden.

schäftigt und der Prostata und den Samenblasen eine ähnliche Rolle zuschreibt, wie sie beim Weib der Uterus spiele. Es werden eine Reihe pathologischer Zustände und nervöser Störungen angeführt, die mit der Prostata in Zusammenhang stehen und die im allgemeinen als sexuelle Neurasthenie aufzufassen wären. Bei vielen Negern, die bekanntlich sehr zu Notzuchtakten neigen, konnten Prostataerkrankungen festgestellt werden.

Eine zweite, gründliche und sehr verdienstvolle Arbeit von Dr. Max Marcuse (in der *Zeitschrift zur Bekämpfung der Geschlechtskrankheiten*) schildert die Gefahren der sexuellen Abstinenz für die körperliche und seelische Gesundheit.[4]

Diskussion

STEKEL betont, daß er bei diesen Neurosen immer auf derartige Störungen gestoßen ist (z. B. Struma), die das bilden, was wir die neurotische Disposition nennen. Leute mit solchen Störungen der Drüsenfunktion reagieren empfindlicher auf psychische Einwirkungen. – Im übrigen sei die Brücke zwischen innerer Sekretion und Neurose noch zu schlagen.

FEDERN erinnert an den früheren Standpunkt Stekels in dieser Frage, der nur den psychischen Konflikt gelten lassen wollte. Der bei den Negern eruierte Zusammenhang zwischen Sadismus und Prostata bestätige seine eigenen Beobachtungen, die er gelegentlich seiner Ausführungen über den Sadismus mitgeteilt habe.[5] – Mit Steiner gemeinsam habe er zwei Fälle von Angstneurose beobachtet, bei denen die psychische Behandlung erfolglos blieb, die aber durch ein im Verlauf der lokalen Behandlung aufgerütteltes und ausgeheiltes Abszeß gesund wurden. Es scheine also durch Reizungen in der Gegend des Geschlechtsapparates der dazu Disponierte eine Angstneurose bekommen zu können. Der Neger dagegen bekommt infolge dieser Reizung keine Angstneurose, sondern seine Sexualität und sein Sadismus bricht durch.

HITSCHMANN hält den Zusammenhang zwischen Sadismus und Prostata für unbewiesen. Im übrigen glaubt auch er, daß die innigsten Zusammenhänge bestehen zwischen Neurasthenie und akuten Prostataerkrankungen. Gegenüber den öfter laut gewordenen Zweifeln an der Angstneurose möchte er hervorheben, daß es exquisit or-

---

[4] ›Die Gefahren der sexuellen Abstinenz für die Gesundheit‹, *Zeitschrift zur Bekämpfung der Geschlechtskrankheiten*, Bd. 11, 1910, S. 81–172.
[5] S. das 100. Protokoll in Bd. 2 der vorliegenden Veröffentlichung.

ganische Angstneurosen gebe und daß vielen solchen Patienten durch
einen rein praktischen Sexualrat geholfen werden kann.

STEKEL hält die Schlußfolgerungen, die Federn aus den zwei angeführten Fällen ziehe, nicht für beweisend, da sich die Erfolge der
Psychoanalyse oft erst später einstellen.

ADLER möchte diesen Hinweis Stekels unterstützen und dahin ergänzen, daß es sich für den Patienten darum handle, recht zu behalten,
was auch bei Patienten außerhalb der Psychoanalyse zu beobachten
sei und welches Verhalten den Endspurt jeder Psychoanalyse beherrsche. – Was die Beziehung der toxischen Theorie zur psychischen
betreffe, so ist klar, daß eine länger dauernde Prostataerkrankung als
Zeichen einer Organminderwertigkeit zu einem Minderwertigkeitsgefühl führen wird, aus dem der männliche Protest, sei es in der
Form des Sadismus (Federn) oder der Angst (Freud, Steiner) resul-
tieren wird. Die Angst geht durch Verwandlung aus dem gesteigerten
Aggressionstrieb hervor, und die Angstneurose entsteht im Anschluß
an den unterdrückten männlichen Protest. Sie hat den Zweck, das Individuum vor Aggression zu sichern.

Prof. FREUD betont, daß die schwierigen Fragen des Zusammen-
hangs zwischen den Neurosen und den betreffenden Organen nur
dann zu lösen sein werden, wenn derselbe Arzt die psychologischen
und organischen Gesichtspunkte in gleicher Weise beherrscht. Dr.
Steiner, der die einschlägigen Fälle untersuche, finde zwar meist bei
Neurasthenien Hyperästhesien, deren Beseitigung jedoch nichts am
Wesen der Neurose ändere. Wenn derartige Erscheinungen also auch
eine Neurose begünstigen, so gehören sie doch nicht notwendig zur
Ätiologie. – Das Rechtbehaltenwollen der Patienten treffe für eine
Gruppe von Fällen – wenn auch nicht für alle – zu, sei aber nicht als
weiter unauflösbarer Charakterzug zu registrieren, sondern stamme
aus dem Elternkomplex und lasse sich durch Behandlung in der Analyse wieder aufheben. Mit derartigen Verallgemeinerungen müsse man
sehr vorsichtig sein.

FEDERN möchte die Einwendungen gegen die aus den zwei Fällen gezogenen Schlüsse damit zurückweisen, daß nicht der Patient behauptet habe, die Operation habe ihn geheilt, sondern daß dies am
Patienten zu beobachten war.

STEINER meint, daß durch den lokalen Eingriff die körperliche

Voraussetzung für die Heilung dieser nervösen Zustände gegeben sei. Diese Auffassung verträgt sich mit einer vorhandenen Organminderwertigkeit und bietet auch Raum für den psychischen Überbau, der in keinem dieser Fälle vermißt wird.

ADLER erwähnt einen seiner Fälle, bei dem die Heilung eines Prostataabszesses erst nach erfolgter psychoanalytischer Kur eintrat. – Was das Rechtbehaltenwollen der Patienten betreffe, so sei es ihm nie eingefallen, dabei stehenzubleiben.

Prof. FREUD erwähnt noch, es sei lediglich eine Sache der Technik, ob man die Widerstände am Ende (Adlers Endspurt) oder am Anfang oder in der Mitte der Kur bekomme.

OPPENHEIM bringt volkskundliches Material zur Traumsymbolik und zeigt an einigen Schwänken, daß im Volk das Bewußtsein lebt, daß der Traum sich der sexuellen Symbolik bedient (z. B. Lampe als Symbol des weiblichen, aber auch des männlichen Genitales, Ring als Symbol der Vagina, Szepter als Penissymbol).

STEKEL weist auf die symbolische Gleichung der Flüssigkeiten hin, die auch das Öl oder Petroleum der Lampe als Ersatz des Spermas erscheinen lasse.

FEDERN hebt den Zusammenhang von Schwurfinger (Penis) und Zeugen hervor, TAUSK die Beziehung von Testes und Testikulum. OPPENHEIM bemerkt dazu, daß die biblische Schwurformel beim Genitale dessen, für den gezeugt wird, abgelegt werde.

FREUD macht darauf aufmerksam, daß dieser Zusammenhang viel älter sei und sich bereits in der Hieroglyphenschrift finde, wo der Zeuge mit dem Bilde des männlichen Genitales geschrieben werde. Zwei Zeugen müssen es wohl sein, weil ein Mann mit einem Testikel nicht zeugungsfähig sei. Die psychologische Begründung dieses Zusammenhanges liegt in dem Fortschritt, den die Menschheit vom Mutter- zum Vaterrecht machte (siehe *Jahrbuch*, I, S. 410 Anmerkung[6]).

ADLER meint, daß der Gedanke, unter einem Zeugen einen Zeugenden zu verstehen, darauf hinweise, daß das männliche Symbol als das der Wahrheit aufgestellt werde.

---

[6] S. Freud, ›Bemerkungen über einen Fall von Zwangsneurose‹ (1909); *G. W.*, Bd. 7, S. 379; *Studienausgabe*, Bd. 7, S. 31. Die o. a. Anmerkung befindet sich in den *G. W.* auf S. 450, in der *Studienausgabe* auf S. 91.

TAUSK meint dagegen, daß die Philosophen, namentlich Nietzsche und Schopenhauer, von der Wahrheit als Frau sprechen.

Prof. OPPENHEIM gedenkt seinen Bericht nächstes Mal fortzusetzen und wünschte zu hören, ob die Träume korrekt gebildet seien und wie sie dann zu deuten wären.

120

Vortragsabend: am 23. November 1910

[Anwesend:] Adler, Brecher, Federn, Freud, Friedjung, Furtmüller, Hilferding, Hitschmann, Jekels, Nepallek, Oppenheim, Rank, Reitler, Sadger, Stekel, Tausk, Grüner F. und G., Klemperer, Sachs, Wagner, Winterstein.
Frischauf [als Gast].

[120.] PROTOKOLL

[Geschäftliches]

STEKEL fordert zu Beginn der Sitzung zu eifrigerer Mitarbeiterschaft am *Zentralblatt* auf und bringt eine Anregung Prof. Freuds zur Kenntnis, wonach die Teilnehmer an den Referierabenden aufgefordert werden, ihre kleinen Mitteilungen dem *Zentralblatt* zur Verfügung zu stellen.

Referate und kasuistische
sowie sonstige kleinere Mitteilungen [II]

Prof. OPPENHEIM setzt seinen Bericht über volkstümliche Schwänke, in denen Träume eine Rolle spielen, mit einigen Beispielen fort, die auf das Gebiet der Analerotik zu ziehen wären, und wiederholt die Frage, ob diese Träume ebenfalls nach den Regeln der Freudschen Lehre deutbar seien. – Unter anderem werden genannt: Als Symbol der infantilen Verunreinigung im Bett eine Spinne, die ihren Faden zieht. – Die Verunreinigung der Ehefrau oder des Schlafgenossen infolge der Traumvorstellung, man müsse den Platz bezeichnen, wo ein Schatz verborgen liege. – Die ähnliche Verunreinigung eines

Grabes im Traume, die Redner mit dem Grumus merdae in Beziehung bringt.

STEKEL weist darauf hin, daß sich das Fadenziehen auf Sperma bezieht, wie auch die Spinne in den Träumen häufig als Penissymbol auftritt.[1] – Der Schatz geht über die Assoziationen Gold und Kot auf die Frau (lieber Schatz); und der Mann, der die Schatzstelle auf so merkwürdige Weise bezeichnet, will sagen, daß er auf die Frau scheißt; er will die Frau vergraben und nicht den Schatz.

OPPENHEIM weist darauf hin, daß es sich in der vorgetragenen Geschichte vom Spinnenfaden um Kot handle; daß dieses Symbol häufig auf den Samenfaden geht, ist ihm bekannt (Lebensfaden).

ADLER erinnert an seinen kürzlich vorgebrachten Fall des Mädchens, die ihr Bett mit Stuhl verunreinigte. Diese Patientin hatte auch einen Gräberschändungstraum, dessen Deutung ähnliches, wie Oppenheim anführte, ergab: Haß gegen die Mutter bis über das Grab hinaus. Sie beschmutzt das Grab der Mutter, die dabei unten ist, während die Patientin oben ist, was als treibendes Motiv ihrer ganzen Neurose aufgezeigt wurde.

TAUSK weist darauf hin, daß im Traum von der Spinne auch der Blitz als Penissymbol erscheine und daß der Mann seine Kinder sehen wolle, was die Beziehung zum Samenfaden wahrscheinlicher mache. – Die häufige Verbindung von Sexualität und Defäkation bei den Türken scheine daher zu stammen, daß der Dreck die Rolle des Hohnes übernommen habe und man nicht immer auf den letzten analerotischen Zusammenhang zurückgehen müsse. – Das Minarett (in einem der Träume) gilt allgemein als Symbol des Penis, der oben befindliche Kupferkessel ist die Eichel.

STEKEL meint, daß der Traum von Adlers Patientin einer Überdeutung auf den Mutterleib (Grab) fähig sei; einer seiner Patienten, ein Urin- und Kotesser, hatte die Phantasie seines Aufenthalts im Mutterleib (inter faeces et urinas nascimur[2]).

FEDERN weist auf die blasphemische Verbindung von Defäkation

---

[1] Die Spinne wird auch als weibliches Symbol verwendet. Vgl. dazu den Aufsatz Karl Abrahams ›Die Spinne als Traumsymbol‹ (1922), wiederabgedruckt in: Karl Abraham, *Psychoanalytische Studien*, Gesammelte Werke in zwei Bänden, hrsg. und eingeleitet von Johannes Cremerius, Reihe ›Conditio humana‹, S. Fischer Frankfurt am Main, Bd. 1, 1969, zweite, ergänzte Aufl. 1971, S. 245–51.
[2] Zwischen Urin und Kot werden wir geboren.

und Himmelreich hin, die in diesen Träumen auffalle. Freud habe einmal darauf aufmerksam gemacht, daß alle Leute mit Leichenliebe die Mutter verloren hatten.

RANK weist auf einen von der Mutter Alexanders des Großen berichteten Traum hin, in welchem der Blitz und das Feuer als Symbol des Penis bzw. der Befruchtung erscheine, und auf eine anekdotische Verwendung des Dochtes als Penissymbol.

REITLER meint, die Spinnenphantasie sei überdeterminiert als Ausgehen des Urinfadens. Im Dienste der Zensur ist die für das Kind rein sexuelle Harnentleerung ersetzt durch die Stuhlentleerung. Fälle, wo Urinieren aufs Grab als infantiler Sexualakt aufzufassen war.

GRÜNER möchte die allgemeine Frage Oppenheims in einem erweiterten Sinne bejahen: Nicht nur in den Träumen, sondern in den ganzen Schwänken überhaupt, die ja als Träume aufzufassen sind, erscheint die Sexualsymbolik verwendet. Das Land des Todes ist gleich dem Lande vor der Geburt, d. i. dem Mutterleib, wo sich die noch ungeborenen Kinder als Lichter befinden. – So kleine Tiere wie die Spinne u. a. werden nicht nur als Symbol des Penis, sondern auch als Kind im Mutterleib verwendet.

ADLER verweist darauf, daß sich bei seiner Patientin die Mutterleibsphantasie zwar nicht in dem Traum, aber in einem anderen Zusammenhang nachweisen ließ. Sie benützt gewisse ihr aus der Kindheit zugekommene Nachrichten über ihre schwere Geburt und die Äußerungen des Vaters darüber, um ihren Wunsch nach Selbstmord symbolisch als Mutterleibsphantasie auszudrücken.

FEDERN möchte das Verhältnis umgekehrt auffassen, daß nämlich der Selbstmord von dem Wunsch, zur Mutter zurückzukehren, abstammt.

WINTERSTEIN meint, daß auch der Ariadnefaden sexualsymbolische Bedeutung habe: Minotaurus der Vater, Theseus, der Jüngling, der sie vermittelst seines Fadens (Umkehrung) aus dem Labyrinth bringt.

GRÜNER ergänzt, daß die vorgeburtlichen Phantasien sich auch auf den Vater beziehen, in dessen Leib das Kind ebenfalls vor der Geburt gewesen zu sein glaubt.

SACHS weist darauf hin, daß auch die Tendenz dieser Schwänke der Oppenheimschen Auffassung des Spinnefadens recht zu geben scheine. Dem Mann, dem eine Leistung mißglückt, von dem sagt man ja, er hat sich angeschissen. – Übrigens verbinden einige dieser Schwänke den Analgenuß in charakteristischer Weise mit dem Verzicht aufs Weib.

Prof. FREUD möchte die Anfrage Oppenheims, ob sich die Angst in diesen Träumen so deuten lasse wie sonst in den Träumen, mit ja beantworten. Das sind den Pollutionsträumen analog zu nehmende Entladungsträume. Und wie die Pollutionsträume oft undeutlich beginnen und in dem Maße, als der Trieb stärker wird, sich deutlicher fortsetzen, so ist auch die Angst, die in diesen Träumen verspürt wird, der Widerstand, der sich bei der Verdrängung stark äußert, der aber dann, sowie der Motor (hier der Stuhldrang) stärker wird, überwunden werden kann.

Der Haufen, mit dem der Schatz bezeichnet wird, findet sich auch bei Lesage.[3] – Der Geist, der in einem der Träume mit einem Licht den Weg weist, bezieht sich auf das Suchen des Abortes; später wird der Traum bequemer und der Weg ganz erspart. – Von den verschiedenen Deutungen des Grumus merdae erscheine als die wichtigste, daß sie[4] das Gewissen des Verbrechers repräsentiere (Stekel: Ersatz für das Geraubte). Grüners Ausführungen, die nicht den vollen überzeugenden Eindruck machen, lassen sich in einem Punkte bestätigen: daß Ungeziefer in Träumen häufig Kinder bedeuten und Angst vor Ungeziefer auf Angst vor Kindern zurückgehe.

STEKEL hat daneben andere Bedeutungen für das Ungeziefer gefunden: z. B. Vorwürfe oder rein sexuelle Bedeutungen. Alle stechenden Tiere sind Symbole des Penis (Floh; Kleinpaul[5]).

HILFERDING erinnert, bei einem Dialektschriftsteller den Ausdruck Geziefer für Kinder gelesen zu haben.

Prof. FREUD erinnert an eine kulturhistorische Kuriosität, die sich in den Briefen der Pfalzgräfin Charlotte[6] finde. Sie war kinderlos, und eine Freundin aus Deutschland schrieb ihr, ob vielleicht bei ihrem Mann der gute Zwirn für schlechte Säcke vernäht worden sei.

---

[3] Gemeint ist wohl der französische Romanschriftsteller und Komödienschreiber Alain-René Lesage, 1668–1747.
[4] Es sollte heißen »er«.
[5] Rudolf Kleinpaul, 1845–1918, deutscher Sprachforscher und Volkskundler.
[6] Pfalzgräfin Charlotte Elisabeth, 1652–1722, wurde durch die freimütige Darstellung ihrer Lebensverhältnisse berühmt.

Die Menschen haben keine neue Tätigkeit gelernt, ohne sie nicht als Sexualsymbol gebraucht zu haben. Für unsere Erkenntnis haben nur die allerersten kulturhistorisch undurchsichtigen Symbole Wert. Symbol ist für das Unbewußte identisch mit Sexualsymbol.

KLEMPERER meint, daß diese Schwänke hinter aller Lustigkeit eine tiefe Tragik verbergen und daß die Angst darin als Todesangst, die dem vollen Leben gegenübergestellt sei, verständlich werde.

NEPALLEK meint dagegen, daß z. B. in dem ersten erzählten Schwanktraum, wo der Mann Angst habe, daß sein Lebenslicht früher als das seiner Frau ausgehen werde, und er sich bemüht, die Ölfüllung beider Lampen durch Übertragung mit dem Finger aus der Lampe seiner Frau (deren Genitale) in die seinige auszugleichen, nicht die Todesangst so sehr als die Angst vor Impotenz ausdrücke (Erlöschen der Potenz). Die länger brennende Lampe sei ein Symbol der weiblichen Potenz, die länger halte als die männliche; das bemüht sich der Mann auszugleichen, und er kann das mit dem Finger, den er dann zum Munde führt.

ADLER: Ein Beitrag zur Organminderwertigkeit.
Redner erinnert an seine Aufstellung, daß die Neurosen mit mangelhaften Entwicklungen des Sexualorganes (speziell Hypoplasie) zusammenhängen und daß sich bei solchen Individuen auch andere Organminderwertigkeiten finden. Nun ist Kirle[7] auf pathologisch-anatomischem Gebiete zu ähnlichen Befunden gekommen. Es ließen sich nämlich bei jugendlich Verstorbenen fast regelmäßig Hypoplasie des Genitalorgans (speziell der männlichen Keimdrüsen) nachweisen. Schon früher fand Bartel[8] in den Organen von Selbstmördern regelmäßig Hypoplasien. Für uns handelt es sich darum, ob es eine toxische Veränderung ist, die das Individuum leistungsunfähig macht im Sinne der Neurose, oder ob es das hervorgehobene Verhältnis ist, daß solche Individuen durch ihre ursprüngliche Leistungsunfähigkeit zur Neurose gelangen. Für das letztere scheint der Umstand zu sprechen, daß man sehr häufig bei den Neurotikern Anomalien der primären und sekundären Geschlechtscharaktere findet.

---

[7] Josef Kyrle, 1880–1926, ›Über Entwicklungsstörungen der männlichen Keimdrüsen im Jugendalter‹, *Wiener klinische Wochenschrift*, Bd. 23, 1910, S. 1583–93, und *Mitteilungen der Gesellschaft für innere Medizin und Kinderheilkunde in Wien*, Bd. 9, 1910, S. 203–08.
[8] Julius Bartel, ›Zur pathologischen Anatomie des Selbstmordes‹, *Wiener klinische Wochenschrift*, Bd. 23, 1910, S. 495–504. (Vgl. auch die Diskussion über den Selbstmord, 104. Protokoll in Bd. 2 der vorliegenden Veröffentlichung, S. 453 mit Anm. 14.)

FEDERN hat bei seinen Neurotikern häufig Zeichen von Unterentwicklung der Genitalien gefunden und bereits darauf hingewiesen, daß sadistische und masochistische Reizungen der Kinderzeit auf die Folgen dieser Unterentwicklung zurückgehen, die auf diese Weise auf die Psyche des Kindes wirken. – Freud hat übrigens schon vor mehreren Jahren von einem Fall von Dementia praecox berichtet mit auffallend schlecht entwickelten Genitalien. – Die Neurose kommt eben bei solchen Menschen zustande, bei denen die sexuelle Entwicklung der Kinderzeit nicht normal verläuft. Die Hauptbedingung dazu ist, daß eine abnorme Organentwicklung vorausgeht. Adler fügt hinzu, daß sich das Kind dieser Minderwertigkeit auch bewußt sei. Diese Unterentwicklung allein genügt aber noch nicht zur Erzeugung der Neurose. Die Bedeutung der Organminderwertigkeit wäre also in folgendem zu sehen:

1. daß sie eine psychologische Egalität Männern wie Frauen gegenüber hervorruft;
2. daß sie ungemein starke Sexualtriebe mit schwerer Befriedigungsmöglichkeit schafft;
3. daß sie ungewöhnliche Empfindungen und
4. eine unzeitgemäße Entwicklung mit sich bringt.

Durch die bloße Minderwertigkeit des Sexualorgans ist die Frage der Toxität nicht entschieden, weil andere Organminderwertigkeiten hinzutreten.

HITSCHMANN betont, daß alle diese Tatsachen erst durch große Zahlen bewiesen werden müssen. Aber auch dann dürfen wir uns nicht beeinflussen lassen, das psychologische Gebäude, das auf diesen organischen Befunden aufgebaut ist, für ebenso bewiesen zu halten. So hat z. B. das Bewußtsein einer Hypoplasie in früher Jugend etwas Gezwungenes, wie überhaupt der Zusammenhang zwischen Organminderwertigkeitslehre und Neurose noch sehr ungeklärt sei. Auch ist der Widerspruch anzumerken, daß das Genitale bei der Organminderwertigkeit so stark hervorgehoben wird, während in den psychologischen Ausführungen Adlers das Geschlechtliche auffallend zurücktrete.

FRIEDJUNG möchte auch die psychischen Einflüsse gegenüber den von Adler hervorgehobenen somatischen betonen, was sich gerade bei den somatisch gewiß nicht besonders benachteiligten einzigen Kindern zeige, die ihre Neurose offenbar aus der Familienkonstellation erwerben.

STEKEL stellt Hitschmann gegenüber den wissenschaftlichen Wert

jeder Statistik in Abrede und erklärt, das Psychologische der Adlerschen Funde voll und ganz bestätigen zu können, und finde darin auch
keinen Gegensatz zu dem bisher von Freud Gefundenen. Jedes Kind
fühlt sich seiner erwachsenen Umgebung gegenüber minderwertig;
daß es zur Fixierung dieses Gefühls kommt, mag mit der Organminderwertigkeit zusammenhängen. Dazu kommt aber, daß sich das Kind
als schlecht empfindet (kriminell) und die anderen für gut hält. Es
wäre vielleicht die Minderwertigkeit aus den kriminellen und sexuellen
Instinkten zu erklären.

BRECHER möchte methodologisch davor warnen, das bewußte Gefühl der Minderwertigkeit zu verwechseln mit der Organminderwertigkeit, die gänzlich in das Bereich des Unbewußten oder eigentlich
schon in das der Biologie fällt. Diese Minderwertigkeit sei zu verstehen als eine Art Reizzustand, der von bestimmten Organen ins Unbewußte ausstrahlt und dann einen Teil dessen bildet, was von Freud
als somatisches Entgegenkommen festgelegt wurde.

FREUD möchte die Diskussion hierüber aufsparen und Stekel zur
Vorsicht mahnen. Diese Dinge existieren gewiß alle, es handelt sich
nur darum, ihre Relativität zu bestimmen. So sei z. B. zuzugeben, daß
man unter den Neurotischen oft deutlich psychische Hermaphroditen
finde; aber ebenso häufig findet man unter ihnen die anmutigsten und
reizendsten weiblichen Mädchen und Frauen.

STEKEL: Ein Beitrag zum psychischen Hermaphroditismus;
geht von der tiefen Religiosität der Neurotiker aus, bei denen jede
abergläubische Vorstellung sich auf ihren echten Glauben zurückführen lasse. In diesem Falle handelt es sich um den Traum eines
Neurotikers, der einen Christus sieht und ihm etwas herausnimmt.
Im Patienten liegen zwei Vorstellungen im Kampfe miteinander: daß
er Christus oder der Satan ist. Es handelt sich um einen Angsttraum
des Inhalts, er habe sich gegen seine Gottheit etwas herausgenommen.
Nun hat Adler behauptet, daß jeder Traum den psychischen Hermaphroditismus zeige, und tatsächlich stellt sich heraus, daß Patient
dem Christus das Genitale herausgenommen hat, ihn also zum Weib
gemacht hat. Patient selbst zeigt weibliche Züge und Eigenschaften,
sieht im Penis das Prinzip des Bösen und wünscht deshalb ein Weib
zu sein. Alle Männer sind für ihn Sünder, weil sie aktiv sind, während
die Frauen infolge ihrer Passivität eher zur Heiligkeit neigen. Lust
zu genießen ohne Schuld ist der Sinn aller Vergewaltigungsphantasien.
Die weiblichen Tendenzen dienen dem Patienten dazu, um über den

Vater zu triumphieren. Er will durch Askese erreichen, daß er im Himmel einen viel höheren Platz einnimmt als der Vater, der unten bei den Sündern stehen wird; seine Impotenz ermöglicht ihm den schließlichen Triumph über seinen Vater. Derselbe Patient hat Wettrennträume, wo er den Vater überholen will.

ADLER verweist darauf, daß in diesem Falle von männlichem Protest mit weiblichen Mitteln das Religiöse gestützt wird als Sicherungstendenz (was Freud als Reaktionsbildung hingestellt hat). Die kindliche Situation scheint auf eine Phantasie zurückzugehen, wo er den Vater entmannt und sich selbst als Mann über ihn erhebt, d. h. um eine homosexuelle Phantasie, die in seinem männlichen Protest deutlich zum Ausdruck kommt. Durch seine weibliche Einstellung sucht er sich vor der Homosexualität zu sichern.

HITSCHMANN möchte für die Beweisfähigkeit dieser Dinge nicht gerade auf eine Statistik rekurrieren, man dürfe aber eine gewisse Gesetzmäßigkeit fordern, die jede Beobachtung erst stützen muß. Der Fall von Adler, wo sich die Tochter gegen die Mutter auflehnt, sowie der Fall von Stekel, wo der Sohn gegen den Vater steht, lassen sich nach den bisherigen Aufklärungen Freuds vollkommen verstehen, und es ist kein Grund für die Einführung des Wortes »männlicher Protest« zu ersehen. Über einen so kurz berichteten Fall wie den von Stekel könne man nicht diskutieren. Wie kann man denn annehmen, daß der Patient beschließt, weiblich zu *werden*, wenn man nicht gehört hat, wie er früher war; warum müssen wir von vornherein ein fortwährendes Wechseln der Geschlechtsvorzeichen annehmen?

STEKEL möchte einige von den Adlerschen Erklärungen seines Falles berichtigen. Das Primäre war bei dem Patienten eine starke Liebe zu einer englischen Erzieherin; seine weiblichen Tendenzen sind sekundär. Als er fünf Jahre alt war, erfuhr er, daß sein Vater diese geliebte Person koitierte. Auch erinnert er eine vom Vater erhaltene heftige Prügelstrafe. Dieser intensive Haß gegen den Vater verwandelt sich später in eine pathologische Liebe, die dem Patienten allein zu Beginn der Kur bewußt war. Eine Kindheitsphantasie, die im Verlaufe der Behandlung zutage kam, ging dahin, den Vater zu kastrieren, um ihn impotent zu machen.
Die Angstanfälle, die der Patient auf der Straße bekam, gingen darauf zurück, daß ihm der Vater erzählt hatte, wie er mit achtzehn Jahren eine Straßenbekanntschaft, die zum ersten Koitus führte, gemacht hatte. Patient hatte die Empfindung, auf diesem Gebiete werde er den

Vater nicht übertreffen können. Nicht verständlich sei, wieso die Weib-
lichkeit eine Sicherungstendenz gegen Homosexualität sei. Patient
wünscht doch in seiner weiblichen Rolle von einem Manne überfallen
zu werden. – Auf der anderen Seite ist die Askese natürlich auch eine
Buße für seine Rachegelüste.

TAUSK wendet sich gegen die journalistische Arbeitsmethode Stekels, der wieder einmal Angst mit Religiosität verwechselt habe. Ein
tief religiöser Mensch muß vor nichts auf der Welt Angst haben; die
Neurotiker sind Blasphemen, die gegen Gott trotzen und keineswegs
religiös sind.

STEKEL weist den Angriff zurück und bemerkt, daß eben die Blasphemen im Grunde Fromme seien.

ADLER: Stekels Nachträge zu dem Fall beweisen nichts gegen das
Vorgebrachte. Die Vergewaltigungsphantasie lasse sich nicht eindeutig als Wunscherfüllung auffassen, sie diene auch dazu, um sich hinter-
drein davor zu sichern.

FREUD hebt hervor, daß es zu unserem Besitz gehöre, daß die Einstellung des Knaben gegen seinen Vater eine zweifache (hermaphrodi-
tische) sei: einerseits eine feindselige aus dem Eifersuchtsverhältnis zur
Mutter, anderseits eine zärtliche, homosexuelle. Und so wird es wohl
bei Stekels Patienten gewesen sein.
    Eine Vereinfachung des ganzen Gedankenganges würde sich ergeben,
wenn man das Bestreben des Individuums nach Selbstbehauptung nicht
männlichen Protest heißen, sondern zu den Ichtrieben rechnen würde.

121

Vortragsabend: am 30. November 1910

Anwesend: Adler, Brecher, Federn, Freud, Friedjung, Furtmüller, Hilferding, Hitschmann, Jekels, Nepallek, Rank, Reitler, Sadger, Steiner, Stekel, Tausk, Holzknecht, Grüner F. und G., Klemperer, Wagner, Sachs.
Frischauf [als Gast].

[121.] PROTOKOLL

Referate und kleinere kasuistische
sowie sonstige Mitteilungen III

FURTMÜLLER gibt ein Beispiel eines dichterischen Symbols aus Björnsons Roman *Synnöve Solbakken,* wo das Blumenpflanzen als Liebessymbol verwendet erscheint.[1]

Referat eines in Ostwalds Annalen der Naturwissenschaft erschienenen Artikels von Prof. Staudenmaier: Versuch zur Begründung einer experimentellen Magie, wo es sich um eine Magie des Bewußten und Unbewußten handelt.[2] Der Verfasser versucht darin, seine Wahnvorstellungen durch psychologische Darstellungen aufzulösen und sich dadurch leistungsfähig zu erhalten.

---

[1] Bjørnstjerne Bjørnson, 1832–1910, der berühmte norwegische Dichter, Dramatiker und Nationalheld. Seine Erzählung *Synnøve Solbakken* war 1857 erschienen (deutsch 1859).

[2] Ludwig Staudenmaier, 1865–1933, deutscher Chemiker. Sein hier besprochener Artikel heißt ›Versuch zur Begründung einer wissenschaftlichen Experimentalmagie‹, *Annalen der Naturphilosophie,* Bd. 9, 1910, S. 327–67. Eine spätere Arbeit über dasselbe Thema erschien unter dem Titel *Die Magie als experimentelle Naturwissenschaft,* Akademische Verlagsgesellschaft, Leipzig 1912. Vgl. auch Silberers Vortrag, 127. Protokoll, im vorliegenden Band, unten, S. 127.

FEDERN fügt hinzu, daß ein solcher Kampf auch bei Kranken vorkommt, und erinnert an ähnliche Vorgänge bei E. T. A. Hoffmann, der mit seinen Halluzinationen zu streiten anfing; auch Dostojewski hat ähnliches in den *Brüdern Karamasow* dargestellt.

HITSCHMANN weist auf eine ähnliche Darstellung in Spittelers *Imago* hin.[3]

GRÜNER, G., findet es vollkommen berechtigt, die Dichtung wie einen Traum zu behandeln, und meint, daß stellenweise in jeder Dichtung das Unbewußte durchbreche. Beispiele aus [Shakespeares] *Hamlet*.

FRIEDJUNG berichtet, daß sein Vortrag über die Pathologie des einzigen Kindes in der Gesellschaft für Kinderheilkunde[4] allgemeine Zustimmung gefunden habe, obgleich in der Diskussion auf das eigentliche Thema, die psychischen Mechanismen, gar nicht eingegangen worden sei. Er sei eingeladen worden, den Vortrag in Brünn zu wiederholen.

Zur Diskussion über die Onanie und ihre Folgen, die zu keinem abschließenden Urteil gelangen konnte, sei der Fall eines dreijährigen Kindes lehrreich, das seit seinem 8. Monat intensiv und häufig onaniert. Nun berichtet die Großmutter des Kindes, daß seine Mutter dasselbe getan habe, und es zeigt sich, daß ihr dies in keiner Weise in ihrem Eheleben geschadet habe.

STEINER fragt, ob sie nicht anästhetisch ist, was Referent nicht zu sagen weiß.

ADLER kennt einen ähnlichen Fall, wo auch die Schenkelonanie eines Mädchens im 7. Jahre begann und bis zur Ehe fortgesetzt wurde. Diese Frau ist nicht anästhetisch, aber allerdings neurotisch geworden.

Prof. FREUD teilt einige Abfälle der psychoanalytischen Arbeit mit, die sich hauptsächlich auf den Ausdruck unbewußter Komplexe im manifesten Trauminhalt beziehen.

1) Im Traume einer Patientin kommen lauter sehr große Leute vor,

---

[3] Carl Spittelers Roman *Imago* war 1906 bei Diederichs in Jena erschienen. Vgl. dazu die Anm. 13 des 91. Protokolls in Bd. 2 der vorliegenden Veröffentlichung.
[4] Vgl. das 113. Protokoll im vorliegenden Band, besonders Anm. 9 (oben, S. 7).

was sie selbst dahin aufklärt, daß das eine Begebenheit aus ihrer Kindheit darstellen müsse, wo ihr alle Leute so groß erschienen sind.

2) Der Traum eines jungen Mannes, sein Onkel habe ihm im Automobil einen Kuß gegeben, erklärt sich als Darstellung der Autoerotik.

3) Derselbe träumt, er gehe zu einem Bahnhof, wo ein Zug ankommt, und der Perron werde an den Zug heranbewegt. Das ist ein dem ganzen Trauminhalt vorangesetztes Signal und bedeutet *Umkehrung*.

4) Die ganz fragmentarisch erhaltenen Träume, die in der Regel ein Zeichen von großem Widerstand sind, so daß die Chancen der Deutung gering sind, enthalten nicht selten in dem einzig erhaltenen Stück den Tagesrest, der in die Traumarbeit eingegangen ist, und zwar diesen meist leise verändert.

5) Was die Prüfungsträume betreffe, so habe kürzlich ein junger Philosoph aus Straßburg, der sich mit diesem Thema beschäftigte, die sexuelle Bedeutung dieser Träume auf Grund seiner Erfahrungen bestritten. Da er meist beim manifesten Inhalt stehengeblieben war, so ist wohl diesem Resultat keine besondere Bedeutung beizulegen, aber immerhin darauf aufmerksam zu machen, daß in Deutschland die von Stekel hervorgehobene Wortbrücke, die über Matura (Reifeprüfung) führt, fehlt, da dort diese Prüfung als Abiturium bezeichnet wird. Es ist diese Wortbeziehung allerdings kein unbedingtes Erfordernis, denn es gibt Fälle genug, wo sich die unbewußte Symbolik über den Sprachgebrauch hinwegsetzt. So bedeutet z. B. die Sonne regelmäßig den Vater, trotzdem sie im Deutschen weiblichen Geschlechtes ist.

In Sadgers Theorie der erblichen Belastung, die nach ihm durch eine Reihe von Eigenschaften, Stigmen, gekennzeichnet ist, die psychoanalytisch nicht auflösbar seien, spielt auch der sogenannte Assoziationswiderwille eine bedeutende Rolle. Bei einem Patienten ließ sich nun ein solcher Assoziationswiderwille, der sich in ruhelosem Ortswechsel zu äußern schien, psychoanalytisch als jedesmalige Enttäuschung seiner hochgespannten homosexuellen Erwartungen auflösen.

Endlich einen Nachtrag zu den zwei Prinzipien des psychischen Geschehens.[5] Ein Hauptcharakter des Unbewußten ist die neurotische Währung, die darin besteht, daß den Denkvorgängen absolut dieselbe Realität zugeschrieben wird wie den äußeren Vorgängen, eine Erkenntnis, die man auch bei der Traumdeutung braucht, um sonst unverständliche Träume zu verstehen. So hatte z. B. ein Patient, der unter

---

[5] Vgl. das 116. Protokoll im vorliegenden Band.

dem Tod des Vaters schwer gelitten hat, nachher lange Zeit folgenden Traum. Der Vater war wieder lebendig und spricht mit ihm wie sonst, aber er war gestorben und wußte es nicht. Das wird verständlich, wenn man zwei Satzteile einschaltet: Er war ... infolge meiner Wünsche ... gestorben und wußte nicht ... daß ich es so gewünscht hatte. Die Einfügung des Wunsches an Stelle der Realität löst diesen Traum auf. Allerdings weiß man zunächst im Traume nie, ob der Wunsch oder die Tatsache erinnert wird, denn beides gilt dem neurotischen Unbewußten gleich. Dieser Zusammenhang ist so durchsichtig, daß man in einer Theorie die endopsychische Wahrnehmung davon findet, in einer Theorie, die sich bei Neurotikern und primitiven Völkern findet. Es ist dies die Theorie von der Allmacht der Gedanken und Affekte, die nur die theoretische Reaktion ist auf die neurotische Währung.

SADGER kann die Bedeutung der großen Leute im Traume an dem Traum eines Patienten bestätigen, bei dem ein ungeheures Haus von vier Stockwerken sich auf die Mutter reduzieren ließ, wie sie dem kleinen Kinde erschienen war.

Den Wandertrieb konnte er auch bei einem jungen Manne analytisch auflösen als Trotz gegen den Vater und Identifizierung mit der Mutter. Trotzdem müsse er am Begriff des Assoziationswiderwillens festhalten. Es findet eben das organisch Begründete in speziellen Erlebnissen eine hysterische Fixierung.

RANK weist auf ein Beispiel infantil-sexueller Begründung der Wandersucht in den *Bekenntnissen* Stendhals[6] hin, der gesteht, daß der Drang, seine Vaterstadt zu verlassen, im Haß gegen seinen Vater begründet war, der weiß, daß er Paris, wo er seine ersten Liebesabenteuer erlebte, nur als (mütterliche) Reaktion auf seine Vaterstadt liebte, und der endlich nach einem unsteten Wanderleben, das ihn mehrmals durch ganz Europa führte, Mailand zu seinem Lieblingsaufenthalt machte, weil seine Mutter eine Italienerin war.

TAUSK bemerkt zu den Traummitteilungen, daß nach seiner Beobachtung reine Wortträume Angstaffekte auslösen können. Es scheine auch nicht ausgeschlossen, daß wir vielleicht einen großen Teil der Nacht hindurch nur Wortträume bilden und daß der Traum nur an besonderen Stellen visuell wird. Möglich wäre es, daß die große Er-

---

[6] Stendhal (Dichtername von Marie Henri Beyle), 1783–1842, der berühmte französische Schriftsteller. Seine *Bekenntnisse eines Egotisten* erschienen in deutscher Übersetzung von Arthur Schurig als Bd. 5 der *Ausgewählten Werke* bei Diederichs, Jena 1905.

müdung der Neurotiker am Morgen auf die Massenhaftigkeit der Träume zurückgeht.

Zum Ortswechsel zwei Fälle, in denen es sich beide Male um den Inzestkomplex (Vater und Fixierung an die Schwester) handelt.

Zur neurotischen Währung ein Beispiel aus dem Leben, wo ein Mann durch seinen Wunsch den Tod des Bruders verschuldet zu haben glaubt.

ADLER möchte zu den Traumbemerkungen Freuds seine Befunde danebenstellen. Wo der Patient sich im Traume klein sieht, steckt nicht so sehr eine Erinnerung aus der Kindheit dahinter, sondern ein Gefühl der Minderheit; er kommt sich seiner Umgebung gegenüber wirklich klein vor. Gewiß ist das wieder ein aus der Kindheit stammendes Gefühl. Solche Träume von Umkehrung zeigen tatsächlich, daß der Patient etwas umgekehrt will. Diese Umkehrung kann im einzelnen Falle verschieden interpretiert werden. Man hat den Eindruck, es handle sich um Menschen, die den Liebesbeweis in der Form suchen, daß die Frau zu ihnen kommt, ein Liebesideal, das bei Neurotikern oft zu finden ist. Die infantile Grundlage für diese Beziehung ist, daß er gegen seine Mutter nicht aggressiv werden kann, sondern das Verlangen hat, daß die Mutter zu ihm kommt.

Die Traumfragmente lassen doch immer einen Zugang zum Unbewußten finden, wenn sie auch von großem Widerstand begleitet sind (Beispiel). Der Tagesrest ist in ihnen allerdings sehr auffallend.

Beim Assoziationswiderwillen ist wenig gesagt, wenn man ihn wie Sadger auf organische Grundlage zurückführt, denn das wird bei jeder Erscheinung der Neurose in irgendeiner Form gelingen. Die Auflösung des Assoziationswiderwillens muß genauso wie bei jedem andern Symptom gelingen, da ja nur eine psychische Spiegelung des organisch fundierten Verhältnisses vorliegt.

Bei der neurotischen Währung verweist Redner auf eine Lesefrucht aus Strindberg und auf das Moment der Fahrlässigkeit in der Jurisprudenz. Ein Autor, Stübell[7], habe direkt gesagt, es sei Fahrlässigkeit ebenso zu bestrafen wie ein beabsichtigtes Verbrechen. Jedenfalls spricht sich in solchen fahrlässigen Handlungen eine geringe Wertung der Sicherheit und Gesundheit der Umgebung aus. Es sind das Men-

---

[7] Christoph Carl Stübel, 1764–1828, deutscher Kriminologe. Wahrscheinlich bezieht sich Adler auf den Aufsatz ›Über gefährliche Handlungen als für sich bestehende Verbrechen, zur Berichtigung der Lehre von verschuldeten Verbrechen, nebst Vorschlägen zur gesetzlichen Bestimmung über die Bestrafung der erstern‹, *Neues Archiv des Criminal-Rechts*, Bd. 8, Halle 1826, S. 236–323.

schen, die eine neurotische Wertung zu haben scheinen, eine Wertung, die die andern nicht begreifen. Auffallend ist, daß es sich dabei immer um Gedanken handelt, die den andern schaden. Solche Patienten pflegen sich gewöhnlich auch eine gewisse Gottähnlichkeit beizumessen.

HITSCHMANN erwähnt, diese kurzen Träume bilden den Übergang vom Gar-nicht-Träumen zu den wirklichen Träumen.

STEINER erwähnt eine Bemerkung Freuds, wonach die Umkehrungsträume homosexuelle Bedeutung haben.

FEDERN hebt hervor, daß nicht, wie Adler meinte, nur feindselige Impulse bei den Allmachtgedanken eine Rolle spielen, sondern daß die Neurotiker auch oft genug von solchen Wünschen erzählen [„die wohlwollend gemeint sind]; auch das Gebet habe ja diesen Sinn.

Die Anschauungen über Fahrlässigkeit wollte ja Prof. Löffler[8] auf Grund der Freudschen Erkenntnisse revidieren.

Zur Auflösung des Assoziationswiderwillens drei Fälle, von denen zwei ein unbefriedigtes Verlangen, der Wunsch nach einem alten Liebesobjekt, unstet gemacht hat, den dritten treibt eine Furcht von Ort zu Ort.

GRÜNER erwähnt zum Traum von den großen Leuten das häufige Märchenmotiv der Riesen und Zwerge, was einer Gegenüberstellung der Erwachsenen und der Kinder entspricht. Es kann aber auch das Verhältnis des Menschen zu seinen Genitalien bedeuten (in Deutschland heißt der Penis »Männchen«). Redner weist in Chamissos *Riesen-Spielzeug* auf das Verbot der Onanie hin (»Der Bauer ist kein Spielzeug«).[9] Auch in Goethes Lied *(Faust)* [ist] der Floh des Königs dessen Penis.[10]

KLEMPERER berichtet ein Erlebnis, wo der Glaube an die Allmacht der Gedanken eine Rolle spielt, wo sich aber hinter dem Wunsch, der sich scheinbar auf die Gesundung einer Person bezieht, der gegenteilige Wunsch verrät. Ähnlich die Anekdote vom Wunderrabbi, der einem Sünder flucht, das Haus möge über ihm zusammenstürzen, dann aber den vorschnellen Wunsch zurückzieht und dekretiert, das Haus möge stehenbleiben – und dieser Wunsch geht tatsächlich in Erfüllung.

---

[8] Alexander Löffler, 1866–1929, österreichischer Jurist und Strafrechtslehrer.
[9] Adelbert von Chamisso, 1781–1838, der deutsche Dichter und Naturforscher.
[10] Das Lied des Mephistopheles in Auerbachs Keller, *Faust*, I. Teil, 5. Szene.

RANK weist nach einer Bemerkung von Seligmann *(Der böse Blick)* auf den ursprünglich feindseligen Wunsch hin, der sich hinter unserem höflichen »Zur Gesundheit« beim Niesen verbirgt[11] und der auch noch in unserem scherzhaft gebrauchten »Zerspring«[12] weiterlebt.

FURTMÜLLER wendet sich gegen die Deutungen Grüners, die das Verständnis der Dichter in keiner Weise fördern. Es ist doch zu unterscheiden zwischen der Symbolik, die in einem Gedicht drinliegt, und der, die einem Leser dabei einfällt.

HITSCHMANN findet auch, daß solche Debatten über Symbolik wertlos seien; man könne entweder sprechen von einer gesetzmäßigen Symbolik oder der Symbolik in einem einzelnen vorliegenden Falle.

Daß unter den Wünschen gerade die aggressiven eine so große Rolle im Unbewußten spielen, erklärt sich daraus, daß sie eben die verdrängten sind. Darum handelt es sich bei telepathischen Erscheinungen auch immer um böse Wünsche.

STEKEL greift auf den Ausgangspunkt der Diskussion, die Traumprobleme Freuds, zurück, von denen er einige in seinem vorbereiteten Buche behandelt habe. In Heft 3 des *Zentralblattes* habe er einen Riesentraum publiziert, wo Patient die alte Proportion von der Kindheit (Mutterleibsphantasie) wiederherstellt.[13] Diese Situationen werden aber nicht als minderwertig, sondern als selig empfunden. Trotz dieses psychischen Infantilismus haben die Patienten die Empfindung, oben zu sein. Dieser Widerspruch erklärt sich aus der Bipolarität der Symptome; wie z. B. im Traume eines Patienten, der hoch oben auf einem Haus stand, sich neben der Phantasie des Triumphes, der höchsten Stufe, sich auch seine hilfloseste Situation ausspricht, wo die Amme ihn auf dem Arm getragen hat.

Alle Träume, die von Automaten handeln, lassen sich auf Onanie zurückführen.

Bei den Prüfungsträumen spielt das Wort Matura keine wesent-

---

[11] Siegfried Seligmann, 1870–1926, Augenarzt in Hamburg. *Der böse Blick und Verwandtes. Ein Beitrag zur Geschichte des Aberglaubens aller Zeiten und Völker*, H. Barsdorf, Berlin 1910. Rank bezieht sich wohl auf folgende Stelle im 2. Bd., S. 281: »Wenn in Abessinien während des Empfanges der König scheinbar niesen muß oder irgendeine Bewegung machen will, so breitet ein Offizier sogleich seinen Mantel um ihn aus, um ihn vor dem bösen Blick zu schützen.«
[12] Wienerisch.
[13] Wilhelm Stekel, ›Zur Symbolik der Mutterleibsphantasie‹, *Zentralblatt*, Bd. 1, 1911, S. 102 f.

liche Rolle. Es handelt sich um ein Examen, das zerlegt wird in ex und samen, eine Prüfung, bei der der Samen herauskommt.

Der von Freud mitgeteilte Traum vom Tode des Vaters kommt bei solchen Menschen vor, die mit ihrem Vater noch nicht fertig sind. Obwohl der Vater tot ist, lebt er doch für ihn.

Bezüglich der Allmachtswünsche müsse er Adler recht geben; auch der Glaube vom bösen Blick deutet auf das Böse solcher Wünsche.

Von den Traumfragmenten gelangt man oft dazu, einen großen Traum künstlich zu rekonstruieren. Einen traumlosen Schlaf gibt es überhaupt nicht.

In dem Symbolikstreit möchte er für Grüner Partei nehmen; denn die Bausteine nimmt der Dichter doch aus seinen Komplexen.

Prof. FREUD erwidert auf einzelne Bemerkungen zu seinen Traummitteilungen. In dem Traum von den großen Menschen wurde das Ich nicht weiter beschrieben. – Beim Präfix »umkehren« handelte es sich tatsächlich um einen homosexuellen Traum. – Auffallend ist, wie häufig sich gerade die Witze mit der Aufdeckung des neurotischen Denkens beschäftigen. Sadgers Widerspruch, es handle sich beim pathologischen Ortswechsel nicht immer um Liebeskomplexe, berücksichtigt nicht, daß es auch eine Dingliebe gibt (Abraham). Zolas Lokomotivführer [14] etc.

---

[14] Der Lokomotivführer Jacques Lantier, die Hauptfigur in Émile Zolas Roman *La bête humaine* (1890; deutsch *Die Bestie im Menschen*).

122

Vortragsabend: am 7. Dezember 1910

Anwesend: Adler, Freud, Friedjung, Furtmüller, Hilferding, Hitsch-
mann, Jekels, Nepallek, Rank, Reitler, Sadger, Steiner, Stekel, Tausk,
Grüner F. und G., Klemperer, Wagner, Sachs, Winterstein.
Frischauf, Eitingon [als Gäste].

[122.] PROTOKOLL

Geschäftliches

Herr Gaston Rosenstein ersucht um Aufnahme in die Vereinigung.

Herr Dr. FRIEDJUNG berichtet kurz über seinen in Brünn gehaltenen Vortrag zur Psychologie des einzigen Kindes.

Prof. FURTMÜLLER bringt das Protokoll über das von Dr. Stekel
beantragte Schiedsgericht zur Verlesung.[1]

Referate und kleinere kasuistische
sowie sonstige Mitteilungen IV

Baron WINTERSTEIN liest einige Stellen aus Lichtenberg vor, die
darum für den Psychoanalytiker Interesse haben, weil Lichtenberg
ein Neurotiker, außerdem aber ein guter Psychologe und ein wirklich
ehrlicher Mensch war.[2]

---

[1] Wahrscheinlich handelt es sich um die Angelegenheit Wittels – Karl Kraus. Vgl.
Anm. 3 des 113. Protokolls, oben, S. 3.
[2] Georg Christoph Lichtenberg, 1742–1799, der deutsche Physiker und Schriftsteller, geistreicher Satiriker der deutschen Aufklärung.

Dr. SACHS referiert ein Buch von Leo Spitzer: *Die Wortbildung als stilistisches Mittel* (erscheint im *Zentralblatt*).[3]

GRÜNER, Franz, führt die letztesmal nur angedeutete sexualsymbolische Erklärung von Chamissos Gedicht: *Das Riesen-Spielzeug* im Detail durch, um den von Prof. Furtmüller geforderten Zusammenhang aufzuzeigen, in den sich das Detail des Onanieverbotes (»Der Bauer ist kein Spielzeug«) einreiht. Er beruft sich auf Stekels Deutung, daß Peter Schlemihl, der Mann ohne Schatten[4], eigentlich der Mann ohne Potenz sei, und weist den gleichen Komplex in dem Gedicht nach. Auch die Satire gegen den Feudalismus findet ihre tiefere Determination als Vorwurf gegen die Vorfahren des Dichters, die ja Feudale waren. In dem verwandten Gedicht: *Die versunkene Burg*, wird das Versinken des Schlosses (Impotenz) direkt als Strafe für übermäßigen Sexualgenuß verhängt.

FURTMÜLLER hält es für notwendig, ehe man an derartige Deutungen geht, sich erst über einige methodische Grundsätze zu einigen. Man kann ein Dichtwerk dazu benützen, Assoziationsversuche daran zu machen, hat aber damit noch nicht das Recht, dem Schöpfer diese Komplexe ohne weiteres unterzuschieben. Zum Ausgangspunkt ähnlicher psychoanalytischer Erklärungsversuche eignet sich nur ein Problem, das auch beim Unbefangenen Befremden erregt. – Wenn auch in diesem Falle ein gewisser Zusammenhang sich ergeben konnte, so ist doch der Beweis nicht geglückt, daß das in der Seele des Dichters vorgegangen sein müsse.

Prof. FREUD bemerkt, daß in dieser neuen Kunst der Komplexforschung irgendetwas Aussichtsvolles vorliege, wenn es auch zunächst überrasche und befremde. Allerdings sind die Bedenken des Vorredners insoweit berechtigt, als man [mit] großer Vorsicht und mit Takt nur auf die besten Beispiele der Art eingehen muß. Was das vorliegende Beispiel betreffe, so möchte er dafür Partei ergreifen; es dränge einem die Deutung direkt auf. Seit Einführung des Ackerbaues hat die Menschheit die Bezeichnungen aus diesem auf die Sexualbetätigung übertragen. Es wurde alles von der Erde auf das Weib transponiert. Daß dabei der Bauer als Penis erscheint, ist sehr

---

[3] Leo Spitzer, *Die Wortbildung als stilistisches Mittel. Exemplifiziert an Rabelais.* Nebst einem Anhang über die Wortbildung bei Balzac in seinen »Contes drolatiques«, Niemeyer, Halle 1910. – Die Besprechung von Sachs erschien im *Zentralblatt*, Bd. 1, 1911, S. 237–42, als Mitteilung unter dem Titel ›Über Wort-Neubildungen‹.
[4] Adelbert von Chamisso, *Peter Schlemihls wundersame Geschichte* (1814).

naheliegend. Dazu kommt noch die symbolische Verwandlung des Gespannes als der beiden Testikel, was in unzähligen symbolischen Zeichnungen, Gebräuchen etc. durchblickt (symbolische Dreiheit, Kleeblatt). Von Wichtigkeit wäre es jedoch bei solchen Untersuchungen, daß man die Tatsache der psychischen Schichtung niemals vernachlässigt und mit der Aufzeigung aller, auch der bewußten Zusammenhänge den vorhandenen und verständlichen Widerständen der Menschen gegen diese Art der Deutung Rechnung trägt.

HITSCHMANN betont nochmals seinen Widerstand gegen dieses Verfahren. Es fehlt die Beziehung auf die persönlichen Komplexe des Dichters. Auch wenn etwas schon als Symbol erwiesen ist, muß es darum doch nicht immer in symbolischem Sinne gebraucht sein.

KLEMPERER meint, der Vorwuf der flächenhaften Deutung treffe in diesem Falle nicht zu, da ja die manifeste Satire in einem tieferen Zusammenhang mit den Komplexen gebracht wurde.

FURTMÜLLER betont die Notwendigkeit einer Unterscheidung der symbolischen Auffassung in dem Sinne, ob den Dichter ein äußerer Anlaß gezwungen hat, von einem Ding zu sprechen, und ob ihm dabei dessen sexuelle Symbolik auftaucht, oder ob das Entscheidende für die Erwähnung dieses Ausdrucks dessen symbolische Kraft war.

ADLER hat den Eindruck, daß die beiden streitenden Parteien eigentlich Verschiedenes meinen. Grüner hat mit Erfolg zu zeigen versucht, wie man aus den Ausdrucksmitteln des Dichters auf seine Persönlichkeit schließen kann. Die Gegenseite fragt, ob man aus dieser Charakteristik etwas für das fertige, abgeschlossene Kunstwerk gewinnen kann. Beides hat seine volle Berechtigung. Hinweis, daß Chamisso einer unserer weiblichsten Dichter war.

FRIEDJUNG meint, wenn diese Forschung den Zweck haben soll, uns die Wirkung des Kunstwerks verständlich zu machen, so müsse sie sich mehr auf das Studium des Hörers und Lesers verlegen. Man müßte bei Lesern der verschiedensten Bildungslebenskreise und Berufsklassen den Eindruck analysieren und dann sehen, ob und in wie vielen Fällen er derselbe ist.

STEKEL stimmt der Deutung Grüners voll zu. Er habe dieses Problem in Dichtung und Neurose als erster völlig klargelegt und an einem Beispiel erwiesen. Der Dichter arbeitet immer nur mit seinen paar Komplexen. Bei der Publikation dieser Dinge müsse man allerdings vorsichtig sein.

GRÜNER, F., bemerkt, daß man beim Dichter gewisse Komplexe sehe, ohne ihn zu analysieren; die Dichtungen sind typische Träume.

STEINER weist darauf hin, daß das Gedicht vom Riesenspielzeug zu den wenigen Standardwerken gehöre, die sich den meisten Gebildeten schon in früher Jugend für die Zeit ihres Lebens einprägen, und daß doch irgendwelche unbewußte Motive diesen besonderen Eindruck bedingen müssen.

RANK kommt in seinem Referat von Hirschfelds *Transvestiten*[5] zu demselben unbefriedigenden Urteil, dem Stekel im *Zentralblatt*[6] bereits Ausdruck verliehen hat.

Eine interessante Rettungsphantasie aus dem Leben Stendhals[7] und eine willkommene Bestätigung für den Zusammenhang des Familienromans mit der Attentäterrolle *(Mythus von der Geburt des Helden*[8]*)* aus dem Leben des kürzlich verstorbenen Mörders der Kaiserin Elisabeth (wird im *Zentralblatt* erscheinen).[9]

---

[5] Magnus Hirschfeld, *Die Transvestiten, eine Untersuchung über den erotischen Verkleidungstrieb* mit umfangreichem casuistischen und historischen Material, Pulvermacher, Berlin [überklebt: Spohr, Leipzig] 1910.
[6] Stekels Referat steht im *Zentralblatt*, Bd. 1, 1911, S. 55–58. Doch heißt es dort (gegen Ende): »Wir können die Lektüre dieses Buches nur aufs wärmste empfehlen.«
[7] Otto Rank zitiert in ›Belege zur Rettungsphantasie‹, *Zentralblatt*, Bd. 1, 1911, S. 331–36, die folgende Stelle aus Stendhals *Bekenntnisse eines Egoisten* (aaO, S. 89): »Meine fixe Idee bei der Ankunft in Paris, eine Idee, auf die ich vier- oder fünfmal am Tage zurückkam, wenn ich ausging, beim Anbruch der Nacht, in jenem Augenblick der Träumerei war, daß eine hübsche Frau, eine Pariserin, in irgendwelche große Gefahr geriete und ich sie rettete, wofür ich ihr Geliebter würde. Ich hätte sie mit so viel Leidenschaft geliebt, daß ich sie hätte finden müssen.
Diese nie und niemandem eingestandene Tollheit hat vielleicht sechs Jahre angedauert.«
[8] Otto Rank, *Der Mythus von der Geburt des Helden*, Deuticke, Wien und Leipzig 1909.
[9] Elisabeth, Kaiserin von Österreich, wurde im September 1898 von dem Anarchisten Luccheni in Genf ermordet. Lucchenis Tod Ende Oktober 1910 gab Rank Anlaß, sich mit dem Fall zu beschäftigen. In seinem o. a. Aufsatz ›Belege zur Rettungsphantasie‹, aaO, versucht er eine analytische Erklärung dieses Mordes zu geben. Rank beruft sich auf einen Artikel von Auguste Forel, der in dem Wochenblatt *Die Zeit* erschienen war und in dem dieser berichtete, daß Luccheni, unehelich geboren, von seiner Mutter als Findelkind ausgesetzt worden war. »Ein weiterer pathologischer Zug«, schreibt Forel (nach Rank, aaO), »ist seine unbegrenzte *Eitelkeit*; er besaß einen *Ehrgeiz, der an Größenwahn grenzte*.« Ehe Luccheni Anarchist wurde, war er ein Royalist und Freund der Autorität gewesen. Er ging nach Genf in der Absicht, den Herzog von Orleans zu ermorden, konnte ihn aber

Schließlich wird in dem Volksbuch von der Pfalzgräfin Genovefa[10] ein Traum des Grafen erwähnt und dessen tiefere Deutung nach einer Andeutung des Textes versucht.

Endlich wird darauf hingewiesen, daß im Altertum Jahrhunderte hindurch eine Traumtheorie bestand, die neben den für die Zukunft bedeutungsvollen Träumen auch solche unterschied, in denen nur die Gegenwart und die Vergangenheit (manchmal in ihr Gegenteil verkehrt und phantastisch ausgeschmückt) eine Rolle spiele.

ADLER weist darauf hin, daß es keinen Traum gebe, der sich nicht auch mit der Zukunft beschäftigen würde, nämlich damit, wie der Träumer sich seine Wunscherfüllung in der Zukunft vorstellt. Auch der Genovefatraum zeige dies in Form einer Sicherungstendenz, die darauf hinausgehe, das Geschehene zu rechtfertigen.

STEKEL weist auf einen Gegenwunsch, die Frau loszuwerden, in dem Traume hin.

Prof. FREUD erwähnt aus der *Traumdeutung* eine Gruppe von Träumen, wo die Wunscherfüllung darin besteht, Recht zu behalten im Sinne Adlers. Auf den vorliegenden Traum sei dies jedoch nicht anwendbar.

---

dort nicht finden. Dann wählte er an dessen Stelle die Kaiserin als Opfer. – Im Gefängnis war Luccheni gewalttätig und fiel seine Wächter wiederholt an, ebenso den Direktor des Gefängnisses, Perrin. Rank schließt seinen Aufsatz mit den folgenden Worten: »Von Interesse ist endlich noch die Notiz eines Berichterstatters, der in Lucchenis Zelle unter verschiedenen Ansichtskarten die Bilder des Kaisers und der Kaiserin von Österreich hängen sah, was doch immerhin die Spur eines, wenn auch pathologisch verschobenen Anhänglichkeits- und Autoritätsbedürfnisses bei dem elternlosen Findelkinde zu verraten scheint.«

[10] Nach der Legende wurde Genovefa, die Gemahlin des Pfalzgrafen von Brabant, verleumderisch des Ehebruchs bezichtigt. Sie flüchtete sich in den Wald, wo sie mit ihrem inzwischen geborenen Sohn von einer Hirschkuh ernährt wurde, bis sich ihre Unschuld offenbarte. Der Stoff wurde nach einer französischen Vorlage im 18. Jahrhundert als deutsches Volksbuch veröffentlicht, er fand auch dramatische Bearbeitung.

123

Vortragsabend: am 14. Dezember 1910

Anwesend: Adler, Brecher, Federn, Freud, Furtmüller, Hilferding, Hitschmann, Jekels, Nepallek, Oppenheim, Rank, Reitler, Sadger, Stekel, Tausk, Grüner 2, Klemperer, Sachs, Winterstein. Frau Prof. Oppenheim [als Gast].

[123.] PROTOKOLL

[Geschäftliches]

Herr Gaston Rosenstein erscheint mit 13 von 15 Stimmen gewählt.

Herr stud. med. Erwin Wechsberg[1] meldet sein Aufnahmsgesuch an.

Referate und kleinere kasuistische
sowie sonstige Mitteilungen [V]

Frau Dr. HILFERDING teilt aus Roseggers[2] Selbstbiographie: *Waldheimat* einen Traum des Dichters mit, der in dem Kapitel: ›Fremd gemacht‹ zu finden ist und der den zum berühmten Mann gewordenen Schneiderlehrling wieder in die Werkstatt des strengen Meisters versetzt, wo er umsonst arbeiten muß und wo für ihn kein Platz ist. Referentin möchte diesen Traum vielleicht in eine Reihe mit dem Prüfungstraum stellen.

SADGER möchte aus seiner Kenntnis Roseggers die Mitteilung in

---

[1] Wechsberg war später ein bekannter Psychiater und Anhänger Alfred Adlers. Er wurde nie Mitglied der Psychoanalytischen Vereinigung.
[2] Peter Rosegger, 1843–1918. *Waldheimat* war 1877 zuerst erschienen.

zwei Punkten ergänzen. Als Lehrling hatte er einmal einen Konflikt mit dem Meister, der es ihm nicht verzeihen konnte, daß er ihn nicht bestohlen hatte: im Traume arbeitet er unentgeltlich. Der Meister ist offenbar der eigene Vater, was sich auch daraus ergibt, daß ihm sowohl sein Meister Vorwürfe wegen eines Gedichtes gemacht hatte, wie auch sein Vater gesagt haben soll: Aus dem Jungen wird nichts Rechtes werden.[3]

ADLER möchte, ohne näher auf die Deutung des Traumes einzugehen, schließen, daß der Traum in einer besonders schwierigen Situation geträumt sei, da das Wachrufen des ehemaligen Schneiderlebens so anmute, als wollte sich der Dichter damit Mut machen. Der Umstand, daß im Traume kein Platz ist und daß er beim Erwachen Kindergeschrei hört, machen es wahrscheinlich, daß er vielleicht keine Kinder mehr wollte.

HITSCHMANN macht darauf aufmerksam, daß im Traume sehr häufig die Berufsarbeit für den Koitus gesetzt ist.

FEDERN hält dieses Zurückgehen auf einen mangelhaften Zustand für eine Art Entkleidungstraum; daneben auch Prüfungstraum.

SACHS meint, daß der Platzmangel in der Werkstatt vielleicht sich auf das Elternhaus des Dichters und auf seine nachfolgenden Geschwister bezieht.

GRÜNER sieht eine Bedeutung dieses Traumes auch in der Geburtsphantasie: Die Werkstatt ist das Genitale der Mutter, worin kein Platz ist, und dann hört er Kindergeschrei.

Prof. FREUD liefert aus persönlicher Erfahrung einen Beitrag zu diesem Traum, der den bewußten Schichten nähersteht, sozusagen die Tagesanknüpfung, aus der sich ergibt, daß es sich tatsächlich um etwas dem Prüfungstraum Analoges handelt. Es sind das heuchlerische Träume, die man in ihr Gegenteil verwandeln muß, um zum Traumwunsch zu gelangen. Der Mann, der es im Leben zu etwas gebracht hat, etwa gar ein berühmter Mann wurde, schämt sich bei Tage, sich

---

[3] Das »Nichtbestehlen« des Meisters bezieht sich auf Schnittmuster. Die Schneidermeister überließen es den Lehrlingen, ihre Schnittmuster hinter ihrem Rücken abzuzeichnen, da sie eigentlich ein Berufsgeheimnis waren. Rosegger aber nahm des Meisters Mahnung, seine Muster nicht zu kopieren, ernst und machte ihn damit böse. – Der Ausspruch des Vaters lautet im Original (im Kapitel ›Lehrjahre‹ der Selbstbiographie): »Für einen Bauersmenschen ist er zu kleber, wird halt ein Pfarrer oder ein Schreiber müssen werden.«

Herr Gaston Rosenstein erscheint mit 13 von 15 Stimmen gewählt.

Herr stud.med.Erwin Wechsberg meldet sein Aufnahmsgesuch an.

———————————·———————

Frau Dr.Hilferding teilt aus Roseggers Selbstbiographie:Waldheimat
einen Traum des Dichters mit,der in dem Kapitel:Fremd gemacht zu
finden ist und der den zum berühmten Mann gewordenen ehemaligen
Schneiderlehrling wieder in die Werkstatt des strengen.Meisters
versetzt,wo er umsonst arbeiten muss und wo für ihn kein Platz ist/
Ref.möchte diesen Traum vielleicht in eine Reihe mit dem Prüfungstraum stellen.

Sadger möchte aus seiner Kenntnis Roseggers die Mitteilung in zwei Punkten ergänzen.Als Lehrling hatte er einmal einen Konflikt mit dem Meister,der es ihm nicht verzeihen konnte,dass er ihn nicht bestohlen hatte.im Traume arbeitet er unentgeltlich.Der Meister ist offenbar der
eigene Vater,was sich auch daraus ergibt,dass ihm sowohl
sein Meister Vorwürfe wegen eines Gedichtes gemacht hatte,
wie auch ihm later gesagt haben soll:Aus dem Jungen wird
nichts Rechtes werden.
Adler möchte ohne näher auf die Deutung des Traumes einzugehen,schliessen,dass der Traum in einer besonders schwierigen Situation geträumt sei,da das Wachrufen des ehemaligen Schneiderlebens so anmute,als wollte sich der Dichter damit Mut machen.Der Umstand,dass im Traume kein Platz
ist und dass er beim Erwachen Kindergeschrei hört,machen
es wahrscheinlich,dass er vielleicht keine Kinder mehr
wollte.
Hitschmann macht darauf aufmerksam,dass im Traume sehr
häufig die Berufsarbeit für den Koitus gesetzt ist.
Federn hält dieses Zurückgehen auf einen mangelhaften
Zustand für eine Art Entkleidungstraum;daneben auch Prüfungstraum.
Sachs meint,dass der Platzmangel ib der Werkstatt vielleicht sich auf das Elternhaus des Dichters und auf seine nachfolgenden Geschwister bezieht.
Grüner sieht eine Bedeutung dieses Traumes auch in der
Geburtsphantasie:Die Werkstatt ist das Genitale der Mutter,worin kein Platz ist und dann hört er Kindergeschrei.
Prof.Freud liefert aus persönlicher Erfahrung einen Beitrag zu diesem Traum,der den bewussten Dichten näher st
steht,sozusagen die Tagesanknüpfung,aus der sich ergibt,
dass es sich tatsächlich um etwas dem Prüfungstraum Analoges handelt.Es sind das heuchlerische Träume,die man in
ihr gegenteil verwandeln muss,um zum Traumwunsch zu gelan-
gen.Der Mann/der es im Leben zu etwas gebracht hat,etwa
gar ein berühmter Mann wurde,schämt sich bei Tage,sich
seinen ehrgeizigen Phantasien hinzugeben;bei Nacht aber,
wo er das tun will,versteckt der Traum das hinter solchen Erinnerungen.Die Befriedigung hat er dann erst beim
Erwachen,wenn er sixh sagt,das ist ja gar nicht wahr.

seinen ehrgeizigen Phantasien hinzugeben, bei Nacht aber, wo er das tun will, versteckt der Traum das hinter solchen Erinnerungen. Die Befriedigung hat er dann erst beim Erwachen, wenn er sich sagt, das ist ja gar nicht wahr.

REITLER erläutert an einem Ausschnitt aus einer größeren Hysterie-Analyse die Beziehungen der Sexualphantasien zur Selbstmordsymbolik (erscheint im *Zentralblatt*).[4] Es handelt sich um die Auflösung einer langjährigen Schlaflosigkeit, welche in einer Hyperakusie der Patientin bedingt war. Diese ließ sich als Verdrängung des Wunsches, gewisse nächtliche Geräusche wieder zu hören, auflösen. Sie hatte nämlich in ihrer Kindheit im Anschluß an eine Szene, wo sie den nackten Popo des Vaters zu sehen bekam, die Theorie gebildet, daß Mann und Frau ihren entblößten Hintern aneinanderhielten und sich gegenseitig Luft einblasen. Diese infantile Phantasie kam in ihren Selbstmordphantasien wieder zur Verwendung, in denen sie sich mit Leuchtgas vergiften wollte. Die Luft als Symbol des lebenspendenden Prinzips wird an mehreren Beispielen belegt (Bibel u. a.).

ADLER richtet an den Referenten die Frage, wie Patientin zu dieser Gehörsüberempfindlichkeit gekommen ist und was sie damit bezweckt hat?

HITSCHMANN erwähnt einen Fall von Schlaflosigkeit, bei dem die Hyperakusie mehr angstneurotischen Eindruck machte.

GRÜNER bringt zum Wind als Befruchtungssymbol Beispiele aus der Literatur.

WINTERSTEIN erwähnt dazu den Ausdruck: Windsbraut. Möglicherweise könnte eine Erklärung für die Hyperakusie in einer Verlegung von unten nach oben (Ohr) gefunden werden.

OPPENHEIM erwähnt, daß der Wind als Zeugungsprinzip in den antiken Mythen und Religionsvorstellungen eine große Rolle spielt.

KLEMPERER verweist auf die Beziehung dieser Windsymbolik zur Flatulenz.

Prof. FREUD erwähnt einen zweiten Fall mit der gleichen kindlichen Sexualtheorie. Reitlers Patientin, die er früher behandelt habe, stützte sich nicht nur auf die Bibelstelle, sondern auch auf ein

---

[4] R. Reitler, ›Eine infantile Sexualtheorie und ihre Beziehung zur Selbstmordsymbolik‹, *Zentralblatt*, Bd. 2, 1912, S. 114–21.

persönliches Erlebnis. Bei der Geburt ihrer Schwester hatte sie die Mutter jammern gehört:»Ach, die Wehen« und hat das darauf bezogen, daß es sich um den Wind handle, der ihr vom Vater eingeblasen worden war. Ähnliche kindliche Mißbräuche der Worte findet man häufig, so wurde die Stille der Nacht mit dem Stillen der Amme in Beziehung gebracht. Die Empfängnis durchs Ohr ist eine bekannte Vorstellung. Die sexuelle Bedeutung des Windes geht auf das Wohlgefühl in den Genitalien beim Schaukeln zurück.

HITSCHMANN gibt einen kurzen Bericht eines Falles von Melancholie bei einer Frau, die seit $1^1/_2$ Jahren Witwe ist und Impulse hat, ihre Mutter oder ihr Kind zu töten, was sie sehr traurig stimme. Gerade zu Ablauf des Trauerjahres bekam sie plötzlich Angstzustände. Sie war zehn Jahre verlobt, der Mann potent, übte nach dem Kind Coitus interruptus und reservatus. Der Fall zeigt ziemlich klar den Zusammenhang dieser leichten Formen von Verstimmung mit Angstgefühlen, die aus verdrängten Wünschen hervorgehen.

FEDERN vermißt eine Mitteilung über Onanie, da in seinen Fällen von Melancholie eine protrahierte, durch die ganze Ehe gehende Masturbation vorhanden war, und zwar mit nachheriger Verstimmung statt der Befriedigung. Diese Art der Reaktion auf die Onanie scheint zur Melancholie zu disponieren.

TAUSK möchte nicht die bloße Entbehrung des Koitus zur Erklärung derartiger Zustände heranziehen, sondern meint, daß es von Wichtigkeit ist, welche»perversen« Zonen im Geschlechtsverkehr besonders befriedigt waren. Die Entbehrung dieser Befriedigung mache die abnorme Traurigkeit schon eher verständlich.

SACHS meint, da sich die Patientin nach den Angaben schon mit zehn Jahren verlobt habe, daß diese frühzeitige Emanzipierung vom Vater nicht ohne Schuldgefühl vor sich gegangen sein kann und daß sich ihre Melancholie und Angst teilweise aus dem Mechanismus des nachträglichen Gehorsams erkläre, da sie jetzt nach dem Tode ihres Mannes wieder ins Elternhaus zurückgekehrt sei.

REITLER weist auch auf den Zusammenhang mit der Onanie hin: Eine Patientin, bei der sich keine Spur einer Pubertäts- oder Antepubertätsonanie findet, die aber seit ihrer Kindheit melancholisch war, vielleicht weil sie diese primitivste Lebensfreude nie genossen hat.

BRECHER wirft die Frage auf, ob die Menschen, die auf die Onanie mit Verstimmung reagieren, nicht schon Melancholiker waren, deren latente Melancholie sich nur als Reaktion auf derartige schuldbetonte Handlungen geäußert hat.

FREUD sieht in dem vorliegenden Falle einen pathologischen Nachtrag zur Trauer. Die Impulse, Mutter und Kind umzubringen, scheinen die Bedeutung zu haben: Wäre doch lieber die Mutter oder das Kind statt des Mannes gestorben.

HITSCHMANN: Referat einer Arbeit von Eppinger über Vagotonie, die eine Erklärung für gewisse nervöse Erkrankungen einzelner Organe zu geben versucht.[5]

ADLER findet, daß ein großer Teil der Arbeit sich mit Rücksicht darauf erübrige, als seit zwei bis drei Jahrzehnten in der Literatur die Symptome der Vagusneurose existieren. Solche Symptome treten meist anschließend an irgendein psychisches Erlebnis auf (so Asthmaanfall nach einem Coitus interruptus, andere Erscheinungen nach einem normalen Koitus, wie z. B. Gallenblasenschmerzen bei einer Frau, die sich vor dem Kinderkriegen fürchtete und die diese Schmerzen als Wächter aufruft). Es genügt eben eine Störung des psychischen Gleichgewichtes, um diese Organe als minderwertig zu entlarven.

GRÜNER, Franz: Verlesung der Abhandlung von Peres: Beweis, daß Napoleon nicht gelebt hat, worin Napoleons ganze Geschichte einschließlich seines Familienlebens als Sonnenmythus erklärt wird. Eine Satire auf die damals herrschende mythologische Richtung.[6]

---

[5] Hans Eppinger und Leo Hess, *Die Vagotonie. Eine klinische Studie*, A. Hirschwald, Berlin 1910.

[6] Jean Baptiste Pérès (gest. 1890), ›Grand erratum, source d'un nombre infini d'errata à noter dans l'histoire du XIXᵉ siècle‹; erschien 1827 zunächst anonym, 1836 dann unter dem Titel *Comme quoi Napoleon n'a jamais existé*, hatte unzählige Auflagen und wurde in mehrere Sprachen übersetzt. Es ist eine Satire auf die damaligen Versuche, Christus als mythologische Figur und Sonnengott zu erklären. Die Abhandlung wurde von F. M. Kircheisen ins Deutsche übertragen und unter dem Titel ›Warum Napoleon niemals gelebt hat oder ein großer Irrtum. Die Quelle zahlloser Irrtümer in der Geschichte des 19. Jahrhunderts‹ in *Hat Napoleon gelebt? Und andere kuriose Geschichten*, Stuttgart 1910, veröffentlicht.

124

Vortragsabend: am 21. Dezember 1910

Anwesend: Adler, Federn, Freud, Friedjung, Furtmüller, Hitschmann, Jekels, Nepallek, Oppenheim, Rank, Reitler, Sadger, Steiner, Tausk, Grüner F. und G., Klemperer, Sachs, Wagner, Winterstein, Rosenstein.
Frau Prof. Oppenheim, Dr. Frischauf [als Gäste].

[124.] PROTOKOLL

Geschäftliche Sitzung

Frau Dr. Hilferding hat infolge Ablebens ihrer Schwester den heutigen Vortrag abgesagt, und Herr Dr. SADGER hat sich bereit erklärt, mit einem Vortrag einzuspringen.

Die Abstimmung über die Aufnahme des Herrn stud. med. Erwin Wechsberg wird auf Antrag des OBMANNes vorläufig von der Tagesordnung abgesetzt, da sich Stimmen gegen die Aufnahme junger Leute erhoben haben, von denen weder eine positive Leistung vorliegt noch genügende Gewähr, daß sie in der Psychoanalyse schon sicher sind (Federn).

Die nächste Sitzung findet am 4. Januar 1911 statt.

REITLER berichtigt eine Angabe, die er in der letzten Sitzung bezüglich einer Patientin machte, bei der nichts auf eine vorangegangene Onanie hindeutete. Dieser Tage habe sie nun eine Deckerinnerung erzählt, nach deren Deutung sich diese Behauptung nicht mehr aufrechterhalten lasse.

Über sexualsymbolischen Kopfschmerz[1]

Vortrag[ender:] Dr. I. Sadger

Redner schaltet aus seinen Betrachtungen jeden irgendwie organisch oder chemisch bedingten Kopfschmerz aus und beschränkt sich auf jenen, übrigens ziemlich heftigen Kopfschmerz, den die Neurologen zum geringeren Teile der Neurasthenie und Hysterie, eventuell auch der traumatischen Neurose zurechnen, überwiegend jedoch Cephalaea oder habituellen Kopfschmerz nennen, der keiner weiteren Deutung mehr fähig ist.

Aus der Analyse einer Reihe von solchen Kopfschmerzen ergab sich, daß solcher Kopfschmerz eine Erfüllung sexueller Wünsche darstellt; ferner, daß sich hinter den erotischen Wünschen der Gegenwart die nämlichen Sexualerinnerungen der Kindheit verbergen, und endlich, daß dabei eine Verschiebung von Genitalien und Nates zum Kopfe stattgefunden hat.

Aus einer Anzahl von Analysen ließ sich folgende typische Kopfschmerzsymbolik erkennen: »Bohrender« oder »stechender« Kopfschmerz bedeutet den Geschlechtsakt oder Einbohren des Fingers in die Vagina. »Leere im Kopfe« entspricht dem Zustand nach dem Herausziehen; »reißender« Kopfschmerz, soweit er nicht rheumatisch ist, geht wie der »ziehende« in der Regel auf Manipulationen am äußeren Genitale zurück. Der Kopfschmerz bei Frauen ist häufig Deflorationssymbol oder, wenn er krampfartig ist, Entbindungsphantasie und Wunsch nach dem Kinde. Seltener ist die Vorstellung, daß im Kopfe »etwas auseinandergehe«, dem Öffnen der Genitalien entsprechend. Der »Kopfdruck« ist, je nachdem, ob er von außen nach innen oder umgekehrt preßt, entweder Wiederholung des Kopfabdrückens und ähnlicher Zärtlichkeiten von seiten geliebter Personen in der Kindheit oder im zweiten Falle auf die Analerotik und Defäkationslust zurückzuführen. Es können aber auch mehrere dieser Kopfschmerzarten miteinander kombiniert sein.

Die ausgiebige Verwendung des Schädels zur Darstellung der Sexualsymbolik hat mehrere Gründe. Vor allem wird durch eine solche Verlegung von der etwas anrüchigen Körpermitte an die scheinbar ganz unsinnige Peripherie den Forderungen der Zensur vollauf Genüge geleistet. Ferner dient es den Zwecken der Verdichtung, daß man am Schädel mehrere Sexualphantasien zugleich darstellen kann. Auch Form

---

[1] Sadger publizierte den Vortrag, entsprechend den in dieser Diskussion empfangenen Anregungen geändert, unter dem Titel ›Über sexualsymbolische Verwertung des Kopfschmerzes‹ im *Zentralblatt*, Bd. 2, 1912, S. 190–97.

(Ähnlichkeit mit den Hinterbacken) und Name (Peniskopf) verlocken sehr leicht zu einer Gleichstellung. Endlich kann man am Kopfe auch gewisse Begleitsymptome des sexuellen Tun[s] (Rötung, Hitze, Schweiß- ausbruch) sehr gut darstellen.

Außerdem aber scheint der Kopf als solcher eine prädisponierte ero- gene Zone zu sein, die bei vielen Menschen konstitutionell erheblich verstärkt ist. Bleibt sie das einzige Symptom, so sprechen wir von einer Cephalaea, nervösen oder habituellen Kopfschmerzen. Sie kann aber auch hysterisch fixiert, von einer traumatischen Neurose, einer Migräne oder sonst einer organischen oder chemischen Störung, die zu Kopfschmerz führt, als Anknüpfungspunkt benützt werden. Auch die isolierte Cephalaea erweist sich regelmäßig als mit sexuellem Inhalt gefüllt, wie häufig auch ein aus organischen oder toxischen Be- dingungen erzeugter Kopfschmerz. Diese Speisung aus fortdauernden Partialtrieben heraus bedingt die Zähigkeit solcher Kopfschmerzen, ihre Resistenz gegen alle therapeutischen Maßnahmen, erklärt aber an- derseits die Möglichkeit einer psychoanalytischen Beeinflußbarkeit, die solche Fälle nicht selten dauernd zu heilen vermag.

Diskussion

Prof. FREUD möchte, ohne die Tatsächlichkeit des Vorgebrachten anzuzweifeln, doch aus einer gewissen pädagogischen Verpflichtung eine etwas kaptivierendere Darstellung vorschlagen. Anstatt zuerst die Behauptung aufzustellen und dann nur gelegentlich auf die Tech- nik hinzuweisen, würde es sich empfehlen, die Beobachtungen voraus- setzungslos hinzustellen und dann zu zeigen, auf Grund welcher Äu- ßerungen der Patienten man zu diesen Aufklärungen gelangt ist.

Vom rein ärztlichen Standpunkt wäre zu bemerken, daß die Dar- stellung dieser Phantasien am Kopfe als selbständiges Symptom nicht so häufig ist, wie Sadger meine. Es wird sich vielmehr um irgendwie organisch verursachte Kopfschmerzen handeln, die dann psychisch übersetzt werden mit irgendeiner Sexualbedeutung. Das somatische Entgegenkommen wird in diesen Fällen eine besondere Rolle spielen und in einer vorausgegangenen organischen Erkrankung, die zu Kopf- schmerzen führte, bestehen. Wenn man mit diesem organischen Anteil begänne und erst dann den psychischen Anteil hervorheben würde, so riefe das auch weniger Widerspruch hervor.[2]

---

[2] Dieser Standpunkt, in der Praxis angewandt, würde auch manche Fehldiagnosen

Ein Motiv, warum der Kopf zum Schauplatz solcher Sensationen gemacht wird, die sich eigentlich an den Genitalien abspielen sollten, ist darin zu suchen, daß er fast allein von allen Körperteilen nicht verhüllt wird, was besonders den ehemaligen Voyeur[3] veranlaßt, den Kopf sexualsymbolisch zu verwerten.

GRÜNER stimmt den Ausführungen Sadgers zu, die zeigen, daß sich hinter jedem Symptom jeder nur denkbare psychische Komplex nachweisen läßt.[4]

WINTERSTEIN meint, daß der Kopfschmerz aus sprachlichen Beziehungen (Schläfe-Beischlaf) auch als Furcht vor Defloration aufgefaßt werden kann. Auch wäre es denkbar, daß er eine Geburtsphantasie bei jemandem darstellt, der weiß, daß er eine Kopfgeburt war.

HITSCHMANN möchte nicht zu den Extremen gerechnet werden, die eine gewisse Abneigung zeigen, überhaupt noch etwas Medizinisch-Anatomisches gegenüber dem psychoanalytisch Auflösbaren anzuerkennen. Der Kopf ist jedoch vor allem durch seinen anatomischen Aufbau viel mehr als jeder andere Körperteil zu Schmerzen geschaffen, bei deren rein sexualsymbolischer Auffassung doch immerhin eine gewisse Vorsicht geboten ist und das auch von Freud hervorgehobene somatische Entgegenkommen nicht vernachlässigt werden darf. Auch die traumatische Neurose, die ja oft organische Folgen hat, würde zur Vorsicht mahnen. – Bei der sexualsymbolischen Auffassung wäre nachzuweisen, daß Männer und Frauen den Kopfschmerz mit denselben Worten schildern. Vieles von dem Vorgebrachten war psychologisch weder zwingend noch naheliegend, da die Analysen nicht mitgeteilt wurden.

FEDERN möchte dem Vortragenden vorschlagen, den Titel seiner Arbeit dahin zu ändern, daß er sage: Über die psychische Verwertung der Cephalaea bei Hysterikern, womit den Freudschen Bedenken, denen er sich anschließe, auch im Titel Rechnung getragen wäre. – Es gibt

---

verhüten. Es ist dem Herausgeber [H. N.] nicht bekannt, daß Freud jemals eine organische Erkrankung mit einer psychischen verwechselt hätte. Wenn er mir einen Patienten schickte und der Diagnose nicht ganz sicher war, empfahl er immer, ihn erst zu einer ärztlichen Untersuchung zu schicken, um zu vermeiden, daß etwas Organisches übersehen werde.
[3] Man könnte noch hinzufügen: oder den ehemaligen Exhibitionisten.
[4] Wörtlich genommen, führt diese knappe Formulierung die Analyse ad absurdum, aber man kann sich vorstellen, was Grüner eigentlich sagen wollte oder gesagt hat.

Menschen, die bloß infolge starker Erregung (Gemütsdepressionen, geistiger Überanstrengung) Kopfschmerzen bekommen, die keineswegs hysterisch sind, die aber der Hysteriker sehr wohl verwenden kann, indem er sie auf dem Wege der Regression hysterisch fixiert. – Die hysterischen Unterleibsschmerzen findet man häufig bei Frauen mit Ovarie. – Fall eines elfjährigen Mädchens, die sich das Durchpressen des Kindes durch den Geburtsschlauch auf Grund ihrer eigenen, noch unentwickelten Geschlechtsteile besonders schmerzhaft vorstellte und infolgedessen Furcht vor dem Gebären hatte.

FRIEDJUNG findet den habituellen, nicht organisch begründeten Kopfschmerz im Kindesalter überaus selten, woraus man vielleicht eine gewisse Berechtigung für Sadgers Ausführungen deduzieren könnte, da dem Kinde eine ganze Reihe sexueller Kenntnis abgeht. Beim Erwachsenen sei es nicht unwahrscheinlich, daß sich auf organischer Basis durch psychische Determination ein dauernder Kopfschmerz entwickeln kann. – Die Unterleibsschmerzen finden sich bei Knaben ebenso häufig wie bei hysterischen Mädchen, müssen also nicht unbedingt auf die Ovarie zurückgehen.

GRÜNER, G., findet beim organisch bedingten Kopfschmerz ebensowenig einen Grund, den psychogenen Anteil auszuschließen, wie bei der Hysterie, wo auch ungeachtet des somatischen Anteils die psychische Determinierung studiert werde.

REITLER führt den Fall einer Patientin an, die in der Brautnacht einen kleinen arc de cercle bekam und sich mit dem Hinterkopf in die Polster eingrub; wenn sich später Sexualphantasien einstellten, verspürte sie auch den Druck im Hinterkopf (Nacken) wieder, den sie bei der Defloration erlebt hatte.

ADLER möchte seinen einigermaßen abweichenden Standpunkt mitteilen, indem er an eine Differenz anknüpft, die in den Mitteilungen Sadgers und einiger Diskussionsredner zutage trat. Sadgers Ausführungen liefen darauf hinaus, daß der Kopfschmerz den Ersatz für eine Sexualhandlung darstelle. Im Falle Reitlers jedoch und noch deutlicher in dem Federns stellt sich der Kopfschmerz als eine Widerstandshandlung dar, eine Auffassung, deren Ansatz schon bei Sadger zu finden war, der jedoch konsequent weiterdachte und die Entbindungsphantasie trotz ihrer schmerzhaften Darstellung auf den Wunsch nach einer Entbindung reduzierte. Entgegengesetztes zeigt der Fall Federns, wo sich das Mädchen vor der Entbindung fürchtet.

Diese Auffassung nun, daß der Kopfschmerz ein Widerstandssymptom, eine Sicherungstendenz ist, wird an einigen Fällen erläutert. Bei einem siebenjährigen Mädchen ließ sich der habituelle Kopfschmerz, wie ziemlich häufig im Kindesalter, auf eine Identifizierung mit der Mutter zurückführen (Disposition zur Neurose, *Jahrbuch* I)[5]; das Kind wollte seiner Mutter in allem über sein. – Ein anderer Patient bekam Kopfschmerzen bei jeder Erregung, er wußte aber nicht, daß immer ein Gefühl der Unerträglichkeit seiner Lage (Gedrücktheit, daß er nicht oben sei) dahintersteckte. In der Kindheit hatte ihn das Problem beschäftigt, er könnte auch einmal solche Schmerzen bekommen wie die Mutter, wenn er ein Weib wird. – Ein anderer sicherte sich in einem Dilemma (Studien, eheliche Beziehungen etc.) durch Kopfschmerzen vor der Entscheidung. Dieser Patient sprach auch von Kopfschmerzen, bevor er sie noch hatte, und dies zeigt, daß sich nichts so zur Simulation eignet wie gerade Kopfschmerzen. – Wenn man nach organischen Ursachen sucht, so findet man, daß Kopfschmerzen (besonders im Nakken und Genick) auf derselben Grundlage entstehen können wie gewisse Schmerzen in der Wirbelsäule oder im Rücken; in solchen Fällen kann man häufig eine Ausbiegung der Halswirbelsäule konstatieren. Es gibt Menschen, die in einer Depression zusammenknicken, und diese Haltung genügt in vielen Fällen allein, um die Schmerzen auszulösen. Es ist dies ein spezieller Fall, der zeigt, wie sich das Organische mit dem Psychischen verbinden kann.

FEDERN: Adlers Ausführungen zeigen, daß sich seine Sicherungstendenz mit der »Sekundärfunktion« der Neurose deckt.

ADLER erwidert, die Sicherungstendenz sei vielmehr die Primärfunktion der Neurose. Federns Patient ist eine Person, die keinerlei Schmerz verträgt, und sie sucht sich dagegen zu sichern; die Sekundärfunktion wäre das, wenn sie sich auch dort vor Schmerzen fürchten würde, wo es sich nicht um die Entbindung handelt. – Es gibt viele Patienten, die Kopfschmerzen bekommen, wenn sie mit der Onanie oder mit dem Koitus aussetzen; sie suchen sich eben auch zu sichern.

FEDERN führt eine Reihe von Beispielen an, daß Personen auf frustrane Erregungen mit Kopfschmerzen reagierten, was nur auf pathologisch-organische Weise bedingt ist.

---

[5] Alfred Adler, ›Über neurotische Disposition. Zugleich ein Beitrag zur Ätiologie und zur Frage der Neurosenwahl‹, *Jahrbuch*, Bd. 1, 1909, S. 526–45; wiederabgedruckt in Alfred Adler, *Heilen und Bilden*, aaO, S. 67–84.

FREUD möchte, Sadgers Schlußwort vorgreifend, ausdrücklich hervorheben, daß der Vortragende nicht behaupten wollte, alle Kopfschmerzen seien so aufzufassen, sondern er sprach nur von den *sexualsymbolischen* Kopfschmerzen. Daß die Kopfschmerzen sonst alle andern Schicksale der Symptome haben können, wird er wohl nicht bestreiten.

ADLER erwähnt, daß Sadger zu Eingang seines Vortrags gesagt habe, daß sich jeder nicht organisch oder toxisch begründete Kopfschmerz sexualsymbolisch auflösen lasse. Er erkenne nun vollkommen an, daß man die Sexualsymbolik tatsächlich findet, meine aber, daß sie in der Technik nicht die Bedeutung habe, die ihr Sadger zuschreibe. Sollte Sadger nicht diesen Standpunkt einnehmen, sondern den von Freud hervorgehobenen, so wären seine eigenen Ausführungen als nicht hierhergehörig zu betrachten.

SADGER dankt in seinem Schlußworte für die Anregungen, insbesondere Prof. Freuds, die er jedoch zu seinem Bedauern in einem Punkte nicht befolgen könne, nämlich in der Mitteilung der stenographisch aufgenommenen Analysen.

Monosymptomatischer Kopfschmerz findet sich seltener; er hat meist mehrfache Bedeutung. – Gewisse Dinge, wie Geburts- und Schwangerschaftsideen, finden sich eben nur bei Frauen.

Was die Auffassung der sexualsymbolischen Kopfschmerzen betreffe, so habe er behauptet, [daß,] wenn ein Kopfschmerz nach langer Dauer und verschiedenen Behandlungsversuchen nicht schwindet, man dann fast regelmäßig eine sexuelle Symbolik dahinter aufdecken kann; beweisend für diese Auffassung sei der therapeutische Effekt.

Ein solcher Sexualkopfschmerz sei aber nicht ohne weiteres als hysterischer zu bezeichnen (wie Federn meinte); er ist ähnlich einem sexualneurotischen Symptom, das auch hysterisch fixiert werden kann. Ein solcher Kopfschmerz findet sich nicht nur bei Hysterie, sondern kommt auch bei andern Krankheiten (wie Cephalaea) vor.

125

Vortragsabend: am 4. Januar 1911

Anwesend: Adler, Federn, Freud, Friedjung, Furtmüller, Graf, Hilferding, Hitschmann, Jekels, Nepallek, Oppenheim, Rank, Reitler, Sadger, Stekel, Tausk, Grüner G. und F., Wagner, Klemperer, Silberer, Winterstein, Rosenstein.

Gäste: Dr. Bjerre aus Stockholm[1], Herr Friedmann aus Frankfurt.

[125.] PROTOKOLL

[Geschäftliches]

An Stelle Dr. STEKELs, der seine Funktion als Obmannstellvertreter und wissenschaftlicher Vorsitzender niederlegt[2], wird vom Ausschuß Dr. I. Sadger statutengemäß auf 14 Tage kooptiert, nach Ablauf welcher Zeit eine definitive Wahl stattzufinden hat.

Prof. FREUD macht die erfreuliche Mitteilung, daß Prof. Bleuler in Zürich, von dem im letzten *Jahrbuch* eine großartige Apologie der Psychoanalyse erschienen ist, sich der dortigen psychoanalytischen Vereinigung angeschlossen hat und vielleicht bald offiziell als Leiter derselben auftreten werde.[3]

---

[1] Poul Carl Bjerre, 1876–1964, war der erste Anhänger Freuds in Schweden, zog sich aber später von Freud zurück und wurde ein Mitarbeiter von Jung. Er war ein Pionier der Psychotherapie und der Anti-Alkoholbewegung in Skandinavien.

[2] Was der unmittelbare Anlaß für den Rücktritt Stekels zu diesem Zeitpunkt war, ist uns nicht bekannt, aber mit der Herausgeberschaft des *Zentralblattes* hatten nicht endende Schwierigkeiten zwischen Freud und Stekel begonnen, die schließlich zu dessen Austritt aus der Vereinigung führten (Sitzung vom 6. November 1912, 177. Protokoll im Bd. 4 der vorliegenden Veröffentlichung).

[3] Freuds Befriedigung über Bleulers Haltung wird einem sehr verständlich, wenn man sich die damalige Lage der Psychoanalyse vor Augen hält. Freud war in Europa von der akademischen Welt abgelehnt worden; Wissenschaftler von an-

Einige Probleme der Psychoanalyse[4]

Vortrag[ender:] Dr. Alfred Adler

Redner entwirft zunächst ein Programm seiner Ausführungen, von dem er heute nur den ersten Punkt zu besprechen gedenkt und die weiteren Punkte späteren Vorträgen vorbehält. Er gedenkt im allgemeinen zu sprechen über:

1) Die Rolle der Sexualität in der Neurose.

2) Über die Angst und im Zusammenhang damit über die Folge der Sicherungstendenz in der Neurose, die Anlaß zur Charakterbildung gibt.

3) Über Anal-Charakter und -Erotik und über Charakterzüge der Pedant[e]rie, des Geizes, Trotzes und Sadismus.

4) Über erogene Zonen und ihre Beziehung zur Organminderwertigkeit.

5) Damit in Zusammenhang über sexuelle Konstitution und Heredität.

6) Über die Libidotheorie und dabei seinen Standpunkt hervorzuheben, der von einer Entstellung der Libido in der Neurose und Kultur handelt, derzufolge sie durchaus nicht einheitlich als der treibende Faktor anzusehen ist, sondern als zusammengesetzt und künstlich genährt durch den männlichen Protest, übertrieben empfunden und aus Tendenz hoch gewertet oder entwertet.

7) Über die Traumtheorie, insbesondere die Frage der Wunscherfüllung. Ferner über den Angsttraum, über den Mechanismus der Regression, denen gegenüber gelegentlich die Wunscherfüllung bloß als untergeordnet erscheint der Sicherungstendenz, dieser allgemeinsten Traumtendenz. – Endlich über Zweifel im Traume und über einige andere Traumformen.

---

erkanntem Universitätsrang gehörten der psychoanalytischen Bewegung noch nicht an; nun endlich war ein Psychiater von Bleulers Ansehen Mitglied der Schweizer Psychoanalytischen Vereinigung geworden. – Der Titel des von Freud erwähnten Artikels lautet ›Die Psychoanalyse Freuds. Verteidigung und kritische Bemerkungen‹, *Jahrbuch*, Bd. 2, 1910, S. 623–730.
[4] Im *Zentralblatt*, Bd. 1, 1911, S. 185, wurde Adlers Vortrag im Rahmen der ›Sitzungsberichte der Wiener Psychoanalytischen Vereinigung‹ unter dem Titel ›Strittige Probleme in der Psychoanalyse: I. Sexualität und Neurose‹ angekündigt. Eine Veröffentlichung erfolgte erst 1914 (s. die nachfolgende Anm. 5). In diesem und einem späteren Vortrag (vgl. das 129. Protokoll) legt Adler seine von Freud abweichenden Theorien dar. Eine Kopie des vorliegenden Protokolls gelangte in den Besitz von Siegfried Bernfeld, der sie Kenneth Mark Colby zur Verfügung stellte. Dieser verwertete das Protokoll in seinem Aufsatz ›On the disagreement between Freud and Adler‹, *American Imago*, Bd. 8, 1951, S. 229–38.

8) Endlich über den Mechanismus der Verdrängung und seine Rolle in der Neurose sowie über das Unbewußte und seine Rolle in der Neurose. Daß beide in vollem Maße zu Recht bestehen, konnte er in seinen Arbeiten lediglich bestätigen. Nur habe er in ihnen nicht die nächsten Ursachen der Neurose gesucht. Hat doch Freud selbst in seinen Analysen Bezug genommen auf andere psychologische Relationen, insbesondere auf Charakterbildungen (nachträglicher Gehorsam u. ä.). Diese Aufklärungen sind für das Verständnis der Neurose ebenso notwendig wie die Aufdeckung des Unbewußten und der Verdrängung.

Hervorzuheben ist auch, daß die Inzestphantasien, seien sie nun verdrängt oder bewußt, in der Neurose auch von seinem Standpunkt zur Sprache kommen, der sie als Denkmöglichkeit setzt, als Spuren einer als maßlos empfundenen Libido, nicht aber als Kernpunkt der Neurose.

Schließlich seien zusammenfassend die Linien des männlichen Protestes beim Neurotiker hervorgehoben, die sich streckenweise durch neurotische Bildungen ersetzt zeigen, für die in der Analyse die Affektgröße einzusetzen ist. Der weitere Hebel der Kur sei für ihn die Einsicht des Patienten in den Mechanismus des psychischen Hermaphroditismus geworden; dadurch bekommt der Patient seine Affektäußerungen und deren Verschiebungen in die Hand. Ein drittes Moment der Heilung liege in der Übertragung, die als Liebesübertragung arrangiert sei, als solche aber keine Echtheit habe; gegen den Arzt ist der Patient ständig in voller Auflehnung; sie ist Vorwand und Ausgangspunkt, um den Kampf einzuleiten.

1. Über die Rolle der Sexualität in der Neurose [5]

Redner hebt zunächst hervor, daß alle diese Probleme, über die er nicht endgültige Formulierungen, sondern nur Entwicklungsstandpunkte vorlegen möchte, erst durch die Arbeiten Freuds vorbereitet und überhaupt diskutierbar geworden sind.

Er geht darauf in eine nähere Schilderung der Entwicklung des Sexualtriebs im Ensemble des Trieblebens ein und kommt zu dem Schluß, daß die Auffassung, jeder Trieb habe eine sexuelle Komponente, biologisch nicht haltbar sei. Ebensowenig sei die Organminderwertigkeit mit der Erogenität eines Organes identisch; es sei nicht abzu-

---

[5] Abgedruckt unter dem Titel ›Zur Kritik der Freudschen Sexualtheorie des Seelenlebens. I. Die Rolle der Sexualität in der Neurose‹ in *Heilen und Bilden*, aaO, S. 94–102.

sehen, wo bei der Auffassung als erogener Zone die Gehirnkompensation bleibe. Um erogen zu werden, bedürfen diese Zonen einer Triebverschränkung unter dem Druck falscher Sexualtheorien. Die Behauptung, daß das Kind polymorph-pervers sei, ist ein hysteron-proteron. Die perversen Phantasien knüpfen sich an die minderwertigen Organe erst im späteren Leben unter den eben angeführten Bedingungen.

Alles was uns der Neurotiker an Libido zeigt, ist nicht echt. So dienen die Inzestphantasien, weit entfernt, der Kernkomplex der Neurose zu sein, nur dazu, den eigenen Glauben an die Übermacht und die verbrecherische Neigung der Libido zu nähren und dabei jeder anderen Sexualbeziehung aus dem Wege gehen zu können.

Redner erläutert hierauf seine Darlegungen an der Analyse eines Falles, der die hervorgehobenen Tatsachen deutlich erkennen lasse.

Resumierend weist er darauf hin, wie die Sexualität in die Neurose kommt und welche Rolle sie darin spielt, ohne diese Fragen abschließend beantworten zu wollen. Sie wird frühzeitig geweckt und gereizt durch die Organminderwertigkeit und vom gesteigerten männlichen Protest als riesenhaft empfunden, damit der Patient sich rechtzeitig sichert oder sie entwertet und als Faktor streichen kann. Im allgemeinen ist es nicht möglich, die sexuellen Regungen des Neurotikers – ebenso wie die des Kulturmenschen – so weit als echt zu nehmen, um mit ihnen zu rechnen. [6]

Diskussion

FEDERN möchte hervorheben, wo ungelöste Probleme vorliegen, bei denen die Auffassungen nach beiden Richtungen möglich sind, und wo Adler nur von einem andern Gesichtspunkt aus spricht, aber nicht wesentlich anderes mitteilt.

Was die Minderwertigkeit der Organe betreffe, so sei es unrichtig zu glauben, daß nur sie zu gesteigertem Ichgefühl und Aggressionstendenz führe; es können ebenso starke, vollwertige Menschen in die Aggression kommen und anderseits stark infantile Libido entwickeln. Der vollwertige Mensch hat aber keinen Grund, sich, wie Adler sagt, zu sichern, wie Freud sagt, zu verdrängen. Um nun zu zeigen, daß

---

[6] Hier kann man, gleichsam in statu nascendi, beobachten, wie ein so mächtiger Verstand wie der Adlers sich aus affektiven Gründen im eigenen Netz verstrickt.

die Minderwertigkeit die conditio sine qua non der Neurose ist, nimmt Adler sie so weit, daß das Spezifische daran verlorengeht, indem er alle Organismen als relativ minderwertig gegen die Umgebung sowie alle Kinder gegen die Erwachsenen als minderwertig annimmt. – Zur Neurose kann es auch ohne minderwertiges Organ kommen bei entsprechend stärkeren äußeren Einflüssen, da es sich ja nur um quantitative Unterschiede handelt.

In der Frage der erogenen Zonen (und ihres Verhältnisses zur Organminderwertigkeit) ist kein prinzipieller Gegensatz zu Freud vorhanden. Freud meint auch nicht, daß jeder Trieb an und für sich sexuell sein müsse, sondern daß sich sexuelle Betonungen auch bei andern Trieben finden, was nach Freud mit der Gemeinsamkeit der Organe, die beiden Trieben dienen, zusammenhängt. Übrigens sind diese Zusammenhänge nicht näher erforscht, wie auch die »Anal«-Akten noch nicht geschlossen sind. Wenn aber Adler behauptet, die Anallibido trete erst später und sekundär im Dienste gewisser Tendenzen (Trotzeinstellung) auf, so müßte er das beweisen; es wäre ja ebenso denkbar, daß eine von früher her vorhandene Anallibido später durch den Trotz wiederbelebt wird.

Hauptsächlich aber habe Adler ausgeführt, daß es sich beim neurotischen Symptom nicht um verdrängte sexuelle Wünsche handelt, sondern um Befürchtungen, denen zu entgehen die Symptome als Sicherungstendenzen auftreten. Sein heutiger Fall war unzureichend, um hier irgend etwas zu beweisen. Diese Auffassung der Neurose differiert nicht wesentlich von der Freudschen, weil es sich nur darum handelt, ob man vom Unbewußten, Verdrängten ausgeht oder vom Bewußtsein, welches die Sexualität ablehnt. Vom Bewußtsein aus muß sich der Vorgang als etwas darstellen lassen, wogegen sich der Patient sichert, sonst hätte er es ja nicht verdrängt. Und so ist denn auch die »Sicherungstendenz« als Sekundärfunktion (Freuds) längst bekannt. In seinem vorgetragenen Falle ist diese Sekundärfunktion so deutlich, weil die Angst als Sexualerreger schon in der frühesten Kindheit eine große Rolle spielt; das spricht aber nicht dagegen, daß die Symptome auch in gerader Linie der Sexualität entsprechen.

Wenn endlich Adler in bezug auf das Hauptthema seines Vortrags, daß die Sexualität nicht Zentrum und Ursache der Neurose sei, geltend gemacht habe, daß wie die Libido des Neurotikers auch die des Kulturmenschen nur arrangiert und gemacht sei, so hat er hier wieder diese logische Ausweitung gemacht, die den Inhalt seiner Behauptung negiert. Es handelt sich doch darum, ob die Sexualität beim Neurotiker anders aussieht als beim Kulturmenschen oder nicht. – Wenn

Adler ferner behauptet, daß die Libido keine selbständige Entwicklung habe, sondern nur durch die Ichtriebe geweckt und getragen und nur als Mittel im Kampfe um diese Stellung benützt wird, so enthält ein Teil dieser Ausführungen etwas Wertvolles: nämlich daß die Konstitution auf die Sexualität einen Einfluß übt. Schon in einer der ersten unter dem Einfluß Freuds entstandenen Arbeiten über die sexuelle Aufklärung von Emma Eckstein[7] war als Mittel gegen die vorzeitige Weckung der Sexualität empfohlen, die Kinder nicht zu unterdrücken und ihr Ichgefühl zu steigern. – Der Aggressionstrieb (über dessen Berechtigung heute nicht diskutiert werden soll) weckt nicht erst, wie Adler will, die Sexualität, sondern umgekehrt, wo der Aggressionstrieb pathogen wird, da sehen wir ihn durch eine vorzeitige Sexualität gereizt; das Gegenteil ist von Adler nicht bewiesen worden. Hierin liegt eine wirkliche Gefahr der Adlerschen Anschauungen, denn in diesem Punkte hat er eine retrograde Arbeit geleistet und sich mit den Gegnern der Freudschen Lehre in eine Reihe gestellt.

ADLER erwidert, daß auch Freud die Symptome der Neurose nicht restlos aus der Libido allein erklären konnte, sondern zu andern psychologischen Momenten gegriffen habe, deren weitere Ausführung er versucht habe. Wenn Federn behauptet, daß man in jeder Kur sehe, wie die ganze Unruhe des Neurotikers durch Auflösung der sexuellen Komplexe schwinde, so ist darauf zu erwidern, daß dies eben nur gelingt, wenn man seine falschen Vorstellungen entwertet, seinen Geltungstrieb herabsetzt.

JEKELS wirft die Frage auf, wann sich die ganze von Adler auch für die normale Charakterentwicklung angenommene Konstellation (des männlichen Protestes) zur Neurose steigere?

Die Unsicherheit des Kindes in der Geschlechtsrolle und seine falschen kulturellen Wertungen sind so komplizierte Vertretungen der Triebe, mit denen wir nicht gewohnt sind zu operieren, da wir doch vielmehr alles auf die Triebe zurückzuführen suchen; vielleicht erwachsen die Vorstellungen des Männlichen und Weiblichen erst aus der libidinösen Einstellung des Kindes gegen seine Eltern. – Das Verlassen des sexuellen Standpunktes macht die Vorbildlichkeit der Sexualität unerklärlich.

---

[7] Emma Eckstein, ›Eine wichtige Erziehungsfrage‹, *Die Neue Zeit, Revue des geistigen und öffentlichen Lebens* (eine sozialdemokratische Wochenschrift), 18. Jg., Bd. 2, 1899–1900, S. 666–69. S. auch den zweiten Abschnitt der Anm. 10 des 44. Protokolls in Bd. 1 der vorliegenden Veröffentlichung.

Die Behauptung, daß die Neurotiker die Sexualität einerseits riesenhaft werten, anderseits entwerten, ist eine subjektive Ansicht Adlers.

ADLER meint zur Frage, wann es zur Neurose komme, daß er nur Stellung nehme zu gewissen psychischen Zustandsbildern, die sich dann, wenn sie sich unfähig erweisen, dem Arzt als Neurotiker vorstellen; das Wesentliche daran tritt analog auch beim Kulturmenschen auf. Von der Vorbildlichkeit der Sexualität könnte er auch sprechen, da die Sexualität ein Ensemble von Trieben begreift.

REITLER wären nähere Ausführungen über die Verdrängung und das Unbewußte erwünschter gewesen. – Wenn Adler behauptet, daß nicht der Inzestkomplex, sondern der männliche Protest der Kern der Neurose sei, so könne man ihm da nicht folgen; schon gar nicht, wenn sich dieser männliche Protest mit weiblichen Mitteln durchsetzen soll. In Adlers ›Trigeminusneuralgie‹[8] ist der Beweis dafür nicht erbracht, daß der Patient aus männlichem Protest und nicht aus Libido zur Mutter ins Bett will. – Auch bleibt ungeklärt, ob der männliche Protest im Bewußtsein oder im Unbewußten steckt.

ADLER hat die von Reitler erwähnten Patienten, die gar nichts Weibliches zeigen, schon wiederholt erwähnt; das sind Menschen, die seit der Kindheit einen Kampf gegen ihren Vater führen, dem sie nur beikommen können dadurch, daß sie sich als unfähig erweisen; dadurch strafen sie den Vater und gelangen so doch noch zu einer gewissen Beherrschung desselben. – Dem Trigeminusfall setzt Reitler einfach seine Auffassung gegenüber. Der Inzestwunsch beweist dem Patienten, daß er kein Weib ist. – Der Protest ist sowohl im Bewußtsein als auch im Unbewußten. Im Bewußtsein versucht er sich als Mann zu gebärden; daß er auch in seinem Unbewußten alle Regungen vom Weib zum Manne hat, geht unter anderm aus der Analyse seiner Träume hervor.

HITSCHMANN findet Adlers schwächsten Punkt in der Kasuistik; seine Fälle sind meist monosymptomatisch, und kein Fall hat die von ihm durchgeführte Rationalisierung des Trieblebens mehr bloßgestellt als der heutige Fall. Das Auffälligste scheint Adler selbst die Überschätzung der Sexualität. Es ist dies ein Typus, den wir genau kennen. Daß die geschilderten Symptome bei dem vor der Verehe-

---

[8] A. Adler, ›Die psychische Behandlung der Trigeminusneuralgie‹, *Zentralblatt*, Bd. 1, 1910, S. 10–29.

lichung stehenden Patienten nach einer ihn deprimierenden Pollution (oder etwas Analogem) ausbrechen, daraus würde man besser nicht viel psychologische Schlüsse ziehen; plausibler wäre die rein ärztliche Auffassung, daß der Mann sich eben unfähig fühlt, eine Frau in der Ehe zu befriedigen. Daß er mit seiner Überlibido irgendeine Absicht verfolgen soll, daß er die Pollution absichtlich zustande bringen soll, all das ist zu künstlich und rationalisiert; auch in die Träume wurde überflüssigerweise zuviel hineingetragen. – Wer einmal das Impulsive einer Perversion (etwa Sadismus oder Masochismus) in der Neurose gesehen hat, dem wird es fernliegen, ursprünglich annehmen zu wollen, daß der Patient mit dem Masochismus z. B. sich oder andern etwas zeigen will.

Entschieden verfrüht ist es, wenn von den Problemen, gerade von denen wir am wenigsten wissen wie z. B. dem Triebleben, mit einer solchen Sicherheit ausgegangen wird. – Die Wertung von männlich und weiblich, die Adler in eine so frühe Jugend verlegt, kann man in dieser Weise nicht bestätigen. Die Ableitung einer gleichmäßigen Wertung in diesem Sinne ist deshalb schon unmöglich, weil es ja ganz verschiedene Typen von Eltern gibt. Diese eigentümlichen, von Adler auch zugegebenen weiblichen Männer, die weniger unter dem Kernkomplex als unter der Bedeutung des Vaters leiden, sind ja von Jung geschildert.[9]

ADLER hebt hervor, daß die Wertung von männlich und weiblich in der Neurose nur die Kristallisation jener Wertung ist, die auch in unserer Kultur seit jeher besteht und im Anfang der Kultur bereits begonnen hat. – Bezüglich der weiblichen Männer ist zu bemerken, daß sie nicht weiblich bleiben, sondern nur mit weiblich scheinenden Mitteln ihren männlichen Protest ausfechten. – Die Phantasie vom Weib mit dem Penis ist nicht ursprünglich, sondern symbolisch festgehalten; sie ist das Charakteristikon eines Neurotikers, der nicht in die Geschlechtshörigkeit geraten will. Das Ausdrucksmittel stammt aus seiner Vorgeschichte, wo er tatsächlich im unklaren war über seine Geschlechtsrolle.

TAUSK möchte zunächst einen Streitpunkt ausscheiden, indem er anstatt der »Sicherungstendenz« die Freudsche »Flucht in die Krankheit« einsetzt.

---

[9] C. G. Jung, ›Die Bedeutung des Vaters für das Schicksal des Einzelnen‹, *Jahrbuch*, Bd. 1, 1909, S. 155–73.

Beim Adlerschen Aggressionstrieb muß man fragen: Wer aggrediert? Ein Aggressionstrieb, der nicht von einem Subjekt getragen wird, ist undenkbar. Ein Aggressionstrieb ohne Träger, d. h. ohne einen Trieb, der einem bestimmten biologisch begründeten Zweck dient, ist eben ein zweckloser Trieb.[10]

Bei der Wertung von männlich und weiblich in der Neurose müßte man zuerst darüber aufgeklärt werden, was männlich und was weiblich ist. In qualitativer Weise unterscheiden sie sich gar nicht; eher könnte man es noch quantitativ sagen. Der Mann wie das Weib wehrt sich gegen das Genommenwerden; der Mann wie das Weib aggrediert. Das ist eine Angelegenheit persönlicher Selbsterhaltung. Aber nur wenn eine solche qualitative Unterscheidung von männlich und weiblich gegeben wäre, könnte man von einer solchen Motorität in der Neurose sprechen. Andernfalls bleibt nichts als die Libido, der Trieb übrig. – Daß sich in der Kultur solche Wertungen von männlich und weiblich einstellen, ist selbstverständlich. Das ist nur eine Anpassung an die Anforderungen der Welt, um energetisch zu funktionieren gemäß dem, was erlaubt ist. Diese Qualifikation wird auch in einer Anzahl von Neurosen an hervorragender Stelle zu finden sein. Aber daß gerade dies die Motorität der Neurose sein soll, dieser Beweis ist nicht erbracht. Es handelt sich in der Neurose um gehemmte Energien.

Wenn aber Adler dann für männlich und weiblich, Begriffe, die mächtige Ingredienzien der Neurose sind, oben und unten sagt, so kompromittiert das diese Begriffe männlich und weiblich. Denn nach praktischen Erfahrungen kann das Kind lange Zeit (bis zum vierten, fünften Lebensjahr und noch länger) die Vorstellung von oben und unten beim Geschlechtsverkehr überhaupt nicht haben. Wenn dieses Oben und Unten die Neurose als männlich und weiblich differenzieren würde, müßte es als Anblick eines wirklichen Koitus bei jedem Neurotiker in der frühesten Kindheit aufgefunden werden. Den Beweis dafür, daß dem tatsächlich so sei, wird Adler als prinzipiellen wohl schuldig bleiben. Dieses Oben und Unten kommt in unserer Kulturgeschichte vom Koitus her; ob es psychologisch beim Mechanismus der spezifischen Neurose verwertet ist als oben und unten, diesen Beweis wird Adler nicht leisten. In der Neurose genügt der gehemmte Trieb,

---

[10] Im Original lautete die Niederschrift zunächst: »Einen Aggressionstrieb ohne biologisch begründeten Zweck annehmen heißt den Trieb seines Zweckes berauben.« Dieser Satz ist teilweise ausgestrichen und in fremder Handschrift (lt. freundlicher Auskunft von Herrn Dr. Pfeiffer, Göttingen, höchstwahrscheinlich Tausks) in die oben wiedergegebene Formulierung umgeändert worden.

um eine Störung im psychischen Gleichgewicht des Menschen hervorzurufen. Insbesondre ist die Perversion dieses Motiv, die nicht in Aktion umgesetzt werden kann, weil sie unbewußt ist; sie usurpiert daher fremde Aktionen für sich. Dann tritt das Nichtverstehen von der
Umgebung und der ganze von Adler geschilderte Zustand auf.

ADLER wollte nie bestreiten, daß der Keim seiner Auffassungen
in den Ausführungen Freuds zu finden sei und daß also auch die Flucht
in die Krankheit der Sicherungstendenz entspreche; nur komme der
männliche Protest hinein, die Charakterologie (Geiz, Sadismus, Pedant[e]rie). Bei der Aufstellung des Aggressionstriebes kannte er noch
nicht das primum movens des gereizten Aggressionstriebes, den männlichen Protest.

Für die Auffassung von männlich und weiblich ist maßgebend der
Eindruck, den das neurotisch disponierte Kind davon hat; ebenso
findet man die Wertung von oben und unten beim neurotisch dispo-
nierten Kind, wobei in Betracht kommt, daß das Kind auch instinktiv
vieles (so das Oben und Unten im Koitus) erfaßt, was Freud auch im
»kleinen Hans«[11] annimmt. Es gibt kein allgemeiner giltiges Prinzip
für alle menschlichen Beziehungen als oben und unten.

---

[11] S. Freud, ›Analyse der Phobie eines fünfjährigen Knaben‹ (1909); G. W., Bd. 7,
S. 241; Studienausgabe, Bd. 8, S. 9.

126

Anwesend: Adler, Federn, Freud, Friedjung, Furtmüller, Hilferding, Hitschmann, Jekels, Oppenheim, Rank, Reitler, Sadger, Tausk, Grüner F. und G., Klemperer, Wagner, Winterstein, Rosenstein. A[ls] G[äste:] Dr. F. S. Krauss, Dr. Frischauf.

[126.] PROTOKOLL

[Geschäftliches]

Der OBMANN setzt die Wahl des Obmannstellvertreters für die nächste Sitzung an und teilt mit, daß ihm zu Ohren gekommen sei, Stekel würde, im Falle sich die Majorität für ihn entscheiden sollte, die Wiederwahl annehmen. Nennungen bezüglich der Wahl werden heute bereits entgegengenommen.

TAUSK möchte bei dieser Gelegenheit eine kleine Veränderung in der Zusammensetzung des Vorstandes vorschlagen und beantragen, eine offizielle Vertretung der Mitglieder aus dem Stande der Nichtärzte, die zahlreich genug seien, in den Vorstand zu entsenden. Er denke dabei an Prof. Furtmüller oder Oppenheim, die im Vorsitz mit den ärztlichen Vorsitzenden alternieren könnten.

Ferner teilt der OBMANN mit, daß Dr. Leonide Drosnés aus Odessa sich um die Aufnahme in die Vereinigung bewerbe.

Prof. FREUD kann den jungen Mann bestens empfehlen und glaubt, daß er der Sache der Psychoanalyse von Nutzen sein wird.

Prof. OPPENHEIM stellt die Anfrage an den Bibliothekar, ob der

Verein nicht wenigstens teilweise die Beiwerke zum Studium der *Anthropophyteia* anzuschaffen in der Lage sei.

ADLER weist auf die ohnehin große Überlastung des Budgets hin und schlägt vor, unter den Mitgliedern, die sich für dieses Thema interessieren, eine Subskription einzuleiten.

Prof. FREUD macht der Vereinsbibliothek das Werk über das Liebesleben der Japaner zum Geschenk.

Herr Dr. Friedr. S. KRAUSS legt als Gast der Vereinigung eine Sendung aus Peru vor, die ein Mittel gegen die Unfruchtbarkeit enthält, und bittet einen Interessenten um Untersuchung dieser Pflanze.

Herr Baron WINTERSTEIN liest eine Stelle aus Nietzsches *Morgenröte* vor, die sich mit der Rolle der Triebe im Traumleben beschäftigt.

Zur Grundlage der Mutterliebe

Vortrag[ende:] Frau Dr. Hilferding

Die Mitteilungen der Referentin enthalten zweierlei. Erstens ein Tatsachenmaterial, das bereits in früherer Zeit gesammelt worden war, und zweitens die auf Grund der Beschäftigung mit der Psychoanalyse versuchte Erklärung dieser Tatbestände.

Es ist eine häufige Erscheinung, daß Mütter, die sich sehr auf das Kind gefreut haben, beim Erscheinen desselben ganz enttäuscht sind und das eigentliche Gefühl der Mutterliebe vermissen lassen. Stellt es sich dann doch ein, so hat man den Eindruck, daß nicht so sehr physiologische, sondern psychologische Momente dabei maßgebend sind: ein gewisses Mitgefühl, die Konvention, die von der Mutter eine Liebe fordert etc. Diese psychologischen Momente als Ersatz der physiologischen Mutterliebe findet man besonders häufig in gebildeten Kreisen.

Ferner würde man erwarten, daß die Mutterliebe unmittelbar nach der Geburt auftritt oder vielleicht sogar schon vor derselben. Das ist aber nicht der Fall. Im Gegenteile äußert sich das Nichtvorhandensein der Mutterliebe sehr oft durch die Weigerung, das Kind zu stillen, oder den Vorsatz, es überhaupt ganz wegzugeben. Wenn es gelingt, das Kind durch Überlistung der Mutter an die Brust zu bringen, dann, heißt es, sollen sie das Kind oft nicht mehr von sich lassen. Eine zweite Form, in der sich das Fehlen der Mutterliebe äußert, sind die direkt

113

feindlichen Handlungen gegen das Kind, wie sie als Kindesmord einerseits und als Kindermißhandlung anderseits in unserm sozialen Leben zutage treten. Auffällig ist, daß der Kindesmord gewöhnlich nur beim ersten Kinde stattfindet und meist nur dann, wo die Mutter eine besondere Abneigung gegen das Kind faßt (etwa weil dessen Vater sie verlassen hat). Die dabei zum Heile jener Unglücklichen angenommene Sinnesverwirrung werden wir als Psychoanalytiker wohl kaum gelten lassen können. – Die Kindesmißhandlung kommt gewöhnlich bei unehelichen oder außerehelichen Kindern vor, die von der Mutter nicht selbst erzogen worden sind.

Überhaupt nehmen besonders die ersten und letzten Kinder eine Sonderstellung ein; das erste, indem es die stärksten feindlichen Affekte der Mutter auslöst und daher gewöhnlich am strengsten erzogen wird, das jüngste, indem es die intensivsten freundlichen Affekte auslöst und meist verhätschelt und verzärtelt wird. Das sind die Fälle von übertriebener Mutterliebe und Ängstlichkeit, wenn wir die Verdrängung und Kompensierung feindlicher Impulse in ihr Gegenteil auf die Mutterliebe anwenden.

Diese Beobachtungs- und Erfahrungstatsachen habe Referentin seinerseits in die Formel zusammengefaßt: Es gibt keine angeborene Mutterliebe. Auf Grund der psychoanalytischen Erkenntnisse müsse man doch eine gewisse Unterscheidung machen und könne diese Formel nicht in ihrem Umfange gelten lassen.

Es habe den Anschein, daß durch die körperliche Beschäftigung zwischen Kind und Mutter die Mutterliebe ausgelöst werde. Gehen doch durch das Kind im Sexualleben der Mutter gewisse Veränderungen vor sich. Bei einer bestimmten Völkerschaft bleiben die Frauen bis nach dem Absetzen des Kindes dem Manne fern. Auch sind ja die Nachwehen direkt durch das Säugen veranlaßt, und es tritt ja auch während des Stillens eine gewisse Frigidität ein, eine Tatsache, die auch in der Literatur, in einem Roman von Ohnet[1], Verwertung gefunden hat. Es ließe sich daraus folgern, daß das Kind in der Zeit nach der Entbindung ein natürliches Sexualobjekt der Mutter darstelle. Es müssen ja zwischen Mutter und Kind gewisse Sexualzusammenhänge vorhanden sein, die auch entwicklungsfähig sein müssen. Man nimmt an, daß um die Zeit der ersten Kindesbewegungen auch die ersten Anzeichen der Mutterliebe geweckt werden. Durch die Kindesbewegungen wird, wie es scheint, auch ein gewisses Lustgefühl

---

[1] Georges Ohnet, 1848–1918, erfolgreicher französischer Schriftsteller.

hervorgerufen, das vielleicht schon eine Andeutung dieser sexuellen Zusammenhänge bieten könnte. Durch Entfernung des Kindes tritt ein Verlust dieses Gefühles ein, und hier mag die Abneigung der Mutter bereits einsetzen. – Auch das Einschießen der Milch in die Brust ist von einer gewissen Lustempfindung begleitet. Im ganzen läßt sich sagen, daß die Sexualempfindungen des Säuglings ein Korrelat finden müssen in entsprechenden Empfindungen der Mutter. Und wenn wir beim Kinde einen Ödipuskomplex annehmen, so findet er seinen Ursprung in der Geschlechtsreizung durch die Mutter; die Voraussetzung ist ein gleichfalls erotisches Empfinden von seiten der Mutter. Es ergibt sich ferner die Folgerung, daß das Kind zu gewissen Zeiten ein natürliches Sexualobjekt der Mutter darstellt; diese Zeit fällt mit der Pflegebedürftigkeit zusammen. Nach dieser Zeit muß das Kind dem Manne, eventuell dem nächsten Kinde Platz machen.

Zum Ausgangspunkt ihrer Untersuchung zurückkehrend, ob die Mutterliebe angeboren sei oder nicht, bemerkt Referentin, daß dies beim ersten Kinde wohl nicht der Fall sei, sondern durch den körperlichen Zusammenhang mit dem Kinde, durch die Pflege, das Stillen etc. erworben werde, wobei dem Stillen jedoch nicht die große Bedeutung zuzukommen scheine, als man gemeinhin annehme. Bei den folgenden Kindern sei die Mutterliebe vielleicht doch angeboren in der Weise, daß in Erinnerung an die Pflege und Wartung des ersten Kindes sich die Mutterliebe bei den folgenden Kindern ohne weiteres einstellt.

Von den Frauen dürften dann diejenigen länger, als es geboten ist, an diesem Sexualobjekt festhalten, die eine Sexualbefriedigung bei ihrem Manne vermissen. Das ist aber dann nicht als Perversion zu werten, sondern als Verlängerung und zeitliche Ausdehnung eines von Natur gegebenen Zustandes.

Es wäre noch sehr interessant zu untersuchen, welche Rolle der Vater dabei spielt; unter welchen Umständen der Vater dazu kommt, Sexualobjekt des Kindes zu werden (homosexuelle Einstellung), unter welchen Modalitäten sich die Loslösung des Kindes von diesem ersten Sexualobjekt vollzieht, ferner zu erforschen, in welcher Weise die Zeit der Asexualität (vor der Pubertät)[2] mit der Ablösung von der Mutter zusammenhängt, Probleme, die Referentin nur andeuten möchte, ohne diesmal auf ihre Beantwortung eingehen zu können.

---

[2] Frau Hilferding meint wohl die Latenzzeit (ca. 6. bis 12. Jahr).

Diskussion

WINTERSTEIN erwähnt eine Hypothese von Moriz Benedikt[3], welche einen innigen Zusammenhang zwischen der Mutterliebe und dem bei der Konzeption empfundenen Begattungsgefühl behauptet.

GRÜNER, G., kann den Ausführungen in keiner Weise widersprechen und möchte nur einige Kleinigkeiten hinzufügen. Die Liebe der Mutter zu ihrem Kinde sei die Reproduktion ihres eigenen kindlichen Verhältnisses zu ihren Eltern. Auch ist die Liebe der Mutter zum Kinde nur Fortsetzung der Liebe zum Manne, dessen Ebenbild sie im Kind liebt. Endlich liebe die Mutter im Kind auch ihr Genitale.

Fr. S. KRAUSS erwähnt, daß die Völkerschaft, von der Referentin berichtete, daß dort die Frauen bis zum Ende der Stillungsperiode dem Mann fern bleiben, die peruanischen Indianer seien, über deren Geschlechtsleben im VI. Bande der *Anthropophyteia* Brüning berichtet habe.[4] Bei anderen Völkern herrsche der Glaube, daß eine Frau während des Stillens nicht empfangen könne. Die Chrowoten meinen im Gegenteile, daß die Zeit nach der Geburt die geeignetste sei, um der Frau beizuwohnen.

FRIEDJUNG erwähnt von seiner eigenen Vaterschaft her als Gegenstück zu der mangelnden Mutterliebe das Fehlen einer Vaterliebe, ja, das Vorherrschen feindseliger Regungen gegen das Kind, eine Tatsache, die er dann durch Umfrage im weiteren Umfange bestätigen konnte.

Beim Kindesmord, der auch im späteren Alter vorkomme (ein Fall mit zwei Jahren), müßten doch die sozialen Momente hervorgehoben werden. – Von der erwähnten Strenge gegen das erste Kind habe er wenig gesehen; im Gegenteile werden bei den meisten ersten Kindern dieselben Erziehungsfehler (Verzärtelung etc.) begangen wie in der Regel bei den einzigen Kindern.

Bezüglich der Abstinenz während des Stillens brauche man nicht so weit zu gehen, da auch in unserer Stadt die Meinung herrsche, die

---

[3] Vermutlich handelt es sich um den Neurologen Moriz Benedikt, 1835–1920. Er war als Neovitalist ein Außenseiter in der Wiener medizinischen Schule, der sowohl über Neurologie als auch über Biologie und Psychologie schrieb. Benedikt hatte Freud 1885 für seine Studienreise nach Paris eine Empfehlung an Charcot mitgegeben; Freud erwähnt ihn anerkennend in den *Studien über Hysterie* (1895; *G. W.*, Bd. 1, S. 86; Fischer Taschenbuch, Nr. 6001, S. 10) und in der *Traumdeutung* (1900, aaO; *G. W.*, Bd. 2/3, S. 495; *Studienausgabe*, Bd. 2, S. 473).
[4] H. Enrique Brüning, ›Beiträge zum Studium des Geschlechtlebens der Indianer im alten Peru‹, *Anthropophyteia*, Bd. 6, 1909.

Frau könne in dieser Periode nicht konzipieren, weshalb viele Frauen die Kinder über Gebühr lange an der Brust nähren. Auch ist die Anschauung in unseren Gegenden verbreitet, daß während des Stillens der Koitus ungesund wäre.

SADGER hätte es für wissenswert gehalten zu erfahren, was bisher über die Mutterliebe wissenschaftlich bekannt sei. Das meiste darüber finde sich seines Wissens bei Ellis.[5] Dort findet sich der Hinweis auf die besondere Erogenität der Brustwarze, auf das direkt sexuelle Gefühl beim Saugen, das wahrscheinlich die tiefste Grundlage der Mutterliebe sei. In der Verdrängung vermag die Erogenität dieser Zone auch Abscheu und Ekel hervorzurufen, und das sei vielleicht der Grund dafür, daß manche Frauen vor dem Stillen ihrer Kinder einen unüberwindlichen Abscheu haben; möglicherweise ist auch die besonders strenge Erziehung daraus zu erklären, daß sich dieser Abscheu in anderer Weise umsetze. Ellis erwähnt anderseits, daß viele Frauen zeit ihres Lebens nur von dieser Stelle aus erogene Gefühle haben, was häufig dazu führt, daß sie sich von ihren Liebhabern an den Brustwarzen saugen lassen. Das Stillen verschafft der Mutter den Genuß einer neuen, bis dahin nicht gekannten perversen Lustempfindung. Auch hat Freud darauf aufmerksam gemacht, daß eine weitere Reihe perverser Regungen in der Kinderpflege nicht nur erlaubt, sondern sogar mit einer Gloriole umgeben werden; eine besondere Rolle spielt dabei die Analerotik. Das mag vielleicht die zweite Gruppe von Müttern erklären, die das Kind ebenfalls überaus lieben, ohne es je gesäugt zu haben.

Frauen, die Muttergefühle haben, ohne je selbst Kinder besessen zu haben, sind die geborenen »Tanten«, die besonders durch Ibsen ihre literarische Verherrlichung gefunden haben. – Über die Abstinenz während des Stillens finden sich Bemerkungen bei Westermark[6] und Iwan Bloch[7].

Prof. FREUD bemerkt, daß der Weg, um über die Mutterliebe etwas zu erfahren, nur der der statistischen Erfahrung sein könne und daß wir heute nur in der Lage seien zu sagen, was für Motive dabei ins Spiel kommen können. Es sei sehr lobenswert, daß die Referentin ein

---

[5] S. die Anm. 3 des 114. Protokolls, oben, S. 11.
[6] Edward Alexander Westermarck, 1862–1939, finnischer Anthropologe, schrieb *Ursprung der menschlichen Ehe* (1889) und *Geschichte der menschlichen Ehe* (1889), ein Buch, das er, umgeschrieben, 1921 in 3 Bänden herausgab. Sadger bezieht sich wahrscheinlich auf sein Werk *Sexualfragen*, Klinkhardt, Leipzig 1909.
[7] Zu Iwan Bloch, 1872–1922, vgl. die Angaben der Anm. 1 des 9. Protokolls in Bd. 1 der vorliegenden Veröffentlichung.

Thema psychoanalytisch in Angriff genommen habe, welches durch die Konvention, die wir pflegen, der Erforschung entzogen worden ist. In den Ausführungen waren nun die vor der Beschäftigung der Referentin mit der Psychoanalyse gewonnenen Aufschlüsse als originell und unabhängig am meisten schätzenswert.

Von vornherein läßt sich sagen, daß jeder Versuch, das Phänomen von einer Seite aufzulösen, mißlingen dürfte; die Überdeterminierung sei hier besonders deutlich. – Friedjungs Hinweis auf den Vater könne man nur als Analogiefall gelten lassen, und auch dieses Thema könnte nur auf dem Wege einer statistischen Untersuchung entschieden werden. Jedenfalls gebe es Väter, die von Anfang an ein zärtliches Gefühl gegen das Kind hegen und keineswegs enttäuscht sind; andere aber sind entschieden gleichgiltig, was im Sinne einer Feindseligkeit zu werten sei. Es kann nun bei einer Anzahl dieser Väter und vielleicht auch bei einzelnen Müttern ein Moment aus der allgemeinen Psychologie in Betracht kommen. Es mag sich um eine auf dem Gegensatz von Phantasie und Realität beruhende Enttäuschungsempfindung handeln, die oft eintritt, wenn ein lange gehegter Wunsch sich endlich verwirklicht; es bedarf wahrscheinlich einer gewissen Zeit, um die Bahn, auf der eine Libidoströmung laufen soll, zu verändern. Dieses Moment wird bei jenen jungen Müttern bedeutungsvoll werden, welche die schädliche Wirkung der modernen Literatur erfahren haben und die den Schrei nach dem Kinde als Ausrede für ihr sexuelles Verlangen gebrauchen. Man hört diese Enttäuschung häufig motiviert mit dem Vorwand, das Kind sei so häßlich, was ja tatsächlich für jedes neugeborene Kind zutreffe.

Was den Kindesmord betreffe, so könnten die sozialen Momente dabei die Hauptrolle spielen, wenn nicht auch diese Sache viel komplizierter wäre. Doch tritt der Kindesmord erstens viel seltener in Erscheinung, als nach der Häufigkeit der sozialen Schwierigkeiten folgen müßte, und zweitens findet er sich auch dort, wo diese sozialen Schwierigkeiten fehlen (insbesondere bei weiblichen Tieren, z. B. soll die Wildsau ihre Jungen auffressen).

Von den Kindesmißhandlungen sei eine große Anzahl psychoanalytisch auflösbar, durch den auffälligen Umstand, daß die Eltern in der Regel als Ursache sexuelle Unarten des Kindes angeben (Onanie, Bettnässen). Es wäre das der allgemeinste Gesichtspunkt, der das Verhalten der Mutter mitbestimmen würde: Die Hauptwirkung, die der Anblick des Kindes hervorruft, besteht in der Erweckung der eigenen infantilen Sexualität der Mutter. Es erwacht einerseits ein Stück Sexualneid, anderseits spielt sich die oft genug mühsam durchgesetzte und aufrechterhaltene Sexualverdrängung von neuem ab. Und so könnten auch die feindseligen Impulse, die sich in den Kindermiß- handlungen äußern, mit der Erweckung dieser eigenen Kindersexua- lität zusammenhängen. Dieselbe Empfindung wie jetzt gegen ihr ei- genes Kind hat das kleine Mädchen ursprünglich gegen ihr neuan- kommendes Geschwisterchen geäußert; die erste Regung war der Wunsch, dieses Geschwisterchen zu beseitigen. Kommen dann in der eigenen Mutterschaft soziale Momente diesem Impuls zu Hilfe, dann kann er leicht ausgeführt werden.

Mit der bei der Kinderpflege erfolgenden Befriedigung gewisser erogener Zonen (Saugen, koprophile Neigungen) geht eine Rückbil- dung des Charakters, ein Stück Regression einher, was sich oft deut- lich genug in der Verschlampung so mancher junger Mütter äußert.

ADLER möchte andere bedeutungsvolle Momente in der Psycholo- gie der Mutterliebe hervorheben und demgemäß zuerst auch vom Mutterhaß sprechen, der sich unvermeidlich bei jeder Analyse ergebe. Diese Tatsache deckt sich mit den letzten Wurzeln feindseliger Re- gungen beim Neurotiker, wenn er jemandem seine Liebe zuwendet. Es ist dies das Gefühl, jetzt bin ich Sklave. Man müsse Friedjung recht geben, daß die ersten Gefühle fast durchwegs feindselige sind; die Gefühle der Zuneigung werden durch weitere Determinanten be- stimmt. Die Sehnsucht nach dem Kinde sei auch dort keine so große, wo der Kindersegen unbeschränkt sein könnte; dagegen sehe man oft sich in Familien eine Sehnsucht nach dem Kinde entwickeln, wo keins in Aussicht ist. Diese Sehnsucht wird in den Dienst anderer Ten- denzen gestellt und wird von den Eltern zu gegenseitigen Vorwürfen benützt.

Dazu kommt die Tatsache, daß es in unserem Kulturkreise fast als Schande gilt, wenn ein Ehepaar kein Kind hat, eine Erscheinung, die mit den Wurzeln des Ehrgeizes zusammenhängt (für den Vater mit dem Wunsch, ein Mann, für die Frau mit der Sehnsucht, fruchtbar zu sein). So kommt es, daß schon vor der Geburt alle Zeichen der Liebe bei den Eltern ausgelöst sind. Dieser Triumph ist imstande, die ursprünglich feindseligen Regungen zu überdecken, und spielt auch im Leben ganzer Kulturvölker seine Rolle (Franzosen und Deutsche – Rivalisierung). Es handelt sich um Regungen, die überall auftreten, wo ein Mensch auf irgendwelche Befriedigungen verzichten muß.

Das Problem des Stillens und der Abneigung dagegen hat eine ähn- liche Determination (woran es nichts ändert, wenn einzelne Frauen dabei Lustgefühle empfinden); auch diese sogenannte Stillungsunfähigkeit spricht für gewisse feindselige Regungen. Die Auffassung, daß während der Stillungszeit der Geschlechtsverkehr dem Säugling unzuträglich sei, wird besonders gegen die Ammen mit voller Strenge vertreten.

Aus der psychoanalytischen Untersuchung einer Anzahl von Fällen, wo es sich sowohl um übertriebene Ängstlichkeit der Mutter wie auch um übertriebene Strenge in der Erziehung handelt, erwies sich das Hauptmotiv eingeleitet durch den Gedanken, daß man kein Kind mehr bekommen dürfe. Die Eltern zeigen mit diesem ihrem Verhalten (wie auch in einem im *Zentralblatt* veröffentlichten Falle ausgeführt sei [8]): Für mehr als für dieses eine Kind ist kein Platz vorhanden. In dem genannten Artikel ist auch das Problem der Strenge gegen Kinderfehler und Onanie gestreift: Es handelt sich dabei um Mütter, die ihre Sexualität für groß gehalten haben und nun daran gehen, sich zu sichern. [9] Es handelt sich also dabei um die Furcht, Kinder zu kriegen, und um die Furcht, ihre Tochter könnte einmal demselben Schicksale verfallen wie sie selbst. Gegenüber diesen bedeutsamen Motiven tritt die Lustempfindung an den erogenen Zonen in den Hintergrund. – Die Verhätschelung richtet sich wie gegen das einzige Kind so besonders gegen krüppelhafte Kinder und, wie Freud einmal hervorhob, gegen solche, an denen ein Abortusversuch gemacht worden ist. Es treten sicherlich zuerst feindselige Gefühle der Mutter gegen das Kind auf, die in die Antithese gerückt sind, weil es als herabsetzend gilt, wenn eine Mutter ihr Kind nicht liebt.

KRAUSS berichtet von primitiven Völkergruppen über ähnliche Erscheinungen, wie sie das Fressen der Jungen bei den Tieren darstelle. Bei den Nordaustraliern soll es der Mutter freistehen, ihr erstes Kind aufzuessen; ähnlich bei den Eskimo. – Dennoch müsse die Mutterliebe etwas Angeborenes, Instinktives sein. So bei Vögeln, wo sogar die äußeren Reize (wie Säugen) wegfällt und die doch ihre Brut mit Beiseitesetzung der eigenen Lebensinteressen verteidigen.

HITSCHMANN hielte es auch für zweckmäßiger, von primitiven Verhältnissen, wie sie im Tierreiche vorliegen, auszugehen, dann zu-

---

[8] A. Adler, ›Über männliche Einstellung bei weiblichen Neurotikern‹, *Zentralblatt*, Bd. 1, 1911, S. 174–78.
[9] Dieser Satz klingt, als wolle Adler sagen, die Frau wehre sich gegen ihre Sexualität. Im publizierten Aufsatz aber meint Adler, sie wehre sich dagegen, eine Frau zu sein »in dem bewußten Wunsche, ein Mann zu sein« (aaO, S. 177). In dem zur Verfügung stehenden Exemplar des *Zentralblatts* findet sich eine Eintragung Federns:» Warum nicht die Libido selbst, vor der sie Angst hat, gegen die sie sich wehrt.«

nächst die Arbeiter- und Landbevölkerung in Betracht [zu] ziehen. – Die anfängliche Weigerung zu stillen beruht oft darauf, daß die Frau diesen Genuß nicht gekannt habe. Auch sollen die Mütter ihre selbstgestillten Kinder besonders gerne haben, wie Frau von Stein von sich berichtet.[10]

Wenn auch die Stiefmütter im Leben nicht so gefährlich sind wie im Märchen, so zeigt sich immerhin, daß die natürlichen Bande fehlen. Es kann auch die Nichtliebe gegen das Kind mit der Nichtliebe gegen den Mann in Verbindung stehen. – In der Neurose spielen ja die Zwangstötungsimpulse gegen das Kind eine große Rolle, und zwar meist, weil es der Sexualität der Mutter im Wege steht. – Anderseits sind in der Neurose auch die Folgen des Todes eines Kindes sehr groß.

RANK erwähnt, daß Märchen, Sage und Mythus voll sei von feindseligen Empfindungen der Mutter gegen ihre Kinder, was ein vollkommenes Gegenstück zu der im *Mythus von der Geburt des Helden* [aaO] dargestellten Feindseligkeit des Vaters gegen sein Kind sei. Wie dort, so werde auch bei der Mutter diese Feindseligkeit auf Ersatzpersonen (Schwiegermutter, Stiefmutter) übertragen.

FEDERN wendet sich gegen Adlers spirituelle Erklärung der Mutterliebe und gegen Hilferdings Leugnung der Mutterliebe beim ersten Kinde. Er führt den erlaubten Kindesmord der Eskimo auf die besonderen Nahrungsschwierigkeiten dieses Volkes zurück und stellt dazu die Tatsache, daß das zahme Schwein, dessen Freßtrieb ungeheuer gesteigert ist, seine Jungen frißt.

Er weist ferner auf eine Arbeit von Prof. Mattes hin, der nachgewiesen habe, daß es eine bestimmte Art von Frauen gebe, bei denen eine besonders günstige Formation des Introitus vaginae und anderseits eine geeignete Beckenbildung zum Entbinden und Stillen prädestiniere.[11] Diese gar nicht degenerierten Frauen bringen sehr starke Organtriebe mit, entbinden leichter und haben eine starke Neigung zum Stillen; solche Frauen haben vielleicht auch starke instinktive mütterliche Neigungen und brauchen weder eine Sicherungstendenz noch die Erweckung der Perversionen, um zur Mutterliebe zu gelangen. In seinem Buche: *Entartete Mütter* hat Ferraro nachgewiesen, daß sowohl Kindermißhandlungen als auch andere Ausschreitungen

---

[10] Charlotte von Stein (1742–1827) gebar sieben Kinder.
[11] Paul Mathes, Gynäkologe, veröffentlichte viele Arbeiten, darunter ein *Hebammenlehrbuch*, Urban & Schwarzenberg, Wien 1908.

bei entarteten Müttern vorkommen.[12] Dies findet sein psychisches Korrelat, die Abneigung gegen das Kind, bei solchen Müttern, deren Organe nicht zur Mutterliebe prädestiniert sind.

Die Vaterliebe wird vielleicht bei solchen Männern deutlicher sein, die feminine Züge haben und sich leicht mit Frauen identifizieren (die kulturelle Vaterliebe ist wohl nur das Weiterdenken der eigenen Existenz in die Zukunft). Den Mutterhaß werden anderseits Frauen mit überwiegend männlichen Zügen aufweisen.

Bei der Abneigung gegen das Kind kommt auch als Folge unserer Kultur in Betracht, wie weit sich die Sexualabneigung erstreckt: bei manchen Frauen nur auf den sexuellen Verkehr, bei manchen auch auf alle Folgen desselben; so kommt es, daß manche Neurose erst mit der Gravidität zum Ausbruch gelangt. – Das Einsetzen der Mutterliebe erst infolge des Stillens sei zuzugeben für minderbegabte Muttertiere.

FURTMÜLLER hebt als das Markanteste und Positivste aus dem Vortrag hervor die Ausnahmsstellung, die im Verhältnis der Mutter zu ihrem ersten Kinde betont wurde, eine Tatsache, die er von zwei Fällen her bestätigen könne. Er möchte denjenigen recht geben, die wie Frau Dr. Hilferding in den Wurzeln der Mutterliebe nur einen Faktor der Entwicklung sehen wollen, dem gleichwertig die sozialen Faktoren gegenüberstehen. – In Frankreich werden die Kinder frühzeitig aus dem Elternhause fortgeschickt und finden dennoch, wenn sie zurückkommen, eine vollwertige Mutterliebe.

Ranks Behauptung von der Feindseligkeit der Mutter stehe der Mythus von Zeus entgegen, wo gerade die Mutter den Sohn vor der Feindschaft des Vaters schütze. In der Stiefmutter des Märchens immer nur eine Verschiebung für die Mutter sehen zu wollen scheine gewagt, da ja hier auch reale Erlebnisse zugrunde liegen, die sich auf primitiven Stufen vielleicht deutlicher abspielen.

OPPENHEIM möchte mit Furtmüller übereinstimmen in der Empfindung, daß zuviel vom Mutterhaß gesprochen worden sei. Es komme hier nur darauf an, welchen Phänomenenkreis man für den primitiveren halte, und da müsse man doch sagen, daß die Phänomene der Mutterliebe mindestens ebenso ursprünglich sind wie die andern. Schon am Tierreich sieht man, daß die Mutterliebe etwas zur Erhaltung der Gattung Notwendiges ist. Man müsse dann das Problem so stellen,

---

[12] Lino Ferriani, 1852–1921, italienischer Jurist und Kriminologe. Das italienische Original von *Entartete Mütter. Eine psychisch-juridische Abhandlung* (Cronbach, Berlin 1897) war bereits 1891 erschienen.

welche Mittel die Natur benützt, um im einzelnen Bewußtsein diesen
Gattungstrieb durchzusetzen. Da wird man sich mit Vorteil zunächst
an primitive Verhältnisse halten, die die Elternliebe als etwas Selbst-
verständliches erscheinen lassen; auf dem Kindersegen beruht ja die
Erhaltung der sozialen Gemeinschaft, und die Phänomene des Mutterhasses werden erst unter schwierigen und komplizierteren sozialen
Verhältnissen entstehen und innig mit der Frage von gewollten und
ungewollten Kindern zusammenhängen; auch dieses Moment taucht
erst bei einer *relativen* Kompliziertheit der Verhältnisse auf. In diesem Sinne lasse sich das Problem des Mutterhasses zurückführen auf
die Frage: Wie entsteht diese verschiedene Einstellung gegen das künf-
tige Kind, wie kommen die Menschen dazu, Kinder nicht zu wollen?
Auf diesem Wege wird man auch zur Beantwortung der Frage kommen: Wie verändert sich der primitive Trieb der Mutterliebe so, daß
auch Abneigung entstehen kann?

ADLER hebt hervor, daß die Mutterliebe ungemein gestiegen sei
im Verlaufe unserer Kulturentwicklung, ein Umstand, der die Unklarheiten beleuchte, die in manchen dieser Fragen vorliegen. Daß etwas
wie eine der Erhaltung der Art dienende Mutterliebe angeboren sein
müsse, die die Möglichkeit zur Antithesenbildung in sich schließe, sei
selbstverständlich. Aber das wichtigste Moment für die ungeheure Mutterliebe liege in der Betrachtung des Mutterhasses. Historisch ist beides
möglich, gerade vom Standpunkt der Zweckmäßigkeit der Erhaltung
der Art und ihrer Behauptung. Die Tatsache, daß man zu einer gewissen Zeit in Griechenland die krüppelhaften Kinder ausgesetzt hat,
während heute umgekehrt der größte Teil der Mutterliebe diesen
Kindern gilt, zeigt uns, daß die Mutterliebe sowohl vom sozialen als
auch vom individuellen Standpunkt eine Sicherungstendenz ist, sowohl
für die Stellung der Mutter wie für das Fortkommen des Kindes; eine
Sicherung gegen die fortwährend bestehenden Regungen der Feindseligkeit.

OPPENHEIM weist als Gegenstück zu der von Rank genannten
Feindseligkeit der Mutter in den Mythen auf den Kult der großen
Mutter hin, welcher einer der stärksten Faktoren nicht nur der antiken, sondern aller Religionen ist, wie Albr. Dieterich in seiner Abhandlung: *Mutter Erde* nachgewiesen hat.[13]

Prof. FREUD möchte eine Bemerkung Furtmüllers nicht unwider-

---

[13] Albrecht Dieterich, 1866–1908, deutscher Religionshistoriker, *Mutter Erde. Ein
Versuch über Volksreligion*, Teubner, Leipzig und Berlin 1905.

sprochen lassen. Es handelt sich beim Stiefmutterthema, wie so oft in der Neurose, um eine Erscheinung, die mehrere Erklärungen verträgt. Der Umstand, daß es schlechte Stiefmütter in Wirklichkeit gibt, ist nur eine schlechte Erklärung des Sachverhalts. Der Mythus ist ja nicht gezwungen, diese Verhältnisse zu kopieren. Tatsächlich lassen sich diese Stiefmütter recht häufig als schlechte Mütter entlarven.

Frau Dr. HILFERDING bemerkt in ihrem Schlußwort, sie sei in gewissem Sinne mißverstanden worden. Es sei in der Diskussion vieles hervorgehoben worden, was sich nur auf die von ihr gestreifte psychische Komponente der Mutterliebe bezog und nicht auf die eigentlich behandelte physiologische.

Die Kinderfehler seien zu häufig, als daß man sie als Grund der Kindermißhandlungen im Sinne Freuds auffassen könnte; auch spreche dagegen, daß sich die Abneigung meist speziell gegen eines der Kinder richte. Auch Freuds Heranziehung der ehemaligen Feindseligkeit gegen das Geschwisterchen fällt zu weit ins psychische Gebiet, als daß es uns aufklären könnte.

Es gehe nicht an, entartete Mütter im Sinne Federns zu unterscheiden.

127

Anwesend: Adler, Federn, Freud, Furtmüller, Heller, Hitschmann, Jekels, Oppenheim, Rank, Reitler, Sadger, Steiner, Stekel, Tausk, Grüner F. und G., Sachs, Silberer, Wagner, Winterstein, Rosenstein. Vier Gäste.

[127.] PROTOKOLL

[Geschäftliches]

Zum Obmannstellvertreter und Zweiten wissenschaftlichen Vorsitzenden wird neuerdings Dr. Stekel mit 17 Stimmen gewählt; zwei Stimmen lauten für Dr. Furtmüller, zwei Stimmzettel waren leer. Dr. Stekel nimmt die Wahl dankend an.

Herr Dr. Leonide Drosnés in Odessa wird mit 21 Stimmen zum Mitglied gewählt.

RANK macht den Vorschlag, die überflüssig gewordenen Exemplare der Protokolle den betreffenden Vortragenden zu überlassen, was von Dr. Adler befürwortet wird.[1]

Magisches und anderes
Vortrag[ender:] Herbert Silberer

Nach einigen einleitenden Worten über die verschiedenen Aspekte der Magie bemerkt der Vortragende, daß man ganz allgemein sagen

---

[1] Dieser Vorschlag konnte erst gemacht werden, seit die Protokolle auf der Maschine mit mehreren Durchschlägen geschrieben wurden, also seit Oktober 1910. Von manchen Protokollen befand sich ein Durchschlag bei den Originalen, von den anderen ist nur bekannt, daß Siegfried Bernfeld Kopien besessen hatte.

könnte, ein Magier sei der Mensch, der über Kräfte des Erkennens und Wirkens verfüge, die das Maß des Gewohnten übersteigen. Nun ist aber diese Bestimmung so weit von äußeren Umständen abhängig, daß z. B. dem Uneingeweihten als Magie erscheinen könne, was dem Wissenden als natürlich gelte. Und so könnte man glauben, daß zwischen dem Magier und dem Gelehrten nur ein gradueller Unterschied wäre. Dies gilt jedoch nur für einen besonderen Zweig der Magie, die sogenannte natürliche Magie, aus der sich tatsächlich unsere moderne exakte Naturwissenschaft entwickelt hat. Es gibt aber noch andere Zweige der Magie, von denen uns interessiert, was aus ihnen geworden ist, ob nicht vielleicht die Fähigkeit einer gewissen psychischen Entwicklung mit ihnen verlorengegangen sei. Die Magie ist nämlich nicht bloß die Erkenntnis verborgener Naturgesetze, sondern eine Art Dynamisierung psychischer Kräfte.

Damit sind wir vor zwei große, nach den Wirkungen unterschiedene Gruppen der Magie gestellt, je nachdem diese innerliche oder äußerliche sind. Zu den innerlichen gehören: die Zitationen, Beschwörungen etc., die wir als optische, daktylische, akustische, halluzinatorische Täuschungen darstellen können und die zeigen, wieweit man durch Täuschungen verführt werden kann, scheinbar äußere Phänomene zu sehen und für wahr zu halten. – Die äußeren richten sich entweder auf andere Lebewesen oder auf leblose Gegenstände, umfassen also das, was wir Telepathie, mentale Suggestion etc. heißen, und interessieren uns nur so weit, als sie in gewissen psychischen Vorgängen ihre Begründung finden.

Redner zieht nun zum Verständnis der ersten Gruppe den von ihm in zwei Arbeiten (*Jahrbuch* Bd. I. und II.)[2] entwickelten Gesichtspunkt des funktionalen Phänomens heran. Es sind das Phänomene, wo sich Bewußtseinsinhalte umsetzen in ein anschauliches Bild, in ein Symbol. Bei allen diesen Vorgängen sind zwei Gruppen möglich: 1. kann sich ein Inhalt, eine Vorstellung oder 2. kann sich die jeweilige Funktionsweise des Bewußtseins, sein Zustand umsetzen. Im ersten Falle wird man von materialen Phänomenen, im zweiten von funktionalen Phänomenen sprechen. Diese Symbolik beherrscht die Träume, die Tagträume, die Mythenbildung, da auch der Begriff der mythologischen Projektion nur ein Spezialfall des funktionalen Phänomens sei. Ähnlich die Persönlichkeitsspaltungen, durch die ein anschauliches

---

[2] ›Bericht über eine Methode, gewisse symbolische Halluzinationserscheinungen hervorzurufen und zu beobachten‹, *Jahrbuch*, Bd. 1, 1909, S. 513–25. ›Phantasie und Mythos. (Vornehmlich vom Gesichtspunkte der »funktionalen Kategorie« aus betrachtet.)‹, *Jahrbuch*, Bd. 2, 1910, S. 541–622.

Bild zwischen den hin- und herwogenden Vorstellungsgruppen gewonnen wird und die sich, wie Jung gezeigt hat[3], auch pathologisch
vertiefen und festsetzen können. Ähnliches sucht der Vortragende auch
für die Teufelsgestalt zu erweisen.

Mit der zweiten Gruppe nähern wir uns den objektiven Phänomenen.
Redner bespricht nun ziemlich eingehend einen in Ostwalds *Annalen
der Naturphilosophie* (Bd. IX, 1910) erschienenen Versuch zur Begründung einer wissenschaftlichen Experimentalmagie von Dr. L. Staudenmaier[4], einem Manne, der an seiner eigenen Person Halluzinationen
und Personifikationen künstlich erzeugen könne, die sich unschwer als
Wunscherfüllungen erkennen lassen.

Von diesem Autor geht der Redner auf die Besprechung einer Arbeit
von Camilla Lucerna über das Märchen von Goethe ein, wo ausgehend
vom Begriff der Beziehungen, der im Typus seine Verkörperung finde,
darauf hingewiesen wird, daß diese Vereinigung der Beziehungen mittels der Symbolik erreicht werde.[5] Zum Unterschiede von der Allegorie, wo eines für das andre gesetzt werde, sei das Symbol der Kno-
tenpunkt einer Menge von Beziehungen, es bedeute alles. Am Schluß
ihrer Arbeit weist Camilla Lucerna darauf hin – und das führt zu den
funktionalen Phänomenen zurück –, daß das Märchen nicht nur ein
künstlerisch gestaltetes Werk sei, sondern auch den Selbstgestaltungs-
prozeß desselben darstelle: es entsteht nicht nur nach Gesetzen, sondern spricht diese Gesetze selbst auch in seiner Sprache aus. Es hat also
eine Doppelfunktion. Und so gibt es [eine] Menge wirklicher Märchen,
die nicht nur nach den Gesetzen des Traumes und der Verdrängung
aufgebaut sind, sondern gerade diese Gesetze selbst zu ihrem Thema
nehmen und behandeln.

Diskussion

TAUSK möchte nur darauf hinweisen, wo diese interessanten Dinge
sich bereits in dem bisher aufgearbeiteten psychoanalytischen Material
finden, vor allem bei Freud.

Zunächst wird man aber, sobald man von diesen Dingen spricht,
die Frage beantworten müssen, wieso es zu einer Halluzination über-

---

[3] C. G. Jung, *Zur Psychologie und Pathologie sogenannter okkulter Phänomene*,
Oswald Mutze, Leipzig 1902.
[4] Vgl. die Anm. 2 des 121. Protokolls, oben, S. 76.
[5] Camilla Lucerna, 1868–1930, *Das Märchen. Goethes Naturphilosophie als Kunstwerk. Deutungsarbeit.* Eckardt, Leipzig 1910.

haupt kommt. Stellt man sich auf diesen Standpunkt, dann sind diese Dinge aber bereits von Freud behandelt worden.

Staudenmaier ist ein Paranoiker, dessen Bewußtsein so weit frei geblieben [ist], daß er seine psychischen Vorgänge beobachten konnte. Sehr fruchtbar sei der Gesichtspunkt der funktionalen und materialen Phänomene, wobei man an Scherner [6] erinnert werde, der die funktionale Symbolik im Traume fast ausschließlich behandelt habe. Auch ein Satz von Buber [7] wäre zu erwähnen, daß jedes Kunstwerk nicht nur einen Inhalt, sondern auch die Form selbst symbolisiere.

Die behauptete Unterscheidung von Allegorie und Symbol sei weder psychoanalytisch noch kunstkritisch fruchtbar. Das Symbol ist ein Ersatz des einen für das andere. Das Symbol sei die Deutung eines Vorganges, die Allegorie dagegen die Dramatisierung eines Symbols, also Deutung einer Deutung.

GRÜNER, Franz, bemerkt, daß der Vortragende eigentlich den umgekehrten Weg gehe, wie ihn die Psychoanalyse beim Zurückgehen vom manifesten Inhalt auf das Unbewußte durchschreite. Er habe eher den Eindruck, daß die Umsetzung des Gedankeninhalts und der Bewußtseinsform eigentlich umgekehrt vor sich gehe: daß die gewählten Bilder dem Unbewußten näherstehen als dem gedanklichen Inhalt. Ebenso, daß die Unterscheidung des Gedankeninhalts und des Formalen nicht in dieser Schärfe durchführbar sei. – Die Personifikation könne man im Drama überall so finden.

GRÜNER, Gustav, findet auch, daß von dem Vorgebrachten aus nur ein Schritt zur Deutung von dramatischen Kunstwerken überhaupt sei. Auch im Kunstwerk wird nicht nur etwas Gegenständliches dargestellt, sondern auch das Verhältnis der Triebe untereinander im Künstler selbst dargestellt.

TAUSK erwähnt noch, daß schon in der *Traumdeutung* aufgezeigt sei, wie der Traum nicht nur den Inhalt, sondern auch das Gesetz seiner Zusammensetzung aufzeige. Wie z. B. die Anzeige im manifesten Texte: Umgekehrt (lesen) das funktionale Moment zeige.

FURTMÜLLER erwähnt, was er schon früher einmal ausgesprochen habe, daß Staudenmaier nicht ernst genommen werden dürfe,

---

[6] In *Das Leben des Traumes*, Heinrich Schindler, Berlin 1861, stellte Karl Albert Scherner die Behauptung auf, daß der Traum körperliche Sensationen symbolisiere. Freud bezieht sich in der *Traumdeutung* (1900; aaO) vielfach auf ihn.
[7] Martin Buber, 1878–1965, der berühmte jüdische Philosoph und Schriftsteller, zuletzt Professor in Jerusalem.

sondern höchstens für den Psychoanalytiker als ein Objekt wissenschaftlicher Forschung zu betrachten sei.

Die Unterscheidung von Symbol und Allegorie halte er vom Standpunkt der Kunstbetrachtung für wertvoll. Nur wäre hervorzuheben, daß bei der Allegorie die bewußte Bearbeitung in den Vordergrund tritt, während das Symbol vorwiegend die unbewußten Beziehungen und die vorbewußten herstellt.

FEDERN möchte in einem Punkte Staudenmaier gegen Furtmüller verteidigen und meinen, daß sein Gesetz der Reversibilität etwas für sich habe und originell sei. – Die Ausführungen des Vortragenden selbst halte er für sehr wertvoll und insbesondere die Unterscheidung zwischen materialen und funktionalen Phänomenen, auf die er schon im vorigen Jahre gelegentlich eines Vortrages über die Wurzeln des Masochismus aufmerksam geworden sei.[8] Es sei wichtig, daß der primäre Denkvorgang, der Reiz an und für sich, den Inhalt des Denkens bestimme; nur so können wir erklären, daß die Symbole überall die gleichen sind. Er habe seinerzeit auf eine der allgemeineren Wurzeln des Masochismus hingewiesen, die darin liege, daß der Mensch den Zustand der Spannung, den er durch die ganze Kindheit in Form der Vorlust empfinde, als Abhängigkeit, als Demütigung in seinen masochistischen Phantasien – wie er jetzt sagen würde – funktionell symbolisiert.

Auch die Angst könne unter Benützung vorhandener psychischer Elemente funktional in gewissen schreckhaften Bildern symbolisiert werden; es sei jedoch oft schwierig, diese Symbolisierung von der inhaltlichen zu trennen. Ähnlich wäre ein funktionales Phänomen der Flugtraum[9], der sich auf Grund von Erfahrungen als direkt von der Erektion ausgelöst erweise und womit der Vorgang des Erhebens dargestellt werde; bei der Frau habe er vielleicht einen ähnlichen Sinn, da sie ja den Vorgang der Erektion auch kennt.

Das Wertvollste hat uns der Vortrag darin gelehrt, daß die Magie eine der Formen ist, wie die Menschen ihre Erscheinungen von Bewußtseinsabspaltung darstellen.

RANK erwähnt, daß er vor wenigen Wochen einen Traum gedeutet habe, in dessen Inhalt ein Bild die Hauptrolle spielte und der auch dieses

---

[8] S. das 100. Protokoll in Bd. 2 der vorliegenden Veröffentlichung.
[9] Hier bringt Federn zum erstenmal seine Deutung des Flugtraums, die später unter dem Titel ›Über zwei typische Traumsensationen‹ im *Jahrbuch*, Bd. 6, 1914, S. 89–134, veröffentlicht wurde.

Moment formal darin zum Ausdruck brachte, daß um die im Zentrum des Traumes befindliche Schilderung des Bildes sich eine Rahmenerzählung flocht, und daß die gleiche Darstellungstechnik innerhalb desselben Traumes noch ein zweites Mal Verwertung gefunden habe. Die von Herrn Gustav Grüner hervorgehobene Reduzierung der handelnden Personen im Drama auf die Triebe des Helden und in letzter Linie des Künstlers selbst, habe er in seiner Arbeit über den Künstler bereits ausgesprochen.

ROSENSTEIN möchte die Frage aufwerfen, welchen Sinn diese funktionalen Phänomene haben, da wir doch anzunehmen gewohnt seien, daß die Psyche bloß auf Lust oder Unlust reagiere.

Dr. F. S. KRAUSS weist darauf hin, daß der Berliner Buchhändler Nicolai[10] ein interessantes zweibändiges Werk über seine Halluzinationen geschrieben habe. – Er meint, es wäre besser, das Wort Aberglaube, das nur ein relativer Begriff sei, zu vermeiden. – Die spiritistischen Sitzungen seien nichts als Humbug.

ADLER möchte Federn in bezug auf die Flugträume dahin unterstützen, daß diese Träume vom Obensein tatsächlich männlich seien. Für die psychoanalytische Betrachtung sei es aber ganz gleichgiltig, ob man vom Funktionalen, der Erektion, ausgehe oder vom Koitus, der den Flugtraum zum Symbol nimmt, sobald man nur sein Augenmerk auf den Sinn des Traumes richte. Und dieser Sinn muß in beiden Fällen der gleiche sein, wenn man den Schritt mache, im Koitus nicht eine rein sexuelle Reaktion zu sehen, sondern auch die Tendenz, seine Männlichkeit zu beweisen. – Deswegen sei auch die Trennung der inhaltlichen und funktionalen Phänomene nicht aufrechtzuhalten. Man kann in der Analyse von einem Erlebnis, einem Inhalt ausgehen, er habe jedoch versucht, vom Funktionalen auszugehen, und konnte im Materialen das Bild bestätigen. In diesem Zusammenhang sei auch die Frage Rosensteins die wichtigste, bei all diesen Phänomenen handelt es sich um einen Sinn, den wir dahinter suchen müssen. Es ist anzu-

---

[10] Christoph Friedrich Nicolai, 1733–1811, Schriftsteller, war ein Freund Lessings und ein Vorkämpfer der Aufklärung in Deutschland. Krauss bezieht sich auf die Abhandlung ›Beispiel einer Erscheinung mehrerer Phantasmen nebst einiger erläuternder Anmerkungen‹, *Philosophische Abhandlungen, meist vorgelesen in der königlichen Akademie der Wissenschaften*, 2 Bde., Berlin 1808. Es handelt sich dort darum, daß Nicolai, der »Aufklärer«, Halluzinationen, unter denen er gelitten hatte, durch eine Behandlung seiner Hämorrhoiden beseitigte. Dies wurde damals als ein wichtiger Fund im Dienst des Kampfes gegen den herrschenden Aberglauben angesehen. Goethe machte Nicolai dafür in der Walpurgisnacht (*Faust*, I. Teil) als »Proktophantasmist« lächerlich.

nehmen, daß alle Beschäftigung mit Magie, Telepathie, Spiritismus etc. nichts anderes darstellt als die Sicherungstendenz der menschlichen Individuen, mittels deren sie eine Erweiterung der persönlichen Einflußsphäre einzunehmen trachten. Besonders deutlich wird das in dem Hauptsicherungsphänomen, der Angst, die ja regelmäßig einen Punkt außerhalb des Individuums annehmen läßt, der eine Bedrohung desselben voraussetzt, ebenso die Sicherungstendenz im Traume und in den Halluzinationen. Zu diesen Ergebnissen muß man gelangen, wenn man von den größeren Anspannungen des minderwertigen Organs ausgeht. Denn die Halluzinationen sind – wie eine Schilderung Freytags[11] zeigt – Fähigkeiten, die sich aus der Organminderwertigkeit ableiten lassen.

FEDERN möchte die Unterstützung Adlers in puncto Flugträume zurückweisen, da sie über seine Behauptung hinausgehe. Silberer habe von einem elementaren Phänomen der Psyche gesprochen, wonach irgendeine starke Empfindung ohne weiters in ein Symbol umgebildet wird. Das steht in gar keinem Widerspruch mit Wunscherfüllungs- oder Sicherungstendenzen.

SILBERER möchte nur hervorheben, daß die Bezeichnung der einen Phänomenengruppe als materialer nicht besagen solle, es müsse sich dabei um ein Erinnerungsmaterial handeln, sondern nur, daß ein Gedankeninhalt darin symbolisch ausgedrückt werde. Zu leugnen sei nicht, daß die beiden Gruppen oft zusammenfallen; manchmal ist jedoch die eine besser ausgeprägt oder geradezu allein vorhanden.

---

[11] Vgl. die Anm. 10 des 117. Protokolls, oben, S. 51.

128

Vortragsabend: am 25. Januar 1911

[Anwesend:] Adler, Federn, Friedjung, Furtmüller, Hilferding, Hitschmann, Jekels, Rank, Reitler, Sadger, Steiner, Stekel, Tausk, Grüner F. und G., Klemperer, Wagner, Winterstein, Rosenstein. Popper[1], Frischauf [als Gäste].

[128.] PROTOKOLL

Über das Schuldgefühl
[Vortragender:] Baron Winterstein

Wenn man den Begriff des Schuldgefühls, das an der Wurzel von Religion und Ethik liegt, vom psychologischen Standpunkt betrachtet, der insbesondere durch Freuds ›Bemerkungen über einen Fall von Zwangsneurose‹ [1909; aaO] und seine Abhandlung über ›Zwangshandlungen und Religionsübungen‹[2] gegeben ist, so drängen sich einem folgende Fragen auf:

1. Ist das Schuldgefühl eine allgemein menschliche Erscheinung, oder tritt es nur als Symptom einer bestimmten psychischen Disposition auf?

2. Wie kommt es dann zur Entwicklung des Schuldgefühls, welches sind seine Folgen auf seelischem Gebiet, und wie ist sein Verhältnis zu Religion, Ethik und Kriminalität?

3. Endlich wird noch zu sprechen sein über die tragische Schuld im Drama.[3]

---

[1] Um wen es sich hier handelt, konnten wir nicht erfahren.
[2] (1907); G. W., Bd. 7, S. 127; Studienausgabe, Bd. 7, S. 11.
[3] Viel später veröffentlichte Winterstein zwei Arbeiten über dieses Problem: ›Zur Entstehungsgeschichte der griechischen Tragödie‹, Imago, Bd. 8, 1922, S. 440–505, und Der Ursprung der Tragödie. Ein psychoanalytischer Beitrag zur Geschichte des griechischen Theaters, Internationaler Psychoanalytischer Verlag, Wien 1925.

Eine oberflächliche Definition könnte das Schuldgefühl auffassen als die aus dem Bewußtsein, etwas Verbotenes getan zu haben, folgende Furcht vor Bestrafung. Dieses »äußerliche« Schuldgefühl ist ein soziales Phänomen, das so ziemlich von allen Menschen erlebt werden dürfte. Anders ist es, wenn jemand nur glaubt, eine Schuld begangen zu haben, und sich deshalb Vorwürfe macht. Dieses mehr innerliche Schuldgefühl ist unabhängig von der Gesellschaft, es ist durchaus individuell. Es erhebt sich nun die Frage, ob dieses Schuldgefühl etwa auch eine primäre Tatsache ist wie das äußere oder ob es abgeleitet ist, vielleicht erst aus diesem?

Redner geht nun von der Entwicklung des kindlichen Trieblebens aus, dessen unbedenklicher Ausbreitung und Befriedigung zunächst die Drohungen und Strafen der Erwachsenen, späterhin die eigenen kulturellen und moralischen Hemmungen entgegenwirken, und greift als häufigen und besonders lehrreichen Fall jenen heraus, wo einer übergroßen Aktivität des Trieblebens ein ausgesprochenes Gefühl der Schwäche gegenübersteht, mit dem kräftigen Impuls zur Überkompensation dieser Mängel (im Sinne Adlers). So charakterisiert auch den Neurotiker ein Dualismus zwischen seinen Triebregungen und dem logischen Bewußtsein. Greift man als Typus die Hysterie und die Zwangsneurose heraus, so könnte man diese beiden Arten von Neurose vielleicht als weiblich und männlich bezeichnen. Die Hysterika exkulpiert sich, indem sie sich überwältigen läßt vom Unbewußten, der Zwangsneurotiker sucht durch Vorbauung eine Abwehr (im männlichen Sinne) zu erreichen. Allgemein könnte man sagen: der Zwangsneurotiker sucht mit den Trieben fertig zu werden, der Hysteriker flüchtet vor ihnen.

Bei diesem Zwangstypus muß man sich nun zwei Fragen stellen: 1. Warum kam es zur Verdrängung im Zeitalter der sexuellen Reifung, 2. Was für ein Kompromiß-Mechanismus tritt bei dieser Neurose auf? Hier fühlt sich das Individuum zum ersten Male schuldig, wenn es etwas mit dem logischen Bewußtsein nicht verantworten kann. Der Schauplatz des Kampfes ist nun völlig nach innen verlegt, der Mensch ist Richter und Täter in einer Person. Der Konflikt entspringt dem Widerspruch zwischen dem übermächtigen Triebleben und dem überempfindlichen Bewußtsein. Die Weite der Kluft zwischen Bewußtem und Unbewußtem ist Maßstab des Schuldgefühls. Das Individuum sichert sich aber gegen das Auftreten des Schuldgefühls, indem es sich gar nicht mehr schuldig werden läßt, sondern sich zwingt, gewisse Gebote zu befolgen. Dieser Zwang ist die verwandelte, eingeschmuggelte Kraft der Aggression, die in der Kindheit offen betätigt worden war (Freud). Hier zeigt sich deutlich der Kompromiß-Charakter, der männliche Protest im Sinne Adlers. Zugleich aber wird darin die Sühne, die Selbstbestrafung symbolisiert.

Das Schuldgefühl, dessen Existenz für jede Neurose charakteristisch ist, tritt in erhöhtem Maße auf bei einem Typus, der gegenüber den andern einen intensiveren Grad von Geistigkeit, anderseits aber ein verstärktes Triebleben aufweist. Dieser Typus ist noch keine Neurose, sondern eine Disposition mit verschiedenen Entwicklungsmöglichkeiten:

1. streng moralische, nicht eigentlich neurotische Individuen, die bei verschiedenen Gelegenheiten von einem innerlichen Schuldgefühl belästigt werden. Hier ist die Verdrängung ziemlich gelungen;

2. jene Neurotiker, bei denen das Schuldgefühl überhaupt und zwangsmäßig auftritt;

3. der Fall der Zwangsneurose, die durch den Zwang das Entstehen jedes Schuldgefühls unmöglich zu machen sucht.

Ohne auf das Problem der Neurosenwahl einzugehen, ließe sich die Vermutung äußern, daß im dritten Fall eine weitergehende Sicherung erreicht sei als im zweiten, vielleicht weil die Triebregungen ursprünglich stärker waren.

Redner wendet sich nun dem zweiten Typus zu, bei dem das Schuldgefühl zwangsmäßig auftritt, und zeigt, wie es zur Konkretisierung dieses inneren Schuldgefühls im Gottesbegriff kommt, und sucht das Verständnis für gewisse Erscheinungen des religiösen Denkens, insbesondere der christlichen Religion, von hier aus zu gewinnen, indem er zeigt, wie sich einige ihrer Begriffe als Projektionen solcher Bewußtseinstatsachen erklären (Sühnebedürfnis, Allwissenheit, Allmacht Gottes). So ist im Begriff der Erbsünde das Schuldgefühl erhalten, die Tat selbst gehört aber nicht mehr dem Bewußtsein an. Man könnte diese Tendenz zur Entlastung der eigenen Verantwortlichkeit als historische Retrojektion bezeichnen. Ergänzt wird diese durch die Rechtfertigungs- und Erlösungsdoktrin. In der jungfräulichen Maria als Mutter sehen wir den Wunsch jedes Kindes, die eigene Mutter vom Geschlechtlichen auszunehmen. – Ähnliche Züge wie bei Jesus lassen sich auch bei Weininger[4] in gewissem Sinne aufzeigen, bei dem das Schuldgefühl eine ungeheure Rolle gespielt hat. Was wir als Schuld empfinden, ist das Triebleben, das Unbewußte. – Glaube und Aberglaube entspringen beide derselben psychischen Disposition; Glaube ist eine fortgeschrittene, sublimierte Sicherungsmaßregel des Subjekts,

---

[4] S. die Anm. 5 des 45. Protokolls in Bd. 1 der vorliegenden Veröffentlichung.

im Aberglauben dagegen steckt noch mehr Furcht. Beide sind Reaktionen auf die neurotische Unsicherheit, ob man es getan hat oder nicht. – Das Schuldgefühl kann auch bei einer und derselben Person Wandlungen durchmachen, und diese Fälle illustrieren deutlich den Zusammenhang des Schuldgefühls mit den verdrängten Trieben.

Redner geht nun zur Ethik über und verweist auf das Verhältnis, in dem Kriminalität, Neurose und Ethik bezüglich des Schuldgefühls stehen. Der Neurotiker ebenso wie der gesunde ethische Mensch verspüren im Gegensatz zum Kriminellen beim Begehen einer Schuld einen Widerspruch, der beim Neurotiker in dem Kontrast zwischen Bewußtem und Unbewußtem, beim ethischen Menschen im Gegensatz zwischen Individuum und Gesellschaft besteht. – Es gibt tatsächlich ethisch veranlagte Menschen, von denen es natürlich zahlreiche Abstufungen bis zum Übergang in die Neurose gibt, und es bleibt hier die Frage unerörtert, ob nicht das schwärmerische ethische Genie Affektverstärkungen aus dem Unbewußten bezieht.

Der dramatische Dichter besitzt die Fähigkeit, sich von dem auf ihm lastenden Schuldgefühl zu befreien, indem er die handelnden Personen schuldig werden und büßen läßt. Insbesondere gehen die sogenannten Schicksalsdramen darauf aus, das Subjekt für das Unbewußte verantwortlich zu machen. Vom Sophokleischen *Ödipus* ausgehend und den *Ödipus* des Seneca streifend[5], bespricht der Vortragende nun eine Reihe von Schicksalsdramen (*Braut von Messina*[6], *Ahnfrau*[7], *24. Februar*[8], *Die Andacht zum Kreuze*[9], Müllers *Schuld*[10]) zunächst ihrem Inhalte nach und zeigt, daß sie alle ein ähnliches Schema haben. Eine in der Vorzeit begangene Schuld erzeugt bei den Nachkommen Verbrechen, und der letzte des Geschlechtes büßt die Schuld der Ahnen. Auffällig ist, daß die Tat des Helden fast regelmäßig mit dem Elternkomplex in Beziehung steht: Mord des Vaters oder Bruders, Verliebtheit in die Mutter oder Schwester. Von diesem Schuldgefühl sucht sich der Dichter zu entlasten, indem er zeigt, daß wir für diese Triebe

---

[5] Sophokles, ca. 465–406 v. Chr.; Seneca, ca. 4 v. Chr.–65 n. Chr.
[6] *Die Braut von Messina* (1803) von Friedrich Schiller.
[7] *Die Ahnfrau* (1817) von Franz Grillparzer, 1791–1872.
[8] *Der 24. Februar* (1809; von Goethe uraufgeführt 1810) des romantischen Dramatikers Zacharias Werner, 1768–1823, bildete das Vorbild der späteren Schicksalstragödie überhaupt.
[9] *La devoción de la cruz* (1634), ein frühes Werk von Pedro Calderón de la Barca, 1600–1681, dem großen spanischen Dichter, Verfasser zahlreicher Dramen, teilweise religiösen und allegorischen Inhalts. Vgl. auch die Anm. 8 des 108. Protokolls in Bd. 2 der vorliegenden Veröffentlichung.
[10] *Die Schuld* (Erstaufführung 1813, erschienen 1816) von Adolf Müllner, 1774–1829, dem damals erfolgreichen deutschen Dichter.

nicht verantwortlich sind. Die Verlegung der eigentlichen Schuld in die Vorzeit (nicht des Individuums, sondern der Ahnen) zeigt die vorhin erwähnte historische Retrojektion. Die tiefste Schichte in der Brust des Dichters zeigt Goethes Gedicht *Legende*[11], dessen treibende Kraft vom Elternkomplex ausgeht, indem [es] die charakteristische Doppelstellung der Mutter zwischen Vater und Sohn und den Vater als verhaßten Richter zeigt.

Redner schließt mit dem Hinweis, daß wir auch die Massenneurose der christlichen Kirche überwinden müssen, da noch viel zuviel Schuldgefühl und Furcht in den Menschen stecke.[12]

Diskussion

STEKEL stellt den Antrag, diesen Vortrag zur Grundlage einer das nächste Mal abzuhaltenden Diskussion zu machen, die dann in den Wiener Diskussionen[13] veröffentlicht werden soll.

Der Antrag scheitert zum Teil an der Abgeneigtheit, die Diskussion zu verschieben, zum andern Teil an dem Widerstreben des Vortragenden, seinen Vortrag bis zum nächsten Male allen Mitgliedern zugänglich zu machen.

TAUSK bemerkt, es sei ihm nicht möglich gewesen festzuhalten, wieweit ein einheitlicher Standpunkt in dem großen Vortrag zugrunde gelegt sei. – Er habe die psychoanalytische Determination des Schuldgefühls vermißt, obgleich die Quelle desselben zum Teil wenigstens aufgezeigt wurde. Dadurch, daß man die Quellen eines Gefühls angibt, ist aber seine Qualität noch nicht bestimmt; nach dieser erkenntnistheoretischen Seite ist das Problem vollständig offen. – Die Unterscheidung zwischen Hysterie und Zwangsneurose als männlich und weiblich beruhe auf einer Verkennung des Mechanismus der Zwangsneurose, die ebenso wie das hysterische Symptom den Kompromiß-Charakter zeige. Überdies spreche die Erfahrung an rein weiblichen Zwangsneurosen auch dagegen. – Im Vortrag selbst waren manche

---

[11] Mittelstück des mehrteiligen Gedichtes *Paria*.
[12] Dr. Winterstein hat hier Ideen entwickelt, die später von Freud und anderen schärfer und überzeugender formuliert wurden; vgl. z. B. Freuds *Totem und Tabu* (1912–13; *G. W.*, Bd. 9; *Studienausgabe*, Bd. 9, S. 287), *Massenpsychologie und Ich-Analyse* (1921; *G. W.*, Bd. 13, S. 71; *Studienausgabe*, Bd. 9, S. 61), *Das Ich und das Es* (1923; *G. W.*, Bd. 13, S. 235; *Studienausgabe*, Bd. 3, S. 273), *Das Unbehagen in der Kultur* (1930; *G. W.*, Bd. 14, S. 419; *Studienausgabe*, Bd. 9, S. 191) sowie Arbeiten von Reik, Rank, Róheim u. a.
[13] S. die Anm. 13 des 117. Protokolls, oben, S. 53.

Gesichtspunkte sehr fruchtbar und einzelne Aphorismen überaus zutreffend.

ROSENSTEIN meint auch, daß die Unterscheidung von männlicher Zwangsneurose und weiblicher Hysterie nicht durchführbar sei. Ebenso scheine die Unterscheidung zwischen ethischen Menschen und schuldbewußten Menschen ziemlich willkürlich. Es beruhe vielmehr jede Ethik auf Schuldbewußtsein, auf Schuld und Strafe.

Wertvoll wäre es, den erwähnten Begriff der psychischen Stauung (Lipps [14]) festzuhalten, der sich fruchtbringend zur Erklärung der aufgepeitschten Sexualität verwenden ließe.

FURTMÜLLER möchte lediglich seine Einwendungen vorbringen, ohne damit seine Stellung zum Ganzen des Vortrages ausdrücken zu wollen. Die Gefahr einer derartigen geistreichen Verwendung der psychoanalytischen Ergebnisse liege darin, daß man nur einzelne Züge des großen Materials herausgreift und sie nun auf dem Wege des konstruktiven Denkens anstatt des empirischen verfolgt. Bezüglich der Neurosenwahl sei mit dem Begriff des Männlichen und Weiblichen nicht ganz sauber verfahren worden. Es müsse sich doch nach Adlers Auffassung gerade der Kampf des Männlichen mit dem Weiblichen in jeder Neurose abspielen. – Auch in bezug auf die religiösen Vorstellungen wäre der Ertrag reicher und gesicherter, wenn der Vortragende nicht mit so knappen, schlaglichtartigen Begriffen gearbeitet hätte. Auch kann man den Begriff der christlichen Religion nicht einfach so festhalten. – Besonders interessante Schlaglichter seien auf das Problem der Ethik gefallen.

FRIEDJUNG möchte, da er dem reichhaltigen Vortrag nicht mit wenigen Worten gerecht zu werden vermag, nur im Anschluß an die Vorredner betonen, daß auch seiner Meinung nach die Ethik keine Sonderstellung einnehmen kann, sondern in das Realitätsprinzip (Freuds) einzureihen wäre.

GRÜNER, F., wirft die Frage auf, ob eine solche logisch-formale Behandlung psychologischer Probleme heute noch notwendig sei, wo wir die Psychoanalyse haben? – Die Behauptung, daß die Kinder nicht ethisch seien, könne man nicht akzeptieren. – Auch der Verbrecher wird, wenn man ihn analysiert, einen ähnlichen Gegensatz in sich

---

[14] Theodor Lipps, 1841–1915, deutscher Philosoph, den Freud häufig erwähnt.

finden wie der Neurotiker. – Die tragische Schuld ist in der Ästhetik ziemlich übertrieben worden, es handelt sich dabei um ganz andere Sachen; bei den Analysen zeigt sich, daß es immer der Koitus der Eltern ist, bei dem das Schuldgefühl erwacht ist; in den Dichtwerken wird die Sünde immer auf diesen Moment projiziert.

129

Anwesend: Adler, Federn, Freud, Friedjung, Furtmüller, Hitschmann, Jekels, Oppenheim, Rank, Reitler, Sadger, Steiner, Stekel, Tausk, Klemperer, Silberer, Wagner, Winterstein, Rosenstein. Frischauf [als Gast.]

[129.] PROTOKOLL

Der männliche Protest als Kernproblem der Neurose[1]
[Vortragender:] Dr. Alfred Adler

Als Grundthese seiner Auseinandersetzungen stellt der Vortragende den Satz auf: Die Erscheinungen der Verdrängung, wie sie von Freud geschildert wurden, bilden ein für die neurotische und normale Psyche wichtiges Kapitel, aber sie enthalten in gleicher Weise jene Triebkräfte, von denen aus die Neurose geleitet wird.

Ehe der Vortragende auf sein eigentliches Thema: Verdrängung und männlicher Protest, ihre Rolle und Bedeutung für die neurotische Dynamik, eingeht, sucht er einige Schwierigkeiten zu beseitigen. So vor allem das Problem, welcher Herkunft die Protesttendenzen bei Mann und Weib sind und ob sie existieren, das sich durch Hinweis auf die menschliche Kultur- und Gesellschaftsentwicklung dahin beantworten lasse, daß diese Triebkräfte in der Tat immer lebendig und wirksam gewesen sind, wofür ja unter anderem auch die Tatsache

---

[1] In Ranks ›Sitzungsbericht‹ im *Zentralblatt*, Bd. 1, 1911, S. 371, führt der Vortrag den Titel ›Der männliche Protest, seine Rolle und Bedeutung in der Neurose‹. Die Arbeit erschien 1914 in *Heilen und Bilden* (aaO) unter dem Titel ›Zur Kritik der Freudschen Sexualtheorie des Seelenlebens. II. »Verdrängung« und »männlicher Protest«; ihre Rolle und Bedeutung für die neurotische Dynamik‹; wiederabgedruckt im Fischer Taschenbuch, aaO, S. 102–13.

spreche, daß wir uns alle mit dem Gedanken des Kampfes ums Dasein vertraut gemacht haben.

Ebenso kommt ein zweiter Punkt, daß nämlich die Frau vom Manne entwertet wird, in unserer Kultur deutlich zum Ausdruck, ja darf geradezu als Triebkraft für unsere Kultur angesehen werden. Hier genüge ein Hinweis auf die literarischen Bestrebungen der sogenannten Antifeministen.

Die größte Schwierigkeit habe die Anerkennung der Behauptung verursacht, die bei allen Frauen insgesamt einen männlichen Protest voraussetzt. Zum Beweise hierfür wird aus einem demnächst erscheinenden Buche über die Psychologie der Verbrecherin von Dr. jur. Jasni[2], eines Verfassers, der sich mit den Adlerschen Auffassungen identifiziere, ein Abschnitt mit entsprechenden Belegen vorgelesen.

Zu seinem eigentlichen Thema übergehend, bemerkt der Vortragende, daß die Ursachen und der Weg zur Neurose trotz der Erkenntnis der Verdrängung nicht so klar seien, als man annehme; es mußten viele teils unbewiesene, teils unbeweisbare Hilfsvorstellungen herangezogen werden. Durch Zurückführung auf die sexuelle Konstitution sei das Problem der gelungenen und mißlungenen Verdrängung nur noch rätselhafter geworden. Die organische Verdrängung erscheine nur als Notausgang, die Lust als deus ex machina der Verdrängung. Auch sei das Wesen der Sublimierung und Ersatzbildung nicht ergründet. – Die Festlegung auf den Begriff des Komplexes sei ein weiterer Schritt, die räumliche Anschauung über die dynamische zu setzen.

Die Frage lautet: Ist das treibende Moment in der Neurose die Verdrängung oder, wie er sagen möchte, die irritierte Psyche, bei deren Untersuchung auch die Verdrängung zu finden ist? Die ganze Verdrängung geschieht unter dem Drucke der Kultur; woher stammt aber unsere Kultur? Antwort: Aus der Verdrängung. – Der Ichtrieb ist zum inhaltslosen Begriff geworden. Faßt man ihn aber nicht als etwas starr Gewordenes auf, sondern als die Summe aller Anspannungen, als Einstellung gegen die Außenwelt, als ein Geltenwollen, Streben nach Macht, nach Herrschaft, nach oben sein wollen, so wird klar, daß dieses Geltenwollen 1. auf gewisse Triebe hemmend, verdrängend, modifizierend, 2. aber vor allem steigernd einwirken muß. – Was wir sehen, ist niemals etwas Ursprüngliches, sondern die Einfügung des Kindes richtet und modifiziert sein Triebleben so lange, bis es sich an die Außenwelt angepaßt hat. In dieser ersten Zeit kann

---

[2] Die Arbeit von Alexander Jassny (Petersburg), ›Zur Psychologie der Verbrecherin‹, erschien im *Archiv für Kriminal-Anthropologie und Kriminalistik*, Bd. 42, 1911, S. 90–107.

von Vorbildlichkeit und Identifizierung nicht gesprochen werden. –
Die Triebbefriedigung und damit die Qualität und Stärke des Triebes
ist jederzeit variabel und daher unmeßbar. Ebensowenig lassen die
libidinösen Tendenzen einen Schluß auf die Stärke und Zusammensetzung des Sexualtriebes zu. – Diese Anpassung des Kindes an ein
bestimmtes gegebenes Milieu vollzieht sich begleitet von der Trotzeinstellung des Kindes, derzufolge es an den Kinderfehlern, an den
sexuellen Unarten festhält. Diese Trotzeinstellung bewirkt dann bei
neurotischen Mädchen Phantasien und den Wunsch, sich hinzugeben,
um die Mutter zu kränken, bewirkt beim männlichen Neurotiker Pollutionen, Ejaculatio praecox, Impotenz, womit er sich gegen die
Sexualität zu sichern sucht. Woher stammt nun diese Gier nach Geltung, diese Lust am Verkehrten, Verbotenen, dieses trotzhafte Festhalten an Fehlern und diese Sicherungsmaßregeln gegen ein Zuviel
oder Zuwenig, in welch letzterem Falle der Patient zur Selbstentwer-
tung schreitet, nur um sich hinterher erheben zu können? Für dieses
Verhalten habe er zwei Durchgangspunkte der psychischen Entwicklung verantwortlich gemacht:
1. das Aufkeimen eines Minderheitsgefühls im Zusammenhang mit
der Minderwertigkeit gewisser Organe;
2. deutliche Hinweise auf eine jeweilige Befürchtung vor einer weiblichen Rolle.
Bei gegenseitiger Unterstützung führen diese Momente zur Auflehn-
nung und Trotzeinstellung. Von diesem Punkte aus wird das Gefühls-
leben verfälscht, von da an kommt diese Gier nach Triumphen hinein.
Manche Neurotiker wissen von diesen Charakterzügen, wenn sie dieselben auch nicht ihrem ganzen Umfang nach kennen, viele haben es
einmal gewußt und dann vergessen aus Ehrgeiz oder Eitelkeit.
So erweist sich z. B. das Stottern in jedem Punkte durch den männlichen Protest konstituiert; in einem Falle zeigte es sich gegen den
Vater gerichtet, sicherte aber den Patienten zugleich vor der Ehe. –
Freuds »Liebesreihe«[3] erklärte sich daraus, daß der Patient alle Frauen
haben wollte, um sich gegen die Abhängigkeit von einer einzigen zu
sichern.

---

[3] Adler dürfte hier die »Reihenbildung« gemeint haben; vgl. Freuds Aufsätze
›Über einen besonderen Typus der Objektwahl beim Manne‹ (1910; aaO), insbes.
G. W., Bd. 8, S. 69–71; Studienausgabe, Bd. 5, S. 189–91, sowie ›Über die allge-
meinste Erniedrigung des Liebeslebens‹ (1912; G. W., Bd. 8, S. 78; Studienaus-
gabe, Bd. 5, S. 197), hier die Seiten 90 bzw. 208. Der Ausdruck »Liebesreihe« findet
sich in Freuds Schriften nicht, hingegen verwendet er »Sexualreihe« in den Drei
Abhandlungen zur Sexualtheorie (1905; G. W., Bd. 5, S. 29; Studienausgabe, Bd. 5,
S. 37), hier die Seiten 130 bzw. 131.

Die Aufdeckung der Protestcharakterzüge als erstes Stück der Analyse ist gewöhnlich von einer Besserung, häufig aber auch von Widerständen gefolgt, die sich in Versuchen zur Entwertung des Arztes kundgeben. Ähnlich wie dieses Aufdecken der neurotischen Charakterologie schildert ja Freud das Wesen der mißglückten Verdrängung. Das weitere Stück der Kur führt dann regelmäßig zu den Quellen der Neurose: dem Gefühl der Minderwertigkeit und dem männlichen Protest.

Es ist nun noch die Frage zu beantworten: Wann erkrankt der Neurotiker, respektive wann wird seine Neurose manifest? Freud nimmt eine Gelegenheitsursache an, bei der die Verdrängung stärker, der alte Komplex neu belebt wird. Hier liegen Unklarheiten vor, denn der neurotisch Disponierte antwortet auf jede Erwartung oder Herabsetzung mit einem Anfall; das ist jedoch der Zeitpunkt, von dem wir den Ausbruch der Neurose rein äußerlich datieren. Die neuen Triebverdrängungen sind Begleiterscheinungen, die sich unter dem erhöhten Zwang des männlichen Protestes bilden. So z. B. unter der Furcht, daß die Frau ihm überlegen wäre, die jeden Neurotiker heimlich benagt (die zu den Phantasien führt, daß eine Frau über ihn hinwegschreitet – Ganghofer[4], zur Frau mit dem Penis oder Fischschwanz, zur Kindheitserinnerung Leonardos[5], das Gegenstück dazu sind Geburtsphantasien, Kastrationsgedanken und der Wunsch, ein Mädchen zu sein). Ebenso erwies sich die von Freud libidinös aufgefaßte Geruchskomponente als ein neurotischer Schwindel. Ein Patient behauptete von den Frauen, sie hätten einen schlechten Geruch, um sie zu entwerten. Die Sicherungstendenz ist eingeleitet durch den Drang nach Geltung und steht psychisch in gleicher Reihe mit dem Wunsch, oben zu sein, zu fliegen, auf eine Leiter oder Stiege zu steigen, auf dem Giebel eines Hauses zu stehen und ähnlicher Träume. Ebenso stehen die Tendenz, die Frau zu entwerten, und [die Tendenz,] sie zu koitieren, enge nebeneinander. Deutlich ist diese Tendenz beim Don Juan Typus, und bei manchem Neurotiker führt sie zur Flucht zu der Dirne, wo er sich diese Entwertung erspart. Ein ähnlicher Mechanismus liegt der Leichenliebe zugrunde. – Auch im Rahmen des Inzestkomplexes will der Knabe, der sieht, daß es männlich ist, oben zu sein, die Mutter koitieren, um sich über sie zu erheben und sie zu entwerten. Auch Sadist wird er in der gleichen Entwertungstendenz. Ob und wieviel Libido dabei im Spiele ist, ist vollkommen gleichgiltig. Dienstmädchen-

---

[4] Ludwig Ganghofer, 1855–1920, der bayerische Romanschriftsteller.
[5] S. Freud, *Eine Kindheitserinnerung des Leonardo da Vinci* (1910); *G. W.*, Bd. 8, S. 127; *Studienausgabe*, Bd. 10, S. 87. Vgl. auch das 89. Protokoll in Bd. 2 der vorliegenden Veröffentlichung.

und Gouvernanten-Liebschaften, Masturbation und Pollution sind Sicherungstendenzen gegen Herabsetzung und dienen bloß der männlichen Tendenz, sich nicht einer Frau beugen zu müssen. Zurückgreifend auf den im ersten Vortrag[6] mitgeteilten Fall, hebt Redner hervor, daß die Sicherungssymptome dazu dienten, sich zu beweisen, daß er nicht heiraten könne. Im Bewußtsein sagte er sich: Ich kann erst heiraten, wenn ich eine gute Stelle bekomme. Seine psychische Situation ließ ihn aber nicht dazu kommen. Fragen wir uns nun: Was hat der Patient verdrängt? Seine Libido? Er war sich ihrer so bewußt, daß er fortwährend daran dachte, sich vor ihr zu sichern. Hat er eine Phantasie verdrängt? Seine Phantasie war die Frau über ihm, die Frau mit dem Penis. Diese Phantasie ist selbst ein Schreckbild für den Patienten, aufgerichtet und festgehalten, damit er sich zur Geltung bringen könne. – Hat er libidinöse Regungen zur Mutter verdrängt? Ist er also am Ödipuskomplex erkrankt? Es gibt Patienten, die ihren Ödipuskomplex kannten, ohne gebessert zu sein. Man kann nicht mehr von einem Komplex von libidinösen Wünschen und Phantasien reden, sondern es wird auch der Ödipuskomplex als Teilerscheinung einer überstarken psychischen Dynamik verstanden werden müssen, als ein Stadium des männlichen Protestes, von dem aus die wichtigeren Einsichten in die Charakterologie des Neurotikers möglich werden.

Diskussion

Prof. FREUD möchte heute nur einen Teil seiner Einwendungen vorbringen. Zunächst seine subjektive Stellung zu den Adlerschen Arbeiten, dann seine Eindrücke und schließlich gewisse prinzipielle Bedenken, nicht Gegenbeweise.

Zunächst boten Adlers Arbeiten infolge seiner abstrakten Art dem Verständnisse ziemliche Schwierigkeiten. Dieser erste Eindruck wurde bestätigt beim neuerlichen Studium der Arbeiten, an das sich Redner auf direkte Aufforderung einiger Kollegen machte. Persönlich nahm er es dem Autor übel, daß er von denselben Dingen sprach, ohne sie auch mit denselben Namen, die sie bereits hatten, zu bezeichnen und ohne zu versuchen, seine neuen Namen mit den alten in Beziehung zu bringen. So hat man den Eindruck, daß in dem männlichen Protest irgendwie die Verdrängung stecke; entweder falle er ganz mit ihr zusammen oder es sei dasselbe Phänomen unter verschiedenen Gesichts-

---

[6] S. das 125. Protokoll, oben, S. 103 ff.

punkten. – Redner selbst habe diese Gesichtspunkte bei seinen eigenen Arbeiten gestreift. So die Begriffe der Flucht in die Krankheit und des Krankheitsgewinns, was sich sekundär einstellt und die eigentlich zusammenfallen mit vielen, was Adler vorgebracht hat. Aber eine Auseinandersetzung mit diesen Gedanken sucht man in seinen Arbeiten vergebens. Sogar unsere alte Bisexualität heißt bei ihm psychischer Hermaphroditismus, als ob es etwas anderes wäre.

Was nun die sachlichen Eindrücke betreffe, so sucht Redner mit möglichster Vermeidung der psychoanalytischen Kritik, die sich immer nach der Genese der Dinge frage, dieselben festzustellen. In der Jahrbucharbeit von Rosenstein[7] sei ausgeführt, daß bei Adler der Unterbau (Organminderwertigkeit) und dann gleichsam die Fortsetzung nach oben, die Überleitung zur Oberflächenpsychologie (zum Ich, zur Sozialpsychologie) zu finden sei. Daß diese Fortsetzungen nach oben und unten notwendig seien, habe er immer gewußt, sich aber mit Absicht auf die Psychologie des Unbewußten beschränkt. Nun sei aber tatsächlich Adlers Arbeit nicht die Fortsetzung nach oben und die Begründung nach unten, sondern etwas durchaus anderes: es sei nicht die Psychoanalyse.

Ehe Redner im einzelnen auf seinen Eindruck und seine prinzipiellen Bedenken zu sprechen kommt, möchte er eine Anzahl von Sicherungen entfernen, mit denen der Vortragende seine Theorie umgeben hat. Ein 1. Satz lautete: Es gibt keine absolute Erkenntnis. Dieser Tatsache versuchen wir ja durch die Methodik Rechnung zu tragen, die zunächst auf Einzelresultate ausgeht. – 2. hieß es, in der Psychoanalyse müsse es gestattet sein, daß sich jede Individualität in ihr zum Ausdruck bringe. – Nun müsse das zum Glück für die Psychoanalyse nicht so sein, und der Weg, sich vor diesem bis zu einem gewissen Grade allerdings unvermeidlichen subjektiven Faktor zu hüten, bestehe darin, seine persönliche Untersuchung zu fördern, mit der Selbstanalyse den Fortschritt der Erkenntnis zu begleiten. – 3. zeigen sich darin die beiden Tendenzen, die Adlers Arbeiten aufdecken: a) die antisexuelle Tendenz (in einer noch ungedruckten Arbeit spricht er bereits von einer asexuellen Vorzeit), und b) eine zweite Tendenz ist gerichtet gegen den Wert des Details und gegen die Phänomenologie der Neurose.

Adler habe die Einheit der Neurosen vertreten, die ohnehin in der gleichen Ätiologie und den gleichen Mechanismen begründet liege. Was

---

[7] ›Die Theorien der Organminderwertigkeit und der Bisexualität in ihren Beziehungen zur Neurosenlehre‹, *Jahrbuch*, Bd. 2, 1910, S. 398–408.

er behauptet, sei die Einerleiheit der Neurose; diese Tendenz ist methodisch zu bedauern und verurteilt die ganze Arbeit zur Sterilität.

Durch Annahme der neuen Namen hätten wir ferner den Verlust jener Programmworte zu bedauern, welche unseren Zusammenhang mit den großen Kulturkreisen hergestellt haben. Die Triebunterdrükkung und die Widerstandsbewältigung rief das Interesse aller Gebildeten wach.

Alle diese Adlerschen Lehren halte Redner für nicht unbedeutend und möchte ihnen folgendes prognostizieren: Sie werden einen großen Eindruck machen und der Psychoanalyse zunächst sehr schaden. Der große Eindruck hat zwei Quellen: 1. ist es unverkennbar, daß ein bedeutender Intellekt mit großer Darstellungsgabe an diesen Dingen arbeitet, 2. aber hat die ganze Lehre einen reaktionären und retrograden Charakter und gibt damit eine höhere Anzahl von Lustprämien. Sie gibt statt Psychologie zum großen Teil Biologie, und statt Psychologie des Unbewußten gibt sie Oberflächen-, Ichpsychologie. Endlich gibt sie anstatt Psychologie der Libido, der Sexualität, allgemeine Psychologie. So wird sie die bei jedem Psychoanalytiker noch vorhandenen latenten Widerstände benützen, um sich zur Geltung zu bringen. Sie wird also der Entwicklung der Psychoanalyse zunächst schaden, anderseits was psychoanalytische Resultate betrifft, steril bleiben.

Allgemeine prinzipielle Einwände seien folgende zu machen: 1. bemühen wir uns gerade, die Psychologie rein zu halten von jeder Abhängigkeit, während Adler sie biologischen und psychologischen[8] Gesichtspunkten unterwirft. 2. zeigt Adlers Auffassung eine ziemliche Überschätzung des Intellektuellen. Die falschen Wertungen der Kinder, ihre Zweifel und Unsicherheiten bezüglich des Geschlechts, kurz, die infantilen Sexualtheorien, sind bei ihm die treibenden Kräfte, die den ganzen Aufbau tragen sollen. Diese falschen Urteile werden aber erst bestimmend unter ganz bestimmten Schicksalen der Libido, wobei diese falschen Urteile nicht als treibende Kräfte, sondern nur formgebend wirken. – Der 3. und wichtigste Einwand: Die ganze Darstellung der Neurose ist vom Ich aus gesehen und vom Ich aus betrachtet, so wie die Neurose dem Ich erscheint. Es ist Ichpsychologie, durch die Kenntnis der Unbewußtenpsychologie vertieft. Darin liegt die Stärke und die Schwäche der Adlerschen Darstellung. Die Dinge, die wir bisher studiert haben, kann man auf diese Weise niemals sehen. So kommt es auch, daß bei Adler fortwährend primäre und sekundäre Dinge

---

[8] »Psychologischen« ist offenbar ein Verschreiben Ranks; es sollte natürlich »physiologischen« heißen.

vertauscht werden. Darin liegt aber auch der wirkliche Wert seiner Arbeiten, insoferne als sie eine scharf gesehene Ichpsychologie bieten. – Charakteristisch dafür sei auch die Tatsache, daß Adler nichts von all den neuen Dingen entdeckt, sondern diese immer nur umgedacht habe. So vortrefflich auch in manchen Punkten die Charakterzeichnung gelungen sei, so sei sie doch in anderen Punkten ziemlich einseitig. Dieser Charakter des Neurotikers ist nicht allgemein; ein anderes Material ergibt eine ganze Anzahl anderer Charaktertypen.

Wenn er den Schülern vorwerfe, daß sie immer wieder nur dieselben Dinge fänden, so habe er selbst an Stereotypien mehr geleistet. Immer wieder hören wir nur vom Obenseinwollen, von der Sicherung, vom Scharfmachen und von Rückendeckung, was sein Vorbild offenbar in einer infantilen Rauferei hat. – Sein Material seien Menschen mit schlampigen Konflikten, verdrehte und verschrobene Charaktere, aber keine wirklichen echten Hysterien und großen Neurosen, bei denen Redner selbst niemals noch das Delier von oben und unten gefunden habe.

Endlich noch ein paar prinzipielle Einwendungen. Selbstverständlich muß bei jeder neurotischen Erscheinung das Ich in Betracht kommen. Das Ichverhalten spielt genau dieselbe Rolle in der Genese der Neurose wie in der Genese des Traumes, wo das Individuum den Wunsch zu schlafen zeigt. In ganz ähnlicher Weise muß bei jeder neurotischen Erkrankung ein Ichwunsch dabei sein. Sowenig uns aber dieser Schlafwunsch das Detail des Traumes erklärt, so wenig werden die Ichmotive des männlichen Protestes uns die Entstehung und Mannigfaltigkeit der Neurose erklären. Wenn Adler uns beständig die Ichmotivierung für die Neurose gibt, so kann dadurch doch nicht die andere und interessantere Motivierung ersetzt werden. Infolge dieses Standpunkts kommt er zu wissenschaftlich falschen Wertungen, zu der Behauptung, daß die Libido des Neurotikers nicht echt sei. Mit dieser Verleugnung der Libido benimmt er sich ganz wie das neurotische Ich. Die Libido ist freilich nicht real, ihre Stärke liegt ganz woanders; man darf nur nicht an die neurotische Währung vergessen und muß sie nach ihren Folgen beurteilen, in den Hemmungen zeigt sich ihre Größe. Wenn man von ihr sagt, sie sei nicht real, so ist das richtig; aber zu sagen, sie ist falsch, ist gänzlich willkürlich und ein unwissenschaftlicher Begriff. Ebenso ist es mit allem, was Adler neurotischen Schwindel nennt. Der Kern der Neurose ist die Angst des Ich vor der Libido, und Adlers Ausführungen haben diese Auffassung nur verstärkt. Das Ich ist das, was sich vor der Libido fürchtet, die Libido ist so groß, als ihre störenden Wirkungen sind. Von einem solchen primären Arrangement, wie es Adler annimmt, kann nicht die Rede sein; diese Phantasien werden erst später über- oder unterwertet.

Zum Schlusse möchte sich Redner noch in einem Punkte der Detailkritik nähern. Aus Adlers Ausführungen wird man absolut nicht klar darüber, ob die Neurose eine Sicherung des Ich ist (Krankheitsgewinn) oder ob sie das Mißlingen dieser Sicherung darstellt. Heute habe es geheißen, die Neurose werde als Sicherung hervorgerufen, während sonst bei Adler die Neurose durch das Scheitern des männlichen Protestes entstehe. Es ergibt sich, daß eine einheitliche Auffassung der Neurose auf dem Boden der Adlerschen Lehre einfach unmöglich sei. Sie ist Charakterlehre, leistet aber nur die gewöhnlichen Mißverständnisse des Ich. Es ist die Verleugnung des Unbewußten, deren sich das Ich schuldig macht und die hier theoretisch festgelegt wurde.

ADLER meint diese Stellungnahme als eine unverdiente zurückweisen zu können, obwohl er sich bewußt sei, sie in manchen Punkten verschuldet zu haben. Wenn Freud auf eine antisexuelle Tendenz hinweise, so müsse er betonen, daß sein Neurotiker nicht weniger sexuell sei. Die von Freud geschilderten sexuellen Beziehungen sind in der Neurose zu finden. Seine eigenen Befunde gehen nur dahin, das, was man Sexuelles sieht, dahinter viel wichtigere Beziehungen aufzuzeigen, die das nur ins Sexuelle umtäuschen, den männlichen Protest.[9] Das »rein«[10] Sexuelle ist nichts Ursprüngliches, sondern etwas Entstandenes, eine Triebverschränkung. Wenn eingewendet wurde, der männliche Protest falle zusammen mit der Verdrängung, so habe er gerade heute sich zu zeigen bemüht, daß die Verdrängung nur ein kleiner Ausschnitt aus der Wirkungsweise des männlichen Protestes ist.

Um zur weiteren Klärung der Frage beizutragen, plant der Vortragende, eine Analyse Freuds von seinem Standpunkt aus zu beleuchten und die Abweichungen aufzuzeigen.[11]

Was den Ausbruch der Neurose betrifft, so ist sie ein Mittel des männlichen Protestes, und die beiden von Freud als widersprechend

---

[9] Eine der Stellen, in denen Rank sich verwirrend ausdrückte. Es müßte heißen: ». . . hinter dem Sexuellen, das man sieht, viel wichtigere Beziehungen aufzuzeigen, wie den männlichen Protest, die nur das Sexuelle vortäuschen.« Es ist bezeichnend, daß Adler seinen entscheidenden Einwand gegen die Psychoanalyse in diesem Protokoll noch nicht klar und eindeutig vortragen konnte und das auch selber zugibt.

[10] Die Anführungszeichen sind mit dünnem Bleistift im Original hinzugefügt.

[11] Dieser Plan Adlers wurde durch seine baldige Trennung von der Psychoanalytischen Vereinigung in der hier vorgesehenen Form hinfällig. Die Arbeit, die für Adlers Individualpsychologie grundlegend wurde, erschien 1912 bei Bergmann in Wiesbaden: *Über den nervösen Charakter. Grundzüge einer vergleichenden Individual-Psychologie und Psychotherapie* (1972 wiederaufgelegt als Fischer Taschenbuch Nr. 6174). Dieses Buch erfüllte wohl die hier ausgesprochene Absicht.

hervorgehobenen Behauptungen zeigen eigentlich nicht den mindesten Unterschied in der Auffassung. Das eine ist der Anblick im Ruhezustand, das andere im psychischen Getriebe.

STEKEL hat allmählich die Überzeugung gewonnen, daß vieles von dem, was Adler vorbringt, neu und wertvoll sei. Der Vorwurf Freuds, daß es sich dabei um Biologie und Ichpsychologie handle, seien unberechtigt. So müsse er beispielsweise das Wertvolle des Aggressionstriebes anerkennen als auch des Hermaphroditismus, der keineswegs mit Freuds Bisexualität erschöpft sei. – Wenn etwas den Wert der Adlerschen Arbeiten herabzusetzen geeignet sei, so sei es seine Neigung, wertvolle Funde sogleich verallgemeinern zu wollen.

Daß der Neurotiker sich minderwertig fühlt, ist sicher, aber nicht aus der Erkenntnis seiner minderwertigen Organe heraus. In anderen Fällen geschieht es aus der Erkenntnis seiner eigenen Schlechtigkeit heraus, der Kriminalität. – Überraschend sei, daß Adler den Standpunkt der Verdrängung verlassen wolle; Prinzip und Tatsache der Verdrängung könne ihm durch nichts ersetzt werden.

Bezüglich der Auffassung des Inzests als Kernproblem der Neurose sei er selbst auch etwas anderer Meinung geworden. Hinter dem Sexuellen steht ein zweiter Trieb, den Adler Aggression und er Kriminalität nenne. Das Primäre sei heute für ihn nicht mehr die Liebe, sondern der Haß. Die übermäßige Liebe ist nichts anderes als die Überkompensation des ursprünglichen Hasses. Dieser Haß bricht neben der Liebe durch, z. B. in Impulsen, die Mutter zu töten, was wir früher symbolisch aufgefaßt haben (Messer, Dolch, Waffe etc.). Man wird so zu dem Gedanken geführt, daß vielleicht auch der Sexualakt nur ein Ersatz des ursprünglichen Hasses ist.

Der Wichtigkeit des männlichen Protestes könne er sich nicht anschließen; vielleicht werde hier nur ein Symptom der Neurose als treibende Kraft aufgeführt.

In einem Punkte möchte er Freud direkt widersprechen. Beim Traum will nicht das Ichbewußtsein schlafen, sondern das Unbewußte verlangt die Herrschaft.

Prof. FREUD ergreift zu einer tatsächlichen Berichtigung und zu einem Nachtrag das Wort. Ad 1) habe er den Wert von Adlers charakterologischen Studien immer anerkannt und daran nur getadelt, daß sie die Psychologie des Unbewußten ersetzen wollen.

Ad 2) unterliege diese Betonung des neurotischen Charakters bei diesem Typus von Neurotikern noch einer Möglichkeit. Die Entwicklung des Ich nach dieser Seite des Geltenwollens erfolgt vielleicht darum, weil die Ermäßigung durch die libidinösen Beiträge, die in der Entwicklung gestört worden sind, fehlt. Wenn man sich dann fragt, was hier als primär in den Vordergrund gestellt werden muß, so kann man über das sekundäre Moment in dieser Charakterveränderung nicht im Zweifel sein.

130

Anwesend: Adler, Brecher, Federn, Hitschmann, Rank, Reitler, Hilferding, Friedjung, Furtmüller, Freud, Jekels, Steiner, Stekel, Tausk, Grüner F. und G., Wagner, Klemperer, Sachs, Winterstein, Rosenstein.
Frischauf [als Gast].
Steiner: Beginn des II. Semesters.[1]

[130.] PROTOKOLL

[Fortsetzung der]
Diskussion über Adlers Vortrag:
Der männliche Protest, seine Rolle und Bedeutung
in der Neurose

ROSENSTEIN beginnt mit der Feststellung, daß er die biologischen Arbeiten Adlers als wertvolle Ergänzung der Freudschen Psychologie gewürdigt habe (vgl. die Arbeit im *Jahrbuch* II)[2], daß er aber seinen psychologischen Ausführungen seit dem psychischen Hermaphroditismus durchaus nicht sympathisch gegenüberstehe. Die jetzigen Anschauungen Adlers seien ein Gemisch von teilweise Freudschen Mechanismen und Begriffen, auf der andern Seite von extrem gegebenen Wertungen und intellektuellen Begriffen.

Ins Detail eingehend, weist Redner unter anderm darauf hin, daß nach Adlers Worten die Stärke und Qualität eines Triebes von der Kultur abhängig sein solle und nicht, wie wir bisher meinten, in einem gegensätzlichen Verhältnis zu ihr stehe. – Daß sich der Neurotiker eigentlich gegen seine Libido sichert, gibt Adler indirekt zu, wenn er auch meint, diese Libido sei arrangiert. Er bestätigt damit nur Freuds

---

[1] Es handelt sich hier wahrscheinlich um ein Seminar, das Steiner abhielt.
[2] Vgl. Anm. 7 des vorangehenden Protokolls, S. 144.

Ansicht vom Kampf zwischen Ich und Libido; und auch der Freudsche Begriff vom Ich sei scharf umschrieben und genau bestimmt. Wenn Adler nur die negative Übertragung sieht, so übersieht er eben die Verdrängung der positiven Einstellung, die vom Patienten nicht vertragen wird. – Ähnlich, wenn er die Angst wirklich als Angst auffaßt und nicht als Folge eines verdrängten Wunsches.

Auch im einzelnen lasse sich zeigen, daß hinter dem Ehrgeiz, dem männlichen Protest und der Sicherung Freudsche Thesen stecken. Daß die Sicherung ein Analogon der Flucht in die Krankheit ist, wurde schon gesagt; ähnlich ist der männliche Protest eine Reaktionsbildung, und was Adler unter weiblich versteht, kann man in die Libido einreihen. Diese Dinge mögen ja vom Patienten weiblich aufgefaßt werden, wichtig ist aber die dahintersteckende Libido, und wichtig ist ferner, daß diese Momente verdrängt sind. – Wenn die Verdrängung nach Freud dazu dient, Unlust zu verhüten, so ist das auch eine Sicherung; in dem Begriff der Verdrängung liegt implizite die Sicherung. Ekel, Scham etc. sind sowohl Reaktionen als auch Sicherungen gegen die Folgen libidinöser Zustände. Adlers Patient fürchtet sich vor seiner Libido; ohne Wunsch wäre aber kein Grund zur Abwehr vorhanden. Wenn er sich fürchtet, unter die Gewalt des Weibes zu kommen, so liegt dem die Verdrängung der masochistischen Komponente zugrunde.

Vieles von dem, was Adler geltend macht, ist vielleicht nicht so sehr auf falsche Wertungen als auf angeborene oder fixierte Komponenten der Libido mit homosexueller Tendenz zurückzuführen. Verdrängte homosexuelle Komponenten spielen dabei die größte Rolle.

Neben der ausgezeichneten Charakterologie hat Adler uns über die Ursachen der Verdrängung vieles gesagt. Er hat die Ichtriebe näher charakterisiert, den Geltungstrieb beschrieben und gezeigt, daß die Furcht vor Herabsetzung, vor dem Gefühl der Minderwertigkeit vielleicht auch ein Grund zur Verdrängung sein kann.

Redner geht schließlich noch in eine Detailkritik der Trigeminusneuralgie[3] ein, wo der sexuelle Neid des Patienten gegenüber seinem jüngeren Bruder und der Mutterkomplex deutlich hervortreten. Daß der Patient aber nur aus männlichem Protest zur Mutter will, das geht aus dem Artikel nicht hervor. Ebensowenig ist klar, warum der Patient die Herabsetzung durchaus als etwas Weibliches auffassen soll? Der Grundgedanke dieser Adlerschen Arbeit ist die Identifizierung von Schmerzgefühl = Minderwertigkeit = weiblich. Zu dieser Annahme wird aber Adler selbst nur gedrängt, und uns wird sie nicht bewiesen.

---

[3] S. Anm. 8 des 125. Protokolls, oben, S. 108.

Auch die Traumanalyse zeigt nur deutlich seinen Mutterkomplex, nicht aber Adlers Auffassung desselben. Aber selbst wenn der Patient nur aus männlichem Protest zur Mutter wollte, so könnte nur die Verdrängung des Wunschs nach der Mutter die Ursache der Neurose sein. Für das Kind existiert auch der Gegensatz zwischen männlich und weiblich nicht in dem Maß wie für den Erwachsenen, sondern das Kind empfindet zunächst und am intensivsten den Gegensatz zwischen den Kleinen und den Großen, seien diese nun männlich oder weiblich. Bei Adler dagegen wird der Begriff männlich und weiblich so erweitert, daß alle menschlichen Beziehungen hineinpassen.

Wenn der Sinn jedes Traumes ist, ich bin ein Weib und möchte ein Mann sein, so ist nicht einzusehen, warum dieser bei den meisten Frauen bewußt geäußerte Wunsch so schwer deutbare und komplizierte Träume erzeugt. Wenn wir dagegen verdrängte libidinöse Tendenzen zu Hilfe nehmen, so finden wir plötzlich alles klar. Bei Adlers Auffassung muß man sich fragen, was ist eigentlich unbewußt, wozu machen wir eine Analyse. – Wenn wir sehen, daß Adler die ganze Welt-Literatur und Kulturgeschichte auf den männlichen Protest zurückführt und daß das alles auf dem Zweifel an der Geschlechtsrolle und den falschen Wertungen beruhen soll, so wird es sich vorläufig empfehlen, bei den Freudschen Lehren zu bleiben.

HITSCHMANN verweist mit Rücksicht auf die allgemeine Stimmung darauf, daß die ›Trigeminusneuralgie‹ geeignet sei, große Verwirrung unter den Lesern hervorzurufen. Auch er könne nicht finden, daß das eine wirkliche Analyse ist, noch daß die Voraussetzungen Adlers an diesem Falle erwiesen wurden. Wenn der männliche Protest unbewußt wäre, so müßte er bei einer Analyse aus dem Unbewußten auftauchen. So aber sei in der ›Trigeminusanalyse‹ das Sexuelle direkt zur Seite geschoben. Ähnliches gelte von den übrigen Fällen und Traumdeutungen Adlers. In statu nascendi hat er seine Grundsätze am Patienten noch nicht erwiesen. Auch habe er es unterlassen, bestimmte Zeiten für die von ihm geschilderten Verhältnisse anzugeben; wann z.B. das Minderwertigkeitsgefühl sich zeigt. Es müßte erst bewiesen werden, daß sich dieses Minderheitsgefühl vor allen jenen abnormen quantitativen Triebeinstellungen findet, daß es vor den ersten entscheidenden infantilen Erlebnissen schon da ist. Daß die Angst als durchschlagendes Gefühl der Minderwertigkeit erklärt werden soll, ist auch nicht ganz klar; es liegt da ein Zusammenwerfen von Ängstlichkeit und neurotischer Angst vor. – Wenn man gesehen hat, wie Sadismus und Masochismus in den ersten Lebensjahren des Zwangsneurotikers bereits beobachtet werden, so ist klar, daß das Minderheitsgefühl nicht älter sein kann, sondern nur auf Grund dieser krankhaften Triebe ausgebildet [ist]. Ähnlich sollen alle Kinderfehler, Enuresis, Nägelbeißen, Lutschen nur aus Bosheit festgehalten werden, und das ursprünglich Triebartige daran wird gar nicht zugegeben, was auch erst bewiesen werden müßte. Ebenso müßte der Wunsch, ich will ein Mann sein, als primäre Triebkraft der frühzeitig geweckten Sexualität erst bewiesen werden. Das Spielenwollen dieser Rolle wurde ja bereits von Freud in den Wünschen: ich will der Vater sein, ich will die Mutter sein, beschrieben. Das Oben im Traum anders als sexuell aufzufassen scheint unmöglich, wofür auch Ranks ›Traum‹ im *Jahrbuch* ein schönes Beispiel sei.[4]

Durch seine persönlichen Beziehungen mit der Universitätspsychologie, mit der Pädagogik, dem Sozialismus und der Frauenbewegung ist Adler dazu gekommen, alles, und selbst das Sexuellste, als männlichen Protest aufzufassen. So ist er dazu gekommen, das, was beim Kind nicht zu sehen ist, weil es unbewußt ist, wegzuschieben, und das, was beim Kind deutlich zu sehen ist, in den Vordergrund zu schieben. Was hinter seinem Aggressionstrieb und männlichen Protest zum Teil steckt, darf man zum großen Teil der Tendenz alles Seienden zuschreiben, sich als Seiendes zu behaupten.

Wenn Adler die Kraft des Sexuellen mit dem Hinweis darauf leugnet, daß die Sexualität beim Kulturmenschen keine solche Rolle mehr spielt, so übersieht er dabei, daß gerade diese Tatsache zur Neurose führen muß. – Anzuerkennen seien die Verdienste, die sich Adler um die Charakterologie erworben habe dadurch, daß er die Sache von einer ganz andern Seite angesehen habe. Er hat aber die Neurose nicht erklärt, sondern nur eine sehr wertvolle Schilderung des Aussehens der Neurose gegeben. Einige seiner Gesichtspunkte seien sehr wertvoll für die Pädagogik und auch für die Therapie.

FURTMÜLLER hält die Zeit noch für verfrüht, um zu den Adlerschen Ausführungen eine Stellung pro oder kontra einzunehmen. Im einzelnen versucht der Redner vor allem einige Einwendungen Prof. Freuds zu entkräften wie die, daß Adlers Forschungen in technischer und taktischer Beziehung eine Gefahr für die Psychoanalyse bedeuten könnten.

Wenn immer eingewendet werde, daß Adler alle sexuellen Dinge, wie Onanie, Masochismus, Homosexualität etc., als männlichen Pro-

---

[4] O. Rank, ›Ein Traum, der sich selbst deutet‹, *Jahrbuch*, Bd. 2, 1910, S. 465–540.

test auffasse, so wird dabei übersehen, daß natürlich die Sexualität als Kraft vorausgesetzt ist und daß der männliche Protest sie nur in eine bestimmte Richtung leitet. – Der von Freud bedauerte Verlust der Verbindung mit der allgemeinen Kulturbewegung sei bei Adler durch Einbeziehung der Frauenfrage wiederhergestellt.

Redner wendet sich nun gegen einzelne Ausführungen Rosensteins, so die mißverständlich aufgefaßte Abhängigkeit der Triebe von der Kultur, ebenso beim Problem Furcht = Furcht[5], wo Adler eben [zu] zeigen suche, wieso es zur Verdrängung der Libido und damit zur Furcht komme. Auch der Einwand, daß die Frau ihren männlichen Protest im Bewußtsein habe, sei nicht stichhältig, denn sie kenne die Bedeutung dieser Einstellung für ihr gesamtes seelisches Geschehen nicht.

REITLER hat seine Ausführungen in Form eines Artikels für das *Zentralblatt* niedergelegt, wo die Arbeit publiziert wird.[6]

Gustav GRÜNER findet bei Adler manches, was für Freud stimmt, und möchte diese Ähnlichkeit mit Freud für Adler ins Feld führen. So werde der in der Freudschen Lehre nicht genügend geklärte Unterschied zwischen der neurotischen und der normalen Psyche bei Adler dadurch verständlicher, daß er ihn auf Quantitätsunterschiede zurückführen will. – Was Adlers Stellung zur Sexualität betreffe, so fasse er dieselbe als das Treibende im Menschen auf.

ADLER hebt im Gegensatz zu einer Bemerkung vieler Redner hervor, daß sich in seinen Arbeiten eine fortschreitende Entwicklung schon von der Studie über die Minderwertigkeit von Organen an kundgibt.[7] Was den Vorwurf betreffe, daß das minderwertige Organ jetzt vernachlässigt werde, so sei hervorzuheben, daß es in der späteren Neurose nicht so sehr darauf ankommt, auf welchem Boden sich die Minderwertigkeit oder, wie man teilweise auch sagen könne, die Erogenität geltend mache, sondern es müssen alle diese Regungen durchgehen durch den Brennpunkt des Minderwertigkeitsgefühls.

Die Bedeutung der Fixierung an eine Person sei nicht so hoch anzuschlagen; die Verdrängung geht Hand in Hand damit, daß es sich um

---

[5] Siehe Adlers Antwort am Schluß der Diskussion, in welcher er erwähnt, daß Freud mehrfach sagt, Angst sei wirklich Angst. Noch unterschied man nicht die verschiedenen Formen der Angst von denen der Furcht.
[6] ›Kritische Bemerkungen zu Dr. Adler's Lehre vom »männlichen Protest«‹, *Zentralblatt,* Bd. 1, 1911, S. 580–86.
[7] A. Adler, *Studie über Minderwertigkeit von Organen,* Urban & Schwarzenberg, Berlin–Wien 1907; Neuauflage als Fischer Taschenbuch Nr. 6349, Frankfurt am Main 1977.

die Fixierung einer Affektlage handelt. Die Erhaltung dieser Affektlage ist den Kindern sehr häufig bewußt, und auch der Neurotiker erinnert sie oft bis in eine sehr frühe Zeit.

Schwieriger ist es plausibel zu machen, daß das Kind in eine Situation kommt, wo es die ganze Welt nach männlich und weiblich austastet, obwohl die Sprache Belege dafür liefert, daß dieser Durchgangspunkt wirklich existiert. – Bei der verfälschten Libido handelt es sich eben gar nicht um das, was wir Libido heißen könnten, sondern um Erscheinungen des Geltenwollens. So z. B. beim Kampf gegen den auftauchenden Rivalen, den Freud unter den Liebesbedingungen geschildert hat.[8] – Auch die Sicherungstendenz unterscheidet sich von den von Freud aufgestellten Bedingungen der Neurose: die Flucht in die Krankheit ist nur ein Teil des psychischen Lebens, wie es im männlichen Protest zutage tritt. Flucht in die Krankheit ist die Erkenntnis des Tatbestandes, die uns aber nicht sagt, was in der Psyche des Betreffenden vorgeht; mit der Sicherungstendenz dagegen ist ein Mechanismus gemeint; hier handelt es sich um ein ursprüngliches Gefühl der Minderwertigkeit und eine Unsicherheit, aus der der Patient herauszukommen trachtet. Dieser Begriff paßt auch für die sekundäre Tendenz der Krankheit, und er paßt auch für den Mechanismus der Verdrängung.

Zum Schluß hebt Redner hervor, er sei nicht darauf ausgegangen, die Auffassung Freuds von der Neurose und ihren Mechanismen zu entwerten, sondern nur der praktischen und theoretischen Notwendigkeit zu gehorchen, sie auf eine breitere Basis zu stellen und einen Entwicklungsstandpunkt, den er auch von Freud als überholt ansehe[9], zur Geltung zu bringen.

Herrn Rosenstein wird erwidert, daß Triebe sich zweifellos unter dem Einfluß der Kultur abschwächen können und daß es sich dabei um eine gegenseitige Beeinflussung von Trieb- und Kulturleben handelt. – Daß Angst wirklich Angst sei, kehrt häufig bei Freud wieder. Und wenn er auch nicht wie Freud glaube, daß die erste Angst beim Geburtsakt zustande komme, so sei er doch mit der Meinung, daß unsere Angst die Verwendung einer Gefühlserinnerung, einer Halluzination sei, Freud viel näher als diejenigen, welche diese Auffassung bekämpft haben.[10]

---

[8] S. Freud, ›Über einen besonderen Typus der Objektwahl beim Manne‹ (1910; aaO).

[9] Diese Formulierung ist äußerst unklar.

[10] Adler spielt offenbar auf Freuds Auffassung an, daß der Affekt gewissermaßen die Wiederholung einer einstmals zweckmäßigen Handlung sei, eine Auffassung, die sich auf einen Gedanken Darwins stützt.

131

Vortragsabend: am 15. Februar 1911

Anwesend: Adler, Brecher, Freud, Friedjung, Furtmüller, Hilferding, Hitschmann, Jekels, Oppenheim, Rank, Reitler, Sadger, Stekel, Tausk, Holzknecht, Grüner F. und G., Klemperer, Sachs, Silberer, Wagner, Winterstein, Rosenstein.

Gäste: Frischauf, Dozent Moskowicz[1], Dr. Robert Scheu[2], Bernhard Dattner[3].

[131.] PROTOKOLL

Geschäftliches

TAUSK teilt mit, daß er vom Verein der Wiener Mediziner aufgefordert worden sei, einen Vortrag über die Psychoanalyse zu halten, und fragt an, ob irgendein Bedenken dagegen vorliege.

Auf Antrag FURTMÜLLERs wird eine kurze Pause zwischen dem Vortrag und der Diskussion obligatorisch eingeführt.

Schließlich teilt der OBMANN mit, daß Herr Bernhard Dattner um Aufnahme in die Vereinigung angesucht habe.

---

[1] Über Moskowicz konnte nichts Gesichertes in Erfahrung gebracht werden.
[2] Robert Scheu, 1873–1964, Rechtsanwalt und Schriftsteller, war ein Sohn des österreichischen Sozialistenführers Josef Scheu, 1841–1904, und ein Jugendfreund von Federn.
[3] Dattner wurde bei der nächsten Zusammenkunft als Mitglied aufgenommen.

Über die Anwendbarkeit der Psychoanalyse
auf Werke der Dichtkunst

[Vortragender:] Dr. Hanns Sachs

Der Vortragende bemerkt eingangs, er habe sich zum Ziele gesetzt, alles, was von seinem Thema als sicher und als allgemeine Basis gelten könne, möglichst deutlich festzusetzen. – Er befaßt sich zunächst mit den Einwänden, die gegen eine Anwendung der Psychoanalyse auf Werke der Dichtkunst erhoben werden können, und beseitigt die Bedenken, die sich gegen die Zulässigkeit derselben überhaupt, gegen ihre Anwendung auf so hochstehende Geister und endlich gegen die Möglichkeit der Analyse von Dichterwerken richten, die ja durch Stekels Analyse von *[Der] Traum, ein Leben*[4] erwiesen ist. – Die Frage endlich, ob man den Dichter, wie Grüner, in die Nähe des Traumes oder, wie Stekel, zum Neurotiker stellen solle, kann vorläufig unentschieden bleiben, da wir auf alles, was der Patient uns mitteilt, in gleicher Weise die psychoanalytische Methode anwenden.

Redner gibt nun eine kurze Analyse von Heines Lorelei[5], in welchem Gedicht er eine Erinnerung aus der Kinderzeit sieht, wo die Mutter in teilweiser Entblößung am Bette des einschlafenden Kindes sitzt, sich das Haar kämmt und ihm ein Schlummerlied singt. Während nun die Ästhetik uns die außerordentlich tiefe Wirkung dieses Gedichtes nicht zu erklären vermag, sieht die Psychoanalyse darin die Phantasie eines Kindes, das zum ersten Male aus der Autoerotik heraustritt, sich der Objektliebe zuwendet und die Befriedigung an dem ersten idealen Objekt nicht finden kann; wir haben damit ein großes Stück zum Verständnis der ästhetischen Wirkung des Kunstwerkes gewonnen.

Es fragt sich nun, wie man das Kunstwerk der psychoanalytischen Deutung unterwerfen soll? Es wie einen Traum zu deuten ist unsinnig, denn es ist sinnvoll, wenngleich man sich sagen muß, daß dieser Sinn nur die Fassade ist und die mächtigen Affekte nicht erklärt. Da ferner der Traum den Schlafzustand zur Voraussetzung hat, das Kunstwerk aber das Wachen, so ist ohneweiters klar, daß das letztere ganz andere Ausdrucksmittel anwendet als der Traum. – Was die Stellung des Künstlers zum Neurotiker betreffe, so liegen die Verhältnisse hier zu verschiedenartig und zu unklar, um eine so weitgehende Identifizierung, wie sie Stekel annahm, zu rechtfertigen. Redner möchte

---

[4] Vgl. Protokoll 54 B in Bd. 2 der vorliegenden Veröffentlichung.
[5] Das zweite Gedicht des Zyklus ›Die Heimkehr‹ (1823–24) aus dem *Buch der Lieder*.

sich auf keinen der beiden Standpunkte stellen, sondern das Kunstwerk in eine innige Beziehung zum Tagtraum bringen, mit dem es schon an und für sich die größte Ähnlichkeit habe. Doch sind darüber die Unterschiede zwischen Tagtraum und Kunstwerk nicht zu übersehen: Während der Tagtraum egoistisch ist, ist das Kunstwerk sozial. Der Tagtraum beschäftigt sich nur mit Regungen, die nicht einem Konflikt unterzogen sind, das Kunstwerk beschäftigt sich im Gegenteil mit verdrängten Wünschen und gibt dem Künstler und den Leuten die Möglichkeit, verdrängte Regungen voll ausleben zu lassen, ohne daß sie mit der Zensur in Konflikt geraten.

Diese Befriedigung unbewußter Regungen mit Hilfe eines Objektes, ohne sie bewußtzumachen, fordert die Vergleichung mit der Suggestion heraus, bei der nach Ferenczi sexuelle Regungen auf den Hypnotiseur übertragen und befriedigt werden, ohne bewußt zu sein.[6] Die Hauptwirkung und Ursache dafür ist das Eintreten des Hypnotiseurs in die Rolle des Vaters, der Mutter, des idealen Sexualobjekts, wie auch der Dichter durch Rückführung aufs Infantile zu wirken sucht. Eines der Mittel dazu ist der Reim, der durch Ersparung an Vorstellungsaufwand wirkt. Älter und allgemeiner ist der Rhythmus (Musik, Tanz, überhaupt jede Kunst), der auf die Lustgewinnung beim Saugen an der Mutterbrust zurückgeht. Redner geht nun daran, die Wirkungen beim Kunstwerk und bei der Suggestion (Hypnose) näher in Parallele zu ziehen, und erörtert, wieso Seelenströmungen befriedigt werden können, ohne daß sie einem Konflikt unterliegen. Es ist dies durch den Mechanismus der fortschreitenden Sublimierung möglich, den Freud am Ödipusproblem (Hamlet) gezeigt habe.[7] – Beim Kunstwerk handelt es sich darum, daß möglichst tiefe Konflikte berührt werden, aber es muß diese Regungen vollständig zu unterjochen und zu sublimieren imstande sein.

Wenn wir uns schließlich vom Kunstwerk zum Künstler wenden, so sehen wir, daß der Neurotiker immer tiefer in sich hineingetrieben wird, während der Künstler sich im Gegenteil die Fähigkeit bewahrt, der Außenwelt seine Gefühle aufzudrängen, um ihre Liebe zu werben. Wieso sich der Künstler diese Fähigkeit bewahrt und der Neurotiker es nicht vermag, diese Frage berührt eines der tieferen Grundprobleme, dessen Lösung hier gar nicht versucht werden soll.

---

[6] S. Ferenczi, ›Introjektion und Übertragung‹, *Jahrbuch*, Bd. 1, 1909, S. 422–57. Wiederabgedruckt in S. Ferenczi, *Schriften zur Psychoanalyse*, hrsg. und eingeleitet von Michael Balint, Bd. 1, S. Fischer, Frankfurt am Main 1970, S. 12–47.
[7] S. Freud, *Die Traumdeutung* (1900; aaO); *G. W.*, Bd. 2/3, S. 270–73; *Studienausgabe*, Bd. 2, S. 268–70.

Diskussion

GRÜNER, G., hebt hervor, daß er mit seinen Worten, die Dichtung sei wie ein Traum zu deuten, gemeint habe, daß sie nach denselben Mechanismen aufgebaut ist, die Freud für den Traum nachgewiesen habe. Und auch Stekel habe, trotz des scheinbar entgegengesetzten Standpunktes, offenbar auch nichts anderes gemeint. — Wenn Sachs die allgemeine Schätzung und Wirkung der Lorelei damit begründen wolle, daß sie diese unbewußten Komplexe enthalte, so sei ihm zu entgegnen, daß diese Komplexe sich überall finden.

Die Fassade des Kunstwerkes ist keineswegs so lückenlos, als es scheine. Es handelt sich im Kunstwerk immer um einen unbewußten Zuammenhang, der so oft vorgenommen werde, bis die Befriedigung herbeigeführt sei. Und es ist nicht nur so, daß die Personen schließlich auf die Dreiheit von Eltern und Kind zusammenschmelzen, sondern auch diese drei reduzieren sich wieder auf eine Person. Ebenso lassen sich die verschiedenen Vorgänge eines Kunstwerkes immer weiter zusammenlegen.

SADGER, der sich schon vor der Psychoanalyse dem Studium der Dichter von der biographischen Seite genähert habe, meint, daß gegen Bleulers kürzlich geäußerte Ansicht (*Jahrbuch* II)[8] doch prinzipielle Bedenken vorliegen. Wir haben das Recht, das Leben und die Werke eines jeden großen Genies genauso zu behandeln wie bei jedem andern Sterblichen, unter der Bedingung, daß es 1. unser Verständnis bereichert und 2. daß es beweisbar ist. — Und es werden tatsächlich gewisse Dinge, die die Ästhetik nicht verstehen kann, durchsichtig, wenn wir unsere psychoanalytische Erfahrung heranziehen. Unser ästhetisches Fühlen wird viel mehr vom Sexuellen beherrscht, als wir ahnen: das ästhetische Gefühl erwacht in der Pubertät und ist da ungeheuer stark. — Unter seinen Patienten befinden sich zwei Dichterlinge, die sehr interessante Einblicke gewähren, und gerade die verunglückten Stellen lassen am tiefsten blicken. — Ein großer Dichter

---

[8] Es handelt sich wohl um die folgende Stelle aus Eugen Bleulers Aufsatz ›Die Psychoanalyse Freuds. Verteidigung und kritische Bemerkungen‹, aaO (S. 699): »Auch auf die Theorien, die in verschiedenen Richtungen die *Ästhetik* (die Künste im Ausüben und im Genießen) aus der Sexualität ableiten wollen, gehe ich nicht ein; ein gewisser Zusammenhang ist zu klar, als daß man ihn zu beweisen hätte; aber das Wesen des ästhetischen Genusses ist uns vorläufig noch so fremd, daß meines Wissens nicht einmal plausible Vermutungen darüber existieren.« (Hier folgt eine Fußnote, die wir auslassen.) »Daß aber alle echten Dichter in den Dichtungen ihre Komplexe abreagieren, steht mir fest. So gewinnt der oft gehörte Gedanke, daß ein Dichter unglücklich lieben müsse, um etwas Großes zu produzieren, seine Wahrheit.«

ist derjenige, der allgemein-menschliche Konflikte herauszufinden und allgemein verständlich zu machen weiß. – Zum Schluß möchte Redner die Anregung geben, dieses Thema zu einem Hefte der Wiener Diskussionen [9] auszugestalten.

GRÜNER, F., meint, es wäre noch darauf zu achten, inwieweit die Aufdeckung von Phantasien bei einem Menschen den Schluß zuläßt, daß der Mensch diese Eigenschaften auch habe. – Zur Lorelei-Analyse möchte Referent noch einiges hinzufügen; so, daß lyrische Gedichte fast immer das Thema der Genitalsexualität behandeln. – Die Unterschiede zwischen Tagtraum, Traum, Neurose und Kunstwerk, auf die Sachs solchen Wert gelegt habe, seien bis jetzt noch gar nicht festgestellt.

TAUSK findet den Widerstand gegen derartige Deutungen insofern begründet, als man sich diese Komplexe nicht rauben lassen will, weil wir sie als Motore des psychischen Lebens brauchen und vielleicht mit Recht fürchten, daß wir sie auf diese Weise ihrer Kräfte berauben könnten. Wichtig ist die Frage, welchen Nutzen man aus solchen Versuchen ziehen kann. Zunächst ist nur eine Verarmung zu ersehen und der Verlust unserer unbewußten und so wichtigen ästhetischen Einstellung. Und wenn man auch so und soviele primitive Phantasien so und sooft aufgedeckt haben wird, bleibt immer noch die Frage des Talents zu erledigen. – Die Fassade vermag vielleicht nicht immer den Leser zu treffen. Es gibt Leser, welche[n die Gedanken] beim Lesen unbewußt bleiben, es gibt aber auch solche, die den Genuß des Lesens nur darin finden, daß sie beim Lesen die Komplexe bewußtmachen können.

Zu dem Detail: »die Wellen verschlingen« führt Redner die ähnliche Phantasie eines Masochisten an, daß das Genitale der Frau so groß sei, daß er als ganzer hineinkriechen könnte, welches Gefühl ihm die Übermacht des Weibes repräsentierte. – Daß der Tagtraum nur nicht-konfliktuöse Wünsche erfülle, sei nicht richtig. – Beim Rhythmus müsse man wohl noch etwas weiter zurückgehen; er sei nichts anderes als eine Art funktionalen Phänomens des organischen Rhythmus (Blut, Herz), der sich im Kosmos wiederfinde.

HILFERDING stellt den hervorgehobenen Unterschieden zwischen Kunstwerk und Tagtraum die Tatsache gegenüber, daß das Kunstwerk häufig aus dem Tagtraum hervorgehe. In einem Roman von

---

[9] S. die Anm. 13 des 117. Protokolls, oben, S. 53.

Disraeli[10] werde geschildert, wie Tagträume häufig in Dichterwerke umgesetzt werden. Auch die Unterscheidung von egoistisch und sozial könne nicht immer stimmen; gerade die modernen Kunstwerke seien nicht durchaus sozial. Wenn endlich das Kunstwerk eine Werbung sein soll, so ist doch sicher, daß auch der Neurotiker durch seine Krankheit wirbt. – Das bloße Auftreten infantiler Komplexe kann für ein Kunstwerk nicht maßgebend sein (Grüner); es gehört dazu noch etwas anderes, was in der Form beruht und was rein ästhetisch sein dürfte, also mit den Komplexen nichts zu tun hat. – Der Rhythmus sei schon vor Jahren von Lieben[11] auf die Blutpulsation zurückgeführt worden (STEKEL: schon von Billroth in seinem Buch über den Rhythmus[12]). Die Lorelei-Deutung sei nicht in jeder Beziehung einwandfrei erschienen; wir tragen oft auch unsere eigenen Komplexe in die Dichtungen hinein. Doch ist diese Art der Forschung trotzdem eine fruchtbare, und die Biographik kann dazu dienen, uns in einzelnen Punkten sicher zu machen.

FURTMÜLLER hält, trotzdem die Frage der Zulässigkeit der psychoanalytischen Betrachtungsweise von Dichterwerken außer Diskussion in diesem Kreise stehe, dennoch besondere Vorsicht geboten, weil ja die Deutung immerhin vom Standpunkt des Dichters aus nicht gelungen sein könne. Bei der Lorelei wäre in mehreren Umständen ein Beweis für die Richtigkeit zu sehen; vor allem deshalb, weil die Deutung vom manifesten Inhalt des Gedichtes nicht weit weg führt. Für so weitgehende Folgerungen aber, wie sie Sachs zog, könne ein einzelner Fall nicht genügen. Auch sei uns mit dieser Deutung die besondere ästhetische Wirkung der Lorelei erst recht nicht erklärt, denn diese Komplexe finden sich ja auch in schlechten Werken. In der Ästhetik selbst herrschen zwei Strömungen, von denen die eine alles aus dem Inhalt, die andere alles aus der Form ableiten will; offenbar kommt es aber auf ein besonderes Zusammenwirken beider an.

ROSENSTEIN schließt sich im großen und ganzen den Ausfüh-

---

[10] Um welchen der Romane des bekannten britischen Staatsmanns und Premierministers Lord Baconsfield (1804–1881) es sich handelt, konnten wir leider nicht ermitteln.

[11] S. Lieben, über den keine weitere Auskunft erhalten werden konnte, als daß er Physiologe war.

[12] Der berühmte Chirurg Theodor Billroth, 1829–1894, war ein großer Musikfreund. Unter seinen nachgelassenen Schriften fand sich das Manuskript *Wer ist musikalisch?*, welches Eduard Hanslick herausgab (Gebr. Paetel, Berlin 1896). Das erste Kapitel dieses Werkes führt den Titel ›Über den Rhythmus als ein wesentliches, mit unserem Organismus innig verbundenes Element des Musikalischen‹.

rungen des Vorredners an. Er möchte nur ausdrücklich hervorheben, daß seiner Ansicht nach die Psychoanalyse in all diesen Dingen insuffizient sei und gerade an diesen Problemen ihre natürliche Grenze finde. Die künstlerische Wirkung könne man auf keinen Fall damit erklären, wenn man auch schon den Künstler selbst damit zu verstehen vermöchte. Das Kunstwerk ist wohl aus Komplexen hervorgegangen, aber es ist von ihnen ziemlich unabhängig. – Die Wirkung des Kunstwerkes scheine vielmehr auf dem Zusammenhang mit dem Weltganzen zu beruhen.

FRIEDJUNG hat den Ausführungen Furtmüllers nicht viel hinzuzufügen. Man könne die Psychoanalyse an allen möglichen Geistesprodukten versuchen, aber es scheine bei dem Unternehmen, von dem heute eine Probe geliefert wurde, nicht viel herauszukommen. Es ist weder der Ästhetik noch der Psychoanalyse mit diesen Versuchen gedient, solange unerklärt bleibt, warum der eine mit denselben Komplexen ein Kunstwerk zustande bringt, wo der andere nichts zu leisten vermag oder in der Neurose scheitert.

Prof. FREUD geht davon aus, das Gefühl des Widerstandes, das sich bei jeder derartigen Deutung geltend macht, psychoanalytisch aufzulösen. Dabei ergibt sich, daß es zusammengesetzt ist aus einer Entrüstung und einer intellektuellen Unbefriedigung. Entrüstung komme dann zustande, wenn wir eine Erniedrigung verspüren, wenn jemand sich über etwas Hohes hinwegsetzt. Beim Kunstwerk ist nun eine Erhöhung vorhergegangen, um deren Resultate wir durch diese Deutungen gebracht werden. Die intellektuelle Unbefriedigung hat insoferne recht, als beim Kunstwerk, wo es sich ja um etwas bewußt Wertvolles handelt, die unbewußte Einseitigkeit besonders schmerzvoll ist; man erwartet eine vollständige Analyse und bekommt statt dessen eine solche Elementaranalyse. Darum seien diese Analysen nicht wertlos oder verwerflich, aber der Widerstand liege in der Form, wobei anerkannt werden müsse, daß sich der Vortragende von gewissen Übertreibungen in taktvoller Weise ferngehalten habe. Das Wesentliche an der Arbeit von Dr. Sachs war, daß er als charakteristisch hervorhob, wie man, um zum Verständnis der Bedeutung einer solchen Elementaranalyse zu kommen, darauf achten müsse, auf welchem Wege aus den Komplexen das Kunstwerk geworden ist, und daß dieser Vorgang analog der Traumarbeit ist. Dazu wurden einige wertvolle Beiträge gebracht. Die soziale Natur des Kunstwerks ist verantwortlich für dessen Unterschied von anderen psychischen Produkten. Damit aus einem Tagtraum ein Kunstwerk wird, ist notwendig: 1. die

Entäußerung des Persönlichen, 2. die Distanzierung vom Unbewußten, 3. handelt es sich darum, daß man dem Intellekt etwas bietet, was
ihn nötigt, in den Zusammenhang einzugehen, ähnlich wie beim
Witz. Das Vergnügen, das man dem Hörer bereitet, hat mit der Sache
eigentlich wenig zu tun. Die Lustquellen werden von der Form gegeben; wir nehmen das nur für die ganze Lust und übersehen dabei,
daß es nur die unbewußt bedingte Endlust auslöst. In diesen drei
Momenten ist die Technik des Kunstwerks enthalten; damit wird die
Psychoanalyse gerechtfertigt sein. Wenn jemand dann noch die ästhetische Analyse würdigt, dann wird man sagen können, man habe die
Analyse eines Kunstwerks. Die Elementaranalyse wird dann auch nicht
entbehrlich sein.

KLEMPERER möchte darauf hinweisen, daß hier nicht nur Elementaranalyse getrieben werde, sondern die Beziehungen zum Tagtraum, zur Neurose streifen die Dynamik des Kunstwerks ein bißchen.

SACHS kann sich ein ausführliches Schlußwort ersparen, da viele
Redner einander in der Diskussion widerlegt haben.

[Geschäftliches]

Am Schluß soll über den Antrag SADGER, den Vortrag zu einem
Hefte der Wiener Diskussionen zu machen, abgestimmt werden, doch
zieht Sadger seinen Antrag zurück.

132

Vortragsabend: am 22. Februar 1911

Anwesend: Adler, Federn, Freud, Friedjung, Furtmüller, Hilferding, Hitschmann, Jekels, Rank, Reitler, Steiner, Stekel, Tausk, Grüner F., Klemperer, Sachs, Wagner, Rosenstein, Dattner. Dr. Müller aus Basel[1], Dr. Frischauf zu Gast.

[132.] PROTOKOLL

[Geschäftliches]

Herr Bernhard Dattner, absolvierter Jurist, derzeit Student der Medizin, wird mit 14 Stimmen in den Verein aufgenommen.

[Schluß[2] der] Diskussion über Adler:
Der männliche Protest,
seine Rolle und Bedeutung in der Neurose

TAUSK findet nach Rosensteins Ausführungen nicht mehr viel Material zur kritischen Behandlung vor. Wie man beim Aggressionstrieb fragen müsse, wer aggrediert, so müsse man beim männlichen Protest die keineswegs philosophische Frage stellen, wer protestiert? Offenbar jemand, der unterdrückt wird, und das kann doch nur ein Trieb sein. Darin läßt sich aber die grundlegende Bedeutung für die Neurose nicht erblicken, da dieser Trieb, den Adler im Trotz des Kindes findet,

---

[1] Dr. Achilles Müller, 1877–1964, der später ein bedeutender Chirurg und Urologe in Basel wurde, war von Jung brieflich empfohlen worden (s. S. Freud/C. G. Jung, *Briefwechsel*, S. Fischer, Frankfurt am Main 1974, S. 429 f.).
[2] Im Präsenzbüchlein steht noch die Eintragung »Fortsetzung der Diskussion«. Am Anfang des Abends konnte man dessen dramatischen Ausgang offenbar noch nicht vorhersehen.

dem Bewußtsein nicht so unbekannt sein kann, daß daraus die Neurosenbildung folgen müßte. Der wahrhaft unterdrückte und protestierende Trieb kann nur die Libido sein, denn bei den anderen Trieben handelt es sich um eine einfache Auseinandersetzung mit der Außenwelt. Bei der Libido dagegen ist das Objekt unbewußt, sei es nun die eigene Person oder die Verwandten des Kindes (inzestuöse Neigung) als auch fremde Personen; denn der Sexualtrieb wird gezwungen, unbewußt zu werden, da sein Objekt immer ein anderes ist, als er will. Und dagegen protestiert der Sexualtrieb. Wozu man dann noch männlich und weiblich sagen soll, bleibt unerklärlich. Hier finden wir nun die Antwort auf die aufgeworfene Frage: Das Subjekt ist die Libido; sie protestiert, weil man ihr entweder das Objekt entzieht oder ihr ein anderes gibt. Die Notwendigkeit fehlt, diese Libido als männlich und weiblich zu qualifizieren.

Eine andere Frage ist, wieweit Adler damit recht habe, daß diese Wertungen in die kulturelle Einstellung eingeführt wurden und zur Neurose beitragen. Wenn man auch den Protest als Zentralpunkt der Neurose leugnen müsse, könne man doch gelten lassen, daß in der Verarbeitung dieser Protesteinstellung männlich und weiblich vorkommen kann. Ja, es gibt vielleicht keinen Fall, wo es nicht vorkommt. Wissen wir ja, daß der Ausbruch der Neurose daran geknüpft ist, daß der Unterschied der Geschlechter dem Menschen bewußt wird und daß er die daraus folgende geforderte Einstellung nicht vollziehen kann. Aber diese Qualifikation ist jenes Gebiet, wo die Neurose ihre Veranlassung findet. Der Motor der Neurose braucht nur eine gehemmte Energie zu sein, die ihren Weg nicht findet. Daß Libido-haben-Wollen immer männlich sein müsse, ist nicht einzusehen; die andern Momente aber fallen in die bewußte Einstellung der Geschlechter, es ist das Material, dessen sich die gehemmte Libido bedient. Der Neurotiker stellt sich dar als ein Mensch, der über seine Libido nicht verfügt, der den Aufgaben, die die allgemeine Sexualität an ihn stellt, nicht gewachsen ist. Wenn er nun sieht, daß die Männer freier sind als die Frauen und aggressiv, was er selbst nicht kann, so fällt es ihm leicht, seine Situation in die Worte zu kleiden: Ich will ein Mann sein. Das ist nur ein so spätes Stadium der Entwicklung, daß man es in die oberflächlichen Schichten der Neurose verlegen muß.

ADLER findet, der Redner habe versucht, sich eine Entwicklung des kindlichen Trieblebens zu konstruieren, indem er seine (Adlers) psychoanalytisch gefundenen Ergebnisse leugne und seine eigene Auffassung gegenüberstelle. – Auf die Frage: wer protestiert, ist zu erwidern, es protestiert das Kind sofort, wenn es unsicher geworden ist und Befürchtungen ausgesetzt ist. Wenn Tausk männlich und weiblich in die Zeit des Ausbruchs der Neurose verlegen möchte, so sei zu erwidern, daß dieser Ausbruch oft recht frühzeitig erfolge. Anderseits sei es nicht klar, wo bei Tausk die Verdrängung beginne, da nach seinen Ausführungen der Wunsch der Frau, ein Mann zu sein, meist bewußt sei, während nach Adlers Befunden die Betreffenden nichts davon wissen.

ROSENSTEIN rekurriert auf einige Ausführungen Furtmüllers, die er kritisch zu widerlegen versucht. Wenn Furtmüller behauptet habe, daß Adler der Sexualität ihr Recht lasse und den männlichen Protest nur als richtungsgebend für die sexuellen Kräfte annehme, so sei zu erwidern, daß Adler der Sexualität an sich noch gar keine Kraft zuschriebe, wenigstens nicht zu pathogenen Wirkungen. – Was die Frage der falschen Wertungen betreffe, so läßt sich schließlich alles im Leben männlich oder weiblich werten; es handelt sich aber darum, ob es bei jeder Handlung, jedem Zustand bewußt oder unbewußt mitgedacht wird, ja, daß es nur darum ausgeführt wird, weil dieser Gedanke an männlich und weiblich mitschwingt.

FURTMÜLLER meint Adler ganz richtig verstanden zu haben, daß er der Sexualität nicht jede Existenz an sich abspreche.

KLEMPERER findet keinen Widerspruch zwischen den Adlerschen Auffassungen und der Freudschen Lehre, ohne daß darum zuzugeben wäre, die Adlerschen Anschauungen wären nur Neubezeichnungen Freudscher Begriffe. Nach Adler verdrängt der Patient, um der Gefahr, unten zu sein, zu entgehen, alle seine libidinösen Regungen. Die verdrängende Kraft ist nach Freud der Zwang der Kultur. Für Adler ist es anders; die Befürchtung, unten zu sein, hätte wohl nie die Kraft, einen natürlichen Trieb wie die Sexualität zu unterdrücken. Nach Adler sind aber diese Triebregungen nicht natürlich, sondern erst durch diese Befürchtung geschaffen worden. – Mit dem männlichen Protest ist für Freudschüler natürlich der Begriff der Verdrängung schon gesetzt. Der männliche Protest verlangt aber die Verdrängung nicht. Ähnlich verhält es sich mit der Auffassung der Sicherungstendenz als Flucht in die Krankheit, da die Neurose nicht der einzige Fall ist, wo uns diese Sicherung entgegentritt. Es ist zweifellos, daß die Verdrängung bei Freud eine Sicherungstendenz hat, aber für Adler beginnt die Sicherungstendenz schon in der Kompensation des Nervensystems; erst mit dem minderwertigen Organ ist die Sicherungstendenz gesetzt.[3] Wir werden immer mehr dazu gedrängt, die Krankheit als Symptom eines minderwertigen Organs aufzufassen, und der neurotisch Disponierte ist ja eigentlich schon ein Neurotiker. In diesem Sinne müssen wir Adler dankbar sein, daß er der Neurosenforschung einen Platz in der Gesamtpathologie geschaffen hat.

Prof. FREUD muß den Bodensatz der vorigen Diskussion über Adlers Vortrag nochmals aufrühren, um sich gegen drei Äußerungen von Adler zu wenden.

1. Gegen einen Satz, der die Herstellung einer Absurdität auf künstlichem Wege bezweckte. Adler habe angeführt, die Verdrängungslehre behauptete, die Verdrängung komme von der Kultur und die Kultur komme wieder von der Verdrängung. Das ist nun kein Spiel mit Worten, sondern gerade der Einwand, und wenn die Sätze, wie sie es auch ursprünglich waren, ausgeführt werden, so liegt kein Widersinn darin. Die Verdrängung geht beim einzelnen vor sich und wird gefordert durch den Anspruch der Kultur. Was ist nun die Kultur? Sie ist ein Niederschlag der Verdrängungsarbeit aller Generationen vorher. Vom einzelnen wird gefordert, alle Verdrängungen zu leisten, die vor ihm schon geleistet wurden. – [2.] Gerade jemand, der soviel Wert darauf lege, daß an seinen Worten nicht gerüttelt werde und der anderen das Melken an Worten zum Vorwurfe mache, sollte sich am allermeisten davor hüten, selber in diesen Fehler zu verfallen. Dabei war dieser Vorwurf Rosensteins sachlichen und maßvollen Ausführungen gegenüber, die doch das Recht hatten, an den Wortlaut anzuknüpfen, gar nicht berechtigt. Doch haben diese Ausführungen offenbar Adlers wundesten Punkt, die Aufklärung des Traumes getroffen. Rosenstein hat vollkommen recht, daß die Traumbildung vom Adlerschen Standpunkt völlig unverstanden bleibe.

Ein dritter Punkt zeige von großer Empfindlichkeit. Adler habe gebeten, die nachträglichen Anerkennungen, die viele Redner auf ihre Kritik folgen ließen, zu unterlassen, und hat ihnen damit unrecht getan, denn er hat kein Recht anzunehmen, daß diese Anerkennung unaufrichtig gewesen sei. Prof. Freud hält die Adlerschen Lehren für falsch und für die Entwicklung der Psychoanalyse gefährlich. Aber das sind wissenschaftliche Irrtümer, die durch die falsche Methodik (durch das Hereinziehen von sozialen und biologischen Gesichtspunkten) hervorgerufen sind; und es sind Irrtümer, die ihrem Urheber alle Ehre

---

[3] Klemperer bezieht sich auf Adlers Grundannahme, daß eine Organminderwertigkeit psychisch, nach der damaligen Auffassung also vom Zentralnervensystem, kompensiert wird. Heute fällt dieses ganze Problem in das Gebiet der Psychosomatik, zu dem Adler entscheidende Anstöße beigetragen hat.

machen. Und ungeachtet der Ablehnung des Inhalts der Adlerschen Anschauungen, kann man doch ihre Konsequenz und ihren Sinn anerkennen.

STEKEL findet die immer vorgebrachte Einwendung, daß alles schon bei Freud stehe, unwissenschaftlich. Er selbst hat sich allmählich in die Adlerschen Anschauungen erst hineingearbeitet und gefunden, daß es sich keineswegs um Abstraktionen oder Irrtümer, sondern um große Fortschritte in der Neurosenlehre handle, die wir noch nicht vollkommen fassen können. Wer nicht praktisch arbeitet und sein Material direkt daraufhin nachprüft, ist nicht imstande, ein Urteil darüber zu fällen. Nach Freud haben wir Adler die wichtigsten Aufschlüsse über die Dynamik des Traumes zu verdanken; der psychische Hermaphroditismus findet sich tatsächlich in jedem Traum, ebenso wie man auch den männlichen Protest in jedem Traum nachweisen könne. Wenn wir nur statt männlichen Protest Herrschsucht setzen, so finden wir in jedem Traum die Tendenz des Neurotikers, herrschen zu wollen, oben zu sein. – Der männliche Protest des Neurotikers zeigt sich auch in der Todesklausel, die sich in irgendeiner Form in jedem Traume nachweisen läßt; mit Hilfe des Todes will der Neurotiker über seine Rivalen triumphieren.

Redner berichtet nun über zwei praktische Fälle, die beweisen, von welch eminenter Bedeutung Sicherungstendenzen in der Dynamik der Neurosen sind.

Adlers Auffassungen sind eine Vertiefung und ein Aufbau der bis jetzt von uns gefundenen Tatsachen, die in keinem Gegensatz dazu stehen. Sie sind einfach auf dem Freudschen Fundament weitergebaut. Der wirklich große Fortschritt Adlers beruht auf psychologischem Gebiet und zeigt, wie sich der Charakter des Neurotikers aus gewissen Einstellungen entwickeln muß.

Prof. FREUD sieht sich veranlaßt, Stekel gegenüber in eine Spezialkritik einzugehen, da Stekel die Verteidigung Adlers von einem falschen Standpunkte aus unternommen habe. Daß sich diese Dinge finden, hat niemand bestritten; aber sie sind nicht dort vorhanden, wo sie Adler hinstellt. Adler sieht die Dinge vom Standpunkt des Ich und beschreibt und erklärt sie so, wie es das Ich tut. Wir haben für diese Art der Betrachtung den Terminus »Rationalisation«: das Ich hält alles für sein bewußtes Tun und übersieht die unbewußten Motive. Ebenso ist es bei Adler, und dadurch muß er oft Sekundäres für primär nehmen. – Wenn Stekel behauptet, er finde keinen Widerspruch zwischen den Anschauungen [Adlers] und der Freudschen Lehre, so muß doch darauf hingewiesen werden, daß zwei von den Beteiligten diesen Widerspruch doch finden: nämlich Adler und Freud.

Das Verständnis des Traumes ist vom Verständnis der Kleinkinderträume ausgegangen, und Stekel wird aufgefordert, in solchen Träumen das Motiv des Todes und die Bisexualität aufzuzeigen. – Wenn er Herrschsucht für männlichen Protest setze, dann bestehe natürlich kein Widerspruch. Das Überlegenseinwollen muß nicht mit einem sexuellen Sinn verbunden sein. Er mache sich erbötig, an einer Krankengeschichte den Nachweis zu erbringen, daß die von Adler aufgezeigten Dinge wirklich bestehen, wie das aber [erst] sekundär durch [primäre] Libidoströmungen bedingt ist.

ADLER verweist darauf, daß er bei seinen Traumdeutungen immer die psychische Situation des Träumers in Betracht gezogen habe. Seine Befunde liegen aber nicht in allen Träumen bloß und lassen sich auch nicht so leicht aufdecken. Es fragt sich, warum träumt der Mann immer mit Herrschsucht; woher kommt es, daß sie ihn immer beschäftigt, daß sie sein treibender Motor ist und daß sie ihn an der Einfügung hindert?

Seine Arbeiten seien von Freud und einigen Kollegen als Provokation aufgefaßt worden. Sie wären aber nicht möglich gewesen, wenn Freud nicht sein Lehrer gewesen wäre. Seine wissenschaftliche und persönliche Situation sehe er einigermaßen bedroht und werde sich nicht scheuen, die nötigen Konsequenzen daraus zu ziehen, um einem solchen Fortgang der Dinge im Interesse der psychoanalytischen Bewegung Einhalt zu tun.

Redner geht nun auf die Spezialkritiken von Freud näher ein. Es gehe nicht, die Kultur als Verdrängung der vorhergehenden Geschlechter aufzufassen. Denn wie erklärt sich die Verdrängungsarbeit eines Kindes, das gegen die Masturbation anzukämpfen beginnt.

Was die Bisexualität betreffe, so ist damit das Angeborene zweier Sexualregungen gegeben, eine Annahme, die der Ausdruck »psychischer Hermaphroditismus« vermeide. Dieser Hermaphroditismus mit folgendem Protest ist in allen Träumen zu finden; man muß ihn nur aufzuspüren wissen, muß wissen, daß ein Mann mit zwei Mädchen oder ein Mädchen mit zwei Männern (also der Don Juan- und der Messalinen[4]-Typus) Ausdrücke des männlichen Protestes sind. – So findet sich beispielsweise bei Heine neben dem Loreleitypus des oben befind-

---

[4] Messalina, die dritte Frau des römischen Kaisers Claudius, wurde zum Inbegriff des mörderischen Lustweibes. Sie wurde im Jahre 48 hingerichtet.

lichen Weibes auch die Tendenz, die Frau zu entwerten, und Befürchtungen, daß sie durch das Weib zugrunde gerichtet werden, Regungen, denen ein gefühlsmäßiger männlicher Protest, ein Streben nach oben entspricht (z. B. in dem Gedichte vom armen Peter[5]). Jeder dieser Frauenentwerter hat aber daneben ein Mädchenideal, das er immer noch höher stellt und die er nie koitieren würde. – All das findet sich aber nicht im einzelnen Traum, sondern nur in der Kontinuität einer längeren Reihe und wenn man die psychische Situation des Träumers berücksichtigt.

FEDERN: In der Frage der Beziehung der Verdrängung zur Kultur habe Adler unrecht anzunehmen, daß die Verdrängung (z. B. der Masturbation) eine Folge der Kultur sei. – Die durch den Fortschritt der Kultur bedingte Protraktion der Sexualentwicklung des Kindes bestätige den von Freud aufgedeckten Zusammenhang; und je älter die Menschheit werde, desto länger habe der einzelne bis zu seiner vollen sexuellen Entwicklung zu kämpfen. – Im übrigen halte er Adlers Arbeiten für ungewöhnlich wertvoll. Nur habe er sich ein paar Denkfehler zuschulden kommen lassen, wodurch es ihm gelingt, das gesamte psychoanalytische Material für sich zu verwerten. Der Aggressionstrieb sei eine wichtige und wertvolle Beobachtung; jedes Individuum hat den angeborenen Trieb, sich zu behaupten und zu wehren. Auch scheine es ja plausibel anzunehmen, daß, wo die Befriedigung weit abgerückt sei, ein dauernder Reizzustand bleiben könne. Aber wir sehen in der Natur, daß gerade das mildeste Tier wild wird, sobald die Sexualität dazukommt. Es ist gerade umgekehrt, als Adler meint: Die unbefriedigte Libido reizt. Ebenso verhält es sich mit der Behauptung, die Libido der Neurotiker sei arrangiert, was ja ganz richtig sei; nur ist dahinter die echte, ursprüngliche Libido verdrängt und zur Neurose umgewandelt. Das ist der große Denkfehler Adlers, daß er hinter all dem nicht die libidinösen Wünsche sieht, wie ja auch der männliche Protest selbst nur einem Wunsche entspricht; Adler setzt einfach für jeden Wunsch männlich, für jeden Verzicht weiblich.

---

[5] Der Inhalt von Heines Gedicht *Der arme Peter* ist kurz der folgende: Peter liebt die Grete, kann ihr aber seine Liebe nicht erklären. Als Grete sich mit Hans verlobt, stirbt Peter an Liebeskummer. Der letzte Vers ist ein bekanntes Zitat geworden:

> »Er hat verloren seinen Schatz,
> Drum ist das Grab der beste Platz,
> Wo er am besten liegen mag
> Und schlafen bis zum Jüngsten Tag.«

(5. Gedicht im Zyklus ›Romanzen‹, *Buch der Lieder*.)

Es wäre geraten und den wertvollen Anschauungen Adlers nur zuträglich, wenn er etwas skeptischer gegen seine eigenen Befunde wäre und dahinter doch nach dem verdrängten Libidinösen suchen würde.

STEINER hat in der Diskussion auffallende Affekte gemerkt, die eine psychologische Aufklärung erfordern. Sie stammen offenbar daher, daß diese Dinge an unsere geheimsten Komplexe gerührt haben. Das Beginnen Adlers halte er für ein verfehltes und gefährliches. Deshalb haben auch Adlers Anhänger ihre Sache auffallend schlecht geführt; aber auch Freud sei der Vorwurf nicht zu ersparen, daß er seinen Affekt zu lange aufgespart habe. Seit der wertvollen Studie über die Minderwertigkeit der Organe[6] hat sich Adler immer mehr von der Lehre entfernt; und seine urchristenmäßige Abkehr von der Sexualität mute heute, wo wir in einer Art Renaissance wieder an die Sinnesfreude der Antike anzuknüpfen versuchen, geradezu anachronistisch an. Seine Einheit der Neurose hat nichts getan, als die klassische Einteilung, die wir Freud verdanken, wieder zunichte zu machen versucht. Ferner hat er uns, die wir zusammengetreten sind, um die Schicksale der Libido zu erforschen, in solchem Grade wieder der Oberflächenpsychologie anzunähern versucht, daß wir unsere Vereinigung, in deren Programm und Rahmen die Adlerschen Ideen gar nicht passen, würden umtaufen müssen. Wenn von einem Antimodernisteneid hier gesprochen wurde, so sei er auch bereit, einen solchen zu schwören.

ADLER meint in seinem Schlußwort zunächst die allgemeinen Einwendungen Steiners einfach abschütteln zu können, jedoch nicht ohne zu bemerken, daß er an Steiners Stelle nicht den Mut zu solcher Rede gefunden hätte. Was die Einheit der Neurosen betreffe, so habe er seinerzeit behauptet, daß beim Neurastheniker, der nach Freud an einem Abusus erkrankt, dahinter ein Motiv aufgedeckt werden könne; und zwar dient seine Onanie nur einer Sicherungstendenz. Das gleiche gelte für die Angstneurose. Es handelt sich dabei um Menschen, die in jeder Hinsicht sich Sicherungstendenzen zurechtgelegt haben, unter denen die Angst prävaliere. Er habe damit versucht, hinter einer biologischen eine psychologische Auffassung geltend zu machen.

Federn sei zu erwidern, daß natürlich auch der Neurotiker von seinen Trieben getrieben werde; es handle sich nur darum, wie er das

---

[6] A. Adler, *Studie über Minderwertigkeit von Organen*, aaO.

verwende. Dasselbe gilt von der arrangierten Analerotik, wobei er wohl darauf hingewiesen habe, daß es sich um eine empfindliche Stelle handle; aber wozu verwendet der die. – Daß jeder Wunsch männlich sei: Was der Neurotiker wünscht, sind nicht Wünsche in seinem Sinne, sondern er wünscht nur in der Richtung des männlichen Protestes. Und es ist alles das minderwertig, was der Neurotiker eben als minderwertig auffassen will.

In den Freudschen Mechanismen gebe es einen Punkt, den er oft bestätigen konnte: die Verschiebung von unten nach oben. Aber immer habe er gefunden, daß diese Tendenz eine gefühlsmäßige sei und sie sich im Leben des Patienten in gleicher Weise zum Ausdruck bringe wie der männliche Protest.

[Geschäftliches]

In der darauf folgenden Ausschuß-Sitzung legt ADLER seine Stelle als Obmann der Vereinigung wegen Inkompatibilität seiner wissenschaftlichen Stellung und seiner Stellung im Vereine nieder, und STEKEL erklärt sich mit ihm insoferne solidarisch, als er gleichfalls auf seine Stelle als Obmann-Stellvertreter verzichtet.

133

Vortragsabend: am 1. März 1911

Anwesend: Adler, Federn, Freud, Friedjung, Furtmüller, Heller, Hilferding, Hitschmann, Nepallek, Oppenheim, Rank, Reitler, Sadger, Steiner, Stekel, Holzknecht, Grüner G., Klemperer, Sachs, Silberer, Wagner, Winterstein, Rosenstein, Dattner.
Dr. Müller als Gast, Dr. F. S. Krauss [als Gast].

[133.] PROTOKOLL

1. Außerordentliche Generalversammlung

Dr. HITSCHMANN eröffnet die Sitzung mit der Mitteilung, daß Adler aus Inkompatibilitätsgründen seiner wissenschaftlichen Stellung und seiner Stellung im Vereine von seiner Funktion als Obmann des Vereines zurückgetreten sei und daß Stekel sich ihm mit dem Verzicht auf seine Funktion als Obmannstellvertreter angeschlossen habe. Da auch der übrige Ausschuß in statum demissionis getreten sei, habe der Vereinsvorstand eine Generalversammlung einberufen, deren Beschlußfähigkeit der Vorsitzende konstatiert. Da Herr Prof. Freud nicht abgeneigt sei, die Obmannstelle anzunehmen, so schlage er dessen Wahl per Akklamation vor. – Herr Prof. Freud wird per Akklamation zum Obmann der Wiener Psychoanalytischen Vereinigung gewählt und übernimmt sogleich den Vorsitz.

Prof. FREUD dankt für die Wahl und bittet um Vorschläge zur Wahl der übrigen vier Ausschußmitglieder.

Dr. FRIEDJUNG schlägt als Obmannstellvertreter Herrn Dr. Hitschmann, als Bibliothekar Herrn Dr. Sachs, als Kassier und Schriftführer die beiden früheren Funktionäre, Dr. Steiner und Rank, vor.

Bei der Abstimmung dringt dieser Wahlvorschlag mit überwiegender Mehrheit durch.

Dr. FURTMÜLLER möchte Wert darauf legen, daß bezüglich der von Adler behaupteten Inkompatibilität der Verein nun seinerseits erklären solle, daß er dieser Ansicht nicht sei, dem bisherigen Obmann für seine Tätigkeit danke und sein Scheiden bedauere.

STEKEL findet es selbstverständlich, die Verdienste Adlers um die Organisation des Vereins durch einen derartigen Beschluß festzulegen.

GRÜNER, G., möchte auch Stekel in diesen Vorschlag einbeziehen. Heller, Sachs, Federn, Hilferding schließen sich dem Vorschlag Furtmüllers an.

Prof. FREUD ist genau derselben Meinung wie Furtmüller und die, die sich ihm angeschlossen haben, aber er halte die Verneinung der Inkompatibilität in diesem vorgeschrittenen Stadium für eine Kritik, die wir Adler, und für eine Werbung, die wir uns ersparen können.

HELLER stellt den Modifikationsantrag, den beiden Herren für ihre bisherige Tätigkeit zu danken und ihnen mitzuteilen, daß wir auf ihre weitere Mitarbeiterschaft den größten Wert legen.
Der Vorsitzende bringt diesen Vorschlag zur Abstimmung, der einstimmig akzeptiert wird. Die Abstimmung eines eventuellen Zusatzes, worin der Verein die Inkompatibilität nicht anerkenne, ergibt eine Mehrheit zugunsten dieses Zusatzes.[1]
Der Schriftführer wird in diesem Sinne mit der Abfassung der beiden Schreiben betraut.

Prof. FREUD macht schließlich die erfreuliche Mitteilung, daß sich in Amerika die zweite psychoanalytische Ortsgruppe konstituiert habe. Die erste, an deren Spitze Putnam[2] und Jones[3] stehen, umfaßt

---

[1] Es ist erstaunlich, daß trotz des klaren Tatbestandes und entgegen Freuds deutlich kundgegebener Ansicht die Mehrheit der Mitglieder für den Zusatz stimmte.
[2] James J. Putnam, 1846–1918, bedeutender amerikanischer Neurologe, war einer der Gründer der psychoanalytischen Bewegung in den Vereinigten Staaten. (Vgl. *James Jackson Putnam and Psychoanalysis; Letters between Putnam and Sigmund Freud, Ernest Jones, William James, Sandor Ferenczi, and Morton Prince, 1877–1917,* hrsg. von Nathan G. Hale, Jr., Harvard University Press, Cambridge, Mass. 1971.)
[3] Ernest Jones, 1879–1958, Gründer der ›British Psychoanalytic Society‹; von 1932–1949 bekleidete er das Amt des Präsidenten der ›Internationalen Psychoanalytischen Vereinigung‹. 1907 war er als erster ausländischer Gast mit Freud in Wien zusammengetroffen. Seine dreibändige Freud-Biographie (deutsch: *Das Leben und Werk von Sigmund Freud,* Huber, Bern, Bd. 1: 1960, Bde. 2 und 3: 1962) ist eine wichtige Datenquelle.

ganz Amerika und zählt gegen 20 Mitglieder, welche wegen der Größe der Entfernungen nur einmal im Jahre zusammenkommen. Nun hat sich als zweite Gruppe ein Zweigverein in der Stadt New York unter Führung von [A. A.] Brill konstituiert, der auch bereits 16 Mitglieder zählt. Im ganzen hat die »Internationale« nunmehr 5 Ortsgruppen.

Materialien zur Traumlehre

Vortrag[ender:] Prof. Freud

Prof. Freud hat die Absicht, einzelne Abfälle von den Dingen vorzutragen, die sich bei der Neubearbeitung der *Traumdeutung* ergeben haben.[4]

I. Zunächst zwei neue Sexualsymbole, ein männliches und ein weibliches, von denen jedes aber auch umgekehrt verwendet werden kann.

1. Das Symbol der Krawatte als männliches Sexualsymbol des Penis. In einem besonders überzeugenden Beispiel träumt ein junger Mann, daß er eine Krawatte in die Höhe hebt und dahinter eine andere bemerkt. Die Deutung ergibt, daß es sich um die Darstellung seiner infantilen Sexualtheorie handelt. Er hatte zu einer Zeit der Frau einen Penis zugeschrieben, dann aber die Spaltöffnung des weiblichen Genitales entdeckt und diese beiden Theorien so kombiniert, daß er annahm, in der Öffnung befände sich der Penis drin, was ja in gewissem Sinne der Wahrheit entspricht. Der Traum stellt die Kombination seiner beiden Sexualtheorien vor.

Wie kommt nun die Krawatte zu dieser symbolischen Verwertung? Diese Leute, die derart von Krawatten träumen, treiben auch im Leben oft eine Art Fetischismus mit Krawatten, deren sie ganze Sammlungen besitzen. Die Krawatte ist bei ihnen entschieden etwas sexuell Betontes. – Ein Symbol des Penis ist sie wohl, weil sie 1. ein Charakteristikum der männlichen Kleidung ist; 2. weil sie etwas lange Herunterhängendes ist, woher sie auch ihren Namen hat; 3. wirkt dabei als der im Unbewußten stärkste Grund mit, daß sie etwas ist, was man sich aussuchen kann, was man so schön haben kann, als man will, was beim Penis leider nicht der Fall sei.

---

[4] In diesem Jahr erschienen die dritte, vermehrte Auflage der *Traumdeutung* (1900; aaO), eine zweite, vermehrte Auflage von *Über den Traum* (1901; *G. W.*, Bd. 2/3, S. 643) sowie die ›Nachträge zur Traumdeutung‹ (*Zentralblatt*, Bd. 1, 1911, S. 187–92), die nicht vollständig in die *G. S.* aufgenommen, wohl aber dem wesentlichen Inhalt nach den neueren Auflagen der *Traumdeutung* einverleibt wurden (*G. W.*, Bd. 2/3, S. 365 ff. und S. 412 f.; *Studienausgabe*, Bd. 2, S. 354 ff. und S. 397 f.).

2. Ein Symbol, das vorwiegend weiblich gebraucht wird und meist das Weib überhaupt bedeutet, ist das Holz. Besonders interessant sind hier die sprachlichen Beziehungen. In manchen Sprachen, z. B. im Griechischen, ist der Name für Holz der für Stoff überhaupt, für Materie, was zweifellos auf die Mütterlichkeit hinweise. Im Portugiesischen heißt die Insel Madeira so wegen ihres Holzreichtums. Von dieser Bedeutung des Holzes als mütterlicher Substanz führt vielleicht ein Weg in die Mythologie.

II. Wenn jemand träumt, daß er schon einmal irgendwo war, so sind wir gewohnt, das auf das Genitale der Mutter zu deuten. – Nun träumt ein junger Mann, er befinde sich in einer Wohnung, wo er sich sehr gut auskenne, obwohl er erst *zweimal* dort gewesen sei. Nun hatte der Patient auffällig viele Jahre vor Mitteilung dieses Traumes eine Reminiszenz verraten, die ihn sehr wohl dazu berechtigte, davon zu träumen, er sei zweimal dort gewesen, wo andere gewöhnlich nur einmal waren. Im Alter von 6 Jahren lag er einst neben der Mutter im Bette und hat ihr den Finger in die Vagina gesteckt.

III. Eine Kleinigkeit zur Technik der Umkehrung im Traume. Es gibt Träume, die man zweimal umkehren muß, um zu ihrem Verständnis zu gelangen. Einmal etwa eine persönliche Relation und ein andermal den Inhalt. Ein einfaches Beispiel ist folgendes. Ein junger Mann träumt, sein Vater schimpft mit ihm, weil er so spät nach Hause kommt. Die Deutung und der ganze Zusammenhang ergibt, daß er böse ist auf den Vater, weil er so früh nach Hause kommt. Das gehört zu den zentralen Träumen seiner Kindheit. Mit 3 bis 4 Jahren machte er in Abwesenheit seines Vaters eine Aggression auf seine Schwester, und die Gouvernante hatte ihm mit der Heimkehr des Vaters gedroht. Vom 6. bis 8. Jahr entwickelte sich bei ihm eine schwere Zwangsneurose, und seine Träume hatten immer die Beseitigung des Vaters zum Inhalte; der Vater sollte eigentlich seinem Wunsche gemäß nie nach Hause kommen.

IV. Als eine theoretische Bereicherung wäre es anzusehen, wenn die von Swoboda auf das psychische Geschehen übertragene Fließsche Periodizitätslehre sich auch im Sinne Swobodas auf die Träume anwenden ließe.[5] Für die Traumdeutung selbst ist diese Theorie natürlich auf jeden Fall insuffizient. Aber als eine neue Traumquelle käme sie für das Traummaterial eventuell in Betracht. Der Vortragende hat selbst vor zwei Jahren einige derartige Versuche angestellt, die je-

---

[5] Hermann Swoboda, *Die Perioden des menschlichen Organismus in ihrer psychologischen und biologischen Bedeutung*, Deuticke, Leipzig und Wien 1904. Vgl. die Anm. 1 und 3 des 21. Protokolls in Bd. 1 der vorliegenden Veröffentlichung.

doch unbefriedigende Resultate ergaben; es zeigten sich alle möglichen Zeitintervalle. Jetzt habe er diese Untersuchung erneuert und möchte die Resultate vorlegen. Er wolle an drei Träumen einzelne besonders auffällige, singuläre Elemente herausgreifen und auf ihre Periodizität hin prüfen.

Im ersten Beispiel (ausführliche Publikation in der 3. Auflage der *Traumdeutung*) ergibt sich allerdings zwischen dem Auftauchen des auffälligen Elementes im Traume und dem dazugehörigen Erlebnis ein Zeitintervall von 28 Tagen, also eine weibliche Periode. Aber es zeigt sich, daß am Traumtag ein Erlebnis vorgefallen war, welches geeignet erscheint, das ganze 28 Tage zurückliegende Erlebnis wieder rezent zu machen in der Erinnerung.

Ähnlich verhält es sich in einem zweiten Falle, wo auch die Periode (23 Tage, männlich) stimmt, wo aber gleichfalls die Motivierung vom Traumtage an und für sich ausreichend ist.

In einem dritten Beispiel endlich betrug der Zeitintervall 38, eventuell 37 (= 23 + 14, eine männliche und eine halbe weibliche Periode) Tage, der Traum fand aber ebenso in einem rezenten Anlaß des Vortages seine Erklärung wie die beiden auffälligen Elemente in den beiden vorigen Beispielen.

Noch zweifelhafter wird das Ergebnis derartiger Untersuchungen dadurch, daß Swoboda diese Zahlen von den Tagen auf Stunden übertragen hat; immerhin lohnte die Sache einer eingehenden, objektiven Prüfung.

Diskussion

SILBERER erinnert zur Symbolik des Holzes an den Ausdruck lignum vitae und an unsere Redensart:»Er ist aus gutem oder echtem Holz geschnitzt.« Aus dem Holz hat man Feuer gerieben (Kuhn[6]) und diesen Vorgang als Symbol des Koitus aufgefaßt. Redner erwähnt schließlich eine syrische Parallele zu Materie = Mütterlichkeit und verweist auf den Brauch der Maibäume etc.

STEKEL schickt voran, daß jedes Symbol bisexuell sei. Auch müssen die Symbole nicht immer, wie Freud meine, Sexualsymbole sein: er gibt ein Beispiel eines kriminellen Symbols. Holz ist ein ausgespro-

---

[6] (Franz Felix) Adalbert Kuhn, 1812–1881, deutscher Philologe und Volkskundler, war der Verfasser des Werkes *Die Herabkunft des Feuers und des Göttertranks*, Berlin 1859.

chen bisexuelles Symbol. »Zur Holzauktion gehen« heißt in Berlin eine Dirne aufsuchen. Das tertium comparationis ist wohl die leichte Brennbarkeit.

»Ich war schon zweimal dort« könnte auch eine andere Bedeutung haben; es könnte einmal die Geburt als Tatsache, ein andermal die Mutterleibsphantasie darstellen. Was den umgekehrt zu lesenden Traum betreffe, so heiße nicht nur vom Hause weggehen sterben, sondern auch das Nach-Hause-Kommen werde in diesem Sinne gebraucht. Übrigens müsse jeder derartige Traum auch in seiner nicht umgekehrten Form einen Sinn ergeben.

Die Perioden haben für die Deutung des Traumes gar keine Bedeutung und wichtiger seien die Wunscherfüllungen. Er erblicke in der Periodenforschung eine Tendenz, den Traumdeuter von der psychologischen Deutung abzubringen. Der Traum von Savonarola (Beispiel 1)[7] ist ein typischer Onanietraum, wie es überhaupt fast keinen Traum gebe, der nicht einen Hinweis auf die Onanie enthielte, und zwar meist in den Namen (Sav-*ona*-rola).

Dr. F. S. KRAUSS verweist auf einen Roman, den er gemeinsam mit Kulke unter dem Titel: *Um holder Frauen Gunst*[8] veröffentlicht habe und der eine Anzahl echter Träume mit versuchter Deutung (nach Artemidorus[9]) enthalte. Zu den Fließschen Zahlentheorien verweist er auf eine interessante Abhandlung von Lenhossek[10] über die Mystik der Zahlen. – Was die Identifizierung von Holz und Weib betreffe, so hänge der Baumseelenglaube innig damit zusammen. In den Baum einkehren heißt sterben, heißt zur Mutter zurückkehren. Baum und Holz sind dasselbe. Man sagt auch, der Penis steht wie ein Holz.

STEINER verweist auf die sexualsymbolische Verwertung der Kra-

---

[7] Es handelt sich um das Traumbruchstück, welches Freud im V. Kapitel der *Traumdeutung* als einen derjenigen Träume zitiert, an denen er die Anwendbarkeit der »Periodenlehre« auf das Traummaterial prüfen wollte. (*G. W.*, Bd. 2/3, S. 172, Anm. 1; *Studienausgabe*, Bd. 2, S. 180 f., Anm. 2.)
[8] Eduard Kulke und Fr. S. Krauss, *Um holder Frauen Gunst.* Ein Künstlerroman aus dem Rinascimento, Deutsche Verlags-A. G., Leipzig 1905. – Der Roman wurde im *Zentralblatt*, Bd. 1, 1911, S. 512, unter dem Signum A. B. besprochen.
[9] Artemidorus von Daldis, *Oneirocritica.* Deutsche Übersetzung von Fr. S. Krauss, *Symbolik der Träume*, Wien 1881; von Hans Licht, ›Erotische Träume und ihre Symbolik‹, *Anthropophyteia*, Bd. 9, 1912, S. 316.
[10] Es scheint hier eine Namensverwechslung vorzuliegen. Krauss meint wohl das Buch des Mathematikers Franz P. Liharzik, 1813–1866, *Das Quadrat, die Grundlage aller Proportionalität in der Natur, und das Quadrat aus der Zahl Sieben, die Uridee des menschlichen Körperbaus*, Herzfeld und Bauer, Wien 1865. Lenhossek hingegen ist ein damals geläufiger Familienname, den drei berühmte ungarische Anatomen führten.

watte in der Form des *Selbst*binders, ferner auf das hölzerne Pferd vor Troja, in dem die Helden sich aufhalten. Endlich im 2. Beispiel auf die Beziehung von Archimedes zur Alchimie und Chemie.[11]

ROSENSTEIN erwähnt, daß Swoboda die Freudsche Deutung des Traumes anerkenne; er glaube nur, daß das Material durch die Perioden erklärt werden könne. Redner hat selbst zahlreiche Beweise dafür gefunden. Es ist allerdings behauptet und eingewendet worden, daß diejenigen, die von der Periodenlehre Kenntnis haben und nach Bestätigungen derselben suchen, im Unbewußten mitrechnen.

GRÜNER, G., meint, der zweimalige Aufenthalt im Genitale der Mutter könne auch so aufgefaßt werden, daß das eine Mal bedeute, wie er hineingekommen ist, das andere, wie er herausgekommen sei. – Prinzipiell kann natürlich jedes Element sowohl im weiblichen wie im männlichen Sinne gebraucht werden. Überhaupt ist in jedem Traum alles zu finden, was überhaupt im Menschen vorkommt, und man könne auch in jedem Traum die Geburtsphantasie aufdecken.

Auf dieser Phantasie, schon irgendwo einmal gewesen zu sein, basieren ganze philosophische Systeme des Inhalts, daß man schon alles erlebt habe etc.

FEDERN findet in der Krawatte auch eine Anspielung auf die herabhängenden Hoden, auf die viele Neurotiker großen Wert legen. Die Weste habe er als weibliches Sexualsymbol angetroffen, wohl wegen des Knöpfelns. Zum Holz: Neben der Storchfabel gibt es bei den Völkern eine zweite Fabel, daß die Kinder auf den Bäumen wachsen.

Das Wort Umkehrung habe Freud vielleicht nicht ganz korrekt bei der zweiten Art von Traumentstellung angewendet. Die erste sei direkt eine Umkehrung, die zweite müsse man als Ersetzung durchs Gegenteil bezeichnen.

Bei der Periodizität wäre es möglich, daß vielleicht der traumbildende Gedanke periodisch auftritt und daß vielleicht die Neurotiker häufiger periodische Träume bringen. Es wäre auch hier heranzuziehen, daß die Frauen zur Zeit der Periode typische Träume produzieren.

REITLER kann die Genitalsymbolik der Krawatte bestätigen. Wenn auch die Patienten zur Symbolik keine Einfälle bringen, so sagen sie doch, wenn man sie auffordert, statt des einen Symbols ein anderes, und diese Ersetzungen werden meist immer deutlicher.

---

[11] Ein weiterer von Freud im V. Kapitel der *Traumdeutung* erwähnter Traum (*G. W.*, Bd. 2/3, S. 173, Anm.; *Studienausgabe*, Bd. 2, S. 181 f.).

Beispiel eines Mannes, der vom Koitus träumt, ohne dabei eine Pollution zu haben. Es ist dies wohl möglich, da es sich ja in den eigentlichen Pollutionsträumen immer nur um die Vorakte (Ejaculatio praecox) und nicht um den eigentlichen Koitus handelt. In diesem Falle ohne Pollution wird der Koitus symbolisch für etwas anderes stehen.

Dr. MÜLLER (Basel) ergänzt zur Symbolik des Holzes, daß in der Schweiz Holz den weiblichen Busen bedeutet und daß die verschiedenen Formen desselben als Tannenes, Buchenes, Eichenes bezeichnet werden.

Dr. SACHS weist auf einen ihm bekannten Fall von Krawattenfetischismus hin bei einem Manne, der eine sehr kleine Gestalt habe und darüber sehr gekränkt sei, wenn man darauf anspiele. Er verweist darauf, daß am Anfang des 18. Jahrhunderts die Krawatte als Symbol der männlichen Tatkraft galt.

DATTNER verweist zur Holzsymbolik auf die Ausdrücke Stammbaum, Abstammung, sowie auf das Sprichwort: »Der Apfel fällt nicht weit vom Stamm.« – Um die ausbleibenden Einfälle zur Sexualsymbolik zu ersetzen, bediene er sich des Hilfsmittels, sich die betreffenden Symbole genau beschreiben zu lassen, wobei sich dann die besonderen Eigenschaften deutlich hervorgehoben finden.

RANK verweist auf das der Krawatte entsprechende, gleichfalls männliche Symbol der Krawattennadel (Beispiel soll im *Zentralblatt* erscheinen).[12] Die Patienten verstehen ihre Symbolik nur im Traume nicht, während sie dieselbe sonst meist sehr wohl kennen, bis auf einige sehr tief und weit verzweigte Bedeutungen. Sonst genügt aber eine leise Andeutung oft, um sie die Symbolik leicht durchschauen zu lassen. Zu dem Glauben an die Baumseele stimmt die Volksvorstellung, daß die Kinder in Sachsen an den Bäumen wachsen, sowie die Bestattungsart bei den alten Germanen, die ihre Toten in hohle Bäume legten, die sie auch als Boote benützten. Im Boot kommt aber im Mythus von der Geburt des Helden das Kind angeschwommen, auf die Welt.
In der Periodenfrage sollte man wohl auch die Träume der Frauen zur Zeit der Periode heranziehen. Ein Versuch, den Redner gelegentlich machte, ergab jedoch kein einheitliches Resultat.

---

[12] Otto Rank, ›Das Verlieren als Symptomhandlung‹, *Zentralblatt*, Bd. 1, 1911, S. 450–60. Das Beispiel mit der Krawattennadel wird im ›Nachtrag‹, S. 459–60, erwähnt.

FRIEDJUNG erzählt zur Periodizität der Träume, daß ein Kollege aus drei aufeinanderfolgenden gleichen Träumen die Gravidität seiner Frau, die von ihrem Zustand noch nichts wußte, erraten konnte.

HITSCHMANN macht beim Symbol der Krawatte auf die Verschiebung von unten nach oben aufmerksam. Es sei ihm bekannt, daß das Bindenlassen der Krawatte bei manchem eine erotische Empfindung hervorrufe, weswegen sich viele Männer ihre Krawatten von Frauenhand binden lassen. Auffällig sei auch, daß Homosexuelle in der Regel keine langen Krawatten, sondern (weibliche) Maschen[13] tragen.

WAGNER möchte Herrn Grüner einwenden, daß es noch zu prüfen wäre, ob jeder Traum ein Universalgebilde des Unbewußten sein müßte. Ein Traum muß sich immer nur mit Rücksicht auf ein singuläres Erlebnis deuten lassen.

Prof. FREUD wendet sich in seinem Schlußwort zunächst gegen die unberechtigte Verallgemeinerung Stekels, daß jedes Symbol bisexuell sei. – Wenn das zweimalige Dortsein bloß auf den Wunsch zurückginge, dann müßte man es öfter in Träumen finden. – Daß auch die Traumfassade einen Sinn haben müsse (Stekel), könne man nicht verlangen und das widerspreche völlig unseren Grundanschauungen über den Traum. – Dagegen möchte er der Deutung des Traumes von Savonarola als Onanietraum nicht widersprechen. Wenn Stekel behaupte, es finde sich in fast jedem Traum ein Hinweis auf die Onanie, so deckt sich [das] mit der Auffassung von Rank, daß die meisten unserer Träume eigentlich verhüllte Pollutionsträume seien.

Herrn Grüner könne man nicht gut widersprechen; man habe jedoch das Empfinden, daß diese Art von Verallgemeinerung überflüssig sei.

Bei der Periodizität wäre wirklich zu erwägen, ob nicht vielmehr zu bestimmten Zeiten Gedanken mit bestimmtem Sinn wiederkehren.

Die von Reitler und Dattner angegebenen Wege, um der Schwierigkeit bei der Deutung der Symbolik Herr zu werden, seien recht gute.

---

[13] Österreichisch für »Schleife«, »Fliege«.

134

Vortragsabend: am 8. März 1911

Anwesend: Adler, Federn, Freud, Friedjung, Furtmüller, Hilferding, Hitschmann, Jekels, Nepallek, Oppenheim, Rank, Reitler, Sadger, Steiner, Stekel, Tausk, Grüner G. und F., Sachs, Wagner, Rosenstein, Dattner.

[134.] PROTOKOLL

[Geschäftliches]

Der Vorsitzende, Prof. FREUD, macht den Vorschlag, die Sitzungen pünktlich um 9 Uhr zu beginnen, was einstimmig angenommen wird. Auch soll dem Vorsitzenden in gewissen Fällen das Recht zustehen, die Redezeit der einzelnen Diskussionsredner zu beschränken. SADGER möchte auf jeden Fall dem Referenten das Recht des Schlußwortes am Vortragsabend gewahrt wissen.

Schließlich werden die neueingetretenen Mitglieder gebeten, sich mit einem Vortrag vorzustellen.

Für den 22. diesen Monats schlägt der Vorsitzende einen Referierabend vor und späterhin (in ca. 6 Wochen) eine Diskussion über Stekels Buch: *Die Sprache des Traumes*.[1]

TAUSK teilt mit, daß er am 2. März im Verein der Wiener Mediziner einen Vortrag über Psychoanalyse und Sexualkultur gehalten habe.

---

[1] S. Anm. 4 des 117. Protokolls, oben, S. 43.

Psychoanalytische Probleme in Dostojewskis Raskolnikow[2]

Vortrag[ender:] Bernhard Dattner

Der Vortragende betrachtet, unter psychoanalytischer Verwertung des Traumes, den Raskolnikow vor dem Morde hat und der die Entscheidung zur Tat bewirkt, den von dem Helden vollführten Mord aus drei Gesichtspunkten. 1) aus welchen Motiven Raskolnikow die Tat begehen wollte, 2) aus welchen Motiven er selbst sie begangen zu haben glaubt und 3) aus welchen Motiven er sie wirklich begangen hat. – Er will die Tat begehen aus sozialem Mitleid mit den Entrechteten, und der Traum schafft ihm die Illusion, als wäre seine Tat eine soziale, nützliche (das unnütze alte Pferd, das den Wagen mit den Leuten nicht ziehen kann, ein Symbol der alten geizigen Pfandleiherin). Wahrscheinlich liegt seiner Tat auch ein Motiv der Rache für seine Schwester zugrunde, die ein Opfer des Kapitalismus geworden war; denn vorher hatte er einen Brief seiner Mutter bekommen, die ihm das Schicksal der Schwester mitteilt. Nachdem der Vortragende noch eine Reihe Details aus dem Traume nach ihren verschiedenen Determinationen aufgezeigt hat, geht er zur Besprechung des zweiten Gesichtspunktes über. Raskolnikow hat die Tat begangen aus übergroßer Herrschsucht. Er sagt: Ich wollte Napoleon werden, deshalb habe ich getötet. Überall zeigt sich, wie der Stolz die Triebfeder seiner Handlungen ist. Um aber die wirklichen Motive seines Tuns aufzuzeigen, geht der Vortragende näher auf die sexuellen Verhältnisse des Helden ein, die im Roman wenig hervortreten. Mit Sonja, der Prostituierten, die ihre Eltern erhalten muß, führt ihn die Idee, der Gleichklang der Schicksale zusammen, nicht die Liebe. Den Grund für des Helden sexuelle Anästhesie könne man aus den Symptomen in einem starken Mutter- oder Schwesterkomplex sehen. Aus der Verdrängung dieser Liebe entspringen die kriminellen Tendenzen. Bestärken müsse darin die Sicherungstendenz, das Mitleid, das Raskolnikow mit allem Weiblichen habe. Daß der Mord für ihn eine libidinöse Befriedigung darstellt, wird in einem Gespräch mit Sonja angedeutet. Auch stellt sich als Reaktion darauf Ekel ein, der zugleich den Riegel für weitere Verbrechen vorschiebt. Daß natürlich sadistische, wie übrigens auch masochistische Züge sein Seelenleben beherrschen, zeigt sich in vielen Zügen. Wie seine Libido eigentlich auf falschen Bahnen war, das deutet der Dichter scharfsinnig an, wenn er am Schlusse den Helden in der sibirischen

---

[2] Der Roman *Schuld und Sühne* (1866). – Im Präsenzbüchlein steht anstelle von »Psychoanalytische Probleme« »Psychologische Probleme«.

Gefangenschaft nach dem Tode der Mutter der Sonja eine Liebeserklärung machen läßt.

Zusammenfassend meint der Vortragende sagen zu können: Die gemeinsame Quelle aller Handlungen Raskolnikows ist seine unbefriedigte Libido, die wahrscheinlich in Mutter- und Schwesterkomplex verankert war. Die Wiedergeburt vollzieht sich auch erst, nachdem die Mutter gestorben ist.

Am Schluß streift der Vortragende noch einige psychoanalytisch interessante Probleme des Romans. Hingestellt läßt er es vorläufig, welches klinische Bild die Krankheit Raskolnikows bietet und inwieweit der epileptische Dichter selbst dahintersteckt.

Diskussion

GRÜNER, G., findet, daß die nach dem Muster von Freuds Hamlet[3] analysierte Geschichte zu sehr als Krankengeschichte dargestellt sei. Wahrscheinlich könnte man die Personen noch weiter zusammenschieben. Überflüssig erschiene es, immer erst besonders die libidinöse Betonung hervorzuheben, wenn der Held irgend etwas mit Affekt tut. Schließlich sei darauf hingewiesen, wie häufig sich der Vortragende auf Adlers Theorien berufen habe.

FURTMÜLLER findet in dem Mordplan Raskolnikows ein schönes Beispiel dafür, wie ein ernster Vorsatz von dem Betreffenden selbst als Phantasie gewertet wird. Psychoanalytisch interessant sei auch die Gestalt des Untersuchungsrichters, insbesondere die Art, wie er den Helden zum Geständnis bringt. — Prinzipiell sei es nicht richtig, Mutter und Schwester gleich zu werten. Es habe vielmehr den Anschein, als begehe er den Mord an der Mutter, um die Schwester vor ihr zu schützen. Diese Annahme des Hasses gegen die Mutter und einer Liebe zur Schwester werde durch einzelne Details wahrscheinlich gemacht. Es treten drei weibliche Personen auf, deren Schicksal eine gewisse Ähnlichkeit miteinander zeigt: die Schwester, Sonja und Lisawetta, die junge, mißhandelte Schwester der alten Pfandleiherin, die Raskolnikow genauso von ihrer hartherzigen Schwester befreit, wie er seine Schwester von ihrer Mutter befreien will. Auch Raskolnikow kommt im Traume doppelt vor. Einerseits ist er der mitleidige Knabe, anderseits der rohe Bursche, der das Pferd erschlägt. Das gibt der

---

[3] S. *Die Traumdeutung* (1900; aaO); *G. W.*, Bd. 2/3, S. 271 f.; *Studienausgabe*, Bd. 2, S. 268–70.

Doppelstellung Ausdruck, [in] der er sich der Mutter gegenüber befindet.

GRÜNER, F., meint, man könne statt Raskolnikow ohne weiters Dostojewski sagen; auch die Traumdeutung könne man noch weitergehend anwenden. Er will durch den Mord die Rätsel des Lebens erfahren (wie Hamlet, der durch die Mitteilung des Vaters wissend wird); das deutet darauf hin, daß er ihm den Koitus symbolisiert. Faßt man den Mord als Zeugung auf, so versteht man auch die Wiedergeburt am Schluß als Geburt. Auch im Traum kommt das Kind hervor, wie das Pferd zusammenfällt.

HITSCHMANN findet den Hang der nichtärztlichen Mitglieder zur Analyse von Dichterwerken sehr auffällig, zumal da diese Analysen ohne jede Psychoanalyse der Dichter unternommen werden. Alles in einem solchen Falle Gesagte könne nur relativ sein. Es sei unwahrscheinlich zu glauben, daß in einem so komplizierten, mit einem ungeheuren Bewußtseinsanteil geschaffenen tendenziösen[4] Werke nur ein Komplex vorhanden sei. Auch dürfe man einen solchen Traum in einer Dichtung nicht zu hoch und nicht ganz im Sinne unserer echten, vom Bewußtsein unbeeinflußten Träume werten. Es sei nicht genügend unterschieden zwischen dem infantilen Komplex, aus dem ein Mordcharakter entsteht, und einer späteren Darstellung eines Romans. Es sei gar nicht nötig, von vornherein anzunehmen, daß sein Mordimpuls ursprünglich auf ein analoges Objekt gerichtet war. Wahrscheinlich hat auch hier der Ödipuskomplex eine größere Rolle gespielt, so daß wir ursprünglich einen Vatermordkomplex annehmen dürfen, aus dem erst sekundär der Mutterhaßkomplex (Vettel-Haß des Sadisten[5]) entstanden ist. Diese ursprüngliche Konstellation brauchen wir im späteren, bewußtseinsbeeinflußten und überarbeiteten Werke nicht zu finden. Daraus erklärt sich auch der Geltungstrieb und der männliche Protest; das ist ein solcher Charakter: ein Napoleon, ein Verbrecher, ein Sadist, ein Anarchist.

SACHS hebt hervor, daß das Problem des Mordes in allen Werken Dostojewskis wiederkehrt und daß *Die Brüder Karamasow*, sein reifstes Werk, zeige, daß damit eigentlich der Vatermord gemeint sei. Selbstverständlich liegen sadistische Regungen zugrunde; das Bedürfnis nach Mord sei die Äußerung einer gehemmten Libido, die übertriebene Äußerung eines Impotenten. Auffällig sei, daß Raskolnikow

---

[4] Das Wort »tendenziösen« ist in fremder Handschrift nachgetragen.
[5] Der Zusatz in Klammern ist mit Bleistift eingefügt.

durch seinen Mord niemand schwerer verletze als seine Mutter; aber dieser Haß entspringt einer verdrängten Neigung. Vielleicht leitet sich dieser Haß daher, daß er als Ehrgeizling Bettnässer war (also auch Masturbant) und deshalb streng bestraft wurde. – Ohne damit gegen die Möglichkeit der Deutung etwas sagen zu wollen, hebt Redner doch hervor, daß der Traum keineswegs einen echten Eindruck mache und auch vom Dichter nicht als wirkliche Traumschilderung beabsichtigt gewesen sei. – Das kleine schwache Pferd, das an Stelle der großen schweren Pferde im Traum vorgespannt sei, scheine ein Symbol seines kleinen Penis [zu sein], den er mit dem großen des Vaters vergleiche.

FEDERN wendet sich zunächst gegen derartige allgemeine Erklärungen, wie sie Sachs (Bettnässen etc.) gegeben habe, die den Raskolnikow nicht erklären. Auch der Koitus als Ersatz des Mordes ist keine zureichende Erklärung. Es sei ein großer Unterschied, ob die generelle Unruhe eines Menschen sich in einer Tat konzentriere oder ob sich eine sexuelle Mordidee aus der Kindheit fortsetze. Diese Erklärung dürfen wir nur dort anwenden, wo einer beim Koitus jemals Mordgedanken hatte. Im Gegensatz zu Dr. Sachs, der diesen Traum als einen gemachten ansieht, habe er aus der Analogie mit typischen Träumen eines Sadisten den Eindruck eines echten Traumes gehabt. Natürlich könne niemand einen solchen Traum haben, der nicht in noch tieferen Schichten einer Grausamkeitslust fähig ist. Er könne die Symbolisierung des Pferdes als das alte Weib im Traume nicht finden, sondern möchte aus ähnlichen Erfahrungen schließen, daß der Traum soviel besagen soll als: in einer Zeit, wo man ein Pferd so schindet, in der ist alles erlaubt. – Der Mensch, der seinen Sadismus so stark mit Mitleiden unterdrückt wie Raskolnikow, ist kein echter Verbrecher. Der echte Verbrecher weiß ihn zur Unterstützung seines Egoismus zu verwenden.

TAUSK erinnert daran, daß Freud gezeigt habe, wie der Weg zur Dirne der Weg von der Mutter weg, ein Emanzipationsversuch, sei, der dem Helden des Romans aber nicht gelinge. Er benehme sich noch ganz wie ein an Mutter und Schwester fixierter Impotenter, und zweifellos sei der Mord, durch den er etwas erfahren wolle, für ihn ein Koitusäquivalent. Warum erfährt er nun durch den Mord das Geheimnis der Sexualität nicht? Der Sadismus würde nur der normalen aggressiven Peniszone entsprechen; er scheint aber zu stark von der Analzone getrieben zu werden, die für sein Bewußtsein gar nicht zugänglich ist. Redner kennt ähnliches aus einem Falle, wo der Patient auch die Tendenz hatte, die Schwester gegen die Mutter in Schutz zu nehmen.

FRIEDJUNG berichtet von einem sechsjährigen Knaben, der exquisit sadistisch-masochistische Züge zeigt, die an Raskolnikows Verhalten erinnern. Auffällig ist, daß es sich meist um Pferdemißhandlungen handelt, wobei die Reaktion auf den Sadismus sich als auffällige Mitleidsäußerung zeigen kann. Es sei charakteristisch, daß sich Leute mit besonderer Hingebung den Tierschutzbestrebungen widmen, die für soziales Elend kein Verständnis haben.

DATTNER hebt in seinem Schlußwort hervor, daß er sich der Schwächen seiner Arbeit als eines Anfängerversuches sehr wohl bewußt gewesen sei, daß er aber doch glaube, der Roman sei kein noli me tangere (Hitschmann). Das Mitleid habe auch er im Sinne Federns als Sicherungstendenz gegen starke sadistische Impulse aufgefaßt.

135

Vortragsabend: am 15. März 1911

Anwesend: Adler, Federn, Freud, Furtmüller, Friedjung, Hilferding, Hitschmann, Jekels, Oppenheim, Rank, Reitler, Sadger, Steiner, Stekel, Tausk, Grüner F., Klemperer, Sachs, Wagner, Winterstein, Rosenstein, Drosnés.
[Dr. F. S. Krauss als Gast.]

[135.] PROTOKOLL

Geschäftliches

Dr. STEKEL stellt den Antrag, den nächsten Kongreß nicht wie beabsichtigt in Lugano, sondern in Wien abzuhalten, und Dr. FURTMÜLLER schließt sich diesem Antrag an.

Prof. FREUD erwidert, er werde den Antrag dem Zentralpräsidenten, der den Kongreß zu bestimmen habe, zur Kenntnis bringen, glaube aber, daß sich heuer nichts mehr werde ändern lassen. Der Monat sei durch die amerikanischen Teilnehmer bestimmt und der Kongreß sei vorläufig auf den 24./25. September festgesetzt.[1]

Das Mieder in Sitte und Brauch der Völker
Vortrag[ender:] Dr. Friedr. S. Krauss

Der Vortragende geht von der Tatsache aus, daß es Männer gebe, welche den Geschlechtsverkehr nur ausüben können, wenn die Frau fest geschnürt sei, und bespricht auch die Tatsache des Korsettfetischis-

---

[1] Er wurde schließlich am 21./22. September 1911 in Weimar abgehalten.

mus. Er hebt dann hervor, daß die Taille kein weibliches Attribut sei, und erweist an einem großen Material, daß bei allen Völkern der Erde die Fettleibigkeit hoch in Ehren steht und von dem weiblichen Liebesobjekt gefordert wird. Ebensosehr sei aber auch die Schlankheit des Frauenleibes oder die Taille ein zweites weibliches Schönheitsideal. Diese Tatsachen werden an einem großen folkloristischen Material gezeigt. – Im 16. Jahrhundert tritt uns das Mieder, das bis dahin dem Manne als Rüstzeug gedient hatte, als weibliches Korsett entgegen. – Der Vortragende schließt seine Ausführungen mit dem Hinweis, daß das Mieder nicht der Frau, sondern dem Manne unentbehrlich sei, indem es ihm die Geschlechtscharaktere in sinnlicher Weise darbiete. Da ein nach dem Körperbau gefertigtes Mieder auch die von den Miedergegnern hervorgehobenen Nachteile und schädliche Folgen nicht aufweise, so müsse man für das Mieder als Schönheitsmittel der Frau und damit als Kulturfaktor eintreten.

Diskussion

TAUSK möchte das große und vielseitige Material einstweilen zum Weiterdenken annehmen, da es zunächst psychoanalytische Gesichtspunkte nicht darzubieten scheine.

FRIEDJUNG möchte doch versuchen, eine psychoanalytische Beziehung aufzuzeigen, indem er meint, daß die Motive der Miedergegner nicht, wie der Vortragende annahm, notwendigerweise unbewußte Voyeurgelüste sein müßten, sondern daß man das Mieder aus einfachen hygienischen Bedenken ablehnen könne.

FEDERN möchte im Hinblick auf den Kontrast des dicken und des schlanken Frauenideales im Mieder eine Kompromißbildung zwischen exhibitionistischen und asketischen Strebungen sehen: zwischen dem Zeigen der vollen Frauengestalt und dem asketischen Glattmachen derselben. Immerhin habe es doch der Befreiung des Sexualtriebes mehr gedient als dem asketischen Ideal. Im Interesse der Kultur müsse man aber für die Miederabschaffung eintreten.

Was den Miederfetischismus betreffe, so habe er einen solchen Fall eines impotenten Mannes behandelt, bei dem es sich um Fixierung von kindlichen Toiletteeindrücken mit Inzestwünschen auf die ältere Schwester handelte. Vom sadistisch-masochistischen Komplex, der gewöhnlich dem Miederfetischismus zugrunde liege, war in diesem Falle nichts zu sehen.

KLEMPERER meint, das Mieder sei nicht entstanden zur Einschränkung der dicken Gestalt, sondern eher zum Verdecken irgendeiner Minderwertigkeit. Heute, wo das Mieder Selbstzweck geworden ist, sträuben sich die Instinkte gegen die Anerkennung dieser Tatsache, und man bemüht sich, das Mieder abzuschaffen. Eine andere Frage ist, wieso zwei verschiedene Idealtypen von Frauen beim Manne eine so große Rolle spielen.

SACHS möchte im Mieder nicht nur eine Tendenz der Sexualablehnung sehen (Federn), da schon das Altertum das Mieder in unzähligen Gestalten gekannt hat. Im Dienste der Sexualablehnung im Mittelalter verfolgte das Mieder bisexuelle Tendenzen, indem es die männliche und die weibliche Gestalt einander annäherte.

HITSCHMANN hebt hervor, daß Schulze-Naumburg die schädlichen Folgen des Mieders für Individuum und Rasse hervorgehoben habe.[2] Doch sind in der Miederbewegung noch andere Einflüsse im Spiele; so spielt eine Neigung zum Sport eine große Rolle, und daß eine gewisse männliche Form des weiblichen Körpers angestrebt wird, zeigen eine Reihe anderer Erscheinungen. – Es scheine, als ob hinter der Nacktkultur der Naturheilkunde der Angstneurotiker stecke. – Daß beim Fetischismus das Schnüren an und für sich eine große Rolle spiele, sieht man am Schuhfetischismus, wo auch das Schnüren hoher Schuhe bedeutsam ist.

DATTNER erwähnt, daß Fuchs in seiner *Illustrierten Sittengeschichte* die Funktion des Mieders darin sieht, daß die sekundären Geschlechtsmerkmale deutlich hervorgehoben werden.[3] Aus der Hartnäckigkeit, mit der die Frau daran festhält, ist der Rückschluß auf ihre Psyche erlaubt, daß sie als Sexualobjekt aufgefaßt zu werden wünscht.

FRIEDJUNG möchte die Ausführungen Klemperers ergänzen, indem er eine Abhandlung anführt, welche den Nachweis zu erbringen sucht, daß der männliche Körper schöner sei als der weibliche, weil er der Teilung nach dem Goldenen Schnitte näher stehe. Um diesen Schönheitsfehler (die kurzen Beine) zu beseitigen, habe die Frau eine zweite, viel höher liegende Teilung angebracht. Derselbe Autor

---

[2] Paul Schultze-Naumburg, 1869–1949, *Die Kultur des weiblichen Körpers als Grundlage der Frauenkleidung*, Diederichs, Leipzig 1902, und Diederichs, Jena 1905.
[3] Eduard Fuchs, 1870–1940, *Illustrierte Sittengeschichte vom Mittelalter bis zur Gegenwart*, A. Lange, München, 19[08]–12.

(Stratz?[4]) habe auch nachzuweisen versucht, daß die antiken Statuen falsch seien und daß z. B. die Venus von Milo männlich gebaut sei.

FEDERN weist darauf hin, daß das zeige, wie das Weib, das sich für den Mann schmückt, schon die Schönheitsnormen des Mannes annehme. Der Mann wieder habe homosexuelle Gesichtspunkte genug, um einen Ephebentypus zu bevorzugen. Daß Männer, die auch direkt Homosexuelle sind, Mieder tragen, ist, wie Dattner hervorhob, richtig. Es tragen aber auch Männer Mieder, um den Brustkorb zu heben (Offiziere), also um eine spezifisch männliche Eigenschaft hervorzukehren.

Der zweifache Typus des Frauenideals, der dicken und der schlanken, könnte auf Mutter und Schwester zurückgehen.

OPPENHEIM möchte darauf hinweisen, daß hier ein Problem vorliege, welches heute noch nicht genügend psychologisch fundiert sei. Es wäre eine Geschichte des erotischen Ideals festzustellen, deren Hauptquelle die bildende Kunst wäre. Konrad Lange[5] hat am Studium der griechischen Kunst den Anfang gemacht und gezeigt, daß der männliche Körper zwei Typen aufweise, die ein historisches Nacheinander bilden: 1. den athletischen Typus, der deutlich die Züge aufweise, wie sie durch das Mieder hervorgerufen werden sollen: breite Brust, schmale Taille und das gewaltige Gesäß. Der 2. Typus sei das Ideal der von der griechischen Knabenliebe beherrschten Künstler; bewußte Annäherung des männlichen Körpers an den weiblichen; vollständige Durchdringung der erotischen Ideale des Männlichen und des Weiblichen. Dem entspricht auch die Entwicklung, wie sie der Frauenkörper genommen habe. Während die älteren Bildnisse breite, schwere massige Formen der Frau zeigen, mit exzessiver Betonung der Geschlechtsteile und breiten Hüften (spezifisch mütterliche Gottheiten), zeigen die jüngeren Bildnisse Frauenkörper, die stark vom männlichen Ideal beeinflußt sind. Es handelt sich dabei aber keineswegs um den Goldenen Schnitt oder irgendwelche abstrakte Schönheitsideale bei der Konstruktion des menschlichen Körpers. Die Vermännlichung an den Frauenstatuen erstreckt sich nicht nur auf die

---

[4] Carl Heinrich Stratz, 1858–1924, Anthropologe, *Die Schönheit des weiblichen Körpers*, F. Enke, Stuttgart 1899.
[5] Konrad von Lange, 1855–1921, deutscher Kunsthistoriker. Die beiden genannten Typen beschrieb jedoch Julius Henrik Lange, 1835–1896, der dänische Kunsthistoriker, Verfasser der *Darstellung des Menschen in der älteren griechischen Kunst*, Heitz, Straßburg 1899, und von *Die menschliche Gestalt in der Geschichte der Kunst von der zweiten Blütezeit der griechischen Kunst bis zum XIX. Jahrhundert*, Heitz, Straßburg 1903, beide aus dem Dänischen übersetzt von Mathilde Mann.

Höhe der Beine, sondern auch auf die Kleinheit der Brust, die unter der hohlen Hand Platz haben mußte. Der Höhepunkt dieser gegenseitigen Durchdringung der Geschlechtsideale ist der Hermaphroditismus in der bildenden Kunst, der einerseits auf der Darstellung der Venus, anderseits auf der des Dionysos beruht.

Prof. FREUD vermißt an dem Vortrag, so reichhaltig und interessant er auch gewesen sei, daß zum Problem der Entstehung des Mieders die historischen Belege nicht beigebracht wurden. Es sind wahrscheinlich viele verschiedene Absichten zusammengetreten, um das zu schaffen, was sich später wieder in den Dienst verschiedener Absichten gestellt hat. Es liegt hier ein Thema vor, das verdient, einmal versucht zu werden: etwas über die Psychoanalyse der Kleidung und Mode zu arbeiten. Wenn die Kleidung zur Verhüllung von körperlichen Minderwertigkeiten dienen soll, so ist das wieder nur ein Beweis für das Unvermögen des Menschen, auf die Schönheit zu verzichten, sei es [die,] die man besessen hat, sei es [die,] auf die man nicht verzichten möchte. Am Phänomen der Mode sei das Auffallendste, daß sich nicht jede Frau das aussuche, was ihr am besten passe, sondern daß sie sich einem allgemeinen Gebot füge, selbst wo ihre Gestalt dabei zu kurz kommt. Zum Verständnis dieser Erscheinung muß man den Begriff des Ideals heranziehen, und es ist dann so, als ob eine Frau, die die Mode annimmt, sagen würde: Auch ich gehöre zu dem Ideal, an mir ist alles zu finden, was man heute von der Frau erwartet. Sie sagt gleichsam: Ich nehme es ruhig mit allen andern auf.

Unser heutiges Ideal der schlanken Frau mit maskulinen Formen geht von der anglo-amerikanischen Rasse aus. Bei dieser sind es aber nicht etwa die Vorrechte der Frau oder ihre sportliche Betätigung, die zur Vermännlichung führen, sondern die Frauen haben umgekehrt aus der Not eine Tugend gemacht. Bei dieser in der Zivilisation führenden Rasse macht sich ein beständiges Zurückgehen der körperlichen Eigentümlichkeiten der Frau bemerkbar unter der Einwirkung klimatischer und kultureller Bedingungen. Die ganze amerikanische Sexualverdrängung ist vielleicht sekundär und ein Zeichen der Rückbildung des Weibes. Aus dieser Not machen die Amerikanerinnen eine Tugend und erklären das als Schönheitsideal, was nun zu uns herüberkommt, wo es auf die Verhältnisse durchaus nicht paßt.

Es mengt sich ein ästhetisches Ideal ein, um das Ideal der Schönheit der Frau zu bestimmen: dieses ästhetische Ideal dient in manchen Stücken der Sexualverdrängung, d. h. es führt vom sexuellen Ideal ab. Daraus ließe sich vielleicht auch das Schwanken zwischen den beiden

Idealtypen der Frau erklären. Völker, welche das ursprüngliche Ideal rein erhalten haben, schwärmen für das Ideal der Mütterlichkeit: in andern Zeiten herrscht wieder das ästhetische Ideal, das manche Züge des sexuellen verleugnet. Zu ermitteln, welche Quelle dieses ästhetische Ideal hat, wäre sehr interessant. Es wäre leicht möglich, daß es[6] solche Anziehung des andern Geschlechtes in diesem Falle die Verdrängung des Sexualideals zum ästhetischen Ideal hervorgerufen hat.

FEDERN erinnert daran, daß Dr. [Max] Graf vor drei Jahren einen Vortrag über die Psychologie der Kleidung gehalten habe, worin er nachzuweisen versuchte, daß die einzelnen Kleidungsstücke beim Verhüllen gerade die sexuellen Merkmale deutlich zeigen.[7]

KRAUSS geht in seinem Schlußwort auf einzelne Punkte der Kritik ein und hebt mehrmals den Wert eines zweckentsprechend angefertigten Mieders hervor.

---

[6] Statt »es« sollte es wohl »eine« heißen.
[7] Genaueres über einen derartigen Vortrag konnten wir nicht herausfinden.

136

Vortragsabend: am 22. März 1911

Anwesend: Federn, Freud, Friedjung, Furtmüller, Hilferding, Hitsch-
mann, Jekels, Nepallek, Oppenheim, Rank, Reitler, Sadger, Steiner,
Stekel, Grüner G. und F., Sachs, Wagner, Winterstein, Rosenstein,
Dattner.
Frischauf a[ls] G[ast].

[136.] PROTOKOLL

Geschäftliches

Der VORSITZENDE teilt mit, daß der Zentralpräsident bereit ist,
an Stelle des entlegenen Lugano einen andern Kongreßort zu wählen,
und neuerdings Nürnberg in Vorschlag bringen möchte.

Es werden nun eine Reihe von Vorschlägen gemacht, und die schließ-
liche Abstimmung ergibt folgendes Resultat: München 12, Innsbruck 6, Konstanz 5, Würzburg 3, Nürnberg 0.[1]

Ferner schlägt der Vorsitzende vor, das Problem der Gäste admini-
strativ zu regeln, und betraut unter Zustimmung des Plenums den
Obmannstellvertreter und den Sekretär mit der Erstattung von Vorschlägen in der nächsten Sitzung.

Schließlich teilt Prof. Freud eine Episode aus der Berliner psychiatrischen Klinik mit, welche die Ignoranz der offiziellen Psychiater
(Prof. Ziehen) aufs neue zeigt.[2]

---

[1] Vgl. Anm. 1 des vorangehenden Protokolls.
[2] Zu Theodor Ziehen s. die Anm. 5 des 43. Protokolls in Bd. 1 der vorliegenden Veröffentlichung.

Referate und kleinere kasuistische Mitteilungen I

Frau Dr. HILFERDING teilt zwei bei einem Preisausschreiben prämierte Anekdoten aus Kindermund mit, welche psychoanalytisch von Interesse sind. – Ferner Bericht über den Fall eines 17jährigen Mädchens, welches an Erbrechen in der Früh leidet, und zwar immer wenn es in die Arbeit gehen soll, was an das häufige Schulerbrechen der Kinder erinnert. Sie hat vor einem Jahre einen Finger verloren und bald darauf angefangen zu erbrechen. Es ließ sich eruieren, daß zur Zeit des Unfalls ihre Schwester in der zweiten Hälfte der Schwangerschaft war, in der sie an häufigem Erbrechen litt. Außerdem hatte sie noch andere Gründe, sich vor dem Fabrikgang zu fürchten, auf dem ihr ein junger Mann zu begegnen pflegte, der ihr den Hof machte, aber auch mit ihrer Schwester beisammen ist. Einige diesbezügliche Aufklärungen haben genügt, um das Erbrechen zum Schwinden zu bringen. Es erhebt sich nun die Frage: Ist der Fall eine einfache Angstneurose, und 2. genügen diese Determinationen zur Heilung oder beruht dieselbe auf einem Zufall?

SADGER hält den Fall nicht für eine Angstneurose, sondern für eine Angsthysterie und glaubt, daß die Identifizierung mit der Schwester auf eine tiefere Wurzel, wahrscheinlich die Schwangerschaft der eigenen Mutter, zurückgehe (Frau Dr. HILFERDING weiß zu berichten, daß die Patientin keine Schwangerschaft der Mutter gesehen hat). Der Heilungseffekt sei der Übertragung auf die Ärztin zuzuschreiben.

DATTNER berichtet eine ähnlich überraschende Heilung bei einer jungen Frau, die seit langem an Magenkrämpfen litt, welche seit ihrem Geständnis, daß sie sich ein Kind wünsche, nicht mehr aufgetreten seien.

ROSENSTEIN möchte ganz allgemein fragen, warum in diesem Falle für die Heilung lediglich die Übertragung verantwortlich gemacht werden soll und nicht die Aufklärung selbst.

SACHS erwidert darauf, daß ohne infantile Wurzel von einer Aufklärung nicht gesprochen werden kann und die Heilungen ja auch nur rein symptomatische seien.

ROSENSTEIN meint, durch die Aufklärung werde in völlig zureichender Weise die aktuelle Wurzel beseitigt; die infantile habe ja auch vor der Erkrankung bestanden.

HITSCHMANN meint, daß bei diesem Erbrechen auch der Penisekel eine Rolle spielen werde und daß durch allgemeine Beruhigung eine Heilung erzielt werden kann.

FURTMÜLLER meint, ob nicht ein Unterschied zu machen sei therapeutisch, ob das Symptom ein frisch auftretendes oder ein schon lange bestehendes sei; im ersteren Falle sei es wohl leichter, die oberflächlichen Schichten durch Aufklärung zu beseitigen.

Prof. FREUD hält es prinzipiell für sehr schwierig, aus einem therapeutischen Effekt irgendeinen Schluß zu ziehen. Die Aufklärung, die einen überflüssigen Aufwand beseitigt, kann schon therapeutische Wirkung gehabt haben. Wenn am Abend nach dem Fingerverlust das Erbrechen eintrat, so ist der Zusammenhang mit der Penissymbolik nicht ohne weiteres einzusehen. Näher liegt ein allgemeiner Mechanismus, der mancher traumatischen Hysterie zugrunde liegt: daß nämlich in Momenten der Gefahr eine Rückströmung auf das libidinöse Vorstellungsleben erfolgt, gleichsam zum Trost. Das liegt besonders dann nahe, wo eine Frau eine Mißstaltung erfahren hat und nun glaubt, sie sei sexuell minderwertig, werde keinen Mann, keine Kinder mehr bekommen; da werden sich ihre Wünsche mit Vorliebe in eine sexuelle Phantasie flüchten, in der sie Trost findet.[3]

STEKEL macht darauf aufmerksam, daß das Erbrechen bei den meisten Mädchen mit der Onanie zusammenhänge (»Fingerln«) und daß von da auch eine Phantasie der Bestrafung wegen des Onanierens (Finger) abzweige.

ROSENSTEIN wirft die Frage auf, warum die Übertragung für die Heilung überhaupt notwendig sei, worauf

SADGER meint, daß er sie nur für die rasche Heilung als notwendig ansehe.

GRÜNER, G., hält die Übertragung für das selbstverständlichste Phänomen beim Verkehr zweier Menschen miteinander.

Prof. FREUD erinnert daran, daß wir in der Regel nur die positive Übertragung im Auge haben. Der Mißerfolg kommt aber häufig nicht

---

[3] Freuds Erklärung ist besonders schön. Ohne eine spezielle Deutung anzubieten (Hitschmann), zeigt er sehr einfach, wie das Trauma des Fingerverlustes mit dem Erbrechen der Patientin zusammenhängt. Das Symptom bedeutet demnach: »Es ist nicht wahr, daß ich verstümmelt bin und keinen Mann und keine Kinder bekommen kann. Auch ich erbreche; ich bin schwanger, genau wie meine Schwester.«

so sehr vom Mangel an Übertragung als von der noch immer deutlich erotischen negativen Übertragung.

STEKEL gibt seiner Überzeugung Ausdruck, daß das primärste Gefühl das der Abneigung sei, das wir uns nur gewöhnt haben, ins Gegenteil zu verwandeln.

FEDERN hebt hervor, man brauche auch die feindselige Übertragung, um die feindseligen Komplexe zur Sprache zu bringen.

STEKEL hebt gegen Sadger hervor, daß gerade die rasche Übertragung der Kur nicht förderlich sei und daß z. B. Frauen, die sich rasch verlieben, bald davonlaufen, weil sie sich vor ihrer Liebe fürchten.

Prof. FREUD meint, daß Rosenstein in der Frage der Heilung durch Übertragung oder Aufklärung das intellektuelle Moment in der Behandlung überschätze. Die Aufklärungen wecken meist einen Widerstand, der nur [durch] die Verliebtheit überwunden werden könne. Sadger müsse man gegen Stekel recht geben: Wenn eine Patientin, die sich stürmisch verliebt, bald ausbleibt, so ist das als Widerstandsphänomen zu werten. Die sonst im Unbewußten der Heilung dienende Übertragung wird ihr bewußt, damit sie ausbleiben kann.

SACHS berichtet einen eigenen Traum, dessen Deutung ihm nur durch die Kenntnis der Krawattensymbolik möglich gewesen ist. Allerdings könne der Traum nicht als voller Beweis gelten, da er erst [nach der] Mitteilung Freuds über das Symbol der Krawatte geträumt sei; immerhin sei diese schnelle Assimilation von Bedeutung.

HILFERDING hat aus eigener Erfahrung den Eindruck, daß solche leicht deutbare Träume offenbar absichtlich geträumt werden.

Prof. OPPENHEIM legt zwei Dichterstellen vor, die ihm von anderer Seite zur Verfügung gestellt wurden. Eine aus Lenaus *Faust* (wo er sich dem Teufel verschreibt)[4], die eine in gewissem Sinne bewußte Erkenntnis einzelner psychoanalytisch gewonnener Anschauungen verrät. Eine andere Stelle aus Dostojewskis Roman: ›Ein Werdender‹ (Bd. II, S. 201)[5] spricht im Anschluß an einen Traumbericht die Grunderkenntnisse der Freudschen Traumdeutungslehre klar aus.

---

[4] Nikolaus Lenau (eigentlich Nikolaus Franz Niembsch, Edler von Strehlenau), 1802–1850, der österreichische Lyriker. Sein Drama *Faust* war 1835 erschienen. Die Szene heißt ›Die Verschreibung‹.
[5] Dostojewskis Roman *Podrostok* (1875) erschien in verschiedenen deutschen Übersetzungen, u. a. in zwei Bänden, *Der Jüngling* und *Werdejahre*, A. Langen, München 1905.

SADGER findet, daß in der Lenaustelle Liebe zur Mutter und Haß gegen den Vater zum Ausdruck komme, und

SACHS zeigt, daß der Dichter dies Verhältnis an einer andern Stelle des *Faust* deutlich ausgesprochen habe.

FREUD findet den Dichter hier unbefangener als den Psychoanalytiker, indem er Liebe und Haß als koordiniert, als Phänomene einer Entstehungszeit auffaßt.

SADGER möchte die Aufmerksamkeit auf zwei Themen lenken. 1. Mondsucht und Nachtwandeln, über welches Thema er schon ausführlich gesprochen habe[6] und die damaligen Ergebnisse an einem analysierten Fall neuerdings bestätigen könne. Bei Mädchen und Frauen handelt es sich meist darum, zu dem Geliebten ins Bett zu gehen und den Beischlaf zu vollziehen. Beim Manne, dessen Seelenleben überhaupt komplizierter sei, ergebe sich die Lösung nicht immer so glatt. Ein 28jähriger Hysteriker, der an Mondsucht litt und dabei in verschiedene Behälter urinierte, erwies sich als Urethralerotiker. Das Licht (des Mondes) bedeutete für ihn, daß die Eltern sich niederlegen oder daß der Vater, der Nachtdienst hatte, weggehe und der Weg zur Mutter frei sei.

STEKEL anerkennt das Wertvolle an Sadgers psychologischen Aufklärungen über das Nachtwandeln, hebt aber anderseits deren Einseitigkeit hervor; in zwei von ihm beobachteten Fällen habe es sich immer um verbrecherische Impulse gehandelt, Fälle, die in der Literatur häufig beschrieben [worden] seien.

GRÜNER meint, es sei im Sinne Adlers bedeutungsvoll, daß diese Leute immer oben sein wollen.

FEDERN erwähnt einen ihm zufällig untergekommenen Bericht vom Kongreß deutscher Nervenärzte, wo nach einer Mitteilung sich unter Fällen von Schlafwandeln 10 mit Schlafsprechen und 7 mit Enuresis nocturna fanden.

SADGER stellt durch Nachfrage die ihm wesentlich scheinende Differenz fest, daß Stekel[s] Fälle Träumer waren, die im Traume aufstanden. Das Hinaufwollen geht auf den Wunsch des Kindes auf die Erwachsenen zurück.

---

[6] Vgl. das 18. Protokoll in Bd. 1 der vorliegenden Veröffentlichung.

Zweitens spricht SADGER über die Masturbationsphantasien. Es handelte sich um einen Patienten, der vorher schon die Phantasie hatte, die Mutter möge ihn am eigenen Leib in die Sexualität einführen. Die schon bestehende Phantasie wird dann später mit dem peripheren Akt verbunden. Daraus könnte man die verschiedene Wertigkeit der Masturbation bei den Patienten erklären. Je exzessiver einer onaniert, desto peripherer bleibt der Akt. Diejenigen Masturbanten aber, die die Phantasien unterdrücken, die erkranken dann schwer, die bekommen am leichtesten psychische Impotenz.

FREUD hält diese Aufklärungen für sehr wertvoll im Zusammenhang mit seiner eigenen Auffassung, daß die Betonung der Onanie nicht im physischen Akt und seinen Folgen, sondern in den begleitenden Phantasien liegt. Unter diesen spielt entschieden die Mutterphantasie eine hervorragende Rolle. Es zeigt sich auch, daß man am ehesten zu einer Entscheidung in dem Streit, was an der Neurasthenie psychisch und was rein toxisch ist, gelangen kann, wenn man sich an die Phantasien hält. Allerdings ist der erwähnte Inhalt nicht der einzige, wie man z. B. an sadistischen und anderen Phantasien ersehen kann, mit deren Unterdrückung sich ein großes Schuldgefühl einstellt. Nur bleiben die maßlosen Masturbanten nicht, wie Sadger meint, deswegen frei von Schaden, weil sie die Psyche nicht anstrengen, sondern weil sie ihre Objektliebe weiter entwickelt haben und längst nicht mehr bei der Mutter sind.

STEKEL erinnert daran, er habe immer betont, die psychischen Begleitmomente der Onanie machen deren Schaden aus, es gebe aber auch eine Onanie, die sich nur in peripheren Reizungen ohne Phantasie äußert[7]; bei andern mag das ja mit unbewußten Vorgängen vor sich gehen. Bei der reinen Neurasthenie, die er übrigens nicht zu sehen bekomme, könne der toxische Faktor nur die Affektbereitschaft hervorrufen.

FREUD konstatiert, daß Stekel in der letzten Diskussion über die Onanie nicht behauptet habe, an der Onanie wirke nur das psychische Moment schädlich, sondern daß er sagte, man überschätze die Wirkungen der Onanie bei weitem. Die Anzahl der Personen, die ganz ohne Phantasie onanieren, dürfe man nicht überschätzen und Stekel scheine an die unbewußten Phantasien ganz zu vergessen.

---

[7] Vgl. dazu Stekels Beiträge im 110. Protokoll, Bd. 2 der vorliegenden Veröffentlichung.

137

Vortragsabend: am 29. März 1911

Anwesend: Adler, Federn, Freud, Friedjung, Furtmüller, Hilferding, Hitschmann, Oppenheim, Rank, Reitler, Sadger, Steiner, Stekel, Tausk, Grüner F. und G., Klemperer, Sachs, Wagner, Winterstein, Rosenstein, Dattner.

[137.] PROTOKOLL

Tagesordnung

1. Mitteilung des Kongreßortes München.
2. Vorschläge zur Regelung des Gästewesens.
3. Programm des nächsten Abends:
   a) Fortsetzung des Referierabends,
   b) Herr Wagner über *Lanval*.
4. Wissenschaftliche Sitzung.

In Fortsetzung der Referate und Mitteilungen sind noch zum Worte gemeldet:

> Dr. Furtmüller
> Dr. Hitschmann
> G. Grüner
> Dr. Reitler
> Prof. Oppenheim
> Prof. Freud
> Dr. Sachs
> O. Rank

Vorschläge zur Regelung des Gästewesens[1]

erstattet vom Obmannstellvertreter und Schriftführer.

Der Verein steht im allgemeinen der Einführung von Gästen sympathisch gegenüber. Doch wäre es wünschenswert, daß die Anmeldung eines Gastes womöglich zu Beginn der vorhergehenden Sitzung, zumindest aber in einem solchen Zeitabstande erfolge, daß einerseits Recherchen und Besprechungen über seine Zulassung möglich sind, anderseits es so vermieden werde, daß eine Ablehnung eines bereits anwesenden Gastes erfolgen müßte. Auf diese Gefahr hin kann in besonderen Fällen der Gast auch ohne vorherige Anmeldung mitgebracht werden. In jedem Falle hat jedoch die Anmeldung beim Vorsitzenden zu erfolgen, dem das Recht der Ablehnung ohne Angabe von Gründen zusteht. Jedes Mitglied hat das Recht, Gäste anzumelden; doch ist es selbstverständlich, daß ein und derselbe Gast nur an einer beschränkten Anzahl von Sitzungen teilnehmen kann – etwa dreimal im Laufe eines Vereinsjahres –, da sonst das Wesen der Gastbesuche überschritten und die Bedingungen der Mitgliedschaft gegeben scheinen. Es scheint wünschenswert, daß der Gast sich an der Diskussion beteilige, selbstverständlich, daß er, besonders der Presse gegenüber, zur strengsten Diskretion zu verpflichten ist. Er wird zu Beginn der Versammlung von dem Vorsitzenden vorgestellt, seine Anwesenheit im Protokoll fixiert; außerdem ist ein fortlaufendes Verzeichnis aller Gäste der Vereinigung mit Angabe von Wohnort, Beruf etc. anzulegen.[2]

Für besondere Fälle wäre auch die Einrichtung *ständiger* Gäste in Aussicht zu nehmen, worüber jeweils unter Berücksichtigung besonderer Umstände das *Plenum* abzustimmen hätte.[3]

Vortrag des Gastes – Plenum. Ablehnung auch durch Vortragenden.[4]

Geschäftliches

Der VORSITZENDE teilt mit, daß zum Kongreßort München ge-

---

[1] Diese Vorschläge lagen dem Protokoll als loses, mit Schreibmaschine geschriebenes Blatt bei.

[2] Eine derartige Liste ist allerdings unter den Protokollen nirgends zu finden.

[3] Dieser Absatz ist mit Tinte in Ranks Handschrift hinzugefügt.

[4] Diese Zeile ist mit Bleistift – nicht von Rank – nachgetragen worden.

wählt worden sei[5] und daß Dr. Seif[6] Vorsorge für die Unterkunft tragen werde.

Hierauf wird der Vorschlag zur Regelung des Gästewesens in Diskussion gezogen und folgendes beschlossen:

1. Die Institution ständiger Gäste bleibt bestehen, und [es] entscheidet über deren Zulassung jeweilig das Plenum womöglich in der vorhergehenden Sitzung.

2. Über die Zulassung jeweiliger Gäste für einen oder für einzelne Abende entscheidet der Vorsitzende, doch wird auch dem betreffenden Vortragenden das Recht der Ablehnung zuerkannt.

Die Erledigung der Frage, ob Vorträge von Gästen statthaft seien, wird für die nächste Sitzung verschoben.

Referate und kleinere kasuistische sowie sonstige Mitteilungen II

FURTMÜLLER berichtet über eine Knabenphantasie Goethes, die sich in dem neuentdeckten Urmeister[7] findet und das Verhältnis Goethes zu seiner Mutter in einem neuen Lichte erscheinen läßt; der Dichter schildert dort die Mutter als leichtsinnige und leichtlebige Frau, die ein Liebesverhältnis mit einem Schauspieler eingeht. Die Literaturhistoriker wissen sich diese Tatsache nicht zu erklären, die dem Psychoanalytiker als typische Knabenphantasie verständlich ist. Dafür spricht auch eine Stelle in *Dichtung und Wahrheit*, wo Goethe bemerkt, sein Vater sei gar nicht das Kind seines Großvaters, sondern seine Großmutter habe sich mit einem hohen Herrn vergangen, eine Idee, der der Dichter gerne nachhing. Goethe behauptet, daß er durch das Gespött der Kameraden darauf gebracht wurde, es ist aber nicht unmöglich, daß diese Phantasie spontan in ihm entstanden wäre. Warum er gerade die Großmutter väterlicherseits derart verdächtige, erkläre sich daraus, daß er ja auf seine Herkunft von der Mutter, die ihn mit einem alten Patrizierhause verband, sehr stolz war, während dagegen die väterliche Abkunft, die er in dieser Phantasie zu korrigieren bemüht sei, ihn mit einer Handwerkerfamilie verband. Inter-

---

[5] Vgl. jedoch die Anm. 1 des 135. Protokolls, oben, S. 188.

[6] Leonhard Seif, 1866–1949, ein bekannter Nervenarzt, gründete 1911 die Münchner Psychoanalytische Vereinigung. Er verließ Freud 1913 und wurde ein Anhänger Adlers.

[7] Gemeint ist die erste Fassung von *Wilhelm Meisters Lehrjahre*, der Goethe den Titel *Wilhelm Meisters theatralische Sendung* gegeben hatte; sie wurde erst im Jahre 1910 entdeckt, von H. Maync 1911 herausgegeben.

essant ist, daß das im Urmeister geschilderte Verhältnis zu einem Schauspieler sich zehn Jahre später verwirklichte und daß die ähnliche Knabenphantasie auch in dem Gedicht: *Paria* zum Ausdruck kommt.

STEKEL erwähnt, daß ihm diese Stelle bereits bekannt war, und hebt verschiedene Details aus dem Leben und den Werken des Dichters hervor, die auf sein Verhältnis zur Mutter ein bezeichnendes Licht werfen.

GRÜNER, F., meint, der Zusammenhang von Mutter und Hure sei in den meisten Dichtwerken so typisch, daß man nicht annehmen müsse, Goethe habe um einen Ehebruch seiner Mutter gewußt.

HITSCHMANN möchte ein bisher wenig beachtetes Thema, die Nachwirkung der Träume und die Beeinflussung des Wachzustandes durch dieselben, zur Sprache bringen. Wir wissen wohl, daß die Träume aus den Komplexen erwachsen und daß der Wachzustand durch diese mehr beeinflußt wird als durch einen flüchtigen Traum. Indem sich Redner vorbehält, diese Zusammenhänge ausführlicher zu behandeln, möchte er heute nur einige Probleme streifen. So, ob ein gehäufter Gebrauch von Symbolen das Wachbewußtsein nicht beeinflussen kann? Ob also z. B. eine Angstneurotikerin, die gehäufte Einbrecherträume hat, sich im Wachzustand nicht mehr vor Einbrechern fürchtet, als sie ursprünglich getan hat. Bleuler spricht den Gedanken aus, daß unser Verhältnis zu einer Person durch den Traum beeinflußt werden könne. Ebenso wird wohl der Traum die Stimmung des nächsten Tages beeinflussen können oder andere Wirkungen üben können. Beispiel eines an hysterischem Erbrechen leidenden Mädchens, das aus einem Traum mit Ekel erwacht und dann den ganzen Tag über an Ekel leidet. Andere Nachwirkungen des Traumes zeigen sich an den Symptomhandlungen. Zwei Beispiele einer Patientin, die in dem Moment, wo sie den Traum erzählen sollte, durch eine Symptomhandlung einen Teil des Inhalts verrät. – Ob die Symbolik einen Einfluß aufs Wachbewußtsein auszuüben vermag, wurde schon als Frage aufgeworfen; interessant ist, daß Nietzsche seine Flugträume, wahrscheinlich ohne Berechtigung, in diesem Sinne verwertet. Wahrscheinlicher ist schon, daß gewisse Bilder und Metaphern, insbesondere bei Romanschriftstellern, durch die Traumsprache beeinflußt werden können. Durch reichliche Traumsammlungen wird sich vielleicht darauf schließen lassen, ebenso wie dadurch in interessanter Weise auch das Typische des Träumens verschiedener Menschen deutlich wird. – Schließlich noch zum Thema Traum und Dichtung zwei Beispiele, in welcher

Weise ein 15jähriges Mädchen ihre Träume zu Novellen verwertet, in denen Todeswünsche auf die gehaßte Mutter und den ehemals geliebten Vater die Hauptrolle spielen. Zur Charakteristik werden dann einige Träume dieses Mädchens vorgelesen.

GRÜNER, G., findet, daß die Annahme einer Beeinflussung des Wachzustandes durch den Traum dem Verständnis vor der Psychoanalyse entspreche; heute wissen wir, daß beides aus denselben Komplexen stammt. Wenn diese primitiven dilettantischen Versuche des Mädchens wie ein Traum deutbar seien, so müßten es auch die komplizierten und wertvollen Dichtungen sein.

FURTMÜLLER meint, Hitschmann habe nicht scharf getrennt von der eigentlichen Beeinflussung des Wachlebens die Tatsache, daß ein bestimmtes Stadium der psychischen Entwicklung im Traume erreicht werden kann und dann das Wachleben nur die Konsequenz des im Traume Erreichten zu ziehen habe (Beispiele in der *Gradiva*[8]). Bei anhaltendem, sehr intensivem Träumen kann der größte Teil des Lebensinteresses vom Wachleben auf den Traum abgelehnt werden (Beispiel Novalis[9]).

DATTNER weist darauf hin, daß in Raskolnikow[10] gerade der Traum die Aufgabe hat, den Konflikt zur Lösung zu bringen.

STEINER teilt einige kurze Träume eines an Impotenz leidenden Patienten mit, die einen Beitrag zur Frage der Beeinflussung des Wachlebens und schöne Beispiele von Symbolik liefern.

FREUD hebt als besonders interessant den Zusammenhang der Träume mit den Symptomhandlungen hervor, zu dem Beispiele zu sammeln wären.

GRÜNER, G., teilt einen obszönen Witz mit, wo zwei ineinander geschriebene R, ein großes und ein kleines, gelesen werden: Meiner (mein r) ist kleiner als deiner, aber meiner steht immer (im R), und zeigt hinter dem offenkundigen Sinn eine verborgene Mutterleibsphantasie auf.

STEINER meint, daß beim zotigen Witz, der sozusagen gar nichts verdränge, die sexuelle Symbolik am allerwenigsten gelte, was

---

[8] S. Freud, *Der Wahn und die Träume in W. Jensens ›Gradiva‹* (1907); *G. W.*, Bd. 7, S. 29; *Studienausgabe*, Bd. 10, S. 9.
[9] Friedrich Leopold Freiherr von Hardenberg, 1772–1801, der berühmte deutsche Dichter der Romantik.
[10] Vgl. das 134. Protokoll, oben, S. 183.

KLEMPERER mit Hinweis auf die Pollutionsträume, die ja auch eine Deutung zuließen, bestreitet.

SACHS findet die von Freud aufgedeckte Tendenz des obszönen Witzes, die sexuelle Aggression in Gegenwart eines Dritten, in diesem Beispiel besonders deutlich, was aber die Überdetermination nicht ausschließe.

FEDERN findet die Mutterleibsphantasie hier ziemlich gezwungen, desgleichen

FURTMÜLLER, der im Witze eher eine Anspielung auf den längeren Besitz der Potenz sieht. Er erinnert an den Vater in Hauptmanns *Griselda*[11], der den Sohn um den Aufenthalt im Mutterleib beneidet.

GRÜNER knüpft daran Ausführungen, wie die Mutterleibsphantasie auch für den Aufenthalt im Leibe des Vaters gelte, und

Prof. FREUD meint, es sei ihm damit gelungen, die Mutterleibsphantasie mit der jetzt so beliebten Bisexualität zu versöhnen auf dem Wege der Vaterleibsphantasie.

REITLER legt eine zeichnerische Darstellung des Geschlechtsaktes von Leonardo da Vinci vor, die dessen homosexuelle Einstellung in einer Reihe teils sachlicher, teils formaler Irrtümer verrät.[12]
Ferner berichtet er über die in tendenziösem Vergessen zum Ausdruck kommende Verdrängungsarbeit eines Patienten der sich nicht erinnern wollte, eine im Traume dargestellte Redensart (Butter auf dem Kopf haben) je gekannt zu haben, weil er damit seine Schwester entlasten wollte.

SACHS verweist auf die merkwürdige Fußstellung auf der Zeichnung, und

Prof. FREUD meint, diese Mängel erklären sich zum Teil daraus, daß die Zeichnung bloß für den Privatgebrauch bestimmt und unaus-

---

[11] Vgl. das 74. Protokoll in Bd. 2 der vorliegenden Veröffentlichung.
[12] Reitler veröffentlichte diese Mitteilung unter dem Titel ›Eine anatomisch-künstlerische Fehlleistung Leonardos da Vinci‹ in der Z., Bd. 4, 1916/17, S. 205, und Freud nahm sie in die zweite Auflage seiner Arbeit *Eine Kindheitserinnerung des Leonardo da Vinci* (1910; aaO) auf (*G. W.*, Bd. 8, S. 136–38; *Studienausgabe*, Bd. 10, S. 97–99). – Bezüglich der von Sachs bemängelten Fußstellung vgl. die editorische Anmerkung über die Echtheit der Zeichnung, *Studienausgabe*, Bd. 10, S. 99, Anm.

geführt geblieben sei. Übrigens gebe es doch mehr erotische Zeichnungen von Leonardo, als man bisher geglaubt habe.

HILFERDING möchte vermuten, daß Leonardo diese Zeichnung vielleicht zu einer Zeit angefertigt haben mochte, wo er sich über die sexuellen Vorgänge und Beziehungen nicht ganz klar gewesen sei.

OPPENHEIM macht auf ein antikes Zeugnis aufmerksam, welches für die Mutterleibsphantasie von Bedeutung sein könne. In einer Stelle von Plutarchs [*Über*] *Isis und Osiris* sei davon die Rede, daß diese beiden Geschwister, die auch als Liebespaar galten, bereits im Mutterleib miteinander Umgang gehabt hätten.[13]

GRÜNER, G., weist darauf hin, daß das häufige Vorkommen der Zwillinge in Mythus und Dichtung diese Begründung habe. Das Schauspiel im Schauspiel ([Shakespeares] *Hamlet* [3. Akt, 2. Szene]) habe die gleiche Mutterleibsbedeutung.

TAUSK erwähnt ähnliche Geschichten von den Zigeunern in Bosnien, daß Zwillinge im Mutterleibe koitieren oder daß der Vater die Tochter im Mutterleibe schwängert.

KLEMPERER erwähnt eine Traumdeutung, bei der die Mutterleibsphantasie besonders klar war und wo das Wälzen im Kot eine Rolle spielte.

GRÜNER, G., weist zu den infantilen Sexualtheorien darauf hin, daß die Kinder sich so wünschen auf die Welt gekommen zu sein, wie es ihnen selbst am lustvollsten erscheint.

FREUD erwähnt als ein Motiv für die im Mythus meist überflüssigen und schattenhaften Zwillinge die Nachgeburt, welche nach Ehrenreich[14] bei manchen Naturvölkern in diesem Sinne aufgefaßt wird. Es spiegelt sich diese Vorstellung auch in entsprechenden Witzen wider.

FRIEDJUNG meint, es könnte sich darin auch die Tatsache spiegeln, [daß] von Zwillingen einer lebensfähig, der andere dagegen tot zur Welt kommt.

OPPENHEIM: Material zur Frage des Ödipusmythus. Der Kern des

---

[13] Plutarch, ca. 50–ca. 125, der durch seine vergleichenden Biographien berühmte griechische Philosoph und Historiker.
[14] Paul Ehrenreich, 1855–1914, deutscher Ethnologe, *Die allgemeine Mythologie und ihre ethnologischen Grundlagen*, Hinrichs, Leipzig 1910.

Verständnisses der Ödipusgestalt liegt im Verständnis des Namens. Da an der Deutung »Schwellfuß« kein Zweifel möglich sei, so dürfe der schwellende Fuß als uraltes Symbol als Erektion des Phallus aufgefaßt werden, und Ödipus wäre dann einer der phallischen Dämonen, der einfach seine phallische Natur darin betätige, daß er seine Mutter vergewaltige, wie es die Griechen von anderen phallischen Dämonen direkt behaupteten. Wir hätten somit eine Stufe der Sage anzunehmen, wo Ödipus den Inzest bewußt begeht. – Einen andern Zugang zum Verständnis des Namens biete die Parallelgestalt des Melampus = Schwarzfuß, der wieder nichts als den schwarzen Phallus bedeute; er gilt nach Herodot als Einführer der phallischen Festzüge und gilt als Seher, zu welcher Gabe er auf merkwürdige Weise kommt. Dankbare Schlangen, denen er die Mutter bestattet hatte, leckten ihm die Ohren, so daß er von nun an die Sprache der Vögel verstand. Das erinnere an eine Reihe von Mythen, welche die Empfängnis durch das Ohr behandeln, an eine südslawische Geschichte, wo ein Ohrenleiden durch Berühren mit dem Phallus (Schlange) geheilt wird. Es zeigt sich, daß die Sehergabe in eine merkwürdige Beziehung zu dem phallischen Charakter steht; der Penis selbst gilt dem Volke in irgendeiner Weise als Wahrsager; der Zusammenhang ist noch nicht ganz durchsichtig, scheint aber ein besonders tiefgehender zu sein, da er seinen Niederschlag in verschiedenen Sprachen gefunden hat (zeugen – der Zeuge; erkennen = beischlafen etc.). Andere Dinge zeigen den phallischen Charakter des Melampus noch deutlicher, insbesondere seine Wunderkuren, die vorwiegend sexuelle Gebrechen betreffen.[15]

TAUSK erwähnt, daß die Bosniaken den Penis als Wahrsager kennen; der Penis ist ein Prophet, er sagt dem Mädchen, wie es ist und wie es sein wird. Den Fuß als Symbol des Penis fand er bei einem Patienten voll bewußt.

---

[15] Oppenheims Versuch, Melampus als Parallelgestalt des Ödipus darzustellen, beruht lediglich auf der Gleichstellung Fuß = Phallus. Sonst hat der Mythus des Melampus nichts mit dem des Ödipus gemein. Melampus war Arzt und Prophet, der erste, der einen Tempel für Dionysos baute und Wasser mit Wein mischte. Sein Leben war erfolgreich, nicht tragisch wie das des Ödipus. Psychoanalytisch interessant an seinem Mythus ist, daß er Iphikles von der Impotenz heilt, nachdem er durch Geier, deren Sprache er verstand, Kunde von einem traumatischen Erlebnis des Iphikles erhielt: dieser hatte als Kind seinen Vater mit einem blutigen Messer in der Hand auf sich zukommen sehen, mit dem er eben einen Widder kastriert hatte. Er schrie auf in Angst, daß der Vater ihn nun auch kastrieren werde. – Quellen für die Melampus-Sage sind u. a. Wilhelm Heinrich Roscher, *Ausführliches Lexikon der griechischen und römischen Mythologie*, 1884–1937, und Pauly-Wissowa, *Paulys Realenzyklopädie der klassischen Altertumswissenschaft*.

GRÜNER erwähnt als Parallelgestalt den hinkenden Hephäst[16]. Das Ohr als Befruchtungsorgan spiele im *Hamlet* eine Rolle.

GRÜNER, F., betont, die Frage nach dem Wissen sei immer die Frage nach dem Sexualwissen.

FEDERN: Der geschwellte Fuß ist darum der hinkende Fuß, weil er nicht gebraucht wird.

SACHS erwähnt, daß auch die Schlange in fast allen Mythologien als Weisheitstier gelte.

Prof. FREUD muntert den Referenten zur literarischen Darstellung dieses Themas auf.

---

[16] Hephaistos, der griechische Gott des Feuers, auch der Gott der Schmiede.

138

Vortragsabend: am 5. April 1911

Anwesend: Adler, Federn, Freud, Friedjung, Furtmüller, Hilferding, Hitschmann, Rank, Reitler, Heller, Sadger, Steiner, Stekel, Tausk, Grüner G., Sachs, Wagner, Dattner.
Dr. Müller und Hr. Frischauf als Gäste.

[138.] PROTOKOLL

Tagesordnung

1. Mitteilungen des Vorsitzenden.
2. Mitteilungen der Funktionäre.
   (Rank Urlaubsgesuch.)
3. Festsetzung der Osterferien und
4. Programm der nächsten Abende:
   Angemeldete Vorträge:
   I. Diskussion über Stekels Buch:
   Die Sprache des Traumes.
   II. Herr Wagner über *Lanval.*
   III. Dr. Sadger über Haut-,
   Schleimhaut- und Muskelerotik.
   IV. Rank über das Motiv der
   Nacktheit in Dichtung und Sage.
5. Beschluß über die Zulassung
   von Gästevorträgen.
6. Wissenschaftliche Sitzung.

Zur Fortsetzung der Referate und Mitteilungen haben sich noch zum Worte gemeldet:

Prof. Freud
Dr. Sachs
O. Rank
Dr. Tausk
Dr. Friedjung
Dattner[1]
Furtmüller

Vorschlag über die Zulassung von Gästevorträgen[2]

Nichtmitgliedern steht im allgemeinen nicht das Recht zu, Vorträge in der Wiener Psychoanalytischen Vereinigung anzukündigen oder zu halten. Doch kann in besonderen Fällen, etwa bei einem als ständig zugelassenen Gaste oder im Falle eines Probevortrags durch einen Aufnahmswerber, eventuell auch bei einem bloß einmaligen oder zeitweiligen Gaste hiervon abgegangen und der Vortrag eines Nichtmitgliedes vom Plenum mit Stimmenmehrheit zugelassen werden.

Geschäftliches

Der VORSITZENDE macht die erfreuliche Mitteilung, daß in München eine neue Ortsgruppe konstituiert worden sei mit Dr. Seif als Obmann, die acht Mitglieder zähle und am 27. d. M. zum ersten Male zusammentrete.

Ferner haben sich nach einem Bericht des Zentralpräsidenten gegen München als Kongreßort die vorauszusehenden Unterkunftsschwierigkeiten erhoben, so daß nun das von der Berliner Ortsgruppe vorgeschlagene Weimar in Betracht komme. Von den 15 Anwesenden geben 10 ihre Stimme für Weimar ab, die andern enthalten sich der Abstimmung, welches Ergebnis dem Zentralpräsidenten bekanntgegeben wird.

Sekretär RANK bittet um Gewährung eines Urlaubes bis zum 26.

---

[1] Dieser sowie Furtmüllers Name sind handschriftlich hinzugefügt.
[2] Dieser von Hitschmann eingebrachte Vorschlag ist auf einem gesonderten Blatt maschinenschriftlich niedergelegt und dem Protokoll lose beigefügt.

210

April für seine Griechenlandreise mit der Wiener Universität; der Urlaub wird einstimmig bewilligt.
Infolge der Osterferien fällt die Sitzung am 12. April aus, so daß die nächste Sitzung am 26. stattfindet.

Der von HITSCHMANN vorgelegte Vorschlag über die Vorträge von Gästen wird angenommen.

Referate und kleinere kasuistische
sowie sonstige Mitteilungen III

Prof. FREUD bringt zunächst einen kleinen, für die Erzieher interessanten Beitrag zur Charakterdiagnostik. Die Eigenheit vieler Kinder, sich gute Dinge, die sie bekommen, aufzuheben auf eine bessere Zeit, läßt sich in typischer Weise darauf zurückführen, daß das Kind auf die Zeit wartet, in welcher es selbst besser sein wird. Es gönnt sich den Genuß nicht und will warten, bis es brav geworden ist. Dieses Aufheben der guten Dinge erweist sich so als ein untrügliches Zeichen der nicht entdeckten Onaniegewohnheit, und der Pädagoge kann aus diesem einen Charakterzug diesen Schluß mit Sicherheit ziehen.

2. Einen Beitrag zur Deutung der sehr häufigen Träume vom Abreisenwollen, wobei man dem Zug nachläuft und ihn nicht erreicht. Dieser Traum stellt sich in seiner Struktur dem Prüfungstraum an die Seite, der ja ein Trosttraum wegen einer befürchteten Sorge ist. Ebenso sind diese Träume zu verstehen als Trosttraum gegen Todesangst (Abreisen ein Todessymbol nach Stekel). Der Traum sagt ihm: Du wirst nicht sterben, du fährst nicht mit. Interessant ist aber, daß dasjenige, was den Trost enthält, im Traume zum Träger der Angst wird.

3. Einen Beitrag zum Problem des Träumens von einem geliebten Elternteil. Die Todesträume vom gleichgeschlechtlichen Elternteil sind uns ja durchsichtig geworden. Was nun aber die Träume vom Tode eines geliebten Elternteils betrifft, so ist es dabei nicht gleich, ob die betreffende Person noch am Leben ist oder nicht. Im letzteren Falle hat Stekel das nochmalige Sterben symbolisch aufgefaßt: man wird den Einfluß der Person innerlich los. Das mag wohl zutreffen, ist aber nicht für alle Fälle ausreichend. Ein Mädchen träumt vom Tode ihres bereits toten Vaters: Sie und die Mutter führen ihn im Zimmer herum (wie es während seiner Krankheit wirklich geschehen war); dann fällt der Vater tot zurück, und sie fängt ihn steif in ihren Armen auf. Dieses letzte Detail stammt aus der am Vorabend stattge-

habten Lektüre von Gottfried Kellers Novelle vom schönen Dienstmädchen im *Sinngedicht*.[3] Dort findet der Mann das von ihm geheiratete Dienstmädchen erhängt auf und hält sie dann so steif in seinen Armen. Hinter diesem Traume vom Tode des Vaters steckt also eigentlich der Traum vom Tode der Mutter (das Mädchen heißt Regine, was ja Königin heißt). Und das stimmt zur ganzen Realität bei der Träumerin, die in beständiger ängstlicher Erwartung ist, daß die Mutter sterben wird. Die Krankheit einer Tante, die wirklich bald darauf gestorben war, hat diese Sorge um die Mutter aktuell gemacht. Die Verwandlung im Traume ist aber zustande gebracht durch folgendes: Als der Vater starb, hatte sie die Idee, wäre doch an seiner Stelle die Mutter gestorben. Jetzt äußert sich die Reaktion darin, daß nun im Traume der Vater stirbt, wo eigentlich die Mutter sterben sollte.

4. Redner hat gegen Stekel bestritten, daß sämtliche Symbole des Traumes bisexuell seien, und möchte heute in gewissem Sinne Abbitte leisten. Es finde sich nämlich in Stekels Buch ein Satz, der diese allgemeine Behauptung, sämtliche Symbole seien bisexuell, mit dem Hinweise einschränke: »wenn es die Phantasie nur irgend gestatte«. Redner erklärt sich mit dieser Fassung des Satzes vollkommen einverstanden; die Phantasie gestatte es eben nicht, daß ausgesprochen männliche Sexualsymbole weiblich verwendet werden (wie z. B. Dolche, Schlangen etc.[4]) und umgekehrt.

STEKEL erwidert, er habe z. B. die Schlange häufig als weibliches Sexualsymbol in Träumen gefunden, wenn auch nicht mitgeteilt; Belege fänden sich bei Riklin und Maeder.[5] Der Traum habe die Tendenz, die Symbolik bisexuell auszugestalten (der Dolch habe eine Scheide, in den Kasten werde etwas hineingesteckt etc.). Dadurch findet die Tendenz ihren Ausdruck, die Vereinigung herzustellen und so mit beiden Komponenten der Libido zugleich zu arbeiten.

Sich das Beste zuletzt zu lassen sei eine allgemeine Tendenz des Neurotikers, die bei vielen Menschen auch in der Art zu essen zum Ausdruck kommt. Es handelt sich um Menschen, die etwas Großes, Wichtiges nicht erreicht haben und diese Einstellung nun in lauter

---

[3] Gottfried Keller, der bedeutende schweizerische Dichter, 1819–1890. *Das Sinngedicht*, ein Novellenzyklus, seit 1851 entstanden, war 1881 erschienen. Die Novelle heißt ›Regine‹.
[4] Später änderte Freud seine Meinung und stellte fest, daß die Schlange auch als weibliches Symbol verwendet wird, hat sie doch keine Beine, ist also gänzlich kastriert.
[5] Franz Riklin, 1878–1938, und Alphonse Maeder, 1882–1971, waren Schweizer Psychoanalytiker und Psychiater, die sich später von der Psychoanalyse abwandten.

Parallelen wiederholen (ursprünglich z. B. einen unbefriedigten Inzestwunsch u. ä.).

Der Abreisetraum gehöre zu jenen Träumen, welche am meisten
vom Wunschtraum abweichen und zu den Träumen gehöre, in welchen eine Warnung neben der Wunscherfüllung eine große Rolle spiele;
der Traum diene dann im Sinne Adlers als Sicherung.

Beim Traume vom Tode des Vaters bestehe seine Erklärung doch
zurecht: jetzt, wo sie im Arzt einen anderen Vater gefunden habe,
läßt sie ihren Vater sterben. Daß der Vater steif in ihren Armen liegt,
weist auf die sexuelle Symbolik, wobei das Sterben die Bedeutung des
Lebens hat.

FRIEDJUNG möchte zur Mitteilung des Aufhebens guter Sachen
eine Beobachtung gleicher Art von einer verheirateten Frau in mitt-
leren Jahren anführen, die insbesondere Zuckerwerk und Süßigkeiten,
die ihr häufig zum Geschenk gemacht werden, so lange aufhebt, bis die
Dinge unbrauchbar geworden sind. Es hat sich herausgestellt, daß
hier eine lange Zeit fortgesetzter Masturbation während der Mädchen-
zeit vorhanden war, die auch noch nach der Ehe fortdauerte.

FURTMÜLLER möchte dabei noch das Moment des nachträglichen
Gehorsams hervorheben. Das Kind bekomme in der Regel was es sich
wünsche viel später und nicht in der gewünschten Form, so daß es
die unmittelbare Frische an den Dingen verliert und sich das sagte,
was die Eltern ihm immer sagen: es solle die Sachen aufheben. Diese
Motivierung würde natürlich die andere nicht ausschließen, uns aber
vielleicht zeigen, warum zum Ausdruck für Onanievorwürfe gerade
dieses Aufheben gewählt wird.

GRÜNER, G., hebt im Anschluß an Stekel hervor, daß der Tod im
Traum vom Vater auch als Äquivalent des sexuellen Verkehrs erscheine. Der Traum ist immer die Wunscherfüllung mehrerer, womöglich entgegengesetzter Wünsche.

Ebenso glaube er wie Stekel fest daran, daß jedes Symbol bisexuell
sei. Daß die Schlange weiblich gebraucht werden könne, sei schon aus
ihrem Artikel im Deutschen zu entnehmen. Es ließe sich alles männlich und weiblich auffassen und auch nachweisen.

FEDERN empfindet die letzten Bemerkungen als Wortspielereien,
die man ernstlich nicht mehr diskutieren könne.

Als Gegensatz zum Aufheben der guten Dinge hebt Redner hervor,
wie häufig das Naschen und Besitzen von guten Dingen ein Äquiva-

213

lent der Sexualität sei; es zeigt dies, wie leicht es ist, das Gute, was man wünscht, als Sexualsymbol aufzufassen. – Folgt ein Hinweis, daß bei den Prüfungs-Trostträumen das Verhältnis von Wunsch und Angst ein anderes ist als sonst in den Träumen. Hier sei nämlich die Angst das Primäre, und der Wunsch entstehe erst, um der Angst zu entgehen, während wir doch die Angst als Verdrängungsausdruck eines verdrängten Wunsches aufzufassen gewohnt sind. – In den von Stekel besonders hervorgehobenen Warnungsträumen komme immer ein Wunsch gegen den andern heraus.

TAUSK kann aus der Analyse ähnlicher Träume vom Nicht-Erreichen eines Wagens, einer Elektrischen, anführen, daß es sich dabei in seinen Fällen um Verhinderung der Pollution gehandelt habe. Man erwacht aus diesen Träumen als Schutz vor der Pollution in der Regel mit starker Erektion.

Den besten Bissen zum Schluß zu behalten, habe er in Verbindung mit dem Geize gefunden, Fall eines Kindes, dem man den Geiz vorgeworfen hat und das sich deswegen Gewissensbisse machte.

SACHS hebt hervor, daß im Traume vom Tod des Vaters nur die Mutter gemeint sein könne, weil dieser Wunsch der versteckdere ist und man so deutlich von der feindseligen Einstellung zu einer Person nicht träume.

Daß der Traum bisexuelle Tendenzen habe, sei richtig; das müsse sich aber nicht in jedem einzelnen Stücke und in jeder Determination aussprechen, ebensowenig wie sich die wuncherfüllende Tendenz in jedem Detail ausspreche.

HILFERDING hat wie Tausk das Aufheben der guten Sachen, das bei Hausfrauen so beliebt sei, mit dem Geiz in Zusammenhang gefunden.

Prof. FREUD möchte die Bemerkungen zum ersten Punkte als wertvolle Erweiterungen akzeptieren, speziell gegen Stekel aber geltend machen, daß er sich in seiner Mitteilung auf die Bedeutung dieses Charakterzuges bei Kindern beschränkt habe, der natürlich bei Erwachsenen viel mehr Bedeutungen haben könne. Die neuerliche Unterscheidung zwischen Wunsch- und Warnungsträumen sei ein fundamentales Mißverständnis und wieder ein Beispiel für den Verlust der Psychologie.[6] Die Warnungsträume seien keine Neuigkeit und

---

[6] Es ist nicht klar, was hier unter Verlust zu verstehen ist; gemeint ist wohl der Mangel an psychologischem Verständnis.

fänden sich beispielsweise in der ›Dora‹[7], wo aber trotzdem der Traum eine Wunscherfüllung darstelle. Das könne man nur verwechseln, wenn man den Unterschied zwischen Bewußtem und Unbewußtem aufgebe. Die Form des Traumes ist eine Wunschdarstellung, der Inhalt des Traumes, der von Tagesresten (Wunsch, Vorsatz, Warnung, Überlegung) bestimmt wird, kann alles mögliche enthalten. Das alles muß aber in die Sprache des erfüllten Wunsches übersetzt werden.

SACHS teilt einige Stellen aus Grillparzers *Tagebüchern*[8] mit, die Phantasien des Dichters von dunkeln, düsteren gotischen Räumen enthalten, die sich unschwer als Mutterleibsphantasien enthüllen. Biographisch stimmt dazu, daß ein Jahr vor der ersten dieser Aufzeichnungen (18. X. 1810) Grillparzers Vater starb und damit die Epoche begann, die Grillparzer selbst als die Ehe mit seiner Mutter bezeichnet hat. Ferner schildert Grillparzer sein eigenes Geburtshaus als besonders düster und dunkel, was wieder auf eine Beziehung zur *Ahnfrau* [1817] hinweist, zu der der Dichter bekanntlich beim Besuch eines Schlosses in Mähren inspiriert worden war, das er auch besonders düster, dunkel und gotisch fand. Es zeigt sich hier, daß auch der Ort der Handlung im Drama solchen Phantasien dienstbar sein kann.

Eine Stelle aus Grillparzers *Libussa*, wo das weibliche Genitale als Kleinod oder Schmuck bezeichnet wird. Ottakar raubt ihr den Mittelschmuck aus ihrem Gürtel (Deflorationsphantasie), worauf sie später in einem Rätsel beziehungsvoll anspielt.[9]

RANK teilt aus einem kürzlich erschienenen Buch: *Kluges und Dummes aus Kindermund*, einige auch für den Psychoanalytiker interessante Aussprüche aus Kindermund mit.

Ferner eine Zeitungsnotiz über einen kürzlich in Italien vorgefallenen Mord eines neugeborenen Mädchens durch ihren sechsjährigen eifersüchtigen Bruder.

Ferner eine Bestätigung für die Auffassung der Trostträume aus dem Märchen: ›Das tapfere Schneiderlein‹ (Grimm No. 20).

---

[7] S. Freud, ›Bruchstück einer Hysterieanalyse‹ (1905); *G. W.*, Bd. 6, S. 161; *Studienausgabe*, Bd. 6, S. 83.
[8] *Gesammelte Werke* in 9 Bänden, hrsg. von E. Rollet und A. Sauer, Anton Schroll, Wien 1924–25, Bd. 8: *Tagebücher* (1924).
[9] Trauerspiel in fünf Aufzügen (1872). Statt »Ottakar« muß es richtig »Primislaus« heißen. Sachs hat wohl den folgenden Vers gegen Ende des 4. Aufzugs im Sinn: »Das Kleinod, das der Jungfrau Schmuck und Zier, Das Sinnbild erster, ahnender Begegnung.« Raub und Rückgabe des Kleinods stehen im Mittelpunkt der Handlung.

Endlich einige Beispiele von Traumdarstellungen, die Redensarten bildlich zum Ausdruck bringen.

STEKEL bemerkt zu dem Mord des kleinen Knaben, wie hier der Durchbruch der kriminellen Instinkte diese so häufig bloß intendierte Handlung zur Tat werden lasse. Er berichtet einen ähnlichen Fall aus seiner jüngsten Erfahrung und weist darauf hin, wie häufig und ausgeprägt diese kriminellen Instinkte seien. Wenn der Bruder diese Tat nicht ausgeführt hätte, so wäre wahrscheinlich späterhin als Reaktion eine pathologische Inzestneigung aufgetreten.

TAUSK führt eine Reihe von Symbolhandlungen eines 16jährigen Zwangsneurotikers an, der das seltene Phänomen zeige, daß er den Kontakt zwischen seinen Symbolbildungen, den dazu treibenden Motiven und dem darzustellenden Inhalt genau kennt. Er gibt das Symbol und zugleich auch dessen Bedeutung und bringt so die ganze mühselig herausanalysierte Symbolik des Traumes und des Unbewußten oft ins Groteske gesteigert bewußterweise dar. Natürlich liegt seine Krankheit viel tiefer.

Prof. FREUD findet es nicht selten, daß Zwangsneurotiker viele der von ihnen gebrauchten Symbole kennen. Ein schönes literarisches Beispiel dafür biete Zola, der in seinem Roman [*La*] *joie de vivre* [1884] die Übersetzung der Zwangshandlungen seines Helden, die er offenbar von seiner eigenen Person her kannte, mit erstaunlicher Sicherheit gibt. Der Held muß jedesmal beim Weggehen die Sessel symmetrisch stellen und sich dann durch Zurückkommen öfters überzeugen, ob das auch tatsächlich geschehen sei. Der Held ist in beständiger Todesangst, und der Dichter erklärt diese Zwangshandlung als ein Abschiednehmen. Hinzufügen könne man, daß sie auch die Gerechtigkeit symbolisiere, die der Held den zwei Frauen, zwischen denen er schwankt, zuteil werden lassen will. Es tritt dieses Abschiednehmen nämlich auf nach der schweren Erkrankung der Heldin Pauline, mit der er verlobt ist und deren Tod er unbewußt zur Lösung des Konfliktes herbeisehnt.

Unter den von Tausk erwähnten Beispielen seien einige besonders interessant, weil sie uns die allgemeine Giltigkeit der Symbolik beweisen, die sich auch über die Sprache hinweg durchsetzt (z. B. Schmetterling als Frau, im Russischen heißt er Babuschka = alte Frau, Mütterchen).

FRIEDJUNG berichtet über einen Vortrag von Goldstein über den

Philosophen Henry Bergsohn[10], der die Determination des psychischen Geschehens leugnet und bei dessen Auditorium es sich zeigte, daß die Freudsche Lehre von der Determination des Seelischen schon in weitere Kreise gedrungen sei, als die Gegner ahnen.

DATTNER bringt einen kleinen Beitrag zur Kinderpsychologie und einen Traum, dem eine homosexuelle Phantasie zugrunde liegt. Dann einen eigenen Traum, dessen Material sich durch einen Zeitintervall von 6 × 23 Tagen (138) determiniert erweist im Sinne Swobodas.[11]

FURTMÜLLER führt zum weiblichen Gebrauch des Schlangensymbols eine Stelle aus Hans Raus *Beiträge zur Geschichte der menschlichen Verirrungen* an[12], wo der Heilige Pachomius[13], der sich durch ein Weib in Teufelsgestalt verführt glaubt, sein Genitale einer Schlange zum Abbeißen darbietet.

Prof. FREUD hält diesen Fall nicht für beweisend, da er ebensogut die Identität der Schlange mit dem Penis ausdrücken könne.

Ähnlich äußern sich TAUSK und SACHS, die auch die Bedeutung im Sinne Furtmüllers bestreiten.

---

[10] Henri Bergson, 1859–1941, der berühmte französische Philosoph. – Julius Goldstein, 1873–1929, deutscher Professor der Philosophie, veröffentlichte einen Aufsatz, ›Henri Bergson und die Sozialwissenschaft‹, im *Archiv für Sozialwissenschaft und Sozialpolitik*, Bd. 31, 1910, S. 1–22. Wahrscheinlich wurde er aufgrund dieses Aufsatzes zu einem Vortrag nach Wien eingeladen.
[11] Vgl. die Anm. 5 des 133. Protokolls, oben, S. 176.
[12] *Beiträge zu einer Geschichte der menschlichen Verirrungen*, ein dreibändiges Werk, die ersten beiden Bände von Hans Rau, I. Bd.: *Die Verirrungen in der Religion*, Leger Verlag, Leipzig 1905; II. Bd.: *Die Verirrungen der Liebe. Studien zur Sexualpsychologie*, ebda. 1907; der III. Bd. (unter dem im Protokolltext genannten Obertitel) von Carl W. Rudolfi, *Die Askese und ihre Verirrungen. Ein Wegweiser durch das Labyrinth dogmatischer Irrtümer*, ebda. 1908.
[13] Oberägyptischer Mönch, 287 oder 292–346.

139

Vortragsabend: am 19. April 1911

[Anwesend:][1] als Gast stud. phil. et med. Reinhold[2]

[139.] PROTOKOLL

Über *Lanval*[3]

[Vortragender:] Richard Wagner

Nach einer kurzen Rechtfertigung des Deutungsversuches an Kunstwerken und einigen prinzipiellen Erörterungen über die Methodik und die Grenzen eines solchen Unternehmens begründet der Vortragende die Wahl seines Themas mit dem die Deutung begünstigenden Umstand, daß der Dichter sich an eine alte Sage anlehnt und sie in einer für ihn charakteristischen Art verarbeitet.

Der Vortragende geht von der alten Fassung der Lanvalsage in den Liedern der Marie de France[4] aus, vergleicht sie mit einer Anzahl Parallelschöpfungen und hebt als gemeinsamen Kern all dieser Sagen hervor: die heimliche Verbindung eines Ritters mit einem feenhaften Wesen, das von ihm für das Glück der Liebe strengstes Geheimnis verlangt und zu jeder Zeit und an jedem Orte, wo der Ritter will, erscheint. Überall wird der Ritter entweder durch Schmähungen oder durch übertriebene Verherrlichung anderer Frauen gereizt, das Ge-

---

[1] Rank hatte im Präsenzbüchlein zwar Datum und Thema dieses Abends schon vorbereitend eingetragen, doch hat während seines Urlaubs offenbar niemand eine Anwesenheitsliste geführt. Lediglich der Eintrag des Gasthörers findet sich, vermutlich von Rank später nachgetragen.
[2] Josef Reinhold wurde am 24. Mai 1911 als Mitglied aufgenommen.
[3] Drama des deutschen Dichters Eduard Stucken, 1865–1936. – Ein Autoreferat des Vortrages erschien im *Zentralblatt*, Bd. 1, 1911, S. 518 f.
[4] Die berühmte französische Dichterin des Mittelalters, zweite Hälfte des 12. Jahrhunderts.

heimnis zu verraten, und aufgefordert, die vor allen anderen Frauen gepriesene Geliebte bis zu einem bestimmten Termin zum Beweis ihrer Schönheit zur Stelle zu bringen. Von da ab trennen sich die Wege, je nachdem die Fee gleich oder zögernd dem Rufe Lanvals Folge leistet und dem Ritter leichter oder schwerer verzeiht. Immer aber folgt er ihr nach Avalon, der Insel der Seligen[5]; ob damit der Tod oder ein zweites Leben in einem besseren Jenseits gemeint ist, ist nicht deutlich aus den Sagen zu entnehmen.

Der Vortragende geht nun näher auf den Inhalt des Lais[6] von Lanval ein, das den Ödipuskomplex deutlich aufzeige. Daß die Königin (Mutter) Lanval ihre Liebe gesteht, ist nur die Umkehr des bekannten infantilen Wunsches, ihre Anschuldigung und Verleumdung beim König die Objektivierung seiner geheimen Befürchtung, der König könne etwas bemerken. Die Fee ist in der Sage sehr undeutlich und schattenhaft skizziert.

Von da geht der Vortragende auf einen anderen Hauptkomplex der Sage, nämlich auf den Masturbationskomplex ein, auf den das Erscheinen des feenhaften Wesens nach Wunsch und die ganze Geheimnistuerei deuten. Im Zusammenhang gesehen, stellen sich diese beiden Komplexe – Liebe zur Mutter und Masturbation – folgendermaßen ein: Zunächst ist die Mutter die Schönste und Erstrebenswerteste, der kein anderes weibliches Wesen gleichkommt; später lernt das Kind dann die Masturbation kennen, und da stellen sich Gewissensbisse ein, es könnte diese Art der Sexualbefriedigung die alte Liebe zur Mutter ablösen oder unterdrücken (vielleicht sind die Selbstvorwürfe des Masturbanten überhaupt so aufzufassen). Diesen Mechanismus zeigt die Sage in projizierter Form mit allerlei Umkehrungen und Verundeutlichungen. In der Überdetermination bedeutet die geheime Beschäftigung mit der Fee auch die Abkehr von der alten Inzestliebe zur Mutter, den Übergang vom Autoerotismus zur Objektliebe. Das Nichterscheinen der Fee ist dann als Masturbationsabgewöhnung aufzufassen, während am Schluß die endliche Vereinigung in Avalon den Weg zur wahren Objektliebe andeutet. Anderseits verbirgt sich auch die Gegenbedeutung, der Tod, in der Entrückung auf die Inseln der Seligen.

Das Drama Stuckens ist nicht mehr so deutlich und einheitlich wie die Sage und enthält vielfach fremde Sagemotive. Die Hauptveränd e-

---

[5] In der keltischen Mythologie der Ort, wo die verstorbenen Könige und Helden weilen (›Insel der Apfelbäume‹); in die altfranzösische Artusdichtung eingegangen als ›Gefilde der Seligen‹, wohin auch König Artus selbst nach seiner Verwundung lebend entrückt wurde.
[6] Bretonisches Lied; Verserzählung des Mittelalters, insbesondere der Artus-Sagen.

rungen gegenüber der Sage bestehen darin, daß der Königin manifest sozusagen die Mutterrolle entzogen wird und zweitens, daß das feenhafte Wesen ins Elbische und Gespenstische umgedeutet ist. Die inzestuöse Wunschphantasie nach der Mutter bleibt verdrängt – hier zeigt sich das säkulare Fortschreiten der Verdrängung – und an Stelle der Königin ist als eine Art Kompromißbildung aus Mutter und Schwester ihre Nichte Lionors eingesetzt. Den geheimen unbewußten Sinn des ganzen Dramas faßt der Vortragende in folgende Formel zusammen: Stuckens *Lanval* ist die dichterische Fassung der allgemein menschlichen Tragödie des psychisch impotenten Schuldneurasthenikers, der an seiner eigenen Potenz zweifelt und an seinem hartnäckigen Festhalten am Autoerotismus zugrunde geht; darin ist das Drama viel strenger als die Sage. Lanval wird getötet, und zwar von Agravain, der Darstellung des Potenten, des Männlichen, der Lanval verachtet und ihm seine Schwester Lionors nicht zum Weibe geben will (Motiv der feindlichen Brüder). Der Vortragende bringt nun zum Erweise des Masturbationskomplexes eine Reihe von charakteristischen Stellen aus dem Drama. Der Vortragende geht dann noch kurz auf die andern Personen des Dramas ein und bringt sie mit dem latenten Sinn des Stückes in Zusammenhang. Lanval geht an seiner abnormen sexuellen Einstellung zugrunde; es ist die Tragödie des im Autoerotismus Stehengebliebenen.

Diskussion

STEKEL hebt hervor, daß Fingula nicht [als] Vertreterin der Masturbation, sondern als Schwester aufzufassen sei; das Drama ist die Tragödie der Liebe des Bruders zu seiner Schwester.

TAUSK nimmt Wagner in Schutz und meint, daß die Auffassung Stekels diejenige Wagners nicht ausschließe; beide Komplexe können nebeneinander bestehen.

FURTMÜLLER lobt die literarische Ausarbeitung, namentlich die Einleitung, mit der die späteren Ausführungen nicht recht übereinstimmen. Fingula sei weder in allen Sagenformen noch im Drama Vertreterin der Masturbation, und daß Lanval den Versuch mache, vom Autoerotismus zur Objektliebe überzugehen, erscheine nach dem Inhalt des Stückes nicht begründet. Endlich, daß die Königin für die Schönste gehalten werde, liege in den mittelalterlichen Verhältnissen begründet, sei eine byzantinische Ausdrucksform.

GRÜNER, G., nimmt Stekel gegen Tausk in Schutz, meint aber, sowohl Stekels wie Wagners Ansichten dürften zu Recht bestehen.

FRIEDJUNG benützt diese Meinungsdifferenz zu dem Hinweis, auf wie unsicheren Wegen sich derartige Deutungen bewegen und wie man dabei seiner Phantasie freien Spielraum lassen kann. Alle Deutungen Wagners wie Stekels sind bestenfalls Vermutungen, ein Spielen mit psychoanalytischen Kenntnissen, aber keine Wissenschaft.

STEKEL wundert sich über diesen Ton Friedjungs, der dessen eigene Unorientiertheit verrate. Er ergänzt seine Mitteilungen durch den Hinweis, daß die Onanieauffassung auch darum ausgeschlossen scheine, weil der Dichter Lanval als Don Juan zeichne. Dagegen werde Lanval an verschiedenen Stellen der Dichtung als Bruder gekennzeichnet. Das wichtigste Thema der Dichtung ist in nekrophilen Instinkten zu suchen.

FEDERN findet, daß Wagner nicht stark genug betonte, was er unter Onanie verstehe (Phantasien des Autoerotikers, der noch bei seinen Phantasien verweilt, wenn er auch schon längst beim normalen Sexualverkehr ist). Zur Frage der Elfen und Nixen berichtet er den Fall eines Patienten, der immer Märchen von Elfen und Nixen erzählte, hinter welchen seine früh verstorbene Schwester steckte, mit deren Genitale er immer spielen wollte. Er vermutet, daß die Elfen und Nixen zum Teil die stark phantasiebetonten Tagträume eines nicht so bald zum irdischen Weib kommenden jungen Menschen sind. Die Bedingung der autoerotischen Phantasie ist das Geheimnis; gibt er die erstere auf, so auch das letztere.

GRÜNER, G., polemisiert gegen Stekel und tritt für den Onaniekomplex ein.

TAUSK bemerkt, die Heimlichkeit sei sowohl der Liebe wie der Masturbation eigen; beides geschieht, um sich vor den Personen zu schützen, die auf den Liebesakt Anspruch haben.

FURTMÜLLER faßt als Resultat der bisherigen Diskussion zusammen, daß es sich zweifellos um die Wunschphantasie eines von der normalen Sexualbetätigung Ausgeschlossenen handelt.

HILFERDING bekennt sich zu dem, was Friedjung sagte. Jeder findet andere Komplexe und schließlich natürlich überall dieselben. Der Dichter wird auf jene den meisten Eindruck machen, die er am intensivsten anspielt. Die Analyse der Dichtwerke hat bisher noch recht wenig Wertvolles ergeben.

ROSENSTEIN schließt sich im ganzen auch den Ausführungen Friedjungs an und polemisiert gegen Grüner, dessen Behauptungen immer angeführt werden und gar nichts erklären. Der Aufbau des Dramas folge ganz anderen Gesetzen als der einer Neurose und es sei falsch, den Dichter von vornherein als Neurotiker darzustellen. Natürlich hat der Dichter auch die Komplexe, aber was ihn von anderen Menschen, z. B vom Zwangsneurotiker unterscheidet, das wäre wichtig festzustellen. Die Dichtung ist vorwiegend eine Schöpfung des bewußten Denkens, wenn auch die unbewußten Komplexe ihren Anteil daran haben. Auch vor der Psychoanalyse wurde Ästhetik getrieben, und nicht unvernünftige.

KLEMPERER wendet sich gegen Rosenstein, der Zensuren austeile wie im Gymnasium.

FURTMÜLLER meint, es gebe eine zweifache Art der Betrachtung von Kunstwerken in psychoanalytischer Richtung: das eine Mal wird der Dichter Objekt, das andere Mal die Dichtung. Bei der Psychoanalyse müsse die Betrachtung des Kunstwerkes in den Vordergrund treten.

HITSCHMANN möchte vorschlagen, zunächst einfache Werke zu analysieren, eventuell Dichtungen von Patienten. Das könne aber nur mit Erfolg geschehen von Leuten mit reichlicher psychoanalytischer Erfahrung. Endlich wären Jugendwerke des Autors vorzuziehen und das Gemeinsame in seinen Werken aufzuzeigen.

WAGNER gibt in seinem Schlußwort die Richtigkeit aller vorgebrachten Komplexe zu, und er selbst habe ja auch die Überdetermination beachtet.

140

Vortragsabend: am 26. April 1911

Anwesend: Adler, Federn, Freud, Friedjung, Furtmüller, Heller, Hilferding, Oppenheim, Rank, Reitler, Sadger, Steiner, Stekel, Tausk, Klemperer, Sachs, Silberer, Wagner, Winterstein, Grüner G., Rosenstein, Dattner.

[140.] PROTOKOLL

[Geschäftliches]

STEKEL meldet Herrn Dr. M. Wulff in Odessa als Aufnahmswerber an.

Diskussion
über Stekels Buch:
Die Sprache des Traumes [1]

REITLER hebt hervor, daß man den Deutungen guten Glauben entgegenbringen müsse, daß aber für Außenstehende viele Beispiele zuwenig einleuchtend seien, um zu beweisen, und viel eher zu Widerspruch und Ablehnung anregen. Redner kritisiert dann im einzelnen einige Beispiele, die zur Veröffentlichung unzureichend seien (Traum No. 138, Examen; No. 526, Oper; No. 22, Bürgermeister). Außerdem rügt er die Sucht zur Verallgemeinerung und die Sorglosigkeit in der sprachlichen Ausdrucksform sowie eine Reihe von Denkflüchtigkeiten, die bei sorgfältiger Durchsicht leicht zu vermeiden gewesen wären. – Der Ausspruch, daß schon der manifeste Inhalt das Wichtigste vom

---

[1] S. die Anm. 4 des 117. Protokolls, oben, S. 43.

latenten Gehalt verrät, sei wissenschaftlich nicht haltbar. – Wenn auch die symbolischen Gleichungen zuträfen, so gelte das doch nicht für die Affektgleichungen; es gebe nur eine Affektgleichung, die Verkehrung ins Gegenteil. – Was die Bisexualität der Träume und der Symbole betreffe, so sei zu bemerken, daß schließlich im Verlaufe jeder Analyse bei längerer Diskussion ein Stück Bisexualität zum Vorschein kommen müsse, das aber durchaus nicht zum Traum gehören muß, sondern der Person des Träumers angehöre. Dasselbe gelte für die Todesklausel. Ebenso wie der generelle so sei Stekel auch der spezielle Bisexualitätsnachweis mißlungen. – Die Kriminalität der Kinder sei eine maßlose Übertreibung, ebenso die Ursprünglichkeit der Haßregungen. Die Auffassung des Inzestkomplexes als Kompensation dagegen sei nach Stekel selbst unmöglich, weil die Herkunft der von ihm postulierten Liebesregungen nicht ersichtlich werde. Schließlich würdigt Redner die Vorzüge des Buches und des Materials und hofft, daß die zweite Auflage die gewünschten Verbesserungen bringen werde.

STEKEL hält es für einen prinzipiellen Fehler, über ein so großes Buch so allgemein zu sprechen; er hätte eine Spezialdiskussion über einzelne Themata lieber gesehen. Die Flüchtigkeiten seien bei einem so großen Werke selbstverständlich. Er habe gar nicht die Absicht verfolgt, Außenstehende zu überzeugen. Schließlich geht er auf die Gegenkritik am einzelnen Beispiele ein.

TAUSK greift ein kleines Stückchen der Arbeit, das Vorwort, als symptomatisch heraus, um es textkritisch zu zergliedern und erkenntnistheoretisch zu kritisieren. Er weist vor allem Fehler in der Begriffsbestimmung nach und findet neben geistvollen und sogar glaubwürdigen Deutungen, daß im ganzen mit einer gewissen Verachtung des Lesers gearbeitet wird. Bei der textkritischen Prüfung des Schlusses rekurriert Redner auf Reitlers kritische Bemerkungen und weist auch hier wieder auf ähnliche Denkfehler und Mißstände wie im Vorwort hin.

SACHS möchte mit einem Lobe des Buches beginnen, da er sich durch dessen Lektüre in der praktischen Traumdeutung ungemein gefördert fühlte. Nur neige Stekel in seiner Fähigkeit, leicht und rasch den geeigneten Standpunkt zu treffen, sehr zur Verallgemeinerung. Neben stilistischen Kleinigkeiten (die häufige Verwendung des Ausrufzeichens und der Gedankenpunkte) rügt Redner hauptsächlich den Umstand, daß die Deutung manchmal viel zu einfach dargestellt sei und einen falschen Eindruck von der psychoanalytischen Technik erwecke; abgesehen davon, daß die symbolische Methode der Traumdeutung in ihrer weitgehenden Anwendung der Psychoanalyse nicht zuträglich ist, weil der Arzt dabei zuviel Leistung auf sich nimmt und damit den Widerstand des Patienten vermehren hilft. – Die Ansicht Stekels über das Verhältnis von Kriminalität und Sexualität teile er durchaus nicht, möchte aber die Diskussion hierüber zur Zeit vermeiden. Am meisten sei ihm ein Vorwurf daraus zu machen, daß er zwischen typischer und individueller Symbolik nicht scharf unterscheide, woraus sich vielleicht seine Übertreibungen in der Bisexualität und der Todessymbolik erklären.

SILBERER hebt anerkennend hervor, daß Stekels Buch trotz der Flüchtigkeit mancher Partien ihm bei der praktischen Traumdeutung gute Dienste geleistet habe. Zur Diskussion möchte er nur ein Detail herausgreifen. Wenn Stekel behauptet, daß nur affektbetonte Wachgedanken in den Traum übergehen, so sei das nach seinen Erfahrungen nicht richtig. Bei den Halluzinationen zeige sich, daß das treibende Moment entweder von der Aufmerksamkeit oder von einem Affekt herrühren kann. Allerdings könne man die Aufmerksamkeit mit Bleuler als Affekt ansehen.

STEKEL: Der Mensch schläft nicht ein, weil das Bewußte es verlangt, sondern weil das Unbewußte herrschen will.

Prof. FREUD bringt den Entwurf seines Referats für das *Jahrbuch* zur Verlesung[2], in welchem er zu einem versöhnenden Ausgleich zwischen Widerspruch und Anerkennung nicht gelangt ist. Stekel habe insbesondere im Gebiet der zur Traumdeutung neu hinzugekommenen Symbolik die Grenzen nicht einzuhalten gewußt. Nicht alle Träume erfordern die Anwendung der Symbolik und viele Träume seien mit einem bescheidenen Ausmaß von Symbolik zu lösen. Durch die Ausschließlichkeit der Symbolik ist die Traumdeutung unsicher und oberflächlich geworden. Das hänge aber mit der Überschätzung des manifesten Trauminhalts bei Stekel zusammen.

STEKEL dankt für die Kritik, die doch immerhin einiges anerkennt und bestätigt. Er habe selbst hervorgehoben, daß mit der Symbolik nicht alles gedeutet werden kann. Die kleinlichen Einwände, die sich auf sprachliche und stilistische Unkorrektheiten und sonstige Irrtü-

---

[2] Dieses Referat wurde im *Jahrbuch* nicht publiziert, aber Freud veröffentlichte eine kurze Arbeit ›Die Handhabung der Traumdeutung in der Psychoanalyse‹ (1911) im *Zentralblatt*, Bd. 2, 1912, S. 109–13; *G. W.*, Bd. 8, S. 349; *Studienausgabe*, Ergänzungsband, S. 149.

mer beziehen, kämen gar nicht in Betracht. Die beiden scheinbar widersprechenden Behauptungen, daß jeder Traum bisexuell sei, anderseits das Kriminelle die Triebkraft für ihn abgebe, ließen sich auf Grund des Adlerschen Standpunktes versöhnen, dem er sich hier voll anschließen müsse. Die Kriminalität sei eben das typisch Bisexuelle: Die Person sträube sich dagegen, ein Weib zu sein, und gebärde sich männlich.

GRÜNER, G., findet die Art der Kritik des reichen und wichtigen Inhalts von Stekels Buch unwürdig. Wenn auch die Kriminalität nicht genau diese Bedeutung haben mag, so hat sie Stekel doch in irgendeiner Form festgelegt. Es kommt nicht so genau darauf an, ob das Äußere logisch ist, als vielmehr ob das Innere wertvoll ist.

FURTMÜLLER wendet sich gleichfalls gegen die Art der Kritik, die nicht von vornherein darauf ausgehen dürfe, jeden Fehler bis ins kleinste zu verfolgen; man könne alle diese Mängel mit offenen Augen sehen, ohne doch darum den Inhalt des ganzen Buches zu verwerfen.

FEDERN bemerkt, man müsse Stekels Bücher so nehmen, wie sie seien, und das Material von seinen theoretischen Erörterungen zu scheiden wissen. Die symbolischen Gleichungen, die ja zum großen Teil richtig, aber auch bekannt seien (Gold = Kot etc.), verführen leicht dazu, sie willkürlich in jedem Falle anzuwenden. Seine eigenen Träume deute Stekel so, wie wir es gewohnt seien, und die Träume der andern deute er so, als hätte er [Stekel] sie geträumt. Es müsse die Frage aufgeworfen werden, wo zu jedem Element die Traumdeutung aufhöre, denn sonst könne man auf alle Komplexe kommen. Es gebe dafür nur zwei Kriterien: Das eine sei bei vielen Patienten ein Gefühl, das gehört nicht mehr dazu, und 2. wenn man dem Patienten etwas vorschlägt, daß dann eine neue Kette sich bildet, welche den Trauminhalt deutlicher, klarer, verständlicher macht und das endopsychische Gefühl: das ist etwas Richtiges, produziert.

STEKEL weist schließlich noch auf die symbolischen Gleichungen als den festesten Punkt seiner Arbeit hin.[3]

---

[3] Diese Diskussion enthält bereits die Elemente, die später zu Stekels Austritt aus der Vereinigung führten.

141

Vortragsabend: am 3. Mai 1911

[Anwesend:] Adler, Federn, Freud, Friedjung, Furtmüller, Hitschmann, Oppenheim, Rank, Sadger, Steiner, Stekel, Tausk, Grüner G.
und F., Sachs, Wagner, Winterstein, Rosenstein, Drosnés, Dattner.
Als Gäste: Müller (Basel), Frischauf.

[141.] PROTOKOLL

[Geschäftliches]

Dr. M. Wulff in Odessa wird einstimmig zum Mitglied gewählt.

Dr. TAUSK kündigt die Abhaltung seines Kurses über Psychoanalyse in der Wiener Medizinischen Vereinigung an und ladet die Mitglieder der Psychoanalytischen Vereinigung zur Teilnahme ein.

Über Haut-, Schleimhaut- und
Muskel-Erotik[1]
[Vortragender:] Dr. I. Sadger

Von den erogenen Zonen Freuds unterzieht der Vortragende zwei
einer besonderen Besprechung: die Haut mit ihrer Differenzierung in
Schleimhaut und Sinnesorgane und die Muskulatur. Daß die Haut
sich stellenweise zur Schleimhaut umwandelt, hat neben dem physiologischen noch einen erotischen Zweck. Wo nämlich dieser Übergang

---

[1] Das in Sadgers Handschrift abgefaßte Manuskript liegt dem Protokoll der Sitzung bei; eine erweiterte Fassung wurde unter dem Titel ›Haut-, Schleimhaut- und
Muskel-Erotik‹ im *Jahrbuch*, Bd. 3, 1912, S. 525–56, veröffentlicht. Wir geben hier
zunächst den Text des handschriftlichen Manuskripts, anschließend Ranks Niederschrift wieder.

stattfindet, liegt eine erogene Zone, die sich auch rein anatomisch durch besonders reichliche Anastomosen[2] zwischen den Tastkörperchen als solchen dokumentiert. Ihre stete Durchfeuchtung setzt ferner eine beständige sexuelle Bereitschaft. Haut-, Schleimhaut- und Muskelerotik kommen gewiß zusammen vor. Doch gibt es auch einige Fälle reiner Hauterotik, wie z. B. die geschlechtlich erregende Wirkung kohlensaurer Bäder, die deshalb bei Herzneurosen nicht angewendet werden dürfen. Auch die allgemeine Körpermassage, bei der freilich auch die Muskelerotik mitwirkt, hinterläßt das Gefühl wollüstiger Ermattung. Wärme wie Kälte wirken bei Hysterischen spezifisch und sexuell erregend, so daß die einen nur Wärme, die andern nur Kälte vertragen. Die richtigen Kaltwasserfanatiker, ferner Licht-, Luft- und Sonnenapostel sind Menschen mit besonderer Hauterogenität, wobei allerdings auch die Exhibitionslust stark mitspielt. – Eine typische Äußerung der Hautsexualität ist das Kitzelgefühl, das sich in eminenter Weise nur bei Menschen findet, die noch keinen regelmäßigen Sexualverkehr haben, um nach Aufnahme desselben zu schwinden. Häufig weist die Kitzligkeit einer besonderen Hautstelle z. B. am Halse auf eine Tieferogenität hin (Asthma, stets rezidivierende Angina etc.). Dem Kitzeln nahe verwandt ist das grundlose Lachen und Kichern der Kinder und halbwüchsigen Mädchen, ferner das nervöse Hautjucken, und zwar sowohl das örtliche, welches ausschließlich erogene Zonen befällt, als [auch] der Pruritus universalis. Auch andere Dermatosen wie die Akne und manche Formen von Urtikaria und Ekzem haben nahe Beziehungen zur Hauterotik. Eine Neurose der letzteren ist die Akroparästhesia Friedrich Schultzes.[3]

Haut-, Schleimhaut- und Muskelerotik erklären zum Teil auch die Stigmen der Hysterie und [der] traumatischen Neurose. Bei beiden Neurosen findet sich eine akut auftretende, frei flottierende Libido, die bereit ist, sich auf jeden Impuls zu werfen. Namentlich findet gern eine Rückkehr zur Kindererotik statt, die weniger Genital- als Haut-, Schleimhaut- und Muskelerotik ist. Die Schleimhaut- ist von der Muskelerotik kaum je zu trennen. Wohl aber gibt es Neurosen dieser beiden Gruppen wie das Asthma bronchiale, die Colitis muco-membranacea und die Pertussis. Die Erotik der Sinnesorgane verrät sich in dem lustvollen Nasenbohren und dem Nichtschneuzenwollen der Kinder und Erwachsenen, ferner in den nervösen Seh- und Hörstörungen. Die Muskelerotik dokumentiert sich z. B. in dem Strampeln, Springen

---

[2] Die natürliche Vereinigung mehrerer Blutgefäße, Lymph- oder Nervenbahnen.
[3] Friedrich Schultze, 1848–1934, deutscher Arzt, Professor in Bonn, ›Über Akroparästhesie‹, *Deutsche Zeitschrift für Nervenheilkunde*, Bd. 3, 1893, S. 300–18.

und Laufen der Kinder, den grundlosen Raufereien der Schuljungen, dem häufigen Verlangen auch erwachsener Menschen, hinzuhauen, wenn kräftige Nates sich ihnen herausfordernd entgegenstrecken, in dem heftigen Drange unserer Mädchen in der Pubertät zu Küssen, Anpressen und Umarmen, in ihrer Tanzwütigkeit und ähnlichen Dingen. Eine Neurose der Muskelerotik ist endlich der Tic.

Haut-, Schleimhaut- und Muskelerotik sind im wesentlichen autoerotisch, die genitale auf ein fremdes Objekt gerichtet und dadurch sozial. Trotzdem ist die erste von höchster Bedeutung, nicht bloß weil sie der Sexualität stets neue Kräfte zuführt und in der Kindheit wie im Alter alleinherrschend ist, sondern auch, um die genitale [Erotik] selber zur höchsten Entfaltung kommen zu lassen. Muskel- und Hauterotik und insbesondere die Schmerzempfindlichkeit wurde durch die Kultur ganz außerordentlich gesteigert. Die Unterempfindlichkeit des Kulturkindes gegen Schmerz ist nur eine scheinbare, weil jeder schmerzhafte Insult sofort eine ganz ausnehmend starke Hauterotik miterregt, so daß ein zwiespältiges Empfinden entsteht, nicht reine Unlustgefühle wie beim Erwachsenen. In der Pubertätszeit bestehen eine Zeitlang nebeneinander die infantile Haut- und Muskelerotik und die genitale. Das bedingt die Genialität der Entwicklungsjahre. Um diese Zeit tritt die extragenitale Erotik beim Gesunden zurück. Nun ist gerade an ihr Fortbestehen der Kulturfortschritt gebunden. In der zweiten Hälfte des 19. Jahrhunderts ging der enorme Fortschritt auf allen Gebieten Hand in Hand mit einem enormen Zuwachs der Sexualität, und zwar vorwiegend der extragenitalen. So wurde in dieser Zeit erst der Sport für die großen Massen entdeckt, also Betätigung der Haut- und Muskelerotik. Das ist nun von enormer Wichtigkeit. Denn just die extragenitale Erotik wirkt wie eine Art von Leydener Flasche[4] und gestattet Aufspeicherung einer enormen Menge von Sexualität, ohne daß diese darum zügellos würde. Sie ist ferner in weit höherem Grad sublimierbar und wird dadurch sozial viel wertvoller als die genitale, die altruistisch bloß für die Familie [bestimmt ist]. Sie ist endlich viel höher potenzierbar und weit mehr zu steuern, und während ein Teil stets wieder der Sublimierung verfällt, wird neue Autoerotik gespeichert.[5]

Dr. Sadger hebt von den erogenen Zonen im Sinne Freuds zwei besonders hervor, die Haut und die Muskulatur, deren Erogenität das

---

[4] Leidener oder Kleistsche Flasche, der erste elektrische Kondensator, aus Glas in Zylinderform hergestellt.
[5] Nach Sadgers Manuskript folgt nun Ranks Bericht über den Vortrag.

Leben jedes Menschen in der Kindheit beherrsche, um nach einer Zeit der Vorherrschaft der Genitalzone im reifen Leben gegen Ende des Lebens wieder in die alten Rechte zu treten. Die Umwandlung der Haut zur Schleimhaut an gewissen Stellen hat wichtige erotische Zwecke. Die Haut-, Schleimhaut- und Muskel-Erotik kommt in den meisten Fällen zusammen vor; die Hauterotik ist auch isoliert zu finden. Bekannte Beispiele aus der Medizin seien: die sexuell erregende Wirkung der Massage, die verschiedene Wirkung der Kalt- und Warmwasserkuren etc. Die Hauterotik scheint im letzten Jahrhundert allgemein zugenommen zu haben.

Vielleicht die intimste Beziehung zur Sexualität hat die Modifikation des Tastsinnes, die wir als Kitzeln bezeichnen (wofür sprachliche und volkskundliche Zeugnisse angeführt werden). In einem Zitat bei [Havelock] Ellis [6] wird das Kitzeln als eine Art Schamhaftigkeit des Körpers, als ein natürlicher Schutz der jungen Mädchen aufgefaßt. Das Selbstkitzeln soll überhaupt nicht möglich sein, gewährt aber zumindest einen bei weitem geringeren Genuß. – Mit der Tiefenerogenität des Halses hängt vielleicht die Neigung zu Anginen zusammen, die manche Patienten verlieren, wenn sie beispielsweise singen lernen, d. h. nun ihre Schleimhauterotik betätigen können.

Verwandt dem Kitzeln ist das endlose Lachen, das irgendwie mit dem Sexuellen zusammenzuhängen scheine, wie namentlich das typische Backfischgekicher nahelegt. Überhaupt scheint die Sexualität der Mädchen in der Pubertät sich häufig auf die Haut-, Schleimhaut- und Muskelerotik zu werfen (Küssen und Umarmungen).

Hierher gehört auch das nervöse Hautjucken, wobei das Kratzen, das von Kaposi [7] und Neisser [8] als Furor eroticus beschrieben wird, direkt wollüstigen Charakter hat. In einzelnen Fällen ließ sich eine wesentliche Besserung durch Psychoanalyse erzielen. Vielleicht sind auch gewisse Formen von Urtikaria und Kinderekzemen unter ähnlichen Gesichtspunkten zu betrachten.

Erogene Zonen sind auch die Fingerspitzen (Nägelbeißen), und es gibt ja auch eine häufig im Klimakterium auftretende Neurose, die an diese Erogenität anknüpft.

Haut-, Schleimhaut- und Muskel-Erotik sind auch imstande, uns einige Rätsel der Hysterie zu erklären, namentlich die Stigmata, die

---

[6] S. die Anm. 3 des 114. Protokolls, oben, S. 11.
[7] Moriz Kaposi, 1837–1902, Professor der Dermatologie an der Wiener Universität.
[8] Albert Neisser, 1855–1916, Professor der Dermatologie an der Breslauer Universität.

bekanntlich Babinski[9] als ein Produkt der ärztlichen Suggestion ansieht, wofür ja manches zu sprechen scheine. So einige Erfahrungen an traumatischen Neurosen, die anfangs eine sehr starke flottierende Libido haben, ebenso wie bei der Hysterie, die sich nun auf irgend etwas wirft, am liebsten auf den Arzt oder auf die von ihm bevorzugten Partien. Ähnlich werden die Leute mit traumatischer Neurose Hypochonder, indem sie, mit ihren Ansprüchen überall zurückgewiesen, ihre Libido auf die eigene Krankheit werfen. In diesem Sinne ist Hypochondrie die Verliebtheit in die eigene Krankheit. – Bei der Hysterie und traumatischen Neurose handelt es sich im wesentlichen um eine Rückkehr zur infantilen Haut-, Schleimhaut- und Muskelerotik, im einzelnen hängt das Überwiegen dieser oder jener Erotik von konstitutionellen Momenten ab. Je nach dem Verhalten der Libido könnte man eine Einteilung dahin treffen, daß eine Steigerung der Libido bei der Hauterotik zur Hypästhesie (Verdrängung = Anästhesie), bei der Muskelerotik zu Kontrakturen (Verdrängung = Dauerkontrakturen) führt.

Was die Schleimhauterotik betreffe, so bestehe sie isoliert wahrscheinlich überhaupt nicht, sondern fast immer mit der Muskelerotik kombiniert, wie auch die entsprechenden Neurosen zeigen (Asthma bronchiale, Pertussis, Colica mucosa). In diesem Zusammenhange ist auch die Impotenzbehandlung mit Sonden sehr interessant.

Außer den bisher genannten Schleimhäuten ist noch besonders zu nennen die Schleimhaut der Nase (erektiles Gewebe), wo sich das Nasenbohren deutlich als Äußerung der Sexualität verrät. Wichtig ist noch die Erotik der andern Sinnesorgane, wohin beim Auge gehören: Blendungsgefühl, Flimmern, nervöse Asthenopie[10]; beim Ohr Hyperakusie, Sausen etc., Zustände, die sich durch Hartnäckigkeit und großen Widerstand gegen die Therapie auszeichnen. Auch Schaulust und Exhibitionismus kann man zur Erotik der Sinnesorgane rechnen.[11]

Nächst dieser Kombination findet sich auch die Verbindung von Haut- und Muskelerotik; hierher gehört das Raufen und Ringen der Buben, Umarmen und Anpressen, Küssen. Von Sportbetätigungen Turnen, Bergsteigen usw. – Fraglich ist, ob es eine isolierte Muskel-

---

[9] José François Felix Babinski, 1857–1932, berühmter polnischer Neurologe, der in Paris lebte und arbeitete.
[10] Asthenopie: Mangelnde Ausdauer und Schwäche beim Nahesehen; verbunden mit Kopfschmerz, schneller Ermüdung, Verschwimmen des Bildes.
[11] Dieser Partialtrieb ist der interessanteste. Welche erogene Zone entspricht dem Exhibitionismus, welche der Schaulust? Das Auge? Die Haut? Die Frage ist bis heute noch nicht beantwortet. Exhibitionismus findet sich häufig an der Wurzel des Beziehungswahnes (beobachtet und bespioniert zu werden) sowie der Erythrophobie.

erotik gibt; bei gewissen Tätigkeiten des Kindesalters müßte man sie annehmen, z. B. Strampeln, Schreien und Springen, das scheinbar gänzlich unmotiviert auftritt.

Eine weitere typische Betätigung der Muskelerotik ist der Tanz, den [Havelock] Ellis als Ersatz der Liebeslust beschreibt. Die Neurose der Muskelerotik ist der Tic, der häufig mit Zwangsimpulsen verbunden ist.

Der Vortragende geht nun in einen allgemeinen Vergleich der Genitalerotik mit der extragenitalen Erotik ein, die beim gesunden Kulturmenschen zur Zeit der Pubertät zurücktritt, während sie beim Neurotiker zum guten Teil erhalten bleibt und die Stigmata ermöglicht. Beim Gesunden wird sie bloß zur Vorlust benützt, wobei sie die Genitallust ad maximum steigern kann. In der Pubertät bestehen beide Arten von Erotik eine Zeitlang nebeneinander, und darin scheint die Genialität der Pubertätsjahre zu wurzeln. Darum ist die höchste Entwicklung der Menschheit an den Fortbestand der extragenitalen Erotik gebunden. So erklärt es sich, daß in der zweiten Hälfte des vorigen Jahrhunderts, die einen so gewaltigen Fortschritt auf allen Kulturgebieten brachte, auch ein großer Vorstoß auf dem Gebiet der extragenitalen Erotik zu verzeichnen war, denn erst diese Epoche hat den Sport in seinen verschiedenen Formen geboren. – Die Hauterotik ist mächtiger geworden und um vieles verbreiteter. Im Zusammenhang damit ist beim Kulturmenschen in geschichtlicher Zeit eine außerordentliche Verfeinerung, eine Steigerung der Schmerzempfindlichkeit eingetreten, an der aber sehr viel von unserer Zivilisation hängt, denn auch der intellektuelle Fortschritt hängt von der Steigerung der Sexualität ab, und bei jedem Kind geht die geistige Entwicklung parallel der sexuellen. – Bei dieser Zunahme der Geschlechtsbedürftigkeit kommt der Hauterotik eine besondere Bedeutung zu, indem sie die Aufspeicherung einer großen Menge von Sexualität gestattet, ohne daß sie darum zügellos würde, denn sie ist hauptsächlich autoerotisch und dadurch besonders zur Sublimierung geeignet, während von der Genitalerotik in den Zeiten der Reife nicht viel zur Sublimierung erübrigt. Endlich gestattet die extragenitale Erotik noch eine Verlängerung des Liebeslebens nach oben und nach unten unabhängig vom Genitale. Der Vortragende schließt mit der Bemerkung, daß er sich das Material, das zum Sadismus und Masochismus führe, den er auf die gleiche Grundlage der Haut- und Muskelerotik stelle, für eine spätere, ergänzende Untersuchung vorbehalten habe.[12]

---

[12] Vgl. das Protokoll 177 in Bd. 4 der vorliegenden Veröffentlichung.

Diskussion

FEDERN stellt an den Vortragenden die Anfrage, weshalb er Erotik und nicht Libido gesagt habe, und möchte das letztere vorschlagen. Trotzdem der Vortragende eine Reihe von außerordentlich interessanten Anregungen und manche neue Gesichtspunkte gebracht habe, müßte man doch sagen, er habe sich die Sache zu leicht gemacht, wenn er überall einfach Muskelerotik findet, ohne festzustellen, wieviel davon konstitutionell gegeben, wieviel durch Unterdrückung der Sexualität zustande gekommen ist. Dadurch daß der Vortragende die Tatsachen der Verschiebung und des Abreagierens nicht beachtete, habe er sich jeder psychologischen Vertiefung entschlagen. Auch hätte er unbedingt die Frage der Minderwertigkeit der Organe heranziehen [sollen]. Der zweite prinzipielle Mangel bestehe darin, daß der Vortragende es unterlassen habe, das spezifisch Sexuelle zu unterscheiden von der Hauterotik (z. B. Kratzen). Beim Neurotiker wird eben auch die sexuelle Libido auf die Haut übertragen. Auch Sexualgifte im Körper können Jucken erzeugen, das aber von der Hautsexualität zu trennen ist. Durch Unterlassung dieser Trennung wird der Gegensatz weggeschafft, daß der Mensch neben den Sexualtrieben auch andere Triebe hat. Die anderen Triebe können nur erotisch verwendet werden und mitunter ein Stück Libido auf sich nehmen.

Bei der Erklärung der Stigmata müßte man tiefer gehen, ebenso bei der Pertussis etc. – Zur besonderen Sublimierungsfähigkeit der extragenitalen Erotik ist zu bemerken, daß es ja in allen Fällen die Genitalsexualität ist, die abgedrängt und anders verwendet wird.

Wir sollten, wie dies Rank getan hat, von einer Libido im weitesten Sinne sprechen und alle Regungen, die zu einer spezifischen Erregung gewisser Organe führen, und dann auch die spezifisch sexuellen separieren.

SADGER sieht den Vorteil der Benennung Libido in diesem Falle nicht ein. Auf die konstitutionellen Momente habe er sich nicht eingelassen, weil diese Dinge sehr unklar seien. Mit der Analyse können wir nur heran, wo die psychische Determinierung der Hauterotik beginne.

Prof. FREUD möchte nur ein Mißverständnis Federns bezüglich seiner Definition und Auffassung des Libidobegriffes beseitigen. Er habe als Libido nur bezeichnet den Drang der Sexualtriebe und sich dagegen verwahrt, daß, wie z. B. Jung gemeint habe, jede Art von psychischen Spannungen damit bezeichnet werde.

FRIEDJUNG findet, daß Sadger eine Menge Anregungen und Bereicherungen unserer Anschauungen gegeben habe. Nur habe er die Dinge zum Teil zu präjudizierlich behandelt. So sei die Behauptung zu schematisch, daß Geschlechtstrieb und Intellekt einander parallel gehen. Auch ginge es nicht an, das Anwachsen der Sportbewegung als Zeichen einer erfreulichen Entwicklung der Hauterotik anzusehen. Ebensowenig dürfe man die Pertussis, die ja eine Infektionskrankheit sei, als Ausdruck der Schleimhaut- und Muskel-Erotik auffassen. Daß dennoch die Hauterotik zu Recht bestehe und in klarer Weise zutage treten könne, erläutert Redner an zwei Beispielen.

GRÜNER, G., dankt für den praktisch belehrenden Vortrag und bittet nur um sparsameren Gebrauch der Fremdworte. Er glaubt nicht, daß zwischen Erotik und Libido ein so großer Unterschied zu machen ist, und führt als Beispiel Freuds Ausdruck von der »Analerotik« an, der ja auch im Sinne von Libido gemeint sei. Rank hat die Libido viel umfassender gemeint. – Beim Raufen und Turnen dürfte nicht die Hauterotik allein maßgebend sein. Übrigens ist die Genitalerotik ebenso Haut- und Schleimhauterotik wie die extragenitale.

HITSCHMANN meint, man habe die Entstehung dieses Themas bei Sadger nach der Harnerotik voraussehen können. Doch habe dessen Ausarbeitung einem dringenden Bedürfnis nicht entsprochen. Das heutige Thema hat auch insofern Unklarheiten geschaffen, als die Analerotik darunter subsumiert werden wird. Was neu hinzugekommen sei, war nicht gut. Der Vortragende habe nicht erwähnt, daß jede Einstellung der Augenmuskeln dem Schielenden direkt erotische Gefühle verursacht. Dagegen halte er es für maßlos, das Sprechen, Singen und Schreien einzubeziehen. – Als Detail wäre vielleicht die Berührung bei der Hypnose anzuführen gewesen. – Im ganzen könne er sich mit der Publikation in dieser Art und Weise nicht einverstanden erklären.

RANK erwidert auf mehrfache Anfragen, daß er den Begriff der Libido wohl in seinem weiten Umfange genommen habe, daß er aber die Dinge, auf die er ihn ausdehnte, eben auch sexuell nahm, so daß man seine Aufstellung ebensowohl als ungerechtfertigte Erweiterung des Freudschen Begriffes wie auch als Bereicherung desselben auffassen könne.

FEDERN geht nochmals auf die Frage der Konstitution und der Organminderwertigkeit ein und fixiert seinen Standpunkt im Gegensatz zu Sadger scharf.

SADGER findet, daß die Dinge dadurch, daß man sie auf das Gebiet der Konstitution hinüberspielt, um nichts klarer werden, und hält im übrigen die Meinungsverschiedenheit für einen Streit um Worte.

FURTMÜLLER greift auf den gleichen Punkt zurück wie Federn und stellt die Frage, ob Sadger der Meinung sei, daß jede an eine Organempfindung geknüpfte Lust sexuelle Lust sei. Freud habe sich nicht auf diesen Bahnen bewegt, sondern prinzipiell Lustempfindungen unabhängig von der Sexualität anerkannt. – Beim Sport habe Friedjung mit Recht die sozialen Bedingungen hervorgehoben. Bei vielen geselligen Sports komme übrigens die Homosexualität stark zur Geltung. Was Sadger über die Frage der Minderwertigkeit und Konstitution gesagt habe, scheine den Bedürfnissen der Diskussion nicht gerecht geworden zu sein. Der Fragestellung, wieweit diese Dinge angeboren seien, werde man wohl schwerlich ausweichen können.

SADGER: Die Frage, wieweit die Organlust mit der sexuellen Lust zusammenhänge, ließe sich nicht ohne weiters beantworten. Jede physiologische Betätigung erzeuge bis zu einem gewissen Grade Lustgefühle; daneben geht eine gewisse Abspaltung für das Sexuelle mit. Wo besondere Lustgefühle erregt werden, da scheine das Sexuelle besonders stark miterregt zu werden. Oft handelt es sich nur um ein solches verstärktes sexuelles Empfinden bei irgendeinem Organ, und der psychische Überbau ist gar nicht vorhanden.

Prof. FREUD hebt zunächst hervor, daß die scheinbare Ausdehnung des Begriffs der Sexualität nur eine Restitution sei in den Umfang seiner früheren Bedeutung, die noch in unserem Wort Liebe enthalten sei; er habe daher Erotik, Liebe und Sexualität gleichwertig gebraucht. Wenn man das, was er unsicher gelassen habe, sicher machen wolle, so müsse das an ganz neuem Material geschehen und nicht mit bloßen Begriffsbildungen. Der Vortragende habe die Sache zu dogmatisch genommen. Da man die Existenz einer Haut- und Muskelerotik theoretisch postulieren könne, habe er alles, was ihm an Reizempfindungen und Störungen an der Haut bekannt geworden sei, ohne weiters als sexuell hingestellt. Er selbst unterscheide streng eine sexuelle und eine allgemeine Lust, wobei er es allerdings unentschieden gelassen habe, wie sich die [allgemeinen] Lustempfindungen zu den sexuellen Lustempfindungen verhalten. Bei einer solchen Untersuchung wie der von Sadger müsse man die eklatanten Fälle herausheben, wo die Analogie mit der Erotik deutlich zu sehen ist, und solches Material ist ja auch von Sadger verwertet worden. Doch hat er zwei Fehler begangen, indem er alle Erscheinungen an der Haut auf die Erotik zurückführen wollte und an die Überdetermination vergaß. Der Sexualtrieb wird auch oft als angelehnter Trieb auftreten. – Für das Kitzeln z. B. ist die rein erotische Lustempfindung eklatant, wenn eine zweite Person dazu erforderlich wird. Bei andern Erscheinungen liegt die Sache nicht mehr so klar. Das Kitzeln ist in seiner erogenen Bedeutung auch dadurch gekennzeichnet, daß man Personen kennt, die das Kitzeln zur Onanie gebrauchen. Fortgesetzter Kitzelreiz kann einen Lachanfall herbeiführen und eine Entladung, die der Pollution analog ist (Harnentladung). Ferner gibt es Menschen, die sich in der Nase kitzeln, eine Art der Onanie, welche genau dieselben psychischen Folgen haben kann, die wir als Symptome der Neurasthenie kennen. Es kann ja jede Körperstelle zum Genitale gemacht und zur autoerotischen Reizung mißbraucht werden.

Insbesondere bei den Stigmata habe sich gezeigt, daß die Voraussetzungen viel zu dogmatisch seien. Die Stigmata hängen ja wahrscheinlich mit der erogenen Rolle der betreffenden Organe zusammen, erklärt sind sie aber durch Babinski und Sadger keineswegs. Die Auffassung der Stigmata als Suggestion widerspricht zahlreichen Erfahrungen.

Wertvoll ist der Vortrag dadurch, daß er aufmerksam machte, wie die Hauterotik auch zu verfolgen ist auf ihre Entwicklung von Autoerotismus zur Objektliebe hin. Könnte doch der ganze Sexualtrieb die Entwicklung nicht durchmachen, wenn sie sich nicht an vielen seiner Komponenten zeigen würde.

Die Kinder sind im allgemeinen intelligenter als die Erwachsenen und nicht vermöge ihrer intensiveren Hauterotik; auch sind es nicht, wie Friedjung meinte, die Lebenssorgen, die das ändern, sondern die Kultur macht die Leute dumm. Das Geheimnis des physiologischen Schwachsinns des Weibes liege darin, daß er eine Folge der Sexualverdrängung sei. Hat man ihnen *das* Denken verboten, das für sie das wertvollste ist, so hat das Denken überhaupt keinen Wert mehr.[13] Ob die Zunahme des Sports auf den Fortschritt der Hauterotik zurück-

---

[13] Im Hinblick auf die immer wieder aufgestellte Behauptung von Freuds »Antifeminismus« sind diese wie ähnliche Bemerkungen während der Mittwoch-Abende besonders wichtig. Sie zeigen, wie sehr sich Freud des sozialen Faktors in der Beurteilung der Frau bewußt war. Henry Löwenfeld, New York, macht in einer Zuschrift an die *Psychoanalytic Quarterly*, Bd. 46, 1977, S. 359, darauf aufmerksam, daß Freud den Ausdruck »physiologischer Schwachsinn des Weibes« offenbar in kritischer Absicht von Paul Möbius' Buch *Über den physiologischen Schwachsinn des Weibes* (Marhold, Halle 1900) übernommen hatte. Vgl. auch das 14. Protokoll in Bd. 1 der vorliegenden Veröffentlichung.

gehe, sei fraglich. Die Sexualverdrängung wird dabei wohl die Hauptrolle spielen. Das Sexualleben ist viel gefährlicher geworden, und es
geht ein Zug durch unser Leben, der die jungen Leute von der Sexualbetätigung abdrängt. Das Beispiel von Amerika würde darauf hindeu-
ten, daß das Hervortreten des Sports in der Schwierigkeit der Sexualbefriedigung begründet ist.

142

Vortragsabend: am 10. Mai 1911

[Anwesend:] Adler, Federn, Freud, Friedjung, Furtmüller, Hitsch-
mann, Oppenheim, Rank, Reitler, Sadger, Steiner, Tausk, Grüner F.,
Klemperer, Sachs, Silberer, Rosenstein, Dattner.
[Stud.] med. Reinhold zu Gast.

[142.] PROTOKOLL

[Geschäftliches]

Prof. FREUD macht den Vorschlag, die auf dem Kongreß[1] angeregte
gemeinsame Symbolforschung wiederaufzunehmen, um durch Sammlung besonders beweiskräftiger Beispiele, die einem aus unserer Mitte
zur Sichtung und fortlaufenden Veröffentlichung übergeben werden
sollen, diese in manchen Punkten noch so strittige, aber wichtige Symbolik, soweit sie gesichert erscheint, festzustellen.

Auf Vorschlag Prof. Freuds wird der Sekretär mit dieser Aufgabe
betraut.

Als ersten Beitrag teilt Prof. Freud einen Beitrag mit, der eine anscheinend willkürliche Behauptung Stekels in glänzender Weise bestätigt und wo gerade die Nebenumstände die Deutung wertvoll machen. Ein Patient, der jetzt seinen Kastrationskomplex zum Vorschein
bringt, träumt, daß er seiner Schwester begegnet mit zwei Freundinnen, die selbst wieder Schwestern sind. Er gibt den zwei Freundinnen
die Hand, der Schwester nicht. Es stellt sich heraus, daß die zwei
Freundinnen die Brüste sind und daß der Traum besagt, er berühre
die Brüste der Schwester. Gewähr für die Richtigkeit dieser symbolischen Deutung bringt dann sein unmittelbarer Einfall, er habe als

---

[1] Der Zweite Internationale Psychoanalytische Kongreß in Nürnberg am 30. und
31. März 1910, wo Stekel den erwähnten Vorschlag unterbreitet hatte.

Kind die Theorie gehabt, daß bei den Mädchen der Penis sich erst
später entwickelt wie die Brüste.

TAUSK erwähnt, daß er zweimal in die Lage kam, Schwestern als
Symbole der Hoden zu deuten, wozu Prof. FREUD bemerkt, daß dies
Stekels Formel von der Identität aller paarigen Organe entspreche.

Dr. SACHS ist auch bereits in drei Fällen in die Lage gekommen,
ähnliche Deutungen von Stekel zu bestätigen.

Prof. FREUD hebt schließlich noch als den unmittelbaren Anlaß
zur Wiederaufnahme der gemeinsamen Symbolforschung ein böswil-
liges und verständnisloses Referat von Kurt Mendel[2] über Stekels
Traumbuch[3] hervor und gibt der Hoffnung Ausdruck, daß es gelingen
werde, durch die gemeinsame Arbeit die Stekelsche Symbolik nachzu-
prüfen und ihre Schwächen auszugleichen.

Dr. TAUSK bringt zur Kenntnis, daß Samstag um $^1/_2 8$ Uhr die
Vorbesprechung für den von ihm angekündigten Kurs über Psychoanalyse stattfinden werde, der jeden Dienstag und Donnerstag von
$^1/_2 8$ bis 9 Uhr abgehalten wird.

Ein Beitrag zur Psychologie des Masochismus[4]
[Vortragender:] Dr. Viktor Tausk

Der Vortragende hebt eingangs hervor, daß sich seine Ausführungen
zur Psychologie des Masochismus nur auf die Erfahrung aus einem
einzelnen Fall stützen und folglich nur einen Beitrag zu diesem Thema
liefern können.

Es wird zunächst der Charakter des Patienten geschildert, wie er
sich nach außen präsentierte. Es ist ein Mensch, der sich dümmer stellen muß, als er ist, der verbergen will, daß er etwas weiß. Tatsächlich
handelt es sich um einen Menschen, der seit seinem 5. Lebensjahr bewußt sexuell lebt und das verbergen mußte. Allerdings hat er seine
ganze Sexualität in masochistischen Phantasien ausgelebt und noch

---

[2] Kurt Mendel, 1874–?, Psychiater in Berlin und Herausgeber des *Neurologi-
schen Zentralblattes*, in dem diese Besprechung erschienen ist (Bd. 30, 1911,
S. 491 f.). Er war ein besonders bösartiger Gegner der Psychoanalyse.
[3] *Die Sprache des Traumes*, aaO.
[4] Der Vortrag wurde nicht veröffentlicht. Eine kurze Zusammenfassung von 20
Druckzeilen erschien innerhalb der von Rank verfaßten ›Sitzungsberichte der Wiener Psychoanalytischen Vereinigung‹ im *Zentralblatt*, Bd. 1, 1911, S. 520.

nicht koitiert, als er in Behandlung trat. Später stellte sich eine sehr diffuse Zwangsneurose heraus, die ihn auch etwas aufgehalten hat. Der Vortragende hebt hier als wichtig hervor die Scheidung der Erscheinungen, welche zur Neurose gehören, und derjenigen, welche zur Perversion gehören, da er im Rahmen seiner heutigen Ausführungen nur die letzteren behandeln könne.

Eine tragende Rolle sowohl in den masochistischen Phantasien wie in der Neurose spiele die Mutter, mit der er bis zum 9. Jahr in inniger Liebe lebte, die aber dann – zum Hauslehrer des Knaben hingezogen – ein böses Spiel gegen ihr Kind beginnt, es haßt, schlägt, verdächtigt. Der Knabe ist enttäuscht, kämpft einen schweren Konflikt, der ungefähr drei Jahre lang währt, und ist dann von der Mutter vollständig abgewendet, die er heute direkt haßt; zugleich vollzieht sich der Übergang zum Vater, den er früher fürchtete und haßte. – Dieser Kontrast im Verhalten zur Mutter ist auch in der ganzen masochistischen Phantasie durchgeführt, wo feine Frauen niemals aktiv an ihm handeln und näher mit ihm in Berührung kommen. Man könnte nun vermuten, daß dieses eigentümliche Verhalten der Mutter den Knaben zum Masochismus geführt habe; das ist nun nicht der Fall, sondern die Mutter war nur ein Material, welches in der masochistischen Phantasie verwendet wurde.

Der Vortragende führt nun aus, was an allgemeinen Dingen, die den Analytiker interessieren, in dieser Analyse zum Vorschein gekommen ist. Die Kinder haben einander die Genitalien gezeigt. – Penisonanie im 6. Jahr und Exhibition der Nates. – Infantile Theorie, die Kinder kommen aus dem After, die Schwester hatte einen Penis, der abgeschnitten wurde. Penis und Popo waren für den Knaben überhaupt nicht unterschieden; so führte er sich nach Analogie der Klistiere reizende Gegenstände in die Harnröhre ein. – Die Phantasien des Knaben beginnen ungefähr im 6. Jahr, also noch ehe die Mutter die Strenge, Unerbittliche gegen ihn spielte. – Diese Amnesiegrenze des 6. Lebensjahres ist beim Patienten, wie wahrscheinlich sehr häufig, durch eine schwere Erkrankung des Kindes bedingt. Seine Phantasien ergehen sich zunächst darin, daß er in die Küche gebracht wird, wo man ihm den Bauch aufschneidet, die Gedärme herausnimmt und er unter schrecklichen Schmerzen verendet. Dabei kommt Abschneiden der Nates, der Unterschenkel, des Kopfes etc. vor; nur das Genitale bleibt bis zur Pubertät unberührt. Später führt er dann in diese Phantasien ein raffiniertes und kompliziertes Gebäude von feinen psychologischen Momenten ein. Er führt dann große Theaterstücke und Szenen auf, in denen er alle Personen agieren läßt, die er kennt. Er phantasiert ein masochistisches Bordell, in dem alle dort auftretenden Burschen, die zerstückelt werden, Vervielfältigungen seiner eigenen Person sind, dazu eingeführt, um die Entwicklung seines Affektes zu steigern; eine Verteilung von Personen zur Aufnahme der Vorlust. – Bis zur Pubertät erscheint er in seinen Phantasien immer so alt, als er in Wirklichkeit zur Zeit der Phantasien war, und als zwanzigjähriger phantasiert er sich als Jüngling in die Pubertät, ein Umstand, der beweisend ist für die Freudsche Annahme, daß die Perversion eine Entwicklungshemmung sei.

Der Vortragende erörtert nun ausführlich die Vorbilder des Materials und der Szenen, die in der masochistischen Phantasie vorgekommen sind, und zeigt an der Hand einer Erklärung des Patienten, wie sich eine kleine Kompromißbildung auseinanderlegen läßt. Patient führt nämlich andere Personen ein (die ihn z. B. zur Entblößung zwingen), damit er selbst schuldlos ist. Dieses intensive Schuldgefühl verbindet sich auch mit der in der Pubertät einsetzenden Kastrationsphantasie in der Weise, daß es sich an ein Gerücht über einen zur Strafe kastrierten Offizier heftet. Ein dritter Zugang zum Schuldgefühl, der beweist, daß Sadismus und Masochismus ein und dasselbe sind, ergibt sich daraus, daß Patient auf unterdrückte Wut mit masochistischen Phantasien reagierte.

Patient hat seit dem 14. Lebensjahr jede Nacht phantasiert und jede Nacht mindestens einen Samenerguß produziert; bis zum 17. Jahr hat er onaniert und dann, durch ein Buch geschreckt, es dahin gebracht, Samenerguß ohne manuelle Hilfe zu produzieren.

Vortragende wendet sich nun der zentralen Frage des Masochismus zu: Wieso kommt es, daß er aus Mißhandlungen Lust gewinnt? – die man von zwei Seiten angehen könne. 1. beißt Patient sich selbst in die Lippen und Hand, wenn er in Wut gerät, eine Form des Abreagierens abnormer sadistischer Anwandlungen, die vielleicht vorzutäuschen vermag, daß der Schmerz selbst es ist, der wohltut. Daß in der Phantasie der Schmerz von den Frauen zugefügt wird, ist eine Konzession an das Schuld-und-Strafe-Prinzip. Er hatte gegen seine Mutter immer sexuelle Gefühle, die ihm klar waren, gegen die er sich aber gewehrt hat.

2. Der zweite Zugang zu dem Problem hat sich auf eine technisch interessante Weise herausgestellt. Es sind nämlich im Anschluß an Minderwertigkeitsgefühle eine große Menge von analerotischen Symptomen aufgetaucht. Vor allem die Umständlichkeit und die große Protraktion der Vorlust, die mit der Analerotik verbunden ist. – Er hat ferner bei seinen in letzter Zeit unternommenen Koitusversuchen

nicht das Gefühl, daß sein Penis erigiert sei. Der Koitus kommt ihm gar nicht wertvoll vor; es fällt ihm dabei ein, daß der Anus in die Höhe stehe, was ihn an die Möglichkeit der passiven Päderastie gemahnt. Sein Warten auf das Erektionsgefühl, die Ausschaltung des Penis stellt sich dar wie eine hysterische Anästhesie: es heißt, es soll kein Penis hier sein. Man darf daraus schließen, daß beim Patienten der Anus die erotisch bedürftige Zone ist, der die Rolle der Vagina spielt. Die ganzen ursprünglichen masochistischen Phantasien waren Analphantasien; er hat ja Popo und Penis durchaus gleichgesetzt. Auch die Kastrationsphantasie entwickelte er so weit, daß ihm eine Vagina eingeschnitten werde an Stelle des Penis. In der Phantasie wurde er als Frau behandelt. Dazu kommt der ganze homosexuelle Komplex im vollsten Ausmaß (Identifizierung mit dem Vater und Liebe zu ihm). Es stellt sich aber schließlich heraus, daß alle bösen Eigenschaften der Frauen in der Phantasie dem Vater gehören. Die mißhandelnden Personen sind die gefürchteten Eigenschaften des Vaters, und sie sind beigelegt einer Frau, welche unzweifelhaft die Mutter ist. Er bezieht also die sexuelle Lust doch nur vom Weibe, und die Rolle des Vaters könnte die des strafenden Teils sein (Schuldgefühl). Die Mutter gewährt ihm die sexuelle Lust in der sonderbaren Form der Mißhandlung, und hier setzt sich eben der Vater durch, der die Aggression auf die Mutter strafen soll. Auch hier zweigt wieder ein Weg zur Homosexualität ab. Das Objekt, durch welches die Befriedigung gebracht wurde, ist also bewußt nicht der Mann gewesen oder geworden, und doch kann der Befriediger des Anus nur ein Penis sein. Er ist homosexuell aus Analerotik heraus, wobei ihm aber der Träger des Befriedigungsinstruments absolut unbekannt geblieben ist.

Das Problem steht nun folgendermaßen offen: er hat den Anus als erogene Zone behalten, sein Anus stellt ihm eine Vagina vor, die aber keinen Penis haben darf. Wird der Träger des Befriedigungsinstruments für den Anus bewußt, dann könnte aus diesem Analerotiker ein passiver Päderast werden. Weil ihm aber das Instrument unbewußt ist, bleibt ihm nichts übrig, als sich vermittels der Kastrationsphantasie zum Weib zu machen. Sie ist dann nicht nur eine Strafphantasie – ihm ist der Penis, welcher die Mutter aggredieren wollte, vom Vater abgeschnitten worden –, sondern es wird damit auch der Mann, der kein Mann sein soll, zum Weibe.

Diskussion

HITSCHMANN findet die Arbeit sehr interessant und namentlich durch das Detail hervorragend. Doch trägt sie, wohl mehr in der Darstellung als in der Auffassung, gewisse Unvollkommenheiten an sich, indem sie nicht auf die letzten Wurzeln des Falles eingeht. Aus andern Fällen läßt sich mit Sicherheit annehmen, daß das geschilderte Verhältnis des Patienten zu seinen Eltern als Reaktionsbildung auf das Kernkomplexverhältnis aufzufassen ist. Sehr schön zeigt der Fall die kolossale Bedeutung der Phantasien für die Zwangsneurose und daß man einem Zwangsneurotiker durch endlich erreichte Sexualbefriedigung sehr viel leistet, weil damit die Quantität der Zwangsvorstellungen sich bedeutend einschränkt. – Bemerkenswert ist auch das Vorhandensein eines starken Sadismus vor der Periode des Masochismus, weil dieser ursprünglich offenbar konstitutionell bedingte Sadismus aufs schlagendste Adlers Annahme vom Arrangement der Libido zu widerlegen geeignet sei. – Die mißlungenen Koitusversuche werden wohl eher darin begründet gewesen sein, daß sie seinen Phantasien nicht genügend entgegenkamen.

TAUSK gibt das letztere zu, bemerkt aber, daß Patient nicht impotent gewesen sei, sondern daß nur die Sensibilität gefehlt habe. Die letzten Ursachen des Falles habe er in der Analität und in der Konstitution gefunden; die zweite Ursache psychologisch im Schuldkomplex: beide zusammen geben den Masochismus. Der Sadismus brauchte nicht weiter ausgeführt zu werden, als daß er ein aggressiver, sadistischer Junge war, der aber seinen Zorn gegen sich gekehrt hatte.

FEDERN stößt sich daran, daß der Vortragende nicht zu seinem [Federns] vor zwei Jahren über das gleiche Thema gehaltenen Vortrag[5] Stellung genommen habe, und stellt einige auf seine Auffassung bezügliche Fragen. 1. Wie die erste Art der Sexualerregung beim Patienten war; ob am Anus oder Penisonanie oder Phantasien; 2. unter welchen Bedingungen die erste Ejakulation eintrat; 3. welcher Art die die Amnesiegrenze bezeichnende Krankheit war; 4. wie die Schmerzempfindlichkeit in der Aftergegend war, und 5. über die Konstitution der Genitalorgane.

TAUSK weist den ersten Vorwurf mit der Bemerkung zurück, daß er alles unvoreingenommen aus seinem Material entwickelt habe. Ad 1. Phantasien im 6. Jahr; ad 2. Penisonanie trat zugleich mit der

---

[5] Vgl. das 100. Protokoll in Bd. 2 der vorliegenden Veröffentlichung.

Phantasie auf; ad 3. Lungenentzündung; ad 4. Schmerzempfindlichkeit an den Genitalien nicht geprüft; am ganzen Körper ungeheuere
Empfindlichkeit und Kitzligkeit; ad 5. äußerlich keine Abnormität
der Genitalien zu sehen.

FEDERN erinnert an seine damalige Behauptung, daß bei den
späteren Masochisten der Penisonanie wahrscheinlich Afteronanie vorausgegangen sein dürfte, und Tausk habe ja auch erwähnt, daß Patient später im After onanierte. Wenn aber Tausk behauptet habe,
daß nicht das sadistische Verhalten der Mutter den Patienten passiv
gemacht habe, so widerspreche das sowohl seinen [Federns] damaligen
Ausführungen als auch der Auffassung Adlers, und Tausk hätte diesen
Widerspruch beleuchten sollen. Nach seiner Erfahrung sind es äußere
Bedingungen, Fragen der Superiorität und Inferiorität, die das in der
Regel aus einer stark sadistischen Familie stammende Kind dazu drängen, seine Aggression ins Gegenteil zu verwandeln. Damit ist aber
nicht gesagt, daß das die einzige Wurzel des Masochismus sei, zu dessen Zustandekommen noch andere Bedingungen erfordert werden.

Tausk hat die Algolagnie nicht scharf vom Sadismus getrennt, weil
sie zufällig in seinem Falle sich beisammen fanden. Es handelt sich
dabei darum, ob in der Phantasie des Patienten das Zufügen des Schmerzes das Wichtige, Lustgewährende war oder die unerhörte Handlung
(TAUSK: das letztere).

SADGER möchte Tausk gegen Federn in Schutz nehmen. Er habe
am Anfang einige sehr treffende Bemerkungen gemacht: daß die Sub-
ordination beim Militärdienst oft zum Manifestwerden der Neurose
führt; daß die strenge Mutter sich häufig bei den Masochisten findet
(Sacher-Masoch[6]); Hinweis auf die Amnesiegrenze durch eine infantile
Krankheit; daß die Patienten mit ihren Symptomen in der Pubertät
stehenbleiben, was besonders bei der Homosexualität deutlich sei. Doch
habe er die Grundfrage wenig gelöst. Eher ließe sich der Masochismus
aus der besonderen Haut-, Schleimhaut- und Muskel-Erotik erklären;
es wird möglicherweise so viel Hauterotik miterregt, daß nicht viel
von der Schmerzempfindung zum Durchbruch gelangt. – Der sadistisch-masochistische Komplex erscheine auch bei Marquis de Sade
(Justine et Juliette)[7] aufs engste verknüpft.

---

[6] Leopold von Sacher-Masoch, 1836–1895, der österreichische Schriftsteller, dessen
spätere Schriften von jener sexuellen Perversion handeln, die nach ihm benannt
wurde.
[7] Donatien-Alphonse-François Marquis de Sade, 1740–1814, der vor einigen Jahren
durch Neuauflage seiner Werke sowie eine Reihe von Filmen eine Renaissance

GRÜNER, F., findet, der Vortragende habe gerade die psychischen Elemente in den Vordergrund gestellt, auf denen Adler sein System aufgebaut habe: das Gefühl der Minderwertigkeit, die Herrschsucht, das Verhalten beim Koitus und daß der Patient eine Frau ist. Die Hervorhebung des Schuldgefühls habe ihn an Stekels Auffassung der Neurose als die endopsychische Wahrnehmung der ursprünglichen Verbrechernatur erinnert. Das Material erscheint im ganzen weniger psychoanalytisch als klinisch dialektisch behandelt.

FURTMÜLLER erhebt das methodische Bedenken, daß der Vortragende von vornherein die Erscheinungen der Neurose ausgeschaltet habe und damit a priori entschieden habe, daß der Masochismus innerlich mit der Neurose nicht verknüpft sei, daß seine Fixierung nicht etwa ein Symptom der Neurose sei. Es bleibe also die analerotische Grundlage zweifelhaft, weil er einen Teil des psychischen Materials nicht vorgebracht habe.

Wenn Patient ein Weib sein wollte, so müßte ja das passive Empfinden des Koitus für ihn ein Genuß sein und ihn das Gefühl der Erektion gar nicht vermissen lassen. Er mag ja auch manifest ein Weib sein wollen, das kann aber schon eine Reaktion auf das Sich-weiblich-Fühlen im Sinne Adlers sein; nur so kann ja ein Masochist nach Adler entstehen.

SACHS kann in dem durch Grüner hinter dem Weibseinwollen des Patienten vermuteten Bedürfnis nach Männlichkeit nichts sehen als die Vorstellung, daß ein Mann sich zum Weibe phantasiert, damit er sich wünschen kann, ein Mann zu sein.

In der Frage des Sadismus und Masochismus kann Redner die Schwierigkeiten von Federn und Tausk nicht sehen, da ja Sadismus und Masochismus, grob gesprochen, dieselbe Sache sind. Übrigens erinnere der von Tausk geschilderte Charakter außerordentlich an Jean-Jacques Rousseau, der auch ein Neurotiker mit analen masochistischen unbewußten Phantasien gewesen ist.[8] Kulturhistorisch merkwürdig ist, daß dieser in der Phantasie Perverse der normalen Liebesempfindung durch ein Jahrhundert die Form vorschrieb (die Wirkung der *Neuen He-*

---

erlebte. *Justine ou les malheurs de la vertue* erschien 1791, *Juliette ou la suite de Justine* 1796, es sind zwei getrennte Romane, nicht einer, wie Rank offenbar angenommen hatte.

[8] Rousseau, 1712–1778, war nicht nur einer der einflußreichsten Denker der Geschichte, sondern lieferte durch seine *Bekenntnisse* wichtiges Material für das Studium der Psychopathologie des Genies (*Les confessions*, 1782 und 1789 in zwei Teilen posthum erschienen).

loise[9]) und daß das nächste Buch, das eine ähnliche Wirkung ausübte, Goethes *Werther* [10], ebenfalls stark von der *Neuen Heloise* beeinflußt war.

FURTMÜLLER polemisiert gegen Sachsens Interpretation des männlichen Protestes. Sachs vertritt seine Äußerung.

ROSENSTEIN findet, daß Grüner einen völlig unberechtigten, aus dem Material gar nicht folgenden Vorwurf gegen Tausk erhoben habe, und

Prof. FREUD meint, es sei nicht die richtige Verwendung der von Adler und Stekel ausgegangenen Anregungen, wenn man wie Grüner überall, wo die Gegensätze männlich und weiblich oder das Schuldgefühl nur genannt werden, Adler und Stekel als die Erfinder dieser Tatsachen preise.

TAUSK geht in seinem Schlußwort auch auf diese Fragen ein. Er habe von Mann-oder-Weib-sein-Wollen nicht gesprochen. Psychologisch habe es vollständig genügt, die ausgesprochenen Konsequenzen zu ziehen. Von Adler habe er nur den Minderwertigkeitsgedanken gelernt, der ihm sehr nützlich geworden sei.

Daß die Analerotik, wie Federn hervorhob, sich auch sadistisch benehmen könne, sei ihm bekannt gewesen; das Defäzieren vor oder auf Frauen sei sadistisch.

Patient habe die Frau mit dem Pelz dahin erklärt, daß es sich dabei um die Felle von getöteten Tieren handle; er assoziiert, daß ihm aus seiner Haut Schürzen gemacht werden, welche die Domina trägt.

Sadger habe in seine Darstellung den Fehler hineingebracht, als wäre Patient durch seine strenge Mutter masochistisch geworden. Er war masochistisch schon im 6. Lebensjahr, während die Mutter erst in seinem 9. Jahr streng geworden sei.

Die Scheidung des Masochismus von der Neurose sei gut begründet; Masochismus sei nur eine Art der sexuellen Betätigung und wirke für die Neurose nur wie irgendeine andere Art derselben, liefere nur Material.

Daß der Masochismus eintrete, wenn der Sadist in die passive Rolle komme (Federn), sei richtig; es komme aber nur ein Masochist in diese Einstellung.

---

[9] Jean-Jacques Rousseau, *Julie ou La nouvelle Heloise*, Briefroman (1761).
[10] J. W. von Goethe, *Die Leiden des jungen Werthers* (1774; Neufassung 1787).

143

[Anwesend:] Federn, Freud, Furtmüller, Graf, Heller, Hitschmann, Rank, Reitler, Sadger, Steiner, Tausk, Grüner G., Klemperer, Sachs, Wagner, Rosenstein, Dattner.
Dr. Müller, Dr. Frischauf a[ls] Gäste.

[143.] PROTOKOLL

[Geschäftliches]

Die über Aufforderung des Zentralvorstandes vorgenommene Abstimmung über den Kongreßtermin ergibt 2 Stimmen für den früheren Zeitpunkt (16./17. September) und 8 Stimmen für den späteren (21./22. September).

Herr stud. med. Reinhold bittet um Aufnahme in die Vereinigung vom nächsten Semester ab und bis dahin um Zulassung zu den Sitzungen als ständiger Gast. Abstimmung in der nächsten Sitzung.

Referate und kleinere kasuistische sowie sonstige Mitteilungen I

Dr. SACHS zeigt, daß sich in 4 von 5 gedeuteten Träumen die Stekelschen Symbole als brauchbar und beweisfähig erwiesen. 1. im Traum einer prüden Frau die Schwester als Genitale; 2. die Schulterblätter als Symbol der Hoden (alle paarigen Organe können füreinander stehen); 3. Blut = Sperma; 4. ein und dasselbe Element steht für Busen und Penis, die somit gleichgesetzt werden. – Die ersten zwei Fälle sind ohne Analyse gemacht, also nicht direkt beweisend.

GRÜNER, G., findet, daß Sachs, der sich im allgemeinen gegen Stekel wende, diesen noch überstekelt habe, indem er bei seinen Deutungen die zweifellos beteiligten Überdeterminationen außer acht lasse.

GRAF bemerkt auch, daß sich aus diesem Traum nicht stringent die Deutung der Schwester als weibliches Genitale ergebe. – Die Revolverszene in 3 mache den Eindruck einer weiblichen Koitusphantasie.

ROSENSTEIN bemerkt, daß ihm alle Deutungen ohne Einfall höchst zweifelhaft erscheinen und keine stringente Beweiskraft besitzen.

FEDERN möchte solche Proben auf die Stekelsche Symbolik bei Träumern ausgeführt wissen, die Stekel nicht kennen, weil sonst der Wunsch, seine Deutungen zu unterstützen, unbewußt mitwirken könne. – Wenn über die symbolischen Gleichungen Stekels gestritten werden könne, so müsse doch gesagt werden, daß seine Gleichung von der Identität der Affekte abzulehnen sei.

HITSCHMANN findet Grüners Ausführungen zu didaktisch und deplaziert. Es sei nicht richtig, daß vollkommene Zweifel an der Symbolik vorhanden seien; es handelt sich nur darum, ob sie überall im Traume vorhanden ist und sich beweisend ergibt. Gegen Rosenstein sei zu bemerken, daß wir gerade dort die Symbolik annehmen, wo die Einfälle versagen. Es sei von vornherein unwahrscheinlich, daß der Mensch einmal nur in Symbolen träumen sollte und ein andermal gar nicht. – In den Beispielen von Sachs könne nur große Erfahrung entscheiden, ob die Deutungen richtig seien.

TAUSK versteht das umstrittene Problem nicht; es handle sich doch nicht darum, ob man überhaupt symbolisch deuten dürfe. Die bereits festgelegte Symbolik sei einfach anzuwenden und die Frage sei nur, ob Stekels Symbole zu verallgemeinern seien.

Prof. FREUD findet auch, daß Sachs zu dem Streit keinen Anlaß gegeben habe. Er wollte zeigen, daß Stekels Symbole brauchbar sind, um neue Beispiele zu deuten. Wir haben aber Stekels Arbeit einfach noch einmal zu machen, weil sie auf Beweiskraft keine Rücksicht nimmt. Bei diesen vier Beispielen lohnt es sich, aufs Detail einzugehen.

Ad 1., daß die Schwester schlechtweg das Genitale bedeute, könne man nicht behaupten; es dürfte nur bei jenen Frauen zutreffen, die von ihrer Schwester gewohnt waren als von ihrer Kleinen zu sprechen, die also eine jüngere Schwester hatten. Traum eines Patienten, der auf dem Graben[1] mit zwei Mädchen geht und die kleinere von ihnen herzt und küßt; tags vorher hatte ihm eine Prostituierte zu seiner Überraschung ihre Vagina als ihre kleine Schwester bezeichnet. Der Fall von Sachs sei also nicht beweisend für die Richtigkeit der Stekelschen Symbolik.

Ad 2. Die symbolischen Gleichungen seien, bis auf die Affektgleichung, entschieden richtig, aber die Bedingungen für die Vertauschung bestehen nicht immer zu Recht. Die Symbolisierung der Hoden als Schulterblätter müßte direkt bewiesen werden. Eher wäre an die Bedeutung als Nates zu denken, denen sie bekanntlich auch morphologisch entsprechen; zum Beweis dafür wird dann die entsprechende Verlegung von unten nach oben in der Hysterie.

Ad 3. ist noch weniger beweisend. Abgesehen davon, daß das Blut hier auch im weiblichen Sinne als Menstruations- oder Deflorationsblut verwendet ist, haben wir gar nicht nötig, symbolische Gleichungen anzurufen, da Sperma und Blut assoziativ, durch die exzessive Masturbation, gegeben seien. Daß alle Arten von Schleim füreinander stehen können, sei dagegen richtig; beweisend z. B. in einem Falle, wo eine Frau Ekel vor allem Schleim hatte, die wegen der Azoospermie[2] ihres Mannes keine Kinder bekam.

Ad 4. ist nichts einzuwenden; das ist aber kein Stekelsches neues Symbol.

KLEMPERER möchte im letzten Traum die Formel Adlers wiederzufinden suchen. Der 3. Traum ist, wie schon Graf erwähnte, eine typisch weibliche Phantasie.

Prof. FREUD hält das Thema männlich-weiblich für wichtig genug, um einmal ausführlich darüber zu sprechen. Die Neugierde, das männliche Genitale zu sehen, wird nur mißbräuchlich als weiblicher Zug betrachtet. Der Mann will das Genitale aus Ichgründen (Adler) sehen, er will seine Größe vergleichen. Im übrigen sei es besser, sich die Dinge daraufhin anzusehen, was sie sagen, als was Adler gesagt habe und ob er recht habe.

HITSCHMANN gibt zu dieser Vertiefung der symbolischen Gleichungen durch Freud ein Beispiel, wo es sich um den Ersatz des Samens durch Wasser handelt, was aber auch im Leben des Patienten bei der kindlichen Enuresis eine Rolle spielte.

GRÜNER, G., bemerkt dazu, daß eben der Sinn der symbolischen

---

[1] Eine Straße im I. Bezirk von Wien.
[2] Fehlen der Spermien in der Samenflüssigkeit.

Gleichung der sei, die Stellvertretung nicht nur für den Traum, sondern auch in anderen psychischen Relationen anzuzeigen.

FEDERN weist darauf hin, daß es immer nur ganz spezielle Gleichungen gebe, wie etwa im Falle Hitschmanns, daß es aber nicht angehe, das in eine gemeinsame Gleichung zu stellen.

FURTMÜLLER möchte den von Freud allgemein erhobenen Vorwurf der einer wissenschaftlichen Diskussion nicht anstehenden Parteilichkeit als unbegründet zurückweisen und seinerseits das Recht zur wissenschaftlichen Diskussion aller einschlägigen Probleme und Gesichtspunkte gewahrt wissen.

Prof. FREUD glaubt sich der in diesem Versprechen enthaltenen Hoffnung für die Zukunft hingeben zu können.

FURTMÜLLER aber protestiert gegen die Auffassung eines Versprechens, zu dem er keinen Anlaß hätte.

SACHS hat den Eindruck, als wären seine Mitteilungen mit Ausnahme von Freud mißverstanden worden. Die Symbolik sei ja nicht von Stekel erfunden, es handle sich nur darum, gewisse von ihm angegebene Symbole zu verifizieren. Ad 3. hat er [eine] Deflorationsphantasie nicht gefunden; daß das Blut nicht rein symbolisch sei, [habe er] auch gefühlt. Im letzten Traum handelt es sich um Genitalneid.

GRAF teilt seinen Eindruck mit, daß das eigentlich Geniale bei Gustav Mahler[3] der Ehrgeiz gewesen sei, wozu die Erfahrung sehr gut stimmt, daß er als Kind im Alter von neun Jahren Nacht für Nacht an Enuresis gelitten habe.

FEDERN hat diese Tatsache gewußt, ohne daß er darum Mahler jede Genialität absprechen möchte. Mahler sei auch ein fanatischer Schwimmer gewesen, wodurch er sich z. T. seine Herzkrankheit zugezogen habe.

Prof. FREUD könnte, wenn ihn die ärztliche Rücksicht nicht hindern würde, diese kurze Analyse nach verschiedenen Richtungen ergänzen.

---

[3] 1860–1911, der berühmte österreichische Komponist, Dirigent und Direktor der Wiener Staatsoper. Wie Jones (*Das Leben und Werk von Sigmund Freud*, aaO, Bd. 2, S. 103) berichtet, hatte Mahler im Jahre 1910 ein vierstündiges analytisches Gespräch mit Freud in der holländischen Stadt Leiden.

TAUSK berichtet zunächst eine funktionale Fehlleistung. Ein Mann, der den Fall Achim[4] nicht kennt und eine darauf bezügliche Frage trotzdem bejaht, verspricht sich dabei, indem er vom Fall Micha (Umkehrung von Achim) redet, worin die unterdrückte Antwort, im Gegenteil, umgekehrt, ich kenne den Fall nicht, zum Durchbruch kommt.

2. Analyse eines Worttraumes einer 50jährigen Dame. Von dem Wort »Trini-dad« erweist sich jedes Stück durch Eifersucht determiniert; ihr Zusammenschluß bedeutet: das Ganze hat nur einen Sinn. Schließlich wird die ganze Reihe von Assoziationen noch zu einem einzigen Satz zusammengesetzt, in dem sämtliche Silben des Wortes vorkommen.

3. Ein Patient, dem eine Gasse nicht einfallen will, kommt über eine Reihe seltsamer, aber in seinen Komplexen streng determinierter Assoziationen endlich zu dem gesuchten Wort: Novaragasse.

HITSCHMANN verliest aus Eulenberg: *Schattenbilder* einen interessanten Ausspruch Goethes über Kleist.[5] – Ferner einige Stellen aus einem Buch *Das Kindlein* über Werden und Aufwachsen des Kindes, worin die Verfasserin eine schöne Auffassung der Liebe in ihrem weiten Umfang zeigt.[6]

Endlich einen Fall von Symbolik, der durch die Häufung einer Reihe charakteristischer Eigenschaften auf einen durch Einfälle nicht weiter determinierten Gegenstand (Handschuh mit merkwürdigen Eigenschaften) beweiskräftig wird.

GRÜNER, G., wiederholt die gegen Sachs geltend gemachte Überdeterminierung und das von den symbolischen Gleichungen Gesagte.

---

[4] Wir konnten nicht feststellen, worauf Tausk sich hier bezieht.
[5] Herbert Eulenberg, 1876–1949, deutscher Schriftsteller. Sein Buch, *Schattenbilder; Eine Fibel für Kulturbedürftige in Deutschland*, ist eine Sammlung historischer Novelletten, sie erschien 1910 bei Bruno Cassirer in Berlin. Die erwähnte Stelle findet sich auf S. 60 f. Es handelt sich nicht, wie Hitschmann zu glauben scheint, um einen wirklichen Ausspruch Goethes, sondern um einen fiktiven Dialog zwischen Goethe und Wieland anläßlich der Nachricht vom Tode Kleists. Die Stelle lautet: »Es hat wenige gegeben, die diesen Kleist, da er lebte, mehr geachtet haben als ich, wenngleich mir sein Wesen und Dichten von Grund aus fernestand. Das Zertrümmerte, Chaotische bei ihm, dieser Zustand, in dem ich lebe, ehe ich dichtete, machte mich bis in alle meine Moleküle unruhig. Dieses Aufspüren und Aufjagen von Urtrieben in uns bei Kleist, die wir mit Mühe seit ein paar tausend Jahren gezähmt haben, flößte mir Grauen und Unbehagen ein und verwirrte mein sicheres Gefühl vom Gleichgewicht dieser Welt.«
[6] Erika Rheinsch, *Das Kindlein*, Frauen-Verlag, München 1911. Die Autorin war eine bekannte Dichterin.

FEDERN findet die Bemerkung von Goethe sehr charakteristisch für die beiden Genies, die beide im Schwesternkomplex aufgewachsen sind und sich doch so verschieden entwickelt haben. Von welchen Bedingungen das wohl abgehangen haben mag; Goethe hatte die Sexualität frei[7] und vermochte so die Perversionen zu überwinden. An Kleist und Lenau (Phimose) sehen wir vielleicht, inwieweit ein minderwertiges Organ die Entwicklung beeinflussen kann.

REITLER meint, daß der Handschuh, den Hitschmann als Penissymbol auffasse, sonst als Symbol des Präservativs gelte; daß auch diese fliegen können, habe ihm kürzlich die Phantasie einer Patientin gezeigt, die auch eine Finger, Schlange und Penis symbolisierende Phantasie produzierte.

TAUSK führt zu dem gar nicht Goethisch aussehenden Zitat eine ähnliche Stelle aus Nietzsche (›Schopenhauer als Erzieher‹) an, wo dieselbe Eigenschaft Kleists mit Hinweis auf eine briefliche Äußerung von ihm anders verwendet erscheine.[8]

SACHS: Der Ausspruch Goethes gibt Einblick in die Motive, die ihn bewogen haben, sich nach Schillers Tode nur mit Mittelmäßigkeiten zu umgeben; er mußte sich dagegen wappnen, daß diese starken unbewußten Strömungen nicht wieder wachgerufen werden. – Kleists Genitalanomalie finde ihr Gegenstück bei Swift.[9]

HITSCHMANN möchte zur Technik der Aufzeichnung von Träumen empfehlen, den Träumer auch jedesmal direkt nach der Stimmung zu fragen, in welcher er aus dem Traum erwacht sei.

Prof. FREUD legt eine Anzahl von humoristischen Zeichnungen aus einem ungarischen Witzblatt vor, die Träume darstellen und durch psychologische Korrektheit und Durchsichtigkeit bemerkenswert sind.

HELLER berichtet von der Eifersucht und der Inzesteinstellung eines fünfjährigen Mädchens.

---

[7] Federn war noch der damals vorherrschenden Meinung, daß Goethe ein sehr freies und gesundes Sexualleben geführt habe. Seit der umfassenden Studie von K. R. Eissler, *Goethe; a psychoanalytic study* (Wayne State University Press, Detroit 1963), wissen wir, daß dies nicht der Fall war.
[8] F. Nietzsche, *Unzeitgemäße Betrachtungen* (Vier Streitschriften, 1873–76), Drittes Stück: ›Schopenhauer als Erzieher‹ (1874). Der erwähnte Brief Kleists, datiert Berlin, 22. März 1801, ist an Wilhelmine von Zenge gerichtet.
[9] Jonathan Swift, 1667–1745, der berühmte Satiriker und Autor von *Gullivers Reisen* (1726).

RANK referiert kurz ein 1795 anonym erschienenes Buch: *Meine Geschichte eh' ich geboren wurde*, eine großartige Mutterleibsphantasie.[10] Ferner teilt er zwei sagenhafte Entstehungsgeschichten des Männeken-Piß-Standbilds in Brüssel mit, von denen die eine nach dem Mechanismus des nachträglichen Gehorsams mit dem Inhalt einer Strafphantasie gearbeitet ist, während die andere auf die Bedeutung des Zündelns hinweist.[11] Endlich einige interessante Stellen aus Schopenhauer über das Unbewußte, Traum, Dichtung und Genie.

GRÜNER, G., hebt hervor, daß dieser Roman das Leben vor der Geburt bewußt behandelt, wie jedes Kunstwerk die ganze Geschichte der Geburt unbewußt behandelt. Weil die Romanhülle plötzlich für Dinge bewußtgemacht wird, die sonst unbewußt sind, wirkt es komisch. – Was die Tragödie durch den Tod darstellt, wird hier durch die Geburt dargestellt.

Prof. FREUD vermutet, daß in der zweiten Fassung der Sage vom Männeken-Piß etwas von dem wirklichen Motiv für die Aufstellung des Standbildes verraten ist: Alle diese unanständigen Darstellungen sind in Wirklichkeit Apotropeia, Zeichen zur Abwendung des Unheils. – Oberflächlicherweise wird es sich um den Scherz eines Bildhauers handeln.

TAUSK erwähnt dazu den dalmatinischen Aberglauben, daß eine Schlange weggeht, wenn man ihr den Penis zeigt. (FREUD sieht darin nur einen Vorwand, den Penis zu zeigen.)

SACHS erwähnt zu dem Buchreferat den *Tristram Shandy*, wo auch Anschuldigungen gegen den Vater erhoben werden.[12]

---

[10] Dieses Buch stammt vermutlich von Johann Gottwerth Müller, *Meine Geschichte eh' ich geboren wurde; Eine anständige Posse vom Mann im grauen Rocke*, Chr. Friedr. Himburg, Berlin 1795. Eine Neuauflage war 1904 als Nr. 2 der ›Neudrucke literarhistorischer Seltenheiten‹, hrsg. und mit einer Einleitung versehen von Dr. S. Rahmer, bei Ernst Frensdorff, Berlin, erschienen.
[11] Vgl. Ranks Arbeit ›Zum nachträglichen Gehorsam‹, in welcher er das Männeken-Piß und die beiden Legenden behandelt (*Zentralblatt*, Bd. 1, 1911, S. 579 f.).
[12] Laurence Sterne, 1713–1768, *The Life and Opinions of Tristram Shandy Gentleman* (unvollendeter Roman in neun Bänden; 1759–67).

144

Vortragsabend: am 24. Mai 1911

Anwesend: Adler, Federn, Freud, Friedjung, Furtmüller, Heller, Hilferding, Hitschmann, Nepallek, Oppenheim, Rank, Sadger, Steiner, Stekel, Tausk, Grüner G. und F., Klemperer, Sachs, Wagner, Winterstein, Rosenstein, Dattner.
[F. S. Krauss und] Dr. Frischauf a[ls] G[äste].

[144.] PROTOKOLL

Geschäftliches

Dr. STEKEL teilt mit, daß Dr. August Stärke in Huister Heide (Holland) sich um Aufnahme in die Wiener Psychoanalytische Vereinigung bewirbt.

Dr. phil. Josef Reinhold wird mit 18 gegen eine Stimme (drei leere Zettel) als Mitglied aufgenommen.

Es wird beschlossen, die Sitzungen noch in den Juni fortzusetzen.[1]

Dr. ADLER greift, da er gehört habe, daß in der letzten Sitzung Äußerungen gefallen seien, welche diesen Punkt nochmals aufgegriffen haben, auf die Kundgebung des Plenums zurück, in der erklärt wurde, daß der wissenschaftliche Standpunkt, den er vertrete, in keiner Weise in Gegensatz stehe mit den Forschungen anderer Autoren, insbesondere Freuds. Indem er auf diesen Beschluß des Plenums verweise, beruhige er sich mit dieser Zustimmung vollkommen.

---

[1] Dieser Beschluß wurde nicht durchgeführt; es fand nur noch eine Sitzung vor der Sommerpause, am 31. Mai, statt.

Referate und kleinere kasuistische
sowie sonstige Mitteilungen II

SADGER hat zwei kurze Mitteilungen zu machen:
1. Über die Frage der Fugue[2], wo ihm zwei Fälle aus seiner Praxis
zur Verfügung stehen. Im ersten Fall handelte es sich um einen jungen Mann, der öfter vom Hause durchging. Die Analyse ergab, daß
die Mutter vom Hause fortgegangen war, weil sie der Vater zu streng
behandelt hatte; Eifersucht auf den Vater bewog dann den Sohn, ähnliche Szenen zu provozieren und dann in Identifizierung mit der Mutter vom Hause durchzugehen. Seit der Aufklärung habe Patient keinen Fluchtversuch gemacht. – Im zweiten Falle lief der Sohn öfter davon und betrank sich, was er dem Vater nachmachte, in den er verliebt ist. Er streift ziellos umher in Gegenden, wo er noch nicht war,
was er selbst spontan dahin erklärt, er wolle in vaginam matris.
2. betrifft eine Erklärung des Exhibitionismus, den Freud bekanntlich auf das gegenseitige Zeigen der Genitalien zurückgeführt hat.
Ein Patient gibt dagegen selbst die Aufklärung, daß sowohl er selbst
als auch ein Kollege die Auffassung hatten, durch das Zeigen des Penis
müsse ihnen das Weib dann zu Willen sein. Er folgerte dann daraus,
daß nun auch die Mutter unweigerlich mit ihm koitieren müsse, da
sie ja auch seinen Penis gesehen haben müsse. Zu dieser Theorie kam
er, als er nach Gründen suchte, um den Vater im Verkehr mit der
Mutter zu entschuldigen, und er sagte sich da: wenn sie den Penis des
Vaters sieht, kann sie nicht anders.

FEDERN hält den ersten Fall von Fugue für einen individuell bedingten, der mit dem Prinzip der Fugue psychologisch nichts zu tun
habe. Interessant sei die Umkehrung des Traumsymbols: »Da war ich
schon einmal« als Genitale der Mutter, das Patient als den Ort faßt,
wo er noch nie war.

Zum Exhibitionismus möchte er die Frage aufwerfen, ob wir den
Ausdruck Exhibitionismus so gebrauchen sollen, wie ihn die Literatur gebraucht, für die perverse Neigung (der Männer), als adäquate
Sexualbetätigung den Penis zu demonstrieren, oder ob wir es tiefer
fassen sollen als die tief in die Kindheit zurückreichende Tendenz, Lust
durch Entblößung zu gewinnen.

---

[2] Triebartiges Fortlaufen im epileptischen Dämmerzustand; »Wandertrieb«; »Poriomanie«.

STEKEL hebt hervor, daß die Fugue psychoanalytische Erforschung verdiene; Sadger mache sich jedoch die Sache zu leicht. Er [Stekel] erzählt einen eigenen Fall, wo sich schließlich herausstellte, daß Patient vor sich selbst flüchtete, weil er auf seine Stiefschwester Begierden hatte, die er nicht mehr beherrschen zu können fürchtete; er flüchtete nach Wien, wo seine Mutter wohnt. – In einem zweiten Falle handelte es sich um eine Flucht im Rahmen einer Paranoia. Ein Eisenbahner unternimmt eine unmotivierte Fahrt nach Cilli. Es stellt sich heraus, daß er in die Frau seines damals zufällig diensthabenden Kollegen verliebt war und daß Cilli der Name seiner Mutter ist. Später wurde er eine Paranoia.

Dem Exhibitionismus wohnt eine Überschätzung des eigenen Ich inne; es ist eine Art von Narzissismus, der Glaube an die Unwiderstehlichkeit der eigenen Reize, welche bei Frauen so häufig zu finden ist. Dann ist der Exhibitionismus noch motiviert durch die Erscheinungen des psychischen Infantilismus.

HITSCHMANN bemerkt, man müsse bei der Fugue die Fälle unterscheiden, welche sich auf der Reise normal benehmen, und solche von double conscience, die sich an gar nichts erinnern. Stekels Kondukteur gehört zur Hysterie, denn es handelt sich dabei nicht sosehr um Flucht, sondern die Grundlage ist eine Wunscherfüllung. – Eine kleine, unscheinbare Art der Fugue ist die Erscheinung, daß junge Leute gewöhnlich gegen abends einen Bewegungsdrang verspüren, der sie durch die Straßen treibt, meist durch solche, wo sie Gelegenheit haben, Prostituierte zu sehen, an die sie sich jedoch noch nicht recht herantrauen.

Prof. FREUD bemerkt zu seiner seinerzeitigen Aufklärung des Exhibitionismus, daß er damals noch nicht auf die Triebe achten gelernt hatte und daß diese Aufklärung die Motivierung des Exhibitionismus nicht erschöpfe.[3] Die Hervorhebung des narzissistischen Moments durch Stekel sei eine fruchtbare Idee. Denn so wird mit einemmal verständlich, daß die Entblößung als unfehlbares Zaubermittel gegen böse Geister und Gespenster galt. Wenn es eine Berufung auf die eigene Unwiderstehlichkeit ist, dann verstehen wir, wieso die Leute zu dieser Vorstellung kamen.

FEDERN weist darauf hin, daß diese narzissistische Überschätzung

---

[3] S. Freud, *Drei Abhandlungen zur Sexualtheorie* (1905; aaO).

des Genitales schon zu den Ergebnissen der ersten Kinderjahre gehöre. Das Zeigen ist dann nicht eine Aufforderung zum Koitus, sondern heißt: Behandle mich wie als Säugling. Ein Patient hatte die unbewußten Phantasien, vor einem Kreis von Menschen in der Luft mit entblößtem Unterkörper getragen zu werden; er ist jedoch infolge seiner übermäßigen Verdrängung der Genitalzone kein Exhibitionist geworden, sondern wurde impotent, konnte den Penis nicht zeigen.

Er habe vier Fälle von Fugue beobachtet. Im ersten Fall, wo Patient nach dem frühen Tod seiner Mutter zu einer Ziehmutter kam, die ihn sehr gut behandelte, was beim Vater nicht der Fall war, ergab sich beim Patienten die Tendenz, zu dieser guten Zeit zurückzukehren. – Es sei kein prinzipieller Unterschied zwischen den Menschen, die in einer Art Dämmerzustand ihren Wohnort verlassen, und denen, die es bloß zwangsweise tun; das ist lediglich eine Frage des Bewußtseins. Es handelt sich in den meisten Fällen von Fugue nicht um den Wunsch, irgendwohin zu kommen, sondern irgendwo wegzugehen. – Ein zweiter Patient mußte [immer]fort seine Wohnung wechseln und hatte auch stets ferne Reisepläne. Er ist wegen schlechter Behandlung durch den Vater aus dem Vaterhaus entflohen. Der Zwang zum Wohnungswechsel erwies sich als Affektverschiebung von der Frau auf deren Wohnung. Interessanterweise leidet auch sein Sohn an Fugue aus Liebe zur Mutter. – Ein anderer Fall zeigt den Zusammenhang mit der Hysterie direkt. Bei einem Schulkind herrschte der Wunsch, vom Haus fortzukommen, der sich in Dämmerzuständen in die Phantasie umsetzte, wie er in Wirklichkeit in der Fugue dargestellt wurde. In den Träumen kam das »Durchgehen« in den mannigfachsten Einkleidungen vor; auch hier war der negative Affekt von der Familie auf den Wohnort verschoben worden.

Dr. Friedrich S. KRAUSS (als Gast) weist darauf hin, daß im 4. Band der *Beiwerke*[4] zum Thema der Flüchtigen Vagabundenlieder gesammelt seien.

SADGER wendet sich zunächst prinzipiell gegen Stekels Bemerkung, er habe es sich zu leicht gemacht; er habe eben in seinen Fällen das gefunden und ein anderer könne ja anderes finden.

Der Exhibitionismus ist beim kleinen Kinde viel mehr auf die Neugierde bei den natürlichen Verrichtungen und auf die Nates als auf

---

[4] *Beiwerke zum Studium der Anthropophyteia*, hrsg. von Fr. S. Krauss, Ethnologischer Verlag, Leipzig, Bd. 4, 1911.

die eigentlichen Genitalien gerichtet. Er habe in letzter Zeit gefunden, daß alle Perversionen auf den Narzissismus und die Liebe zur Mutter – wenigstens bei Männern – zurückgehen (z. B. beim Fetischismus und Narzissismus etc.). Häufig spielt der Perverse beide Personen am eigenen Leib (Autosymbolismus), z. B. die Mutter, welche ihn als kleines Kind bewundert hat.

FURTMÜLLER berichtet kurz von einem Fall, welcher zeigt, wie der Pädagoge in die Lage kommen kann, sich der Psychoanalyse zu bedienen. Es handelt sich um ein Mädchen in der ersten Lyzealklasse, ein nervöses Kind, welches eine abnorme Liebe zu kleinen Kindern und den Wunsch nach kleinen Geschwistern zeigt. Sie ist das jüngste Kind und das einzige ihrer Mutter, hat aber zwei ältere Stiefbrüder. Zu Ostern erkrankte sie an nervösem gastrischem Fieber, eine Erscheinung, die sie nach der ersten Kommunion zum ersten Mal gezeigt hatte. Es liegt die Vermutung nahe, daß es sich um irgendwelche Geburtsphantasien handelt.

STEKEL betont, daß die Kommunion für die meisten Kinder ein sehr schweres Trauma darstelle. Es sei unglaublich, welchen Traumen siebenjährige Kinder dadurch ausgesetzt werden.

HITSCHMANN kann das bestätigen und erwähnt eine Zwangsneurotika, die ihre Kindheit in einem Klosterpensionat zubrachte, wo sie jede Woche beichten, aber nur einmal im Jahre baden mußte. Sexuelle Träume galten dort auch als Sünde. Sie hatte die Phantasie, man möge ihr die Hostie nicht in den Mund, sondern in die Vagina stecken.

FRIEDJUNG möchte, so einverstanden er in bezug auf die Schädlichkeit der Beichte mit den Vorrednern auch sei, doch bestreiten, daß ein gastrisches Fieber psychisch bedingt sei.

TAUSK kennt auch eine Zwangsneurotika, deren aktueller Inhalt Kommunion und Beichte war; dahinter stand Vater und Mutter = Christus und die Kirche.

ROSENSTEIN wirft auch die Frage auf, wie man Fieber psychogen erklären könne.

STEKEL erwidert, daß hysterisches Fieber keine ungewöhnliche Diagnose sei und daß es Arbeiten darüber gebe.

FEDERN meint, daß Stekels Wunsch nach Abschaffung dieser kirchlich gebotenen Sexualtraumen um einige Generationen zu früh ausgesprochen sei.

Prof. FREUD ist derselben Ansicht. Der von Hitschmann erwähnte Fall stimmt mit der zu der Zeit noch sehr lebhaften Sexualtheorie überein, wonach man durch Essen ein Kind bekommt, und die Hoffnung, Kinder zu gebären wie die heilige Jungfrau, gründete sich in einem Fall direkt darauf.

FURTMÜLLER kann die Schädlichkeit der Kommunion noch an einer Reihe von andern Fällen bestätigen. Er glaube, wir hätten selbstverständlich die Pflicht, sobald genug Material beisammen ist, dasselbe sachlich vorzulegen, damit andere daraus die praktischen Konsequenzen ziehen.

Frau Dr. HILFERDING teilt eine Stelle aus Werner Sombarts Buch über das Judentum mit (Kapitel XI, S. 281), wo mit Hinweis auf die Freudsche Lehre ausgeführt wird, daß im Sexualleben der Juden eine Abdrängung der Sexualität in der Richtung des sozialen Gelderwerbs stattgefunden habe.[5]

HITSCHMANN erinnert an ein ähnliches Zitat bei Bloch, wo aus den Propheten die Keuschheit der Juden hervorgehoben wird.[6]

FEDERN glaubt, daß die Juden zunächst nicht asketisch waren, sondern es nur in dem Maße wurden, als sie christianisiert wurden. Die falsche Prämisse von Sombart beweise, wie recht Freud hatte, als er den Gelderwerbskomplex von der Analerotik ableitete.

SACHS meint, es könne nicht allgemein behauptet werden, daß die jüdische Religion eine starke Askese gefordert habe. Die Juden waren aber die ersten Kulturträger und haben als solche die Sexualverdrängung in besonderem Maße geleistet. Unter den Juden gibt es viele Analerotiker, was möglicherweise mit dem Zeremonialgesetz ihrer Religion zusammenhängen könnte.

STEKEL findet von der Behauptung Sombarts genau das Gegenteil richtig; in Galizien und Rußland heiraten die Judenknaben mit 15, 16 Jahren. Die Askese ist die Strenge der Monogamie für den Juden.

---

[5] Werner Sombart, 1863–1941, deutscher Nationalökonom, *Die Juden und das Wirtschaftsleben*, Duncker & Humblot, Leipzig 1911.
[6] Wahrscheinlich Iwan Bloch, *Das Sexualleben unserer Zeit in seinen Beziehungen zur modernen Kultur*, L. Marcus, Berlin 1907.

KRAUSS macht darauf aufmerksam, daß in den nächsten Wochen in den *Beiwerken* eine Arbeit über das Geschlechtsleben der Juden erscheinen wird.[7]

SADGER meint, man müsse zwischen den orthodoxen und den anderen Juden unterscheiden. Bei den ersteren ist es Tatsache, daß sie im Monat ca. 14 Tage ihre Frauen nicht berühren dürfen.

FEDERN weist darauf hin, daß eine derartige Einschränkung nicht ausreichen kann, einen Trieb auf ein anderes Objekt zu verschieben.

FREUD: Sombart hat vernachlässigt eine prinzipielle Unterscheidung; sonst hätte er gesehen, daß die altjüdische Religion sich ein großes Verdienst erworben hat um die Einschränkung der *perversen* Sexualität, indem sie alle Libidoströmungen in das Bett der Fortpflanzung leitete.

H. HELLER fand die äußere Veranlassung, über Todesahnungen zu sprechen, in der letzten Arbeit Abrahams, der Segantinis frühen Tod aus dem unbewußten Wunsch zu sterben begründet, welcher die verderbenbringenden Mächte festgehalten hatte.[8] Er erinnert ferner an eine anscheinend paradoxe Bemerkung Freuds, daß der Mensch eigentlich nicht an der Krankheit sterbe, sondern daß der Wille zum Sterben im Unbewußten den Tod herbeiführt. Von da aus werde es möglich, die rätselhaften Todesahnungen zu verstehen, nämlich so: daß der im Unbewußten verankerte Wille zu sterben in einer entstellten Form ins Bewußtsein transportiert wird: Ich werde sterben, statt: Ich will es.

ROSENSTEIN sieht gar keine Möglichkeit, das zu beweisen: zu beweisen, daß eine organische Krankheit psychisch hervorgerufen werden kann.

STEKEL verweist auf ein Buch von Dr. Paul Kohn: Gemütserkrankungen und Krankheiten, wo diese Beziehung behandelt werde.[9]

---

[7] Hjalmar J. Nordin, ›Die eheliche Ethik der Juden zur Zeit Jesu. Beitrag zur zeitgeschichtlichen Beleuchtung der Aussprüche des Neuen Testamentes in sexuellen Fragen‹, nach der schwedischen Handschrift verdeutscht von W. A. Kastner und Gustav Lewié, *Beiwerke zum Studium der Anthropophyteia*, aaO, Bd. 4.
[8] Zu Karl Abrahams Studie über Giovanni Segantini vgl. die Anm. 6 des 51. Protokolls in Bd. 1 der vorliegenden Veröffentlichung.
[9] Paul Cohn, 1878–?, *Gemütserregungen und Krankheiten. Eine Studie über Wesen und Sitz der Gemütserregungen, ihre Beziehungen zu Erkrankungen und über Wege zur Verhütung*, Vogel und Kreienbrink, Berlin 1903.

Prof. FREUD bemerkt, daß bei der scharfen Trennung der inneren und der äußeren Krankheiten Platz bleibt für ein Moment, welches der Infektion Tür und Tor öffnet, und daß Heller dem entsprechend Rechnung getragen habe.

STEINER weist darauf hin, daß auch in Kreisen von Nichtpsychoanalytikern der psychische Einfluß eine große Rolle spiele. Herz macht z. B. Kummer und Sorge bei der Arteriosklerose verantwortlich.[10] Auch sind Fälle bekannt, wo der psychische Einfluß den Tod beschleunigte (Marschall, Mahler[11]).

FEDERN bestätigt das und fügt hinzu, daß Menschen, die sich schädigen wollen, sich auch leicht geschlechtlich infizieren.

ROSENSTEIN bezweifelt nicht, daß das Psychische an sich auch somatisch wirke, er bezweifele nur, daß das Unbewußte imstande sei, irgend etwas Organisches zu bewirken.

HELLER führt nochmals die Denkmöglichkeit für diesen Vorgang aus: Wenn sich das Unbewußte durchsetzen kann durch Hineinfahren in einen Wagen, durch Absturz aus einer Höhe, so kann es sich auch durchsetzen, indem es den Krankheitskeimen die Eingangspforte öffnet durch den Wegfall der Hemmungen. Auffallend sei in diesem Zusammenhange die verhältnismäßig große Zahl genialer Menschen, insbesondere schaffender Künstler, die in frühen Jahren sterben (Fall einer Künstlerin und Mahler).

Prof. FREUD kann die für Mahlers Tod ausgesprochene Vermutung leicht beweisen, da ihm bekannt sei, daß sich Mahler an einem Wendepunkt seines Lebens befand, wo er die Wahl hatte, entweder sich zu ändern und damit die Basis seiner Künstlerschaft aufzugeben oder sich dem Konflikt zu entziehen. Für diese Mitteilung wird eigens um Diskretion gebeten.[12]

Prof. FREUD bringt eine Zuschrift eines in Göttingen ansässigen Wiener Doktors zur Verlesung, die eine persönliche Mitteilung zur infantilen Sexualtheorie enthält. Er produzierte im affektiven Widerstand

---

[10] Max Herz, ›Über die psychische Ätiologie und Therapie der Arteriosklerose‹, *Wiener klinische Wochenschrift*, Bd. 24, 1911, S. 484–87.
[11] Der Komponist Gustav Mahler war erst kürzlich – am 18. Mai 1911 – gestorben. – Um wen es sich bei Marschall handelt, konnten wir nicht feststellen.
[12] Vgl. Anm. 3 des 143. Protokolls, oben, S. 250.

gegen die bei Leonardo da Vinci aufgedeckte Kastrationsphantasie eine eigene, ihm bis dahin unverständliche Kindheitserinnerung, wo ihm von der Mutter zur Strafe der kleine Finger abgeschlagen wird.

Die Bedeutung des Kastrationskomplexes sei eine ganz ungeheuere für das Verständnis der Neurose, und man erkennt auf Grund desselben leicht für primär, was man sonst für sekundär halten würde. Bei einer Gruppe von Neurotikern, die soviel Wert auf ihre Männlichkeit legen, ist die Zurückführung auf den Kastrationskomplex zwar etwas Schwieriges, aber etwas, was fast immer gelingt. Erst mit der Kastrationsdrohung hat ihre Männlichkeit und die Verachtung des Weibes eingesetzt. Sie leiden geradezu an einer Penisangst, die ihr Analogon findet im Penisneid des Weibes. Bei einer Patientin ist dieser Neid das Maßgebende geworden.[13] Ihr Wunsch war schon früh, ein Kind (vom Vater) zu bekommen; nie hat sie über ihre weibliche Rolle hinausgestrebt. Bei ihr hat der Kinderneid den Penisneid verdrängt. Eine Reihe von Adlers Aufstellungen wird sich bei Berücksichtigung des Kastrationskomplexes mit unseren Anschauungen in Einklang bringen lassen.

Aufklärung eines Falles von Traumhandlung, die aus dem Schlafe geschehen ist. Eine Patientin war als Kind von vier bis sechs Jahren auf dem obersten Absatz der Treppe mit einem angezündeten Licht in der Hand von ihren Eltern schlafend gefunden worden. Sie hat von der ganzen Sache niemals etwas gewußt. Die Aufklärung dieser Traumhandlung ergab sich daraus, daß die Patientin vor der Erzählung dieses Faktums gesagt hatte: Ich habe einen starken Vaterkomplex gehabt. Sie tat das also, um den rückkehrenden Vater zu erwarten, der schon einmal auf der dunkeln Treppe verunglückt war.

HITSCHMANN erwähnt einen Zwangsneurotiker mit Angst um den Vater, der auch in der Kindheit ein Mädchen mit einem Penis gesehen haben will, der also, wie Freud sagte, den Penis bei den Mädchen direkt halluzinierte. Er versteckte auch den Penis zwischen die Schenkel und gab sich so vor dem Spiegel sexuellen Phantasien hin.

Zur Traumhandlung etwas von einer Hysterischen mit großen Anfällen, die in ihrer Kindheit zweimal in somnambulen Zustand in das Zimmer der Eltern ging, dabei die Mutter attackierte und sie ohrfeigte.

TAUSK stieß bei einem Patienten auf der Suche nach dem Kastra-

---

[13] S. Freud, ›Über Triebumsetzungen, insbesondere der Analerotik‹ (1917); G. W., Bd. 10, S. 401; *Studienausgabe*, Bd. 7, S. 123.

tionskomplex auf eine Phantasie, daß ihm ein Drache zur Strafe den kleinen Finger abbeißt.

Eine Traumhandlung von sich selbst, wie er im Alter von vier bis sechs Jahren in der Nacht, während die Mutter noch in der Küche arbeitete, hinausging und sich an der Wasserleitung zu tun machte, was offenbar dem Wunsch entsprang, der Mutter zu helfen.

FEDERN weist auf die Übereinstimmung der Traumsymbolik mit der der Neurosen; wenn Penisneid sich durch Kinderneid ersetze, so liege darin auch die Auffassung des Penis als Kleinen. – Das vergessene Vergehen sowohl von Freuds Briefschreiber als auch von Tausks Patienten sei wahrscheinlich das Spielen mit den Genitalien, was gewiß kein männlicher Protest, sondern eine libidinöse Regung sei, auf die erst die Strafe und Drohung folgte. Der männliche Protest ist, soweit er in Betracht kommt, etwas sehr Spätes. Den Penisneid aber im Verein mit der von Freud behaupteten Gleichgiltigkeit gegen die Geschlechtsunterschiede könne er sich nicht vorstellen.

SADGER fragt mit Bezug auf den von Freud mitgeteilten Fall, ob die angezündete Kerze nicht ein Symbol des erigierten Penis des Vaters ist, den das Kind in die Hand bekommen will.

FURTMÜLLER sieht in der Frage des Penisneids das Problem darin, warum der Knabe nicht auch auf das Mädchen neidisch ist.

FREUD: Die Kerze bedeutete wohl in einem ihrer letzten Träume das erigierte Glied, aber es liegt kein Anlaß vor anzunehmen, daß das auch schon in der Kindheit der Fall war. Was die Frage des Penisneides betreffe, so merken die Mädchen den Unterschied sofort und sind neidisch; die Knaben merken ihn nicht, sondern setzten ihr Genitale voraus. Das Merkwürdige ist nur, daß der Knabe nicht sofort stolz darauf wird, daß er ein Mann ist, sondern das Weib zu sich erhebt.

STEKEL erinnert zum abgeschlagenen Finger an das Märchen vom Schwesterlein, das zur Erlösung seiner Brüder aus dem Glasberg sich den kleinen Finger abschlägt.[14] der Kastrationskomplex involviere nicht immer Angst, sondern enthalte auch oft den Wunsch, ein Weib zu sein.

ADLER findet die Bedeutung des Kastrationskomplexes damit auch

---

[14] ›Die sieben Raben‹, in der Sammlung der Brüder Grimm, *Kinder- und Hausmärchen.*

noch nicht erschöpft. Diese Gedanken können an verschiedenen Stellen der Analyse eine verschiedene Rolle spielen. Der Patient kann durch den Gedanken der Kastration auszudrücken suchen, daß er einer Situation nicht gewachsen ist; wenn man dann weiter zurückgeht, kommt man zur Furcht, er könnte seinen Penis zur Strafe einbüßen (Freud). Dann kommt man zur Befürchtung, er könnte durch diese Strafe in ein Weib verwandelt werden. Man kommt leicht in die Versuchung, das für etwas Sekundäres zu halten, da es erst aus dem Schuldgefühl erwachsen ist. Dann kommt man aber auf den gemeinsamen Ausgangspunkt: das sind lauter Menschen, die von Anfang an befürchtet haben, sie wären nicht geeignet, einmal in Zukunft einen vollen Mann zu stellen, sie könnten nicht leisten, was z. B. der Vater zu leisten imstande sei oder irgendein anderer Mann ihrer Umgebung. Die Kastrationsfurcht ist dann durchaus symbolisch zu nehmen: Der Patient stellt sie als Schreckbild auf, um sich vor Untersuchungen irgendwelcher Art zu sichern. Der Kastrationskomplex begleitet den Neurotiker durch alle Phasen seiner Entwicklung, und es kommt ganz darauf an, an welchem Punkte man ihn aufgreift und wo man glaubt seinen Anfang gefunden zu haben. Für die Dynamik bedeutet er die Aufstellung eines Wachpostens, und wie jede Angst dient er dazu, den Patienten vor irgendwelchen Unternehmungen zu schützen. Das hängt nun innig zusammen mit dem Wunsch, ein Weib zu sein, der in Widerspruch zu stehen scheint mit der Haupttendenz des männlichen Protestes. Das sind jedoch Regungen, die symbolisch einen Wunsch decken müssen. Sie beziehen sich nicht auf den Besitz einer Vagina, sondern es handelt sich darum, etwas leichter zu erreichen. Wo dieser Gedanke weiblichen Charakter bekommt, entsteht ein psychischer Niederschlag, und die Fortsetzung dieses Gedankenganges lautet dann: So ein Mensch bin ich, ich schrecke vor tatkräftigen Unternehmungen zurück, folglich muß ich mich sichern.

Was die Patientin Freuds betreffe, die sich keinen Penis, sondern ein Kind gewünscht habe, so habe er diese Verwandlung besprochen; es handelt sich um Wünsche, die sich darauf bezogen, eine männliche Rolle mit weiblichen Mitteln zu spielen, und wobei ein Ersatz des ursprünglich gewünschten Penis in irgendeiner Form gefunden werden muß. Ein solcher Ersatz kann gefunden werden im Wunsch nach vielen Männern oder im Wunsch nach Stillen etc. Kompliziert werden diese Gedankengänge durch die Vorstellung, daß auch die Frau einen Penis hat, aber diese Vorstellung gilt auch für das Mädchen. Ein Fall, wo ein Mädchen im 14. Jahr einen Penis zu besitzen glaubte, der durch die Onanie abgefallen sei. Sie faßte, um die Entdeckung dieser angeblichen Schande zu vermeiden, den Entschluß, nicht zu heiraten und nicht zu koitieren; auch hier also diente der Kastrationskomplex zur Sicherung. Wenn sie sich ein Kind wünscht, identifiziert sie sich mit der Mutter, der sie ursprünglich einen Penis zugedacht hatte.

145

Vortragsabend: am 31. Mai 1911

Anwesend: Federn, Freud, Friedjung, Furtmüller, Heller, Hilferding, Hitschmann, Oppenheim, Rank, Reitler, Sadger, Steiner, Stekel, Tausk, Grüner G., Sachs, Wagner, Rosenstein, Reinhold, Dattner. Dr. van Emden aus Leiden zu Gast.

Referierabend III[1]

»Referate und kleinere kasuistische sowie sonstige Mitteilungen III

Richard Wagner:	Zum Ödipuskomplex (aus Hauptmanns *Griechischem Frühling*[2]).
Dr. R. Reitler:	Ein Beitrag zur Sammelforschung über Sexualsymbolik.
Dr. Oppenheim:	Zur Sexualsymbolik.
Dr. W. Stekel:	1. Graphologisches.
	2. Über den sogenannten »Antifetischismus« (Hirschfeld).
	3. Zur Traumsymbolik.
Dr. V. Tausk:	Mitteilung eines Traumes.

---

[1] So steht der Vermerk im Präsenzbüchlein. Das Protokoll dieser Sitzung ist nicht erhalten. Wir geben oben statt dessen einen Auszug aus Ranks Bericht über diese Zusammenkunft im *Zentralblatt*, Bd. 1, 1911, S. 521, wieder. – Zwei weitere Notizen schließen sich im Präsenzbüchlein noch an:
»Gemütliche Zusammenkunft am 28. Juni 1911 – Konstantinhügel.
Anwesend: Federn, Freud, Hitschmann, Reitler, Sadger, Steiner, Stekel, Tausk, Sachs, Winterstein, Rosenstein, Dattner, Reinhold, Rank, van Emden.«
»III. Kongreß für Psychoanalyse am 21./22. September 1911 in Weimar.«
[2] Gerhart Hauptmann, *Griechischer Frühling*, Reisetagebuch, 1908.

Dr. Karl Furtmüller:	Referat über Bormann, die Namen in Goethes *Götz*.[3]
Prof. Freud:	Zur Traumsymbolik.
Prof. Freud:	Aufklärung einer Traumhandlung.

Mit Ende Mai wurden die Sitzungen der Wiener Psychoanalytischen Vereinigung für die Dauer der Sommerferien unterbrochen, um im Spätherbst wiederaufgenommen zu werden.«

---

[3] Edwin Bormann, ›Die acht Hänse und andere Namensschärze im *Götz von Berlichingen*. Ein humoristischer Essay über scheinbare Nebensachen‹, *Münchner Allgemeine Zeitung*, 1911, Nr. 21.

146

Außerordentliche Generalversammlung: am 11. Oktober 1911
im Klublokal des Kaffee Arkaden

Zehntes Vereinsjahr
1911/12

Gegenwärtiger Mitgliederstand: 34

Dr. Guido Brecher	Meran, Pension Erlenau
Bernhard Dattner	Wien IX. D'Orsaygasse 11/14
Dr. Leonide Drosnés	St. Petersburg, Jamskaja 2
Dr. J. E. G. van Emden	Haag, Jan van Nenonstraat 84
	Leiden, Rapenburg [durchgestrichen]
Dr. Paul Federn	Wien I Riemergasse 1
Dr. S. Ferenczi	Budapest VII. Elisabeth-Ring 54
Prof. Dr. S. Freud	Wien IX. Berggasse 19
Dr. Josef K. Friedjung	Wien I Ebendorferstr. 6
Dr. Max Graf	Wien XIII/1 Wattmanng. 7
Hugo Heller	Wien I Bauernmarkt 3
Dr. Eduard Hitschmann	Wien I Rotenturmstr. 29
Dr. Edwin Hollerung	Graz, Schillerstr. 24
Doz. Dr. Guido Holzknecht	Wien I Liebiggasse 4
Dr. Ludwig Jekels	Bistrai bei Bielitz, Öst. Schles.
Dr. Albert Joachim	Rekawinkel [bei Wien]
Dr. Richard Nepallek	Wien IX. Lazarettg. 16
Otto Rank	Wien IX. Simondenkg. 8
Leopold Rechnitzer	Wien I Kärntnerstr. 51
Dr. Rudolf Reitler	Wien XVIII Bastiengasse 91
	Wien I Jakobergasse 4, Dorotheergasse 6 [beide Straßennamen durchgestrichen]

Dr. Josef Reinhold	Wien IX. Borschkegasse 6
Dr. Oskar Rie	Wien I Stubenring 22
Gaston Rosenstein	Wien IX Wasagasse 21/18
	Wien I Franz-Josefs-Kai 13
Dr. Hanns Sachs	Wien XIX/1 Peter Jordanstr. 76
Dr. I. Sadger	Wien IX. Liechtensteinstr. 15
Herbert Silberer	Wien I Annagasse 3
Frau Dr. S. Spielrein	Wien IX. Alserstr. 23, Pension Cosmopolite
Dr. August Stärcke	Huister Heide, Willem Arntsz Hoove Doldersche Weg 80 [durchgestrichen]
Dr. Maxim. Steiner	Wien I Rotenturmstr. 19
Dr. Wilhelm Stekel	Wien I Gonzagagasse 21
Dr. Viktor Tausk	Wien XVII. Syringg. 5
Dr. Rudolf Urbantschitsch	Wien XVIII Sternwartestr. 74
Richard Wagner	Wien IX. Porzellang. 4–6
Dr. Alfr. Frh. von Winterstein	Wien IV. Gußhausstr. 14
Dr. M. Wulff	Odessa, Puschkinskaja 55
Theodor Reik	[Wien] XX. Rauscherstraße 7
Sanitätsrat Gerster	Braunfels bei Wetzlar
Frl. Dr. Tatjana Rosenthal	St. Petersburg, Stremjannajastr. 1
Dr. Karl Weiß	[Wien] IV. Schwindgasse 12
Dr. Friedr. S. Krauss	[Wien] VII. Neustiftg. 12
Doz. Dr. Hans Kelsen	[Wien] III Marokanerg. 20

Anwesend: Dattner, Federn, Freud, Friedjung, Furtmüller, Grüner Gustav, Frau Dr. Hilferding, Klemperer, Oppenheim, Hitschmann, Heller, Rank, Reitler, Reinhold, Rosenstein, Sachs, Sadger, Steiner, Stekel, Tausk, Wagner, Winterstein.[1]

---

[1] Im Präsenzbüchlein finden sich im Anschluß hieran noch folgende Eintragungen:
»Neuwahl: Dr. van Emden, Dr. Stärcke, Dr. Spielrein«
»Ausgetreten: Dr. von Hye, Maday, Furtmüller, Hilferding, Oppenheim, Gustav Grüner, Klemperer«
und
»16. Oktober 1911 3/4 9 h abends vertrauliche Zusammenkunft bei Prof. Freud.«

Tagesordnung

I. Kongreßbericht:
A) Allgemeines
B) *Zentralblatt*
II. Vereinsangelegenheiten:
C) Mitgliedsbeiträge *(Zentralblatt)* Dr. Steiner
D) Lokal   Dr. Steiner
E) Innere Angelegenheiten
F) Neuwahl von Mitgliedern:
             (Austritt Baron Hye) *[2]
  1. Dr. van Emden, Leiden
  2. Dr. Aug. Stärcke, Huister Heide
  3. Frl. Dr. S. Spielrein *
G) Programm der nächsten Abende
Bisher angemeldet:
  Dr. Viktor Tausk: Beispiele für Problem-
  stellung in und aus der Psychoanalyse

               – Onanie [3] –

Prof. FREUD begrüßt die Versammlung und konstatiert deren Beschlußfähigkeit. Nach einem kurzen Bericht über die organisatorischen
Beschlüsse des Kongresses (Ortsgruppen Amerika, Wiederwahl des Prä-
sidiums) [4] nimmt das Wort

---

[2] Die mit einem Stern gekennzeichneten Zeilen sind von Rank handschriftlich eingefügt worden.
[3] Dieses Wort steht in fremder Handschrift am Ende der Tagesordnung.
[4] Rank veröffentlichte einen ›Bericht über den III. Psychoanalytischen Kongreß
in Weimar am 21. und 22. September 1911‹ im *Zentralblatt*, Bd. 2, 1912, S. 100–05.
Zu den beiden oben erwähnten Themen heißt es dort (S. 105): »1. Es wird beschlossen, das bisher jeden zweiten Monat erschienene *Korrespondenzblatt der
Internationalen Psychoanalytischen Vereinigung* aufgehen zu lassen in dem *Zentralblatt für Psychoanalyse*, das nunmehr den Mitgliedern der Internationalen
Psychoanalytischen Vereinigung als offizielles Vereinsorgan zugeht. 2. Die pan-
amerikanische ›General Association‹, deren Mitglieder über ganz Amerika ver-
streut sind und nur einmal jährlich zusammenkommen, wird neben der bereits
bestehenden Ortsgruppe New York als selbständige Ortsgruppe der Internationalen Psychoanalytischen Vereinigung angegliedert. 3. Der bisherige Präsident der
Internationalen Psychoanalytischen Vereinigung, Dr. C. G. Jung in Zürich, und der
Zentralsekretär, Dr. Franz Riklin (Zürich), werden per Akklamation wiederge-
wählt.«

Dr. STEKEL, um über Vereinigung des *Korrespondenzblattes* mit dem *Zentralblatt* und Erhebung desselben zum offiziellen Vereinsorgan zu referieren. Er bittet, sich eifrig an der Mitarbeit sowie am Referatswesen zu beteiligen und nach Kräften zur Ausgestaltung des bibliographischen Teils beizutragen.

Dr. STEINER schlägt auf Grund der Erhöhung des Internationalen Beitrags auf Mk. 15.— vor, den Mitgliedsbeitrag durchgängig auf K 60.— pro Jahr festzusetzen. Jedoch solle eine Reduktion dieses Beitrags auf K 40.— durch Anmeldung beim Kassier möglich sein.

Der Antrag Steiner wird angenommen.

Dr. STEINER berichtet ferner über die Lokalschwierigkeiten, die sich durch Verlust des bisherigen Lokals ergeben haben. Das Doktorenkollegium bezieht sein neues Heim erst Ende November, wo sich auch erst entscheiden kann, ob wir es weiterhin benützen können.

Nach verschiedenen Vorschlägen zu dieser Frage wird ein zweigliedriges Komitee, bestehend aus den Herren Dr. Steiner und Hitschmann, eingesetzt, um geeignete Vorschläge zur Lösung dieser Frage zu machen.

Prof. FREUD gibt hierauf bekannt, daß seit der letzten Vereinssitzung folgende Mitglieder ausgetreten seien: Dr. Adler, Dr. Bach, Dr. Maday und Dr. Baron Hye.

Von Neuanmeldungen liegen vor: Dr. van Emden, Leiden; Dr. Stärcke, Huister Heide; Frl. Dr. Spielrein, Wien. Mit Rücksicht darauf, daß die Neuwerber einem großen Teil der Mitglieder bekannt sind, schlägt der Vorsitzende die sofortige Vornahme der Wahl vor.

Dr. SADGER stellt den Antrag, den bisherigen Wahlmodus dahin abzuändern, daß statt eines Viertels der abgegebenen Stimmen bereits wenige, etwa drei, negative Stimmen zur Abweisung eines Werbers genügen sollen.

Der VORSITZENDE behält den Antrag Sadger einer besonderen Besprechung vor und schreitet an die Abstimmung über die Neugemeldeten nach dem bisherigen Modus. Alle drei Aufnahmswerber erscheinen einstimmig aufgenommen.

Dr. STEKEL meldet Herrn cand. phil. Theodor Reik für November zu einem Probevortrag über die Beziehungen des Tragischen zum Unbewußten an, der vom Plenum zugelassen wird.

Der VORSITZENDE ergreift hierauf das Wort zu dem Punkt: innere Angelegenheiten und legt jenen Herren, die dem Kreise Dr. Adlers, dessen Unternehmungen den Charakter einer feindseligen Konkurrenz zeigen, angehören, im Namen des Ausschusses die Entscheidung vor, zwischen ihrer Zugehörigkeit hier oder dort zu wählen, da der Vorstand den jetzigen Zustand für inkompatibel halte. Der Vorsitzende motiviert diese Auffassung des Vorstandes und bittet jene Herren, die ihm nicht bekannt sind, ihre Entscheidung bis zum nächsten Mittwoch vorzulegen.

Dr. FURTMÜLLER nimmt das Wort zu einer längeren Auseinandersetzung, in der er mit Rücksicht auf die gewechselten Schriftstücke, die er zur Verlesung bringt, seiner Verwunderung über die Meinungsänderung des Ausschusses Ausdruck gibt, und fordert schließlich das Votum des Plenums über die Frage der Inkompatibilität.

Dr. SACHS widerlegt zunächst die formalen Bemängelungen des Vorredners, klärt die scheinbare Meinungsänderung des Vorstandes auf und begründet ausführlich die Inkompatibilität. Er resümiert, daß es dem Vorstande fernliege, jemand herauszudrängen; es genüge die einfache Option, aber reinliche Scheidung müsse herrschen.

HELLER begründet in längerer Rede die Inkompatibilität und die Forderung der Option.

Dr. FEDERN ist ebenfalls für Scheidung.

Dr. FURTMÜLLER versucht, einzelne der vorgebrachten Argumente, insbesondere von Dr. Sachs, zu entkräften und die ganze Frage zu einer Entscheidung über freie oder vorurteilsvolle psychoanalytische Forschung zuzuspitzen.

Prof. FREUD macht ein paar faktische Bemerkungen zur Unterstützung des Standpunkts des Vorstands.

Dr. STEKEL macht den Vermittlungsvorschlag, es eine Zeitlang noch zusammen zu versuchen.

ROSENSTEIN ist ebenfalls für den Vermittlungsvorschlag.

Dr. TAUSK plädiert für die Abstimmung über die Option.

Dr. HITSCHMANN ist ebenfalls für Trennung.

GRÜNER, Gustav, spricht über seine persönliche Stellungnahme.

Dr. SADGER beantragt Schluß der Debatte und Abstimmung.

Generalredner pro, Dr. STEINER, beantragt, die Herren vor das aut-aut zu stellen.

Generalredner contra, Dr. FURTMÜLLER, hält den Vermittlungs-vorschlag Dr. Stekels für unannehmbar und erklärt, daß er alles ge-tan habe, um die Situation nicht zu verschärfen. Er beantragt nament-liche Abstimmung.

Zur Abstimmung gelangt folgende Resolution: Die Versammlung erklärt, daß sie nach der Sachlage die Zugehörigkeit zum Verein für freie psychoanalytische Forschung als inkompatibel mit der Zugehörig-keit zur Psychoanalytischen Vereinigung empfindet.

Für diese Fassung sind 11 Stimmen, dagegen 5 Stimmen, die Reso-lution also angenommen.

Dr. FURTMÜLLER erklärt hierauf in seinem Namen und im Na-men von weiteren fünf Mitgliedern (Dr. Oppenheim, Frau Dr. Hilfer-ding, Franz und Gustav Grüner, Paul Klemperer) den Austritt aus der Vereinigung.

Der VORSITZENDE entwickelt hierauf das Arbeitsprogramm für die nächste Zeit und lädt schließlich jene Herren, die irgendwelche Aufklärungen in der Angelegenheit Adler wünschen, für Montag 9 Uhr in seine Wohnung.

147

im[1]
Vortragsabend: am 18. Oktober 1911

Anwesend: Dattner, Federn, Freud, Friedjung, Heller, Hitschmann, Rank, Reitler, Reinhold, Rosenstein, Sachs, Sadger, Spielrein, (Steiner)[2], Stekel, Tausk, Winterstein.

[147.] PROTOKOLL

Beispiele für
Problemstellung in und aus der Psychoanalyse
[Vortragender:] Dr. Viktor Tausk

Der Vortragende teilt mit, daß sein Vortrag nicht in der Form und mit dem Inhalt intendiert war, die er heute zum Ausdruck bringen wird. Ein wesentlicher Teil seiner Arbeit war polemisch angelegt und mußte aus bestimmten Gründen entfallen. Die Aufgabe, zu zeigen, in welcher Weise und an welchen Stellen des Materials sich bei der psychoanalytischen Betrachtung Probleme ergeben, muß nun auf einem andern als dem ursprünglich vorbereiteten Wege erfüllt werden.

Der Vortragende nimmt zum Ausgangspunkt seiner Darlegungen das pädagogische Motiv, die Psychoanalyse auf einem besonders einfachen Wege, ganz exogen und ohne Voraussetzungen aus der Psychoanalyse selbst, Studenten vorzutragen. Dabei ist zu überlegen, von welchem Material aus der Unterricht eingeleitet werden soll. In der Psy-

---

[1] Wo der Vortragsabend stattfand, hat Rank nicht vervollständigt.
[2] Es ist nicht klar, was diese Klammer bedeutet; vielleicht hat Steiner die Sitzung vorzeitig verlassen. An der Diskussion scheint er sich jedenfalls nicht beteiligt zu haben.

chopathologie des Alltags ergeben sich von vornherein zwei Arbeits-
hypothesen, die der Psychoanalyse selbst entnommen sind: nämlich die
Arbeitshypothese des Unbewußten im Freudschen Sinne und die von
der inneren Kontinuität der Assoziationen, weshalb dieser Weg für
eine Einführung nicht geeignet erscheint. Die pathologischen Probleme
ziert abgelehnt. Der Vortragende nimmt aus Gründen, die sich am
und die anderen Geistesgebiete werden von vorneherein als zu kompli-
Beispiel selbst als zweckmäßige erweisen sollen, seinen Ausgang vom
Traum. Für den Vortrag führt er jedoch noch eine andere als die pädagogische Tendenz ein. Er will nämlich zeigen, in welcher Art und
Fülle auch bei der Betrachtung des einfachsten Materials sich psychologische Probleme zur Lösung aufdrängen und wie sie kategorisiert werden müssen. Dabei soll sich ergeben, daß von der Psychoanalyse aus –
und mit Rücksicht darauf, daß viele der bisher schon erledigten psychologischen Probleme aus der Schulpsychologie im Gegensatz zu psychoanalytischen Resultaten gelöst wurden, andere wieder erst in der
Psychoanalyse selbst aufgestellt wurden – nicht nur *aus* der Psychoanalyse, sondern auch *für* die Psychoanalyse eine neue Psychologie von
Grund aus aufgebaut werden müsse.

Der Vortragende bringt nun einen einfachen Kindertraum und
stellt die Frage auf, welche Probleme an diesem psychischen Phänomen
ohne Voraussetzung aus der Psychoanalyse selbst, auf den ersten Blick,
aufgestellt werden könnten. Als einzige Arbeitshypothese wird dabei
nur das Prinzip von der biologischen Einheit des wachen und träu-
menden Individuums angenommen. Daß diese biologische Einheit
auch eine psychologische sei, ergibt sich aus der Auffassung des Psychischen als einer *Funktion* des Individuums. Daß der Traum eine psychische und nicht somatische Funktion sei, ergibt sich aus der Konsta-
tierung, daß im Traum Vorstellungen und Affekte, also spezifisch
psychische Leistungen vorkommen. Wir haben also nur von zwei
Funktions*formen* der Psyche zu sprechen, wenn wir die Traumleistung
und Wachleistung der Psyche miteinander vergleichen. Von selbst ergibt sich die Frage nach dem *Mechanismus* der Verschiedenheit dieser
beiden Formen. Damit die *Verschiedenheit* verstanden werden könne,
müsse erst eine *gemeinsame*, beiden Formen zugehörige Kategorie aufgedeckt werden. Diese ist die Brücke, über welche man aus dem wachen
Gebiet in das des Traumes hinübergehen müsse, wobei nochmals betont wird, daß der Traum von der Seite des Bewußtseins aus angegriffen
werde.

Da es sichersteht, daß Vorstellungen nur abstrahierte Erfahrungen
sind, also einer *äußeren* Realität entstammen müssen, da es ferner

sicher ist, daß die schlafende Psyche von der äußeren Realität keine Vorstellungen gewinnen kann, so ergibt sich von selbst die Tatsache, daß die im Traum vorkommenden Vorstellungen im *wachen* Zustand von der Realität apperzipiert wurden. Die äußere Realität ist demnach das gemeinsame Stück des Traumes und des Wachbewußtseins. Das gelte auch für ganz komplizierte, vor dem Bewußtsein nicht als logisch und inhaltlich zusammengehörige Vorstellungen des Traumes, denn diese können in ihre Elemente zerlegt werden, und für diese Elemente ist das reale Vorbild der Außenwelt schließlich jederzeit nachzuweisen.

In dem vom Vortragenden gewählten Traumbeispiel erscheinen die Vorstellungen ganz unverändert dem Wachbewußtsein zu entstammen, so daß die Frage nach der gemeinsamen Realität sich als identisch erweist mit der Frage nach der Vorgeschichte des Traumes. Diese wieder ergibt einen unerfüllten Wunsch vom Vortage, dessen Inhalt die Traumvorstellungen sind und dessen Erfüllung der Traum mit denselben Vorstellungen darstellt. In ihren Einzelheiten übereinstimmend, erscheint die Totalität des Traumbildes nicht der Totalität der realen Vorgeschichte zu entsprechen — der Vortragende zieht die Parallele zum Kunstwerk —, ja, sie erscheint vielmehr als kontradiktorischer Gegensatz. Mit einem Male sind zwei Denkprobleme auf den Plan getreten: die logische Kategorie des Gegensatzes zwischen dem Trauminhalt und der realen Vorgeschichte und die funktionelle Kategorie in der Formel: der Traum ist eine Wunscherfüllung.

Von hier aus ersteht die Frage: Gibt es im Traum Wünsche, und was sind Wünsche? Die Beziehung des Wunsches zur biologischen Tendenz der Selbsterhaltung, also zum Trieb, ergibt sich als eine Beziehung von einer Funktion zu einem Funktionierenden. Der Trieb sucht Objekte der Befriedigung, der Affekt zeigt an, daß der Trieb die ihm gebotenen Objekte als geeignet oder ungeeignet für die Befriedigung ansieht. Sowohl Trieb als Affekt dulden in ihrer Beziehung zum Befriedigungsobjekt keinen Aufschub, d. h. sie haben kein zeitliches Verhältnis zum Befriedigungsobjekt, sondern nur ein räumliches. Diese Ausschaltung des zeitlichen Momentes bemerken wir in dem Traume an einer auffallenden Stelle, an der Stelle des Affektes, der im Traume wirksam wurde, selbst. Der Affekt im Traume stellt sich zu der ihm zugehörigen Vorstellung wie zu einem gegenwärtigen Objekte der Außenwelt, ohne die Bemerkung[3], daß das reale Objekt der Wünsche des Träumers zur Vergangenheit des Träumers vor dem Traume gehört. Ein andermal werden zukünftige Realitäten im Traum von ei-

---

[3] Es ist wohl gemeint »ohne zu bemerken«.

nem Affekt als gegenwärtig anerkannt. Der Traum läßt also auch das Zeitbewußtsein oder die zeitliche Form der Anschauung vermissen. Er hat dabei, und eben *deswegen*, nicht das Bewußtsein der Irrealität seiner Befriedigung. Aber das psychische Zeichen der Befriedigung eines Triebes zeigt sich im Traume wie im Wachbewußtsein: es tritt *Euphorie* ein. Wenn Euphorie als das Zeichen des gut funktionierenden Organismus angesehen werden muß, dann hat der Traum seine Funktion als taugliche Art der Triebbefriedigung im biologischen Sinne erwiesen.

Wieso gibt sich aber ein Trieb mit einem irreellen Objekt zufrieden? Es stehen ihm eben im Schlafzustand keine anderen als nur illudierte zur Verfügung. Er nimmt, da er kein äußeres Objekt hat, das innere zu Hilfe, welches aus Erinnerungen besteht, denen er durch ein eigenartiges psychisches Vermögen eine Qualität verleiht, daß sie ihm wie Wahrnehmungen vom realen Objekt erscheinen. Zwei Funktionen kommen dabei zutage: 1. die Ausschaltung der Zeit und 2. die halluzinatorische Plastizierung der Vorstellung. Diese letzte ist ein eigenes Problem, welches Freud in seiner Theorie von der *Regression* der Psyche zur Wahrnehmung erläutert hat.

Der Vortragende bricht hier seinen Vortrag mit der Bemerkung ab, daß die fernere Problemstellung an diesem einen Beispiel mit nur exogenen Mitteln nicht fortgeführt werden könne und daß dazu andere Beispiele gehören, die aber nicht im Rahmen seiner gegenwärtigen Absicht liegen.

Diskussion

ROSENSTEIN sieht sich genötigt, dem Vortragenden in den meisten Punkten zu widersprechen; seine Ausführungen seien nicht geeignet, den Glauben an die Sinnlosigkeit des Traumes zu erschüttern. Den Sinn eines Traumes könne man nur plausibel machen, wenn man den Satz akzeptiere, daß die Einfälle zum Traum gehören; dieser Satz ist aber aus der Erfahrung nicht zu beweisen, sondern zunächst nur induktiv gegeben. Viel eher als der Traum ließe sich die Determiniertheit der Fehlleistungen plausibel machen. Die Pollution sei nicht der einzige Fall einer motorischen Leistung zur Triebbefriedigung im Traume; wir machen auch eine Anzahl zweckmäßiger Reflexe etc. Besser wäre der Hinweis auf die Tagträume gewesen, die beweisen, daß eine Wunscherfüllung ohne die entsprechenden realen Objekte möglich ist. Für den Traum charakteristisch ist, abgesehen von den Geisteskrankheiten, die Halluzination. Auch die Behauptung, daß dem Traum das Zeitbewußtsein fehle, sei nicht richtig.

WINTERSTEIN kann sich im allgemeinen den Ausführungen des Vorredners anschließen und meint, daß die bestrittene Behauptung, *alle* Träume seien Wunscherfüllungen, nicht erwiesen werde durch den Nachweis, daß einzelne Träume Wunscherfüllungen seien.

SADGER hält für die beste Einführung in das Wesen des Unbewußten die Fehlleistungen des Alltags. Der Traum biete besondere Schwierigkeiten, denen auch Freud in seinem Buche[4] pädagogisch nicht vollauf gerecht zu werden vermochte. Den Vortragenden behindere noch besonders seine philosophisch-spekulative Ader, die ihn nie über die Einleitung hinauskommen lasse.

SACHS findet die Idee, die Pädagogik der Psychoanalyse als Problem aufzuwerfen, sehr dankenswert. Die Schwierigkeit, die auch Pfister in einem jüngst unternommenen Versuch[5] nicht umgehen konnte, liege darin, daß die komplizierten Tatbestände sich nicht zur Einführung eignen und daß man an den unkomplizierten das Psychoanalytische nicht lernen könne. Prof. Freud pflege bei seinen von verschiedenen Phänomenen ausgehenden Einführungen in die Psychoanalyse auf zwei Punkte den meisten Wert zu legen: das Gefühl des Verwunderns hervorzurufen über Dinge, die uns bisher selbstverständlich erschienen sind, und das Gefühl der strengen Determination alles psychischen Geschehens. Aus diesen beiden Voraussetzungen folge alles andere von selbst. – Der heutige Vortrag erscheine zu pädagogischen Zwecken vielleicht zu voraussetzungslos. Die Einschränkung der motorischen Leistungen des Träumers auf das Sexuelle sei natürlich zu erweitern. Gegen die Heranziehung des Schopenhauerischen Begriffes von Raum und Zeit müsse man einwenden, daß diese aprioristischen Anschauungsformen auch bei der Halluzination und im Traume vorhanden seien, wenn sie auch der Vortragende in anderem Sinne herangezogen habe.

HITSCHMANN meint, der heutige Vortrag zeige, wohin es führe, wenn man Dinge zusammenbringen wolle, die wenig miteinander zu tun haben. Es wäre nichts anderes als eine überflüssige Paraphrasie-

---

[4] *Die Traumdeutung* (1900; aaO).
[5] Oskar Pfister, ›Die Psychoanalyse als wissenschaftliches Prinzip und seelsorgerische Methode‹, *Evangelische Freiheit*, 1910, Heft 2.

rung von Dingen gewesen, die wir in einer gang und gäbe gewordenen Terminologie kennen. Es sei für den Stand der Dinge und das
Wissen des Vortragenden vielleicht noch zu früh, zu versuchen, die
Philosophie mit der Psychoanalyse zu verbinden. Die wenigen Dinge,
die sich darüber sagen lassen, sind nicht viel weiter als Freuds Aufstellungen über das Lustprinzip. Die Begriffe der Verdrängung und
des Unbewußten, welche am Beispiel bewiesen werden, sind noch immer die Voraussetzung für das Verständnis des Traumes und der Fehlleistungen.

FEDERN nimmt zunächst Stellung gegen die unberechtigte Misosophie[6] und nimmt den Vortragenden gegen den Vorwurf in Schutz,
er hätte Philosophie getrieben. Er hat den Versuch gemacht, die Grund-
prinzipien der Freudschen Lehre in einer scharfen begrifflichen Form
darzustellen. Doch genügt die Feststellung der biologischen und psychologischen Identität nicht, wenn wir nicht auch den unbewußten
Determinismus postulieren (Sachs). In Ermangelung dessen konnte
auch das kurze Traumbeispiel nicht zu Ende gedeutet werden. Im
Traum haben wir dieselben Zeitvorgänge wie im Wachen, nur ist die
Kritik in bezug auf die Zeit minimal vorhanden. Das eigentlich Wertvolle des Vortrags sei die Formulierung der Stellung des Affekts zur
Triebtätigkeit.

REITLER findet es ebenfalls nicht praktisch, vom Traume auszugehen. Auch für den Analytiker, der ja genötigt sei, seine Patienten
in die Psychoanalyse einzuführen, eigne sich die *Psychopathologie*[7]
besser. – Die psychische Identität bestehe nicht, denn die schlafende
Psyche verfüge nicht über das gleiche Material, während man bei den
Fehlleistungen immer denselben psychischen Zustand vor sich hat.
Überdies sei das Beispiel unglücklich gewählt, der Traum ein typischer Angsttraum, der schon den ganzen Elternkomplex enthalte.

ROSENSTEIN möchte sich nicht auf die Seite derer stellen, welche
die Methode des Vortragenden als »Philosophie« verwerfen, er habe
nur die Überzeugungsfähigkeit für Laien in Abrede gestellt. Ohne
scharfe Begriffsformulierung, die weder Erkenntnistheorie noch Metaphysik sei, wäre überhaupt keine Wissenschaft möglich. Unter Identi-

---

[6] Ein Wortspiel Federns analog zu Philanthrop und Misanthrop: Philosophie und
Misosophie.
[7] S. Freud, *Zur Psychopathologie des Alltagslebens* (1901); *G. W.*, Bd. 4.

tät verstehe der Vortragende die Qualität, aber nicht die Quantität des psychischen Materials.

FRIEDJUNG hält die Bemühungen des Vortragenden für außerordentlich dankenswert, wenn auch vieles dabei mißlungen ist, als Versuch zur Klärung der Begriffe, mit denen wir uns zu operieren gewöhnt haben; mit mehr philosophischem Wissen würden wir wahrscheinlich über manches weniger streiten. – Daß den Traumbildern die Zeitlichkeit fehle, sei sicherlich nicht richtig.

STEKEL erklärt sich als prinzipieller Gegner derartiger Bestrebungen, von denen er eine Erweiterung unseres psychoanalytischen Wissens nicht erwarte. Das gewählte Traumbeispiel eigne sich ganz und gar nicht, denn es sei äußerst kompliziert und enthalte bereits alle Probleme der Traumdeutung.

Prof. FREUD betont, die Psychoanalyse sei so ziemlich das letzte, wofür der Mensch geschaffen sei, und Versuche, sie pädagogisch darzustellen, seien sehr interessant und verdienen Dank.

Gegen das Argument von Lipps[8], der die Halluzinationsfähigkeit des Traumes daraus erklärt, daß die einzelne Vorstellung des Traumes isoliert sei und also die anderen nicht hemmend wirken können, sei einzuwenden, daß es im Traum an einzelnen Denkarten ja nicht fehle. – Zum Problem von Raum und Zeit: Wir kommen zur Einsicht, daß das Unbewußte zeitlos ist. Der Traum ist es nicht durchaus, weil er ein Vorgang *zwischen* Bewußtsein und Unbewußtem ist. Anderseits kommt in der Arbeit des Bewußtseins der Raum nicht vor; deshalb erscheint uns das Psychische unräumlich. Die Zeitlichkeit ist an die Bewußtseinsakte geknüpft, die Arbeit des Unbewußten können wir uns nicht zeitlich vorstellen, wohl enthält sie aber räumliche Elemente; wir müssen die einzelnen psychischen Akte lokalisieren. So muß z. B. eine bestimmte Stelle der Vorgänge affiziert werden, ehe das Wissen, das wir dem Patienten geben, zu wirken imstande ist. Das seelische Leben zerfällt uns in zwei Arbeitsweisen, von denen die eine unzeitlich, die andere unräumlich ist.[9]

---

[8] Der von Freud häufig zitierte Theodor Lipps, 1861–1914, Professor der Philosophie an mehreren deutschen Universitäten, war der Autor zahlreicher Arbeiten auf dem Gebiete der Philosophie und Psychologie. Sein Hauptbestreben richtete sich dahin, eine reine Psychologie zu schaffen, die zur Grundlage von Logik, Ethik und Ästhetik werden sollte.
[9] Leider erscheinen sowohl der Vortrag als auch die Diskussion bei der Niederschrift so verkürzt, daß der Reichtum insbesondere von Freuds Gedanken nicht zur vollen Geltung kommt. Überhaupt möchte ich [H. N.] darauf aufmerksam machen,

STEKEL wünscht Aufklärung über den Ausspruch, das Unbewußte kenne die Zeit nicht. Die Neurotiker haben zur Zeit ein ganz bestimmtes Verhältnis, das ihnen nicht bewußt ist und das in der Neurose eine bedeutende Rolle spielt (geheime Kalender, Jahrestage etc.). Das Unbewußte rechnet permanent mit der Zeit, es überschätzt sie.

Prof. FREUD möchte in Anbetracht der Wichtigkeit dem Gegenstand einen eigenen Diskussionsabend widmen, der von Stekel eingeleitet werden soll.

REINHOLD erklärt sich bereit, das Korreferat zu übernehmen.[10]

HITSCHMANN stellt fest, daß die Bezeichnung Philosophie, die er gebrauchte, nicht wörtlich zu nehmen war und daß er darunter zum Teil auch die Universitätspsychologie verstanden habe.

TAUSK hebt in seinem Schlußwort hervor, er sei durchaus mißverstanden worden. Er habe nicht zeigen wollen, an wie viele Probleme man herangehen müsse, um wissenschaftlich systematisch deduktiv an die Psychoanalyse heranzukommen. Er wollte das Zeitproblem als ein bei der psychoanalytischen Betrachtung eines Traumes abfallendes Problem andeuten. Schopenhauer habe er nur in dem bestimmten Sinne zitiert, daß die reale Wahrnehmung erst aus Raum und Zeit entstehe. Er habe nicht gemeint, im Traume fehle das Moment der Zeitlichkeit, sondern das Verhältnis des Affektes zu seiner Vorstellung, das sei das Zeitlose. – Redner geht hierauf auf die Einwendungen der Diskussionsredner im einzelnen ein, indem er vielfache Mißverständnisse aufklärt, Einwendungen zu widerlegen versucht und nicht in den Zusammenhang Gehöriges ausschaltet.

---

daß Rank, namentlich in den Diskussionsprotokollen dieser späteren Jahre, Freuds Bemerkungen oft verstümmelt wiedergegeben hat, offenbar ohne dessen gewahr zu werden.
[10] Dieser Diskussionsabend fand am 8. November statt; s. dazu das 149. Protokoll im vorliegenden Band.

148

Anwesend: Dattner, Freud, Friedjung, Heller, Hitschmann, Jekels, Nepallek, Rank, Reitler, Reinhold, Rosenstein, Sachs, Sadger, Spielrein, Steiner, Stekel, Tausk, Wagner, Winterstein.
4 Gäste.

[148.] PROTOKOLL

Zur Psychologie der Handschrift
[Vortragender:] Dr. Ludwig Klages (München) [1]

Der Vortragende geht von der Tatsache aus, daß sich manche Personen mit ihrer Schrift dem zur Verfügung stehenden Raume anpassen, andere nicht. Schließen wir, daß diese unwillkürliche Anpassung auch in anderen Lebenslagen Platz greifen wird, so haben wir aus der Handschrift einen Schluß auf den Charakter gezogen und dabei das physiognomische Verfahren angewendet. Denn die Psychologie der Handschrift ist nur ein Teil der Physiognomik der *Funktion* der Organe (die andere Gruppe, die Physiognomik der Organe, bleibt hier ganz beiseite), für die folgendes allgemeine Schema gilt. Wir nehmen an, daß es Bewegungen gibt, die aus einem Willensakt hervorgehen; hinter dem Willensakt können wir uns aber nur denken eine Persönlichkeit im Zustande des Wollens, und dann stammt die Bewegung direkt aus der Persönlichkeit. Wären wir auf das Wie der Bewegung zu achten gewohnt, so wäre es uns möglich, aus jeder willkürlichen Bewegung

---

[1] Ludwig Klages, 1872–1956, deutscher Philosoph und Psychologe. Zu seinen Hauptwerken gehören *Die Probleme der Graphologie* (Barth, Leipzig 1910) und *Einführung in die Psychologie der Handschrift* (Seifert, Stuttgart, Heilbronn 1924). Er war Mitbegründer der Deutschen Graphologischen Gesellschaft (1897). 1907 hatte er in München ein Seminar für Ausdruckskunde begonnen, welches er im Jahre 1919 nach Kilchberg bei Zürich verlegte.

das Wesen der Persönlichkeit abzulesen. Die Handschrift bildet darum den unzweifelhaftesten Angriffspunkt der Bewegungsdiagnostik, weil sie uns die flüchtige Bewegung aufbewahrt. Wir können die Handschrift deskriptiv genau erfassen; von quantitativen Schrifteigenschaften kommen in Betracht: Größe, Eile, Nachdruck.

Das Hauptgesetz der Beziehungen zwischen der Person und der Handschrift ist das Gesetz der Abhängigkeit aller Bewegungen von der Psyche. Das erste dieser Gesetze fand Piderit (*Mimik und Physiognomik*, 1865)[2]; es lautet: Zu jeder inneren Tätigkeit gehört die ihr analoge Bewegung, zu jeder Tätigkeitsdisposition die ihr analoge Bewegungstendenz. In unserem Gebrauch des Wortes Gemüts*bewegung* (für Affekt) liegt der Beweis für diesen Satz. Erläutert wird das Gesetz am Affekt des Zornes und hierauf die Anwendung auf die Schreibbewegung gemacht. Es werden die affektiven Charaktere den nichtaffektiven gegenübergestellt und nach dem Gesetz den affektiven Charakteren eine ungleichmäßige Schrift zugesprochen. Von den affektiven Charakteren werden zwei Typen unterschieden: die expansiven und die depressiven. Die ersten haben eine ausgiebige, eilige wuchtige Schrift, die durch gewisse Eigentümlichkeiten gekennzeichnet ist.

Das zweite Gesetz, das erst auf Grund der Analyse der Schrift gefunden wurde, lautet: Das gesamte Ausdrucksleben wird bestimmt durch das Bild, das der Mensch unbewußt von dem jeweiligen Ausdruck erwartet. Unser individueller Raumsinn wirkt unbewußt modelnd auf unsere Schreibbewegung ein. Der Vortragende bespricht anschließend daran die Funktion der Zwischenräume (Klammer, Unterstreichungen) zur Markierung der begrifflichen und lautlichen Einheit und ihre verschiedene Ausprägung [bei] verschieden veranlagten Charakteren.

Schließlich unternimmt [es] der Vortragende, einen Haupteinwand vorwegzunehmen und zu widerlegen. Der häufig vorgebrachte Einwand, daß man sich das alles willkürlich angewöhnen könne, trifft nicht die Sache, um die es sich hier handelt. Wir können mit unseren Methoden das Erworbene von dem Ursprünglichen unterscheiden und so das willkürlich Erworbene von einer andern Seite her unseren diagnostischen Zwecken dienstbar machen.

---

[2] Theodor Piderit, 1826–1912, deutscher Schriftsteller, dessen Werk *Wissenschaftliches System der Mimik und Physiognomik* 1867, nicht 65, bei Klingenberg in Detmold erschien.

Diskussion

TAUSK bemerkt, der zweite Teil des Vortrags habe kaum etwas anderes gesagt, als was wir in der Psychoanalyse gelernt haben: nämlich, das Unbewußte drückt sich aus, und es findet jedes Mittel dazu gut genug. Die vorgetragenen Prinzipien sind sicher anwendbar und aufklärend. Es wäre nur zu wünschen gewesen, daß sich der Vortragende vorher mit der Psychoanalyse vertraut gemacht und sich mit uns über den Ausdruck des Unbewußten geeinigt hätte; er hätte uns dann mehr von den methodologischen Details, die sehr wertvoll und interessant seien, mitteilen können.

Dr. KLAGES erwidert, es sei gar nicht in seiner Absicht gelegen gewesen, vom Standpunkt der Psychoanalyse aus das uns Interessierende zu besprechen, sondern er wollte lediglich eine Einführung in die Handschriftendiagnostik geben. Daß eine Verwandtschaft der Interessen- und Forschungsrichtung vorliegt, habe ihn zu dem Vortrag bestimmt.

SACHS findet es schwer, einen inhaltlich und formell so abgeschlossenen Vortrag zu kritisieren; es müsse dabei notwendig eine Ungerechtigkeit mit unterlaufen, da er nicht für Psychoanalytiker bestimmt, aber von ihnen kritisiert werden soll. Die weitestgehende Übereinstimmung mit der Psychoanalyse sei darin zu finden, daß für den Vortragenden alle psychischen Äußerungen determiniert seien. Allerdings fassen wir das Unbewußte nicht in dem Sinne auf, wie es der Vortragende tut. Wir nehmen das Unbewußte dynamisch als das Verdrängte, während der Vortragende alles, was sich der momentanen Erkenntnis entzieht, dazurechnet. Ferner sieht er in der Persönlichkeit des Menschen, die uns in etwas fortwährend Wechselndes zerfällt, etwas Festes und Einheitliches. Die Resultate, zu denen er komme, werden wohl auch in unserem Sinne verwertbar sein. Besonders interessieren würde uns das Kapitel der Familienschrift; die Änderungen in der Pubertät und die Angleichungen an die Verwandten.

KLAGES gibt den Unterschied in der Auffassung des Unbewußten zu, hebt jedoch als wichtiger hervor, daß wir von Bewußtseinstatsachen, er jedoch von Ausdruckstatsachen ausgehen und daß wir beide dahinter etwas anderes suchen. – Was die Differenz in bezug auf die Persönlichkeit anbelange, so müssen auch wir zu der Persönlichkeit in seinem Sinne kommen, die nichts anderes als den Begriff der Anlage involviere.

REITLER konstatiert, daß wir nicht nur von Bewußtseinstatsachen, sondern auch von Symptomen ausgehen in der Psychopathologie des Alltagslebens. Die Ausführungen des Vortragenden erschienen wie eine spezielle Anwendung der dort verwendeten Gesichtspunkte, und manches, was der Vortragende als Ausdruck der Schrift faßte, hat die größte Ähnlichkeit mit unseren Fehlleistungen.

KLAGES sieht in diesen Ausführungen ein völliges Verkennen seiner Absichten, die von der gegenteiligen Auffassung ausgehen. Dem Versprechen entspreche das Verschreiben, aber nicht die individuelle Gestaltung der Schrift. Wo wir vom Ausdruck ausgehen, gehört das zum pathologischen Teil der Ausdruckslehre. − Es gibt Fälle, wo jemand bis zur Pubertät oder nachher so schreibt wie sein Vater oder seine Mutter; das zeigt, daß irgendeine psychische Beziehung bestand, die dann stabil wurde. − Das *Alltagsleben*[3] kenne er nicht.

SADGER betont, daß der Hinweis auf das Psychopathologische im Alltagsleben irreführen könnte. Das Schreiben ließe sich sehr wohl als eine Symptomhandlung auffassen. Die Wandlungen der Schrift zur Pubertätszeit treten sehr häufig ein, meistens in Form der auffälligen Linksschrift, was, wie der Vortragende ausführte, eine revolutionäre Auflehnung andeutet. Es wäre sehr wertvoll, wenn wir auf diese Weise Bestätigungen unserer auf andere Weise gewonnenen Ansichten erhalten könnten. So wäre es interessant zu erfahren, wie der Autoerotismus sich in der Schrift ausdrückt.

KLAGES bestätigt die Ausführungen über die Pubertätsänderungen, faßt jedoch die sexuellen Tatsachen (Autoerotismus) auch nur als Symptome des Charakters [auf], der in einer tieferen Schichte liegt. Die puerile Schrift von Sadgers Autoerotiker sei ein häufiger Fall, der Autoerotismus dabei negativ zu deuten.

STEKEL hat sich seit vielen Jahren damit beschäftigt, aus der Schrift gewisse sexuelle Eigentümlichkeiten herauszulesen. Trotzdem habe er die Graphologie in seine Arbeitsmethoden nicht aufgenommen, weil sie uns wenig sage. Was der Vortragende unter dem Charakter verstehe, sei für uns ein Produkt aus Trieb und Hemmung. Darin seien wir einig mit dem Vortragenden, daß sich das Geheime in jeder Handlung ausdrücken müsse. − Die Schrift eines Analysierten ändert sich in der Behandlung; die meisten Neurotiker haben eine kindliche Schrift, weil sie infantil sind. Den verdrängten Charakter, der sich ja

---

[3] S. Freud, *Zur Psychopathologie des Alltagslebens* (1901; aaO).

auch in der Schrift ausdrückt, den kann die Graphologie nicht ermitteln. – Schließlich versucht Redner eine Analyse des Vortragenden auf Grund seiner Schrift.

KLAGES bekennt sich darauf zu einem prinzipiell vollkommen verschiedenen Boden, indem er der Hoffnung Ausdruck gibt, daß diese Deutungen nicht das Wesen der Psychoanalyse widerspiegeln. – Die Triebe sind nur ein Teil dessen, was er Persönlichkeit nennt. Redner gibt nun eine Kritik der Schriftdeutung Stekels, die vom graphologischen Standpunkt vollkommen falsch sei. Bei den behandelten Neurotikern, die er bisher sah, konnte er nicht nur die Schriftidentität, sondern auch die Charakteridentität konstatieren.

ROSENSTEIN macht einige prinzipielle Bemerkungen, die alle zugunsten des Vortragenden lauten; denn z. T. handelt es sich um Mißverständnisse, z. T. um eine Befangenheit in gewissen psychoanalytischen Gesichtspunkten, aus der heraus die Gegensätze schärfer dargestellt wurden, als sie wirklich sind. So wird man zugeben müssen, daß es sowieso Anlagen gibt, die nicht weiter aufzulösen sind. Und bevor man sich der Untersuchung der psychischen Inhalte zuwendet, muß man sich erst mit den psychischen Tätigkeiten beschäftigen (Otto Groß[4]).

KLAGES findet eine besondere Schwierigkeit der Diskussion darin, daß man nach Gemeinsamkeiten und Abweichungen sucht. Er präzisiert dann seinen Begriff der Anlage und betont, daß nur darüber Meinungsverschiedenheiten bestehen, welches die zentralen und äußeren Schichten derselben sind.

Prof. FREUD gedenkt nur ein paar Bemerkungen zu machen, die vielleicht die Gegensätze mildern könnten. Es sei von den Psychoanalytikern, die offenbar nichts Neues annehmen können, nicht recht, daß sie vom Vortragenden ihre eigene Sprache zu hören gewünscht haben: anderseits sei es nicht recht von Stekel gewesen, die Deutungen zu geben, die nicht alle für einwandfrei halten.
Die Bedeutung der Graphologie hängt nach dem Urteil des Redners davon ab, ob die Handschrift als Ausdrucksbewegung der Ausfluß der ganzen Persönlichkeit oder nur eines Teiles derselben ist. Dann welche Teile das sind, und dann, ob es bei verschiedenen Personen immer die nämlichen Bezirke des Seelenlebens sind. Die Entscheidung darüber

---

[4] Zu Otto Groß, Sohn des Kriminologen Hans Groß (s. Anm. 9 des 115. Protokolls, oben, S. 31), vgl. die Anm. 4 des 73. Protokolls in Bd. 2 der vorliegenden Veröffentlichung.

könne nur gefällt werden, nachdem man von den Resultaten der Graphologie Kenntnis genommen habe.

Einzelne Mitteilungen bieten interessante Analogien zu Psychiatrischem. So die gewollte und die ungewollte Handschrift zu den originären (unechten, affektierten) Objektbesetzungen der Normalen und Hysterischen und auf der andern Seite der Dementia praecox. Solche Analogien könnten sich noch an vielen anderen Stellen ergeben. Das Studium der Graphologie gibt uns wichtige Anhaltspunkte auch für jenen Teil, den wir nicht bearbeiten können.

149

Anwesend: Dattner, Federn, Freud, Friedjung, Heller, Hitschmann, Jekels, Nepallek, Rank, Reitler, Reinhold, Rosenstein, Sachs, Sadger, Spielrein, Steiner, Stekel, Tausk.
2 Gäste, F. S. Krauss.

[149.] PROTOKOLL

Diskussion

Über die angebliche Zeitlosigkeit des Unbewußten

Referenten: Dr. Stekel, Dr. Reinhold

STEKEL geht davon aus, daß der Neurotiker sich durch sein Verhältnis zur Realität verrate. Er zeige die Tendenz, die gegenwärtige zu annullieren und eine historische Realität zu fixieren. So liebt er z. B. seine alternde Mutter, weil er die Veränderungen ignoriert. In diesem Sinne treffe die Behauptung zu, daß das Unbewußte keine Zeit kenne (Hinweis auf ein Gedicht von Wilhelm Pfau[2]: *Mama bleibt immer schön*). Die infantilen Ideale des Neurotikers unterliegen nicht der Usur durch die Zeit; er ist im ewigen Kampf mit der Zeit, er verschwendet sie, weil sie für ihn keinen Wert hat. Das Problem der Zeit ist aber auch das tragische Problem des Kindes. Die Zeit verstreicht dem Kinde, das schon groß sein möchte, viel zu langsam. Dann kommt der Ödipuskomplex, und es empfindet es tragisch, daß ihm die Mutter

---

[1] Am 1. November hatte wegen des Feiertages (Allerheiligen) keine Sitzung stattgefunden.
[2] Offenbar ein Irrtum in der Angabe des Vornamens, der Dichter hieß Ludwig Pfau (1821–1894); er war politischer und Kunstschriftsteller.

um soviel voraus ist. Die Empfindung, etwas nicht erreichen zu können, die sich in Träumen und Symptomhandlungen äußert, wurzelt in
dieser zeitlichen Differenz zu den Eltern (Vater), die nie eingeholt
werden kann. (Gedicht eines sechsjährigen Knaben über die entschwin-
dende Zeit.) Das Kind kann wie der Neurotiker mit dem Zeitproblem
nicht fertig werden, was an einzelnen Beispielen erläutert wird. So
inszenieren die Kinder bald einen Wettkampf mit den Erwachsenen
um den Vorsprung im Leben. Die Schadenfreude, die Älteren doch zu
überleben, äußert sich oft unverhüllt bei Todesfällen, wendet sich aber
als Talion gegen die eigene Person in der Idee, früh zu sterben: hier
liegt die tiefste Wurzel der Hypochondrie.

Redner bespricht hierauf das Verhältnis der Neurotiker in bezug
auf die Zeit in der psychoanalytischen Kur; sie kommen zu spät oder
zu früh, haben Angst, daß sie mit der Behandlungszeit nicht aus-
kommen etc. Die Bedeutung der Zeit zeigt sich auch an dem unbewußten Kalender der Kranken, der gewisse Erlebnisse der Vergangenheit fixiert und sie stets von neuem zu bestimmten Zeiten durch-
lebt, von denen das Bewußtsein nichts weiß. Die falsche Einstellung
der Neurotiker zur Zeit zeigt sich ferner in ihrer Ungeduld, dem Zweifel, wie spät es ist ([immer]fort auf die Uhr sehen), und der Empfindung, das Zeitgefühl verloren zu haben.

Die Annullierungstendenz gegen die Realität der Zeit wurzelt also
darin, daß das Unbewußte die Zeit nicht kennen will und sich darum
über sie hinaussetzt.

REINHOLD möchte nur das von Prof. Freud aufgeworfene Thema,
daß das Unbewußte zeitlos und räumlich sei, präzisieren und gegen
andere, nicht dazugehörige Themata abgrenzen. Die Schwierigkeiten,
die sich aus der Behauptung ergeben, sind zunächst rein erkenntnis-
theoretischer Natur und betreffen *das Unbewußte als Gegenstand der
Erkenntnis*. Faßt man es im Sinne der Psychoanalyse als etwas Psychisches auf, so ergibt sich aus der rein begrifflichen Deduktion allein
die Unmöglichkeit, dem Unbewußten die Zeit als erkenntnistheoretischen Formalbegriff abzusprechen. Um den Widerspruch mit den
Grundlagen der Psychoanalyse zu vermeiden, muß also diese Art von
Zeitlichkeit respektive Zeitlosigkeit der bewußten und unbewußten
Vorgänge, die sich auf das Unbewußte als Gegenstand der Erkenntnis
beziehen, aus der Diskussion ausgeschaltet werden. – Da die Zeitlosigkeit des Unbewußten von Prof. Freud im Gegensatze zur Zeitlichkeit
des Bewußtseins gedacht wurde, ist zunächst die vielfache Relation
des Bewußtseins zur Zeit zu besprechen. Dies geschieht unter den Ti-

teln: 1. Organisation des Bewußtseins; 2. Enge des Bewußtseins und 3. Zeitbewußtsein. – Ad 1): Das Bewußtsein ist eine rein historische Organisation und als solche ohne die Zeit undenkbar. Will man daraus auf das Unbewußte schließen, so ist zu berücksichtigen, daß ein Unbewußtes an sich und ein nur für uns Unbewußtes, also nur relatives Unbewußte, zu unterscheiden ist. Das Unbewußte wäre also auch als eine Art von historischer Persönlichkeit aufzufassen, die sich von der des Wachbewußtseins abgespalten hat, woraus folgt, daß auch das Unbewußte an die Zeit als Voraussetzung seines Zustandekommens gebunden ist. – Ad 2): Wenn man die Art der Beziehung des Bewußtseins zur Zeit als einer Relation, in der die Zeit als Grenzbegriff des Bewußtseins, als Einschränkung desselben erscheint, in Betracht zieht, kann der Behauptung Prof. Freuds, daß das Unbewußte zeitlos und räumlich ist, zugestimmt werden, vorausgesetzt, daß hier das Wort »räumlich« als Bezeichnung des Nebeneinanders der unbewußten Vorgänge nur bildlich verstanden werden kann. – Ad 3): Für die bewußte Psyche ist die immanente Zeitvorstellung eine conditio sine qua non. Wir unterscheiden im Bewußtsein das Vorstellen der Zeit als Bedingung der Erfahrung überhaupt. Es ist von vornherein unwahrscheinlich, daß im Unbewußten, in dem für alle Begriffe Platz ist, gerade der Zeitbegriff fehlen sollte. Eine andere Frage ist, wie es den Vorrat von Vorstellungen und Affekten zu diesem Zeitbegriff in Beziehung bringt. Mit anderen Worten, ob und in welchem Ausmaß das Unbewußte die Vergangenheit und Zukunft kennt und von der Gegenwart unterscheidet und ob es für die Vorgänge in ihm ein richtiges Maß hat.

[Diskussion]

Frl. Dr. SPIELREIN schickt voraus, daß sie die Dinge nur vom Standpunkt ihrer Schule[3] betrachten könne. Anknüpfend an die Psy-Systeme Freuds[4] wird die Tendenz der Wahrnehmungsinhalte, zum Bewußtsein vorzudringen, und die entsprechende rückläufige Bewegung von der Erinnerung zur Wahrnehmung mit der Tendenz in Verbindung gebracht, daß ein rezentes Erlebnis durch ein infantiles ersetzt wird. Der Grund, warum die infantilen Erlebnisse solchen Einfluß haben und so komplexerregend sind, liegt darin, daß sie in phylogene-

---

[3] Gemeint ist die Züricher Schule C. G. Jungs.
[4] Zu den ψ-Systemen Freuds vgl. z. B. *Die Traumdeutung* (1900; aaO); *G. W.*, Bd. 2/3, S. 542–46; *Studienausgabe*, Bd. 2, S. 513–17.

tischen Bahnungen vor sich gehen, wie die Spiele der Kinder (Groos[5]), die Perversionen (Inversion–Bisexualität), die infantilen Sexualtheorien und die Regression auf Vorstellungen der Art bei Dementia praecox zeigen. – Das Unbewußte entkleidet das Ereignis des Gegenwärtigen und verwandelt es in eines, das nicht an irgendeine bestimmte Zeit geknüpft ist (vgl. die Mütter, bei denen alle Grenzen und Zeiten miteinander verschmolzen sind[6]). Was das Unbewußte mit der Zeit macht, das macht es auch mit dem Ort und mit den Gegensätzen. Das Unbewußte, das noch auf die Gegenwart eingestellt ist, kann vielleicht mit der Zeit rechnen, aber im tiefsten Unbewußten kennen wir diese Zeitrechnung nicht. – Auch bei der Sublimierung wird ein rezenter Wunsch in einen phylogenetischen verwandelt.

TAUSK hebt hervor, daß die Diskussion bis nun drei verschiedene Probleme, die nichts miteinander zu tun haben und nur an das Wort Zeit geknüpft waren, gebracht habe. Man müsse auf die wichtigen Feststellungen Reinholds rekurrieren, der das Unbewußte zunächst als Gegenstand der Erkenntnis betrachtete, als welches es nicht anders als in Raum und Zeit betrachtet werden könne. – Die Frage ist jedoch die: Kennt das Unbewußte die Zeit? Sind innerhalb des Unbewußten die Vorstellungen in der Zeit auftauchend oder nicht? – Redner hat in seinem Vortrag das Problem aufgeworfen in der Feststellung, daß der Affekt sich zu der auftauchenden Vorstellung in einer Weise stellt, die die zeitliche Distanz nicht kenne. In einer psychischen Schichte also, in der es nichts als Affekte gibt (nach Freud), kann es auch keine Zeit geben. Die Vorgänge, die Spielrein in unserem Unbewußten als ähnlich dargestellt hat, sind von großer Wichtigkeit. So kennt das Unbewußte keinen Gegensatz, weil der Affekt keine Unterscheidung hat als nur seine Befriedigung. Die Ausdrucksmittel gehören dem Affekt gar nicht mehr an. – Hervorzuheben ist, daß wir mit dem bewußt erworbenen Material später unbewußt operieren können.

FEDERN möchte anknüpfend richtigstellen, daß im Traum nur die Ausdrucksmittel verwechselt seien und nicht die Begriffe. Gegen

---

[5] Karl Groos, 1861–1946, Professor der Philosophie an verschiedenen Universitäten, verfaßte *Die Spiele der Tiere*, G. Fischer, Jena 1896, und *Die Spiele der Menschen*, ebenda 1899.
[6] »Die Mütter« bezieht sich auf Mephistopheles' Worte in Goethes *Faust*, II. Teil, 1. Akt, Finstere Galerie (Verse 1601–1604):

> »Göttinnen thronen hehr in Einsamkeit,
> Um sie kein Ort, noch weniger eine Zeit;
> Von ihnen sprechen ist Verlegenheit.
> Die *Mütter* sind es!«

Reinholds methodisches Vorgehen seien Bedenken zu erheben. Wir schließen aus der Kenntnis einzelner Vorgänge des Unbewußten auf das Wesen desselben. – In dem heutigen Problem seien uns die Mystiker vorausgegangen. Sie haben aus der Zeitlosigkeit des Unbewußten, die sie geahnt haben, eine Ewigkeit gemacht, mußten aber dann doch diese Ewigkeit wieder mit dem jüngsten Gericht begrenzen, weil das Begreifenwollen des Unbewußten mit den Mitteln des Bewußtseins notwendig scheitern mußte.

Es ist zu fragen, ob die angebliche Zeitlosigkeit des Unbewußten nur als zeitweiliges Versagen oder als vollkommener Mangel an Zeiteinstellung aufzufassen ist. Bei der Erinnerung an einen Traum wissen wir oft nicht, was vorher und was nachher war; weil der Traum zum Bewußtsein kommt, muß er zeitlich wahrgenommen werden, aber er ist vielleicht wegen der Zeitlosigkeit des Unbewußten in der Zeit unorientiert. Es ist richtig, daß das Unbewußte in seinen tiefsten Schichten zeitlos funktioniert. – Wichtig wäre zu untersuchen, wann die Zeitvorstellung beim Kind auftrete; bekanntlich gewöhnt sich das Kind schwer an die zeitliche Aufeinanderfolge. – Gegen Spielrein wäre zu sagen, daß sich ja gerade die Manifestationen des Unbewußten in der Gegenwart abspielen; hier kommen wir auf die halluzinatorische Eigenart des Unbewußten. – Der Mangel der Zeitfunktion des Unbewußten ist die Bedingung der Verdichtung.

SACHS hat nichts wesentlich anderes zu sagen, als bereits von Tausk ausgeführt wurde. Der Begriff der Zeit sei in zwei verschiedenen Bedeutungen zu nehmen. Der abstrakte Begriff der Zeit als Form unserer Anschauung und dann der konkrete Zeitbegriff, der sich quantitativ feststellen und abstufen läßt. Was den ersten, metaphysischen Begriff der Zeitlosigkeit des Unbewußten anbelange, so dürfe man in Umkehrung des Freudschen Satzes, das Unbewußte könne nur wünschen, sagen: alles, was wünscht, stammt aus dem Unbewußten. – Das ist aber der Wille, der als solcher zeitlos sei. Daher auch der Wille von Schopenhauer als unsterblich und ewig bezeichnet wird. Daraus folgt, daß das Wünschen in uns unausgesetzt und unabhängig von der Zeit vor sich geht. – Im empirischen Sinne läßt sich jedoch von einer Zeitlosigkeit des Unbewußten nicht sprechen, da ja z. B. die unbewußten Phantasien den Begriff der Zeit voraussetzen. Aber auch in diesem Sinne ist der Begriff der Zeitlosigkeit nicht vollkommen zu verwerfen; das Unbewußte entkleidet gewissermaßen die Vorstellungen des zeitlichen Wertes, alte und neue Phantasien liegen gleichwertig nebeneinander.

HITSCHMANN möchte zunächst auch nur vom empirischen Zeitbegriff sprechen. Das eigentliche Thema der Debatte betreffe die ewige Dauer und die immer gleich starke Wirkung des Unbewußten, und das Zusammenwerfen einzelner Elemente (z. B. im Traume) aus verschiedenen Zeiten der Verdrängung habe wohl etwas »Zeitloses« an sich. Trotzdem könne man den Produkten des Unbewußten den logischen Gebrauch der Zeit nicht absprechen, z. B. im [hysterischen] Anfall, wo ja die Zeitfolge direkt umgekehrt ist. Entscheidend ist wohl, mit welcher Kraft etwas verdrängt wurde oder noch vom Unbewußten festgehalten wird; was am stärksten verdrängt ist, kommt am spätesten ins Bewußtsein. – Schließlich wird darauf hingewiesen, daß beim Hellsehen und bei Halluzinationen der Mangel der Zeit- und Raumanwendung auffällt. Ferner, daß der Neurotiker die Zeit rascher schwinden fühlt.

ROSENSTEIN kritisiert die Tauksche Aufstellung, daß der Affekt zeitlos sei. Der Affekt will *sofortige* Befriedigung, und damit ist das Moment der Zeit schon gegeben. Nur unser Erkennen ist zeitlich, die andern Dinge haben mit dem Begriff der Zeit nichts zu tun, und zur Zeitlosigkeit gehört der Begriff der Zeit hinzu. – Gegen Sachs wird eingewendet, daß nicht jeder Wille oder Affekt ein Derivat des Unbewußten sein müsse. – Man könne auch die unbewußten Vorgänge, soweit sie *Vorgänge* seien, nicht zeitlos denken. Jerusalem faßt den Begriff der Zeit als Wahrnehmung der Bewußtseinsarbeit auf[7]; das fehlt natürlich im Unbewußten. – Der Ausspruch Freuds bezieht sich nur auf eine spezielle Eigenschaft des Unbewußten, auf die Unveränderlichkeit. – Die Ewigkeit sei auch nicht zeitlos (Federn), sondern nur die Unendlichkeit der Zeit. Von Zeitlosigkeit könne man bei psychischen Vorgängen überhaupt nicht sprechen; weil sie nicht der Bewußtseinsarbeit unterliegen, sieht man die Vorgänge irrtümlich als zeitlos an. Dagegen sind falsche Auffassungen der Zeit beim Unbewußten viel eher möglich. Das Unbewußte geht mit der Zeit nicht so streng vor, weil es einer früheren phylogenetischen Reihe angehört (Spielrein). – Wenn Freud die Zeitlosigkeit des Unbewußten in Gegensatz zum Bewußtsein bringt, so liegt dem eine so scharfe Trennung dieser beiden psychischen Arbeitsweisen zugrunde, wie wir sie bei den tatsächlich stattfindenden fließenden Übergängen nicht zu machen gewohnt sind.

---

[7] Wilhelm Jerusalem, 1854–1923, Pädagoge und Philosoph, Professor an der Universität in Wien, schrieb ein *Lehrbuch der empirischen Psychologie* (Pichler, Wien 1888), das in einer Neubearbeitung 1902 bei Braumüller, Wien, als *Lehrbuch der Psychologie* erschien. Seine im Lehrbuch vorgetragene Auffassung der Zeit stimmt wesentlich mit der Machs überein (Ernst Mach, *Beiträge zur Analyse der Empfindungen*; G. Fischer, Jena 1886).

REITLER rekurriert auf die Ausführungen Stekels, die sich jedoch nicht auf unser Thema bezogen. Daß die Neurotiker zu ihren Symptomen auch den Zeitkomplex verwenden können, ist klar, doch nicht hierhergehörig. Bei der Verdrängung einer bewußten Vorstellung ins Unbewußte benimmt sich die Psyche so, als wäre das Ereignis nie geschehen, d. h., es ist zeitlos geworden. Ebenso sind die infantilen Erlebnisse zeitlos geworden, und deswegen muß an ein rezentes Erlebnis der Affekt des verdrängten geknüpft werden.

TAUSK bedauert, daß auf die Einteilung Reinholds so wenig Rücksicht genommen wurde in 1. die metaphysische Betrachtung der Zeit, 2. die Verwendung des Zeitbegriffs im psychologischen Sinne und 3. im psychoanalytischen Sinne, der eben als Problem besteht.

Prof. FREUD, der sich mit den Ausführungen von Tausk, Federn, Sachs im Einklang weiß, möchte nur vereinzelte Bemerkungen zu dem Thema machen, zu dessen Bewältigung kaum noch die Sprache ausreiche.

Stekel habe sich mit seinen schönen Beobachtungen an den klinischen Sachverhalt gehalten. Annullierungstendenz ist ein guter Ausdruck, aber identisch mit Verdrängungs- und Abweisungstendenz.

Die Aufklärung des Spieles durch Groos (Spielrein) sei flach; es handle sich dabei nicht um Vorbereitung fürs Leben, sondern um Anwendungen des Falles der Wunscherfüllung: sie spielen, um darzustellen, daß sie erwachsen sind.[8]

Was die Möglichkeit eines phylogenetisch erworbenen Gedächtnisinhaltes betreffe (Züricher Schule, Spielrein), der die Ähnlichkeit in den Bildungen der Neurose und der alten Kulturen erklären könne, müsse man sich zunächst in Wahrung des Instanzenzuges eine andere Möglichkeit gegenwärtig halten. Es könnte sich um identische psychische Bedingungen handeln, die zu identischen Resultaten führen müssen. Diese besonderen Bedingungen würde die Regression herstellen. So kennt die Wissenschaft der Wilden ein magisches System, mit dem die Welt beherrscht wird, und dieses entspricht der Allmacht der Gedanken bei der Zwangsneurose. Die Assoziationsmöglichkeiten erweisen sich als die Grundlage aller Magie, und wenn ein Mensch zu diesen Assoziationen gelangt, so muß er denselben Aberglauben produzieren wie seine Vorfahren. Der Schluß auf einen phylogenetisch

---

[8] In *Jenseits des Lustprinzips* (1920; *G. W.*, Bd. 13, S. 1; *Studienausgabe*, Bd. 3, S. 213) sah Freud im Kinderspiel außer der Wunscherfüllung noch den Wiederholungszwang am Werk.

mitgebrachten Erinnerungsschatz ist nicht gerechtfertigt, solange wir die Möglichkeit haben, diese Dinge durch eine Analyse der psychischen Phänomene zu erklären. Was nach dieser Analyse der psychischen Phänomene der Regression übrigbleibt, das könne man dann als phylogenetische Erinnerung auffassen.[9]

Die Sublimierung sei kein Vorgang, der sich des Unbewußten bediene (Spielrein), sondern der gerade mit Hilfe der Möglichkeit des bewußten Anteils erfolge. – Stekels Ausführungen haben das Thema vorbeigestreift; er hat die Unterscheidung des Vorbewußten fallengelassen (vorbewußter Kalender). – Den glücklichsten Ausdruck für manche Dinge habe Tausk gefunden.

Die Psychoanalyse habe eine besondere Art, psychologisch zu denken, die man als metapsychologisch bezeichnen könnte. Es wäre das eine Betrachtung des Psychischen als etwas Objektiven, nachdem man sich von den Formen der bewußten Wahrnehmung frei gemacht habe. Ein Beispiel wäre das Schema in der *Traumdeutung*[10], das sich bis jetzt als brauchbar erwiesen habe, um alles, was wir erfahren haben, einzureihen. In dieser metapsychologischen Betrachtungsweise gibt es nun ein System, das zeitlos arbeitet. – Ein Schritt, um dieses Schema brauchbarer zu machen, wäre folgender. Was wir studieren, sind nicht Vorgänge in den Systemen, sondern *zwischen* den Systemen. Nun können wir einen unbewußten Vorgang überhaupt nie erkennen, sondern nur im Bewußtsein wahrnehmen. Man kann jedoch die Eigentümlichkeiten dieses Unbewußten anführen; sie finden sich an psychischen Phänomenen, die nicht zeitlos sind, aber einen Schluß auf dieses System gestatten. Diese Eigentümlichkeiten sind: 1. die falsche Orientierung der Träume in der Zeit (Federn), daß Gegenwart, Vergangenheit und Zukunft eins sind (Spielrein); alles natürlich in der Traumbildung und nicht im bewußten Trauminhalt; 2. die Möglichkeit der Verdichtung (Federn); 3. das Fehlen der Usur; 4. das Festhalten der Objekte (was Tausk in glückliche Verbindung mit dem Trieb gebracht hat); 5. die Eigentümlichkeit der Neurotiker, sich zu fixieren. – Das alles weist auf ein System, in dem das Zeitliche gar keine Rolle spielt. Dagegen weist das System etwas auf, was mit dem Ähnlichkeit hat, was wir an den Objekten Räumlichkeit nennen. Es sind zwei Eigentümlichkeiten der pathologischen Vorgänge, die uns zu dieser Auffassung berechtigen: 1. das eigentümliche Nebeneinander, das eine Art

---

[9] S. hierzu Freuds spätere Ausführungen über die »archaische Erbschaft« in *Der Mann Moses und die monotheistische Religion* (1939 [1934–38]); *G. W.*, Bd. 16, S. 101; *Studienausgabe*, Bd. 9, S. 455.
[10] Vgl. die Anm. 4, oben, S. 290.

von Räumlichkeit hat, und 2. die Tatsache, daß derselbe psychische Inhalt bei den Patienten ganz verschieden wirkt, je nachdem, ob man es dem Patienten erzählt oder er es erinnert, was auf eine Art von Lokalisation schließen läßt. Wenn die Philosophen behaupten, daß Zeit- und Raumvorstellung die notwendigen Formen unseres Denkens sind, so sagt uns eine Ahnung, daß das Individuum die Welt bezwingt mittels zweier Systeme, von denen das eine nur zeitlich und das andere nur räumlich arbeitet.

ROSENSTEIN möchte die verschiedene Wirkung der bloß erzählten und reproduzierten Mitteilung beim Patienten nicht mit räumlichen Vorstellungen in Beziehung bringen, sondern mit den Widerständen.

STEKEL wollte nur einen klinischen Beitrag zum Verhältnis des Neurotikers zur Zeit bringen. Er habe den Grund aufgezeigt, warum das Unbewußte die Zeit ignoriere, weil es sie nicht kennen wolle.[11] Redner versucht schließlich noch einzelne Einwendungen zu widerlegen.

---

[11] Stekel veröffentlichte seinen Beitrag unter dem Titel ›Die Beziehungen des Neurotikers zur»Zeit«‹ im *Zentralblatt*, Bd. 2, 1912, S. 245–52.

150

Vortragsabend: am 15. November 1911

Anwesend: Dattner, Federn, Freud, Hitschmann, Nepallek, Rank, Reitler, Rosenstein, Sachs, Sadger, Spielrein, Stekel, Tausk.
Reik und Krauss a[ls] G[äste].

[150.] PROTOKOLL

Über Tod und Sexualität
[Vortragender:] Theodor Reik

Der Vortragende unternimmt den Versuch, den befremdlichen Zusammenhang von Todesgedanken und sexuellen Phantasien, der den Psychoanalytikern geläufig ist, dem Verständnis näherzubringen, und faßt die Gründe dieser Erscheinung in drei Hauptgruppen zusammen: 1. formale, 2. äußere und 3. psychologische, die jedoch im einzelnen Falle zusammenwirken werden.

Ad 1. Der formale Grund beruht auf der Tatsache, daß im Seelenleben Gegensätze gerne füreinander eintreten, vorzugsweise wo das Unbewußte an der Arbeit ist. Diese Plastizität des psychischen Materials vollzieht sich nicht im Individuellen, sondern ist gattungsmäßig präformiert. Gewisse Verknüpfungen, wie die von Liebe und Tod, ziehen sich durch die ganze Geschichte, durch die Sitten und Gebräuche aller Völker.

Ad 2. Zu den äußeren Gründen zählt der Vortragende physiologische Beziehungen zwischen den beiden Erscheinungen, z. B. die Ähnlichkeit zwischen dem Orgasmus und dem Eintritt des Todeskampfes. Stärker noch wirkt die Erfahrung, welchen Einfluß die abnorme vita sexualis auf das Gemeingefühl ausübt. Weininger[1] und Swo-

---

[1] S. die Anm. 5 des 45. Protokolls in Bd. 1 der vorliegenden Veröffentlichung.

boda[2] haben den Koitus als ein partielles Sterben betrachtet. Doch möchte der Vortragende bei allem Richtigen, was diese Ansicht für sich hat, ihren Einfluß nicht zu hoch anschlagen. Bedeutsamer für das Zustandekommen der Beziehung von Tod und Sexualität sei die Angst, die abnormale geschlechtliche Funktion voraussetzt. Noch deutlicher ist mit der Behauptung von Fließ: alle Angst ist Todesangst, der Zusammenhang gegeben.[3] – Die vita sexualis führt also die Menschen durch eine Reihe physiologischer Tatsachen selbst auf den Zusammenhang (Eintagsfliegen, andere Insekten etc., die nach dem Zeugungsakt sterben).

In der Mitte zwischen den von außen eindringenden Determinanten und psychischen Erlebnissen, welche die Verbindung herstellen helfen, steht das Gesetz, die legale Bewertung des Geschlechtslebens. Die Reaktion gegen die antike Lebensfreudigkeit, die im Christentum ihren Höhepunkt erreichte, faßt alle irdische Lust als Sünde [auf], und Augustinus[4] nennt den Tod die Strafe für die Erbsünde, womit der Zusammenhang gedankenmäßig stark hervortritt. Der geschlechtliche Verkehr wird zur Todessünde gemacht, und auch sexuelle Gedanken werden so bewertet. Durch das Schreckgespenst des Todes und der ewigen Verdammnis, die der irdischen Liebe und Sinnenlust folgten, war der Zusammenhang hergestellt. Mit der Syphilis, die sich als unmittelbare Folge der genossenen Lust einstellte, wurde die Beziehung noch enger geknüpft und trat kraß in die Erscheinung. So tritt neben die sittlichen Wertungen und Strafen für den Sexualverkehr der Mittelbegriff der Krankheit zur Verknüpfung von Tod und Sexualität.[5]

Ad 3. Die psychologischen Momente, aus denen sich die Verknüpfung aufbaut, sind von der mannigfachsten Art.

a) infantile Quellen: Sexualtheorien, daß erst ein Familienmitglied

---

[2] S. die Anm. 3 des 21. Protokolls in Bd. 1 der vorliegenden Veröffentlichung.

[3] Zu Fließ s. die Anm. 1 des 21. Protokolls in Bd. 1 der vorliegenden Veröffentlichung.

[4] Aurelius Augustinus, 354–430, der große Philosoph und Kirchenlehrer des christlichen Altertums, Bischof von Hippo Regius, Nordafrika.

[5] Die gegenwärtige Auffassung dieser Zusammenhänge zwischen der Augustinischen Verdammung der Sexualität, der Syphilis und der Tabuisierung freier Liebe ist nicht mehr so einfach, wie sie hier noch von Reik dargestellt und auch von Freud geteilt wurde. Wir wissen heute, daß die kirchliche Verdammung der Sinnenlust viele Jahrhunderte lang von der Bevölkerung nicht so ernst genommen wurde. Erst die Entwicklung der Städte im 16. Jahrhundert, verbunden mit den schrecklichen Kriegsjahren, machte die Pest und die Syphilis zu so furchtbaren Epidemien, daß die Völker an die Warnungen der Priester zu glauben begannen. Andere, ökonomische Bedingungen führten dazu, daß das Bürgertum mehr und mehr die sexuellen Freiheiten seiner Frauen unterdrückte bis zum Höhepunkt der Prüderie am Ende des 19. Jahrhunderts.

sterben muß, ehe ein neues zur Welt kommen kann; Auffassung des Koitus als Kampf; Drohungen vor den Folgen der Onanie etc.

Auf früheren Stufen psychischer Entwicklung werden die Toten als Dämonen betrachtet, die besänftigt werden müssen. Auch die sexuelle Lebensführung ihrer Nachkommen unterliegt ihrer Kritik und Strafe. Anderseits erscheinen die Toten in den Sagen selbst noch von der Libido gequält. Bräute, die vor der Hochzeit sterben, werden zu Vampiren, welche die jungen Männer entkräften und mit sich ziehen (Vampirglaube nach Kleinpaul aus der Erfahrung der Pollutionsträume entstanden[6]).

Den Übergang zu den kriminellen Phantasien, welche eine wichtige Beziehung bei der Verknüpfung bilden, bietet die Sage von der weißen Frau, die, selbst durch einen Inzest verdammt, als Hüterin der Moral ihrer Nachkommen das Aussterben ihres Geschlechts abwarten muß, das ebenfalls sündige Liebe pflegt. In zahlreichen Träumen sadistischen Inhalts zeigt sich deutlich der Sexualneid gegen den Vater als treibendes Motiv. Die ganze Zahl sadistischer und masochistischer Tendenzen ist hier von größter Bedeutung, was am klarsten beim Sexualverbrecher (Wulffen[7]) hervortritt. Die Grausamkeitskomponente wird fast immer durch unbefriedigte Libido verstärkt. – Was die Gesetze fordern, kehrt in Tag- und Nachtträumen wieder: für Gedankensünden werden Gedankenstrafen erlitten, Inzestphantasien werden durch Angst- und Todesgedanken gesühnt.

Es gibt noch andere Wege, die diese Begriffsverschmelzung bewirken. Wir wissen, daß der Gedanke an den Tod das Leben heißer umklammern läßt. – Die letzte Ursache des Ineinanderübergehens beider Phänomene ist der Unsterblichkeitsgedanke, der Gedanke, daß wir in unseren Kindern fortleben (der Gott Siwa hat Totenköpfe und das Linwam als Attribut[8]). So schließt sich der Ring, den Werden und Vergehen, Eros und Thanatos bilden.

Der Vortragende erläutert seine Ausführungen an Beispielen aus der Literatur, wobei er insbesondere auf Flauberts *Versuchung des heiligen Antonius*[9], dann auf die Dichtungen Schnitzlers und Beer-Hofmanns näher eingeht.[10]

---

[6] Rudolf Kleinpaul (vgl. auch Anm. 5 des 120. Protokolls, oben, S. 70), *Die Lebendigen und die Toten in Volksglauben, Religion und Sage* (Göschen, Leipzig 1898), Teil II, Abschnitt 3: ›Der Vampir‹, besonders S. 126–28.

[7] Erich Wulffen, *Der Sexualverbrecher*, aaO.

[8] Siwa, Schiwa, Śiva: einer der Hauptgötter des Hinduismus; einerseits Gott der Zerstörung, anderserseits der Heilbringer; sein phallisches Symbol heißt Linga.

[9] Gustave Flaubert, der große französische Dichter, 1821–1880, *La tentation de Saint-Antoine*, Roman (1874).

[10] Arthur Schnitzler, 1862–1931, Arzt und freier Schriftsteller in Wien, gehörte zu

Diskussion

FEDERN möchte dem interessanten Material zunächst einige literarische Beiträge hinzufügen. Byrons Don Juan spricht die Vulva an:
»Du schwarzes Tor des Lebens und des Todes.«[11] – Bei den Chassidin[12]
wurde die Braut mit dem Totenhemd bekleidet. – Mickiewicz hat im
1. Teil der Totenfeier dargestellt, wie ein unglücklich Liebender immer wieder die Liebesszene als Selbstmord darstellt.[13]

Zum Verlust der Lebenskraft bei der Samenabgabe erwähnt er einen
Fall von Anorexie[14], bei dem sich herausstellte, daß er nach den Pollutionen den Samen verschlungen hatte.

Das Christentum sei eine zur Erhaltung der Menschheit notwendige
Reaktion auf die ungeheure Übertreibung der Sexualität (Orgien) am
Ausgang der Antike gewesen; sein psychologischer Fehler liege, wie
Nietzsche und Freud gezeigt haben, nur in der Verkennung der Tatsache, daß keine Unterdrückung gänzlich gelingen könne und bei star-
kem Trieb zu ebensolchen Exzessen in phantastischer Form führen müsse
wie der ursprünglich zügellos gewordene Trieb.

Von den Sterbeträumen müßten die Tötungsträume unterschieden
werden; Träume, wo die eigene Person (oder eine Ersatzfigur) stirbt,
fanden sich bei zwei Patientinnen, die beide noch nicht sexuell verkehrt hatten. Es würde sich fragen, ob die Sterbeträume nicht überhaupt auf die asketische Zeit zurückzuführen seien.

TAUSK versucht die theoretischen Ausführungen des Vortragenden
von der Auffassung des Liebesgenusses als eines aus sich heraus und
in den andern hinein Flüchtens zu ergänzen. Die Psyche, der sich das
Dasein als Kampf darstellt, habe das Bedürfnis, dieses Kampfbewußt-
sein zu vergessen, was nur in der höchsten Lust oder im Tode möglich
sei (FREUD: auch im Rausch). Psychologisch erhebt sich die Frage,
ob der Tod für Sexualität Symbol ist oder umgekehrt. Das Gemeinsame ist: weg vom Bewußtsein, daß ich bin, und je nach der betreffenden Psyche wird das eine für das andere eingesetzt werden. Hiermit

---

den meistgespielten deutschsprachigen Dramatikern in der Zeit vor dem Ersten
Weltkrieg. – Richard Beer-Hofmann, 1866–1945, bedeutender österreichischer
Schriftsteller und Dichter.
[11] George Gordon Lord Byron, 1788–1824, der berühmte romantische Dichter
Englands. Sein satirisches Epos Don Juan (1819–24) blieb unvollendet.
[12] Mystische Sekte des Judentums.
[13] Adam Mickiewicz, 1798–1855, der berühmte polnische Dichter, dessen Drama
Dziady (in drei Teilen, 1823–32; deutsch: Ahnenfeier, 1887) Federn besonders
liebte.
[14] Appetitlosigkeit.

ist der für uns wichtigste Punkt des Themas, das Angstproblem, aufgerollt. Ein völliges Aufgehen im Liebesgenuß ist vielleicht niemals ganz möglich, ein Teil von Libido (Affekt) geht nicht ganz auf, und dieser dissoziierte Teil liefert Angst. Hier tritt ein Zwiespalt auf: Der Affekt kehrt sich gegen sich selbst, wenn er seine Energie nicht in einer Linie aufgebraucht hat. Der Orgasmus kehrt sich gegen sich selbst: also Tod. Von diesem Standpunkt ist das Christentum nichts als eine mit einem Objekt ausgestattete Angsterscheinung.

Zur Verknüpfung von Liebe und Tod sind nicht alle Komponenten der Sexualität gleich befähigt, sondern nur die, welche zur Vernichtung des Subjektes eine nähere Beziehung haben: Sadismus und Masochismus. In diesem Sinne ist der Liebestod ein masochistisches Sexualäquivalent (Reik). – Jedes Leben wird mit dem Tode gesühnt, jede Angst ist Todesangst. Wir stehen hier vor der Frage des Schuldbewußtseins im weitesten Sinne. – Es scheint, daß nicht nur Sexuallibido, wenn sie gehemmt ist, Angst auslöst, daß diese Eigenschaft jeder Stauung der Triebtendenz zukommt. Todesangst bedeutet die Stauung aller dem Leben verfügbaren Triebe; mit Ausnahme des Freßtriebes. Doch haben dessen Hilfstriebe, die er mit dem Sexualtrieb gemeinsam hat, ebenfalls diese Eigenschaft. In diesem Sinne ist alle Angst Todesangst.

SACHS möchte es dem Vortragenden besonders hoch anrechnen, daß er gerade vieles von dem, was uns geläufig ist, selbständig vorgebracht habe. – Die bekannteste und innigste Verbindung von Tod und Sexualität finde sich in der Geschichte vom Sündenfall. (Auch Miltons *Paradise Lost*.[15]) Bei Schnitzler dränge sich diese Nebeneinanderstellung deutlich vor und in: *Der Weg ins Freie*[16] sei sie, wenn auch in Form eines Witzes, direkt ausgesprochen. – Unter den allgemeinen Gesichtspunkten vermisse man den Hinweis, daß für jeden Menschen das Leben nach dem Tode und [das] vor der Geburt einen gewissen Zusammenhang haben. Das Liegen im Mutterleib hat etwas Sexuelles, und in der Identifikation desselben mit dem Liegen in der Erde ist die Verbindung von Tod und Sexualität gegeben. Eine Bestätigung liefert Hamlet[17], bei dem sich im Zusammenhang mit den Inzestphantasien die Todesgedanken vordrängen.

In einem Traume, dessen Deutung im nächsten *Jahrbuch* zu finden

---

[15] John Milton, der große englische Dichter, 1608–1674; *Paradise Lost*, Epos (1667).
[16] Roman (1908).
[17] In Shakespeares Schauspiel.

ist, erklärt sich die Wendung:»Und er stirbt sofort« als Ausdruck des Wunsches, sich von nun an dem Lebensgenuß hinzugeben.[18]

SADGER weist in Ergänzung des Vorgebrachten auf Schnitzlers *Schleier der Beatrice* hin.[19] Ferner auf die typische Redensart,»vor Lust vergehen«. Daß viele Neurotiker nicht koitieren oder den Samen zurückhalten, um ihr Leben zu verlängern, sei eine häufige Erfahrung. Er kenne zwei Fälle, wo der Tod geliebter Personen auf die Kinder (einen Knaben von 5 Jahren[20], dessen Mutter, und ein Mädchen, dessen Vater starben) keinen Eindruck machte. Dagegen gibt es Kinder, die ausgesprochene Todesfurcht haben (z. B. Lenau mit 5 Jahren). Vielleicht bleibt dort der Schrecken vor dem Tode aus, wo die Todeswünsche auf die Eltern weggeblieben sind? Das Kind sieht den Tod meist nicht nur als etwas nicht Schreckliches, sondern als etwas Wünschenswertes, eine Erlösung an.

HITSCHMANN möchte sich beschränken auf die Erwähnung der Zwangsneurose, wo Sexualität und Todeswünsche in so engem Zusammenhang stehen. Ferner hinweisen auf das gemeinsame Sterben und die Nekrophilie. Daß Suizid aus Mangel an Liebe oder Geliebtwerden erfolgen kann, wurde in der Selbstmorddebatte erwähnt.[21] Erwähnung eines Traumes, in dem das Totsein das Entbehren der Sexualität bezeichnet. – Das Sterbenwollen sei ein exquisit masochistischer Genuß (hingerichtet werden). Das post coitum triste treffe für den Normalen gewiß nicht zu, ebensowenig wie das Erlösungsbedürfnis in der Liebe und die unvollkommene Befriedigung (Tausk); dazu gehöre schon eine Spur von Perversion oder irgend etwas Neurotisches. – Gewiß sei es hauptsächlich die Angst, welche die Verbindung von Tod und Sexualität herstelle, und daß dabei auch Nervenbahnen eine Rolle spielen, zeige sich darin, daß das Herz mit der Angst ebenso zusammenhänge wie mit der Liebe. Interessant ist, daß ganze Völker (Inder) das Leben als Sünde und den Tod als Sühne ansehen.

ROSENSTEIN findet, daß im Zusammenhang von Angst und Sexualität drei Dinge zu unterscheiden wären: 1. der biologische Zu-

---

[18] Hanns Sachs, ›Traumdeutung und Menschenkenntnis‹, *Jahrbuch*, Bd. 3, 1912, S. 568–87.
[19] *Der Schleier der Beatrice*, Schauspiel (1901).
[20] Im Original steht anstelle der Fünf das Schriftzeichen &, offenbar ein Vertippen auf der Schreibmaschine. An welcher Typenstelle damals dieses Zeichen stand, können wir nicht mehr feststellen, da die alte Schreibmaschine nicht mehr vorhanden ist. Es könnte also auch eine andere Zahl gewesen sein.
[21] Vgl. die Protokolle 104 und 105 in Bd. 2 der vorliegenden Veröffentlichung.

sammenhang (eine Art Identifikation), 2. die Reaktionserscheinung gegen die Sexualität als Schuldbewußtsein, und 3. die nicht befriedigte Sexualität, die sich in der Angstneurose zeigt. Manches habe Klages in seiner *Charakterologie* dargelegt, wo er z. B. das Sichhingeben und -nichthingeben als wesentliche Charakterunterschiede hinstellt.[22] – Vielleicht bedeutet die Sexualität wirklich einen Lebensverlust. Der Konflikt zwischen Ich und Sexualität besteht ja bei jedem Menschen, und der Neurotiker würde nur an seinem hypertrophischen Ichtrieb erkranken, der der Sexualität das Ausleben nicht gestattet.

Das Christentum ist wohl Ausdruck einer Sexualverdrängung, aber nicht schuld daran. – Die eigene Todesangst und die Teilnahmslosigkeit beim Tode anderer schließen einander nicht aus (Sadger). Der Eindruck hängt wohl davon ab, wieweit man dem Objekt Zärtlichkeit zugewendet hatte (SADGER bemerkt, das stimme in seinen Fällen nicht, wo die Kinder sehr an den betreffenden Personen hingen).

SPIELREIN hat viele der heute besprochenen Probleme in einer bereits abgeschlossenen Arbeit ([›Die] Destruktion als Ursache des Werdens‹) behandelt.[23] So die Angst vor der Auflösung des Ich oder der Verwandlung in eine andere Persönlichkeit; ferner das Problem des ewigen Lebens (Glaukos; der fliegende Holländer[24]), das so schrecklich wie die Geburt aufgefaßt werde und wobei der Tod nichts anderes als die Geburt darstelle. Ebenso sei dort auf die biologischen Zusammenhänge sowie auf die Todesphantasien als Strafe für Inzestphantasien eingegangen. – Die Todesgedanken seien im Sexualinstinkt selbst enthalten, nur werden einmal die Lebens-, ein andermal die Todeskomponenten hervorgehoben (z. B. dort, wo das Individuum das Sexuelle als Verbrechen empfinde: Inzest).

STEKEL reiht das Problem in die Bipolarität ein. Die Lösung des Problems liege im Triebleben. Der Zerstörungs- und der Zeugungstrieb seien offenbar eine Verschränkung eingegangen (Wilde in der

---

[22] Ludwig Klages, *Prinzipien der Charakterologie*, A. Barth, Leipzig 1910. Vgl. auch das 148. Protokoll, oben, S. 282 ff.
[23] Im *Jahrbuch*, Bd. 4, 1912, S. 465–503, veröffentlicht. Vgl. dazu das 152. Protokoll, unten, S. 314 mit Anm. 4.
[24] Glaukos ist ein häufiger Name in der griechischen Mythologie. Hier ist wohl jener Fischer Glaukos Pontios gemeint, der aus Liebe für den Meeresgott Melicertes in die See sprang (nach anderer Lesart ein Wunderkraut einnahm) und selbst in einen weissagenden Gott verwandelt wurde, halb Fisch, halb Mensch von Gestalt. – Fliegender Holländer, eine Seevölker-Sage vom frevelhaften Kapitän, der verdammt ist, in alle Ewigkeit auf seinem Geisterschiff gegen die Winde zu kreuzen.

Ballade:»Denn jeder tötet, was er liebt.«[25]). Daß der Schaffensdrang als Zerstörungsdrang auftreten kann, ist eine Rückschlagserscheinung, wie die Neurose überhaupt. Die Menschheit erneuert sich durch Rückschläge auf frühere Kulturstufen. Findet das Individuum dann keinen Ausweg, so wird es entweder ein Neurotiker oder ein Verbrecher, oder er zerstört als Reformer und Künstler alte Werte. – Die Sagen von den Geistern, die töten, gehen darauf zurück, daß jede unbefriedigte Libido wandern muß, bis sie ihre Befriedigung findet. – Im Christentum zeigt sich, daß jede Libido ihren Wert verliert ohne Hemmungen; es mußte auch für die Menschen die Sexualität erst ihren Wert verlieren, so wie bei den Indern das Leben erst durch das Verbot des Lebens seinen Reiz bekam. Die Angstentwicklung bei Verdrängung der Libido ist weniger organisch bedingt als in den unbefriedigten Trieben (Tausk).

Der Tod im Traume stellt häufig den Wunsch dar, ein neuer Mensch zu werden. Die Teilnahmslosigkeit der Kinder beim Tod geht immer auf Schadenfreude zurück. – Der Konflikt Hamlets liegt tiefer als im Inzest; es ist der Konflikt des ungehorsamen Sohnes, der auch in andern Dramen Shakespeares vorherrscht (Lear).

FREUD bespricht aus dem weitschichtigen Thema nur drei Punkte: 1. im Angstproblem treffen sich zwei bedeutsame Fragen. Er habe nur die Entstehung der neurotischen Angst erklärt, die von der Lebensangst verschieden sei. Auch heute wurden wieder zwei Probleme berührt: a) ob Angst auch entstehen könne durch Unterdrückung von anderen als sexuellen Trieben, b) durch welchen Mechanismus entsteht Angst überhaupt bei Verdrängung von Trieben.

Die neurotische Angst gehe regelmäßig auf Verdrängung sexueller Energien zurück. Die Ansicht von Fließ, daß jede Angst Todesangst sei, werde sich wohl als unhaltbar erweisen. Das theoretische Verhältnis der neurotischen Angst zur Lebensangst sei noch zweifelhaft. Eine Untersuchung würde wahrscheinlich zeigen, daß diese Angst neurotische Angst und nicht Todesangst ist. Daß jede Angst Angst vor sich selbst, vor seiner Libido sei, sei richtig; aber diese beiden Sätze können nicht nebeneinander bestehen.

Die Auskunft, daß die Angst auf dem Wege des psychischen Konflikts entstehe, beantwortet das schwierige Problem nach dem Mechanismus der Angstentwicklung höchst oberflächlich. Der Konflikt ist

---

[25] Bekanntes Zitat aus der *Ballade vom Zuchthaus zu Reading* (1898) von Oscar Wilde, 1856–1900, dem berühmten englischen Dichter: »Yet each man kills the thing he loves.«

nur die Form, aber die Angst muß anderswoher in die Psyche hinein-
kommen, und was die Hauptsache ist, er [der Konflikt] muß akut werden.

2. Beim Verhalten der Kinder zum Tode ist hervorzuheben, daß sie
sich verhalten wie die erwachsenen Neurotiker. Auch bei ihnen kommt
die Neurose erst später nach, und eine mächtige Triebfeder derselben
ist die Trauer, die hier ins Pathologische gesteigert ist. Die Neurotiker
sind der psychischen Leistung nicht gewachsen, sie haben ein ambiva-
lentes (bipolares) Verhältnis zu dem Thema, können es aber psychisch
nicht bewältigen. Auch die Kinder erweisen sich psychisch als nicht
leistungsfähig, und wahrscheinlich geht das mit der sexuellen Reife
Hand in Hand. Die ambivalente Einstellung muß ihnen die Aufgabe
erschweren; alles ist sie gewiß nicht.

3. Beim Thema des Christentums hat Stekel den Mechanismus zu
der von Federn hervorgehobenen Tatsache hinzugefügt. Auch Jung
habe in seiner letzten Arbeit ausgeführt, daß die Antike zugrunde gegangen sei, weil ihr der Sexualgenuß durch die maßlose Freiheit entwertet worden sei.[26] − Es fragt sich, ob das ein allgemeiner Charakter
des Trieblebens oder des Sexualtriebs im besonderen sei. Für die erste
Annahme würde alles sprechen; doch zeigt die Tatsache, daß der Trin-
ker, der sein Objekt liebt und überschätzt, glatte Befriedigung erlangt
und diesen Einschränkungen des Sexualtriebs nicht unterliegt.[27]

TAUSK bemerkt noch dazu, es handle sich um den Konflikt zwischen
Art und Individuum. Die primäre, der Art dienende Funktion des
Triebes gerät mit der sekundären, der individuellen Lust dienenden in
Konflikt, die darum nie voll befriedigt werden kann.

[Geschäftliches]

Herr cand. phil. Theodor Reik wird am Schluß der Sitzung einstimmig
zum Mitglied gewählt.

---

[26] C. G. Jung, ›Wandlungen und Symbole der Libido‹, *Jahrbuch*, Bd. 3, 1912,
S. 120–227.
[27] Wie man aus dieser Diskussion ersehen kann, war Freud damals selbst nicht
ganz befriedigt von seiner Angsttheorie. Das Problem beschäftigte ihn immer
weiter, bis er es schließlich viele Jahre später in *Hemmung, Symptom und Angst*
(1926; *G. W.*, Bd. 14, S. 111; *Studienausgabe*, Bd. 6, S. 227) wiederaufgriff. Die
Anregungen, die Freud von den Mitgliedern der Gruppe empfing, bedeuteten ihm
eine große Hilfe bei seinem Bemühen um eine Lösung. Hier zeigt sich wieder,
wie wichtig die Diskussionen in der Vereinigung auch für die Entwicklung von
Freuds Ideen waren.

151

Vortragsabend: am 22. November 1911

Anwesend: Dattner, Federn, Freud, Friedjung, Hitschmann, Rank, Reik, Reitler, Reinhold, Rosenstein, Sachs, Sadger, Silberer, Spielrein, Steiner, Stekel, Tausk, Wagner.
Gäste: Krauss, Stegmann und Frau[1], Dozent Zappert[2], Dr. Popper[3], [stud.] med. Marcus[4], Dr. von Hartungen[5].

[151.] PROTOKOLL

I. Diskussion über Onanie[6]

[Referat]

I. SADGER geht von der ungeheueren Verbreitung der Onanie aus, die er auf drei Hauptgründe zurückführt: 1. die Allgemeinheit und In-

---

[1] Arnold Georg Stegmann, ein Anhänger Freuds, der in Dresden lebte, war Mitbegründer der Deutschen Psychoanalytischen Vereinigung. Er fiel im Ersten Weltkrieg. Seine Frau, Dr. Margarete, war ebenfalls Mitglied der Psychoanalytischen Vereinigung und veröffentlichte eine Reihe von Arbeiten.
[2] Dr. Julius Zappert war ein bekannter Wiener Kinderarzt.
[3] Die Identität des Dr. Popper konnte nicht festgestellt werden.
[4] Student der Medizin Ernst Marcus – in den Aufzeichnungen manchmal mit k geschrieben – muß der vielversprechende junge Mann gewesen sein, von dem viele Beiträge im Zentralblatt erschienen sind. Er ist auf einer Bergtour im Jahre 1914 verunglückt.
[5] Es finden sich zwei Autoren mit Namen Ch. von Hartungen in der damaligen Literatur: der eine, Christian (d. J.), veröffentlichte ›Die Psychoanalyse in der modernen Literatur, I. Heinrich Mann: Die Unschuldige‹ (Zentralblatt, Bd. 1, 1911, S. 499–501), ferner ›Kritische Tage und Träume‹ (Zeitschrift für Psychotherapie und medizinische Psychologie, Bd. 3, 1911, S. 47–51), von Stekel im Zentralblatt, Bd. 2, 1912, S. 93 f., kurz besprochen, u. a. m. Der andere, Christoph von Hartungen (Sen.), war der Verfasser des Buches Hygienisch-ethische Ontologie; Die einfachsten Mittel und Wege der Lebens- und Heilkunst zur Gewinnung von Gesundheit, Lebenskraft, Schönheit, Glück und Lebensfreude (B. Winkler, Leipzig 1911). Höchstwahrscheinlich ist der erstere der erwähnte Gast.
[6] Dies ist die erste in der Reihe der Onanie-Diskussionen, die mit einem Epilog

tensität der Geschlechtsempfindung überhaupt; 2. ihre besondere Eignung als allzeit parates Ausdrucksmittel für jegliche Art von Sexualgenüssen und 3. ihre Wirkung als Trost- und Beruhigungsmittel.

Nach Freud erhalte die Masturbation ihre wahre Bedeutung nicht durch das periphere Tun, sondern durch die begleitenden Phantasien, die im Grunde Inzestphantasien im weitesten Sinne sind und aus deren Unrealisierbarkeit sich die schweren Depressionszustände erklären. Die letzten Bedingungen der Masturbation wurzeln in den notwendigen Reizungen bei der Säuglingspflege, weshalb das Technische den Leuten immer schon bekannt vorkommt. – Ob man dem Kind die Masturbation abgewöhnen kann, hängt von konstitutionellen Faktoren ab sowie von der Fähigkeit der Eltern, die Erziehungsarbeit durch Liebe leiten zu lassen; denn das Kind gibt die Masturbation nur jemand zuliebe auf. Wo dies nicht eintritt, ist eine therapeutische Wirkung nur durch Auflösung der Phantasien möglich; denn jede habituelle Masturbation hat zwangsartigen Charakter.

Von den noch wenig erforschten für die Masturbation pathognomischen Symptomen werden angeführt: Gesellschaftsscheu, Hang zur Einsamkeit, übertriebenes Mißtrauen, das überall unedle Motive wittert, aber in der Überkompensation oft ein scheinbar sehr altruistisches Vorgehen erzeugt. In den Flegeljahren zeigt sich ein krankhaftes Streben nach Wahrhaftigkeit; ferner ist charakteristisch das Streben nach wahrer und echter Freundschaft, die gegenseitige Aufrichtigkeit und keinerlei Verbergen fordert. Damit hängt zusammen das Versteckenspielen und die überflüssige Geheimniskrämerei (anonym oder pseudonym schreiben, Geheimbünde).

Hierher gehört auch das Verlieren der Unbefangenheit, das Goethe so schön beschrieben hat, und das Sich-von-aller-Welt-angeschaut-Glauben, das den paranoischen Wahnvorstellungen ähnelt. – In der Reaktion kann die Masturbation auch zu gewissen löblichen Zügen führen, wie zum Streben nach Tugend und besonderer moralischer Vollkommenheit; sie ist oft auch richtunggebend für die Berufswahl der »reinen« Wissenschaften. Pathognostisch ist auch die Sauberkeit im

---

von Freud am Vortragsabend des 24. April 1912 abschließt und unter dem Titel *Die Onanie. Vierzehn Beiträge zu einer Diskussion der »Wiener Psychoanalytischen Vereinigung«* als Heft 2 der *Diskussionen des Wiener psychoanalytischen Vereins*, hrsg. von der Vereinsleitung, bei Bergmann in Wiesbaden 1912 veröffentlicht wurde. Freuds Beiträge sind abgedruckt unter den Titeln ›Zur Einleitung der Onanie-Diskussion‹ und ›Schlußwort der Onanie-Diskussion‹ (1912) in *G. W.*, Bd. 8, S. 331–33. (Vgl. auch Anm. 1 und 2 des 109. Protokolls in Bd. 2 der vorliegenden Veröffentlichung.) – Eine kritische Besprechung des Onanie-Bandes erschien in der *Zeitschrift für Psychoanalytische Pädagogik* (Bd. 2, 1927/28, S. 106–12) unter dem Titel ›Die Wiener Diskussion aus dem Jahre 1912‹ von Paul Federn.

Reden und die Scheu gegen jeden Zynismus. Weiters kann sich die Terminsetzung zu einem typischen Symptom der Masturbation ausbilden, dann die Furcht vor Impotenz, die zu einer Überschätzung der Familiengründung führt. Bei Mädchen entspricht der Furcht vor Impotenz die Vorstellung, daß sie ihre Virginität verloren hätten oder keine Kinder bekommen könnten. Charakteristisch ist ferner die Unfähigkeit des Masturbanten, mit seinen Händen auszukommen, die besonders bei Schauspielern auffällt, sowie die Sucht, sich für irgend etwas aufopfern zu wollen. Endlich können diese Leute entweder Erzegoisten bleiben oder in der Verdrängung und Überkompensation hyperaltruistisch werden (Tanten).

Bei Zurückverfolgung der Masturbationsphantasien auf die letzte Wurzel kann man die spezifische Note in der sexuellen Anlage jedes Menschen erkennen, die in der konstitutionellen Besonderheit ihren Ursprung hat, auf Grund deren nicht einmal die Ausübung des peripheren Reizaktes geändert werden kann. Bei diesem Anteil an der Sexualkonstitution handelt es sich: 1. um die erhöhte Reizbarkeit der Klitoris respektive des Membrums, 2. um die Anlage zur Urethralrespektive Analerotik, 3. [um die Anlage] zur Haut-, Schleimhaut- und Muskelerotik und 4. um die Anlage zur Homosexualität. – Andere konstitutionelle Faktoren bedingen die Masturbation an anderen Stellen; so in der Nase, im äußeren Gehörgang, an den Augenlidern, ad anum et mamillas, überhaupt durch Reibung an jeder erogenen Zone mit allen körperlichen und psychischen Folgen.

Auf Grund der Phantasien scheint der masturbatorische Akt eine symbolische Handlung darzustellen. Jeder Masturbant stellt eigentlich zwei Personen dar, die erste Pflegerin (Mutter) und sich selbst, was man als Autosymbolismus bezeichnen kann, eine Erscheinung, die weit über die Masturbation hinausgeht und das normale wie das pathologische Liebesleben zu beherrschen scheint.

[Diskussion]

STEKEL führt als Gegenbeweis des Ursprungs der Onanie aus der Säuglingspflege die Onanie der Tiere an. Beim Beginn der Onanie spielt oft der Zufall eine große Rolle, indem die Leute durch eine zufällige Entdeckung daraufkommen, daß man autoerotisch Lust erzeugen kann. – Die Charakterschilderung ist deswegen unzutreffend, weil man nicht von einem bestimmten Typus sprechen kann. Die Terminsetzung ist kein typisches Onaniesymptom; diese Leute erwarten oft den Tod einer nahen Person. Bei der Therapie müsse man bedenken, daß die Onanie für viele Menschen (besonders Perverse und Homosexuelle) die einzig mögliche Sexualbefriedigung sei.

TAUSK bemerkt, daß bereits Stekel den prinzipiellen Fehler der Ausführungen Sadgers angedeutet habe. Die Sache beginne nämlich schon früher als die Kinderpflege, und zwar mit dem Triebleben, das auf Lustgewinn ausgeht. Daß diese Lust eine sexuelle ist, hängt von den betreffenden Organen der Befriedigung ab, daß sie später solche Schicksale erfährt, ist eben das Charakteristische für die Onanie; gewisse Lustbetätigungen erscheinen äußerlich als onanistische Akte. Der onanistische Charakter ist nur ein spezieller Fall. Der primäre Charakter entsteht aus den Trieben und der sekundäre aus den Schicksalen dieser Triebe, wobei die Onanie natürlich eine Rolle spielt. – In den sich opfernden Frauen (Tanten), die Ehen stiften, scheint sich die Kupplernatur des Weibes auszusprechen. Die Zurückführung der Afteronanie auf die Klistiere verkennt den erotischen Charakter der Analzone vollkommen.

FRIEDJUNG belegt an dem Fall eines $2^1/2$ jährigen Mädchens, das auf verschiedene Arten onanierte, daß die Art der peripheren Reizung konstitutionell einseitig nicht festgelegt sein könne.

Dozent ZAPPERT bemerkt, daß sich nach der Auffassung Sadgers der Typus des Onanisten mit dem Typus »Mensch« decke, was ja in seinem Sinne insofern stimmen würde, als auch alle Kinder gepflegt werden und er von der Voraussetzung ausgehe, daß auch alle Menschen onanieren.

Nun dürfte die Onanie als solche beim Kind lange Zeit hindurch nicht die geringste Schädlichkeit bewirken. Damit aus diesem Kind ein Onanist werde, muß ein wichtiges psychisches Moment hinzukommen. Zum Teil dürfte daran schuld sein die falsche Methode der Abgewöhnung durch Angsteinjagung.

ROSENSTEIN sieht in den angeführten Charaktereigenschaften nicht sosehr Züge aller Menschen als Reaktionsbildungen überhaupt gegen irgendetwas Verdrängtes (z. B. Opfermut gegen Sadismus). – Die Möglichkeit, daß sich Säuglingseindrücke in irgendeiner Form überhaupt pathogen äußern können, müsse er so lange bestreiten, als es nicht am Material erwiesen werde.

REIK bemerkt zur Charakterologie, daß sich in der späteren Phase meist zwei Eigenschaften vereinigen; z. B. Wahrheitssucht mit der

Abstraktionssucht (Kant) oder die Vereinigung sowohl der egoistischen als auch der sublimierten Regungen (Grillparzer). Auffällig sei auch, daß fast alle Onanisten normative Ethiker und neuestens auch Freudgegner seien.

Prof. FREUD mahnt die Diskussionsredner, den Unterschied zwischen der allgemeinen Säuglingsonanie und der späteren Pubertätsonanie nicht zu vernachlässigen.

FEDERN bemängelt den weiteren Gebrauch des Terminus Onanie, dessen verschiedene Bedeutungen man erst scharf abgrenzen müßte. Die periphere Onanie von der psychischen und beide von der Sexualität ohne reales Objekt. Auch wäre scharf zu scheiden, wo die Onanie Ursache und wieweit sie Symptom ist. – Ungenügend begründet erscheinen die Ausführungen über die Berufswahl sowie über die konstitutionelle Festlegung der Methode. – Die Onanie ist, wie bereits Tausk ausgeführt hat, zunächst keine symbolische Handlung. Für richtig halte er die Terminsetzung, die Ungeschicklichkeit der Hände, die Furcht vor [Verlust der] Jungfrauenschaft und Gebärfähigkeit, die Wahrheitssucht, die übrigens im Zusammenhang von Onanie und Lüge Rank schon früher einmal betont habe.[7]

REITLER findet den Ausdruck »autosymbolisch« sehr unglücklich und meint, daß es ein der Traumverdichtung analoger Vorgang sei. – Die Heilung der Masturbation erfolge wohl zumeist jemandem zuliebe, aber sie könne wohl auch spontan aufhören. Auch ist es mit dem Abbau der Phantasien allein nicht getan, sondern es muß die Hinleitung auf den normalen Geschlechtsverkehr damit verbunden werden, was bei Mädchen nicht möglich sei.

SADGER stellt fest, daß er keinen Typus des Onanisten aufstellen wollte, sondern zeigen, daß gewisse Symptome eine langjährige Onanie beweisen.

RANK betont zur Richtigstellung des Hinweises von Federn, daß er in seinem seinerzeitigen Vortrage versucht habe, eine Reihe scharf ausgeprägter Charakterzüge (darunter auch die Terminsetzung und Heimlichkeitskrämerei) als Folgeerscheinungen des Verdrängungsprozesses bei der Masturbation zu erklären. Aber nicht die Lüge überhaupt, nicht einmal die pathologische Lügenhaftigkeit, sondern nur

---

[7] S. Ranks Vortrag über die Psychologie des Lügens, 75. Protokoll in Bd. 2 der vorliegenden Veröffentlichung.

eine ganz bestimmte Form derselben. Als Reaktion auf diese habe er den Wahrheitsfanatismus aufgefaßt. – Sadger habe die Onanie als rein pathologisches Phänomen dargestellt, während wir doch gewohnt sind, sie bis zu einem gewissen Ausmaße als normalen Ausdruck des Autoerotismus anzusehen. Beim Abwehrkampf gegen die Masturbation werden die äußeren Einflüsse sehr überschätzt, während in vielen Fällen das spontan auftretende Schuldgefühl das Entscheidende ist.

SILBERER erhebt gegen die Verwendung des von ihm in anderem Zusammenhang und Sinne bereits gebrauchten Begriffs »Autosymbolismus« Einspruch.

WAGNER möchte unter Festhaltung der Tatsache, daß es pathologische und normale Onanisten gibt, darauf hinweisen, daß ihm die retrospektive Analyse von den pathologischen Fällen her die fruchtbarste scheine. Die pathologischen Onanisten sind meist Autodidakten.

F. S. KRAUSS meint mit Rücksicht auf einen ihm bekannten Fall, daß Leute, welche dieser Lustbetätigung in exzessiver Weise ergeben sind, pathologisch sein müssen. – Eine ähnliche Erscheinung schildert Dr. Bräseke in den *Dermatologischen Studien*, Bd. 20.[8] – In einer Umfrage von Amrein über Onanie als Heilung *(Anthropophyteia)*[9] ist auf eine onanieähnliche Manipulation (das Reibesitzbad in dem populären Buche von Platen)[10] hingewiesen.

HITSCHMANN möchte sich für das von Sadger entworfene Charakterbild des Onanisten einigermaßen einsetzen, das natürlich nur für den krankhaften Onanisten gelte. Nur wäre diese Charakterbildung in ähnlichem Sinne wie beim Analcharakter als Folge der Überwindung aufzufassen, also für Personen, welche eine Anzahl dauernder Charakterzüge durch die Unterdrückung der Masturbation davongetragen haben. An die Errötung, welche mit Scham und Scheu einhergeht, schließen sich eine Reihe anderer Symptome an. Ob das krank-

---

[8] Gemeint ist J. Drüseke, ›Zur Psychopathia sexualis‹, *Dermatologische Studien*, Bd. 20, 1910, S. 631–37.
[9] Es handelt sich um einen kurzen Artikel von J. Heimpel (aufgrund einer Notiz Karl Amreins) unter dem Titel ›Onanie als Heilmittel? Eine Umfrage von Karl Amrein *(Anthropophyteia*, [Bd.] VIII, [1911], S. 286)‹, später veröffentlicht in der *Anthropophyteia*, Bd. 9, 1912, S. 339–41.
[10] M. Platen, *Die neue Heilmethode. Jahrbuch der naturgemäßen Lebensweise, der Gesundheitspflege und der arzneilosen Heilweise. Ein Haus- und Familienschatz für Gesunde und Kranke*, Deutscher Reichsverlag, Leipzig 1894. Dieses ungemein populäre Buch erreichte 1901 (Radelli & Hille, Leipzig) eine Auflage von 215 000. Eine neue, vierbändige Ausgabe erschien 1908 im Deutschen Verlagshaus, Berlin. Auch englische und russische Übersetzungen wurden veröffentlicht.

hafte Onanieren Beziehung zum Philosophieren habe, wäre einer Untersuchung wert. Das [Sich-]auf-sich-selbst-Zurückziehen und Sich-selbst-Befriedigen, was im Verzicht der Philosoph bleibenden Menschen auf das Leben und im Nachdenken über dasselbe liegt, würde immerhin dafür sprechen. Onanie ohne Phantasien scheint es zu geben bei jenen Personen, welche sich jeden Abend den Schlaf durch Onanie erzeugen müssen. – Die Beziehungen der Onanie zur Neurasthenie dürfen nicht vernachlässigt werden.

RANK erwähnt noch nachträglich, daß er die von Hitschmann geforderte Auffassung der Masturbationscharaktere im Sinne der Analcharaktere seinerzeit vertreten habe.

TAUSK stellt fest, daß mit dem Worte »rein«, das durch Kant in die Philosophie gekommen sei, die ausschließliche Betrachtung der Funktion und nicht ihr Inhalt gemeint sei. – Im übrigen beginne die Philosophie früher als die Onanie, dort, wo man nicht wisse, woher die Lust, das Verbot, die Hemmung komme. Der erste Forschungstrieb ist auch der erste philosophische Trieb; daß aber dann die Philosophie sich abspaltet und ein gewisses Thema wählt, ist Sache der Begabung, möglicherweise sogar eine Reaktionsbildung überhaupt darauf, daß man nicht zulänglich ist.

Das Thema müßte in drei Gruppen gebracht werden:
1. Die Ursachen der Onanie: a) die Veranlassungen, b) die Ursachen, die in den Trieben liegen. 2. Der Zweck der Onanie: a) ein Zweck wird mit einer Art von Ursache zusammenfallen, nämlich der Gewinnung von Lust, b) ein anderer Zweck wird mit einer anderen Ursache zusammenfallen, nämlich von einer bestimmten Veranlassung dann auch einen bestimmten Zweck abzuleiten. 3. Wirkungen der Onanie: a) somatische, b) psychische. Die Wirkungen sind nach verschiedenen Richtungen verschieden: Was bedeutet die Onanie überhaupt in der menschlichen Gesellschaft, in der Kultur, in der Medizin.

SADGER stellt fest, daß Hitschmann ihn mit dem Charakterbild der exzessiven Onanie mißverstanden habe. Er meinte, diese Charaktere beweisen, wo sie vorkommen, eine noch bestehende Masturbation und nicht eine verdrängte. – Die Zurückführung der Errötungsangst auf die Onanie, wie sie Stekel in seinem Angstbuche durchführe, sei ganz oberflächlich.[11] Diejenigen, die von sich mit vollem Recht be-

---

[11] W. Stekel, *Nervöse Angstzustände und ihre Behandlung*, Urban & Schwarzenberg, Wien 1908.

haupten können, sie haben nicht masturbiert, die haben an Stelle dessen eine schwere Zwangsneurose, und es ist oft der erste Weg zur Heilung, wenn sie zu masturbieren beginnen.

ZAPPERT hebt nochmals seinen Standpunkt hervor, daß die Masturbation zwischen der Kindheit und der Pubertät eine Krankheit werde, während sie vordem nur eine harmlose Gewohnheit war. Es fragt sich nach den Gründen; ist eine sehr frühzeitige oder eine sehr reiche Masturbation im Kindesalter von großem Schaden? Möglicherweise kann in beiden Fällen ein Schaden fürs Individuum daraus erwachsen. Er selbst halte jede Therapie der Masturbation im Kindesalter für aussichtslos.

Prof. FREUD empfiehlt die gesonderte Betrachtung der männlichen und weiblichen Onanie von der Zeit der Differenzierung der Geschlechter. Daß allgemein die Art der Ausführung der Onanie konstitutionell bestimmt sei, dem widerspreche die Erfahrung, daß in Fällen des Verbotes eine andere Art der Onanie gewählt werden könne (partieller Gehorsam). Schwierig ist die Beantwortung der Frage, ob es Onanie ohne Phantasien gebe (natürlich nicht in der Säuglingszeit, aber schon im Alter von drei bis fünf Jahren). Doch ist die Frage dahin zu präzisieren, ob es Onanie ohne bewußte Phantasien gebe, was nicht ohne weiteres zu entscheiden wäre.

STEKEL konstatiert seine Übereinstimmung mit der Zappertschen Problemstellung, die er in seinen Ausführungen beantworten werde. In der Erythrophobie spielen die kriminellen Instinkte [eine] große Rolle.

152

Vortragsabend: am 29. November 1911

[Anwesend:] Dattner, Federn, Freud, Friedjung, Hitschmann, Nepallek, Rank, Reinhold, Reitler, Reik, Rosenstein, Sachs, Sadger, Spielrein, Steiner, Stekel, Tausk.
A[ls] G[äste]: Stegmann und Frau, Marcus.

[152.] PROTOKOLL

Über Transformation[1]
[Vortragende:] Frl. Dr. S. Spielrein[2]

Ausgehend von der Frage, ob es einen normalen Todesinstinkt beim Menschen gibt (Meschnikoff[3]), wird der Nachweis zu erbringen gesucht, daß die Todeskomponente im Sexualinstinkt selbst enthalten sei, daß dem Instinkt zugleich eine destruktive Komponente innewohnt, welche für das Werden unentbehrlich ist.[4] Daß wir diese Tendenz zur Selbstdestruktion für gewöhnlich nicht merken, erklärt sich auf Grund des Jungschen Schemas, wonach allem Wollen zwei einander entge-

---

[1] Dieser Vortrag ist ein Teil der Arbeit ›Die Destruktion als Ursache des Werdens‹ (aaO).
[2] Dr. Spielrein war meine [H. N.] Studienkollegin an der medizinischen Fakultät in Zürich 1904/05; sie stand unter dem Einfluß Jungs. Während ihrer Studienzeit hatte sie eine psychotische Episode, was in Hinblick auf diesen Vortrag erwähnt werden darf.
[3] Ilja Metschnikow, 1845–1916, der berühmte russische Biologe und Bakteriologe, entdeckte u. a. 1883 die Phagozytose von Bakterien durch Leukozyten. 1908 erhielt er zusammen mit Paul Ehrlich den Nobelpreis für Medizin.
[4] Auf den ersten Blick könnte man den Eindruck gewinnen, daß Sabina Spielrein unter Jungs Einfluß schon lange vor Freud der Annahme Ausdruck gegeben hätte, daß das Triebleben aus zwei entgegengesetzten Trieben besteht: dem Lebens- und dem Todestrieb. Bei näherer Betrachtung zeigt sich jedoch, daß sie nicht diese Theorie vertritt, sondern der Meinung ist, daß der Sexualtrieb, d. h. der Lebens- oder Schöpfertrieb, selbst eine destruktive Komponente enthält.

gengesetzte Komponenten zugrunde liegen, von denen eine immer nur ein wenig überwiegt. So scheint uns auch für gewöhnlich der Werdeinstinkt zu überwiegen, jedoch sehen wir bei einer geringen Verschiebung nach der andern Seite im Sexualinstinkt nur eine destruktive Macht.

In zahlreichen mythologischen Vorstellungen findet sich direkt das Bedürfnis nach Zerstörung ausgedrückt, und als Tod wird überhaupt jeder Übergang in einen anderen Zustand aufgefaßt. Und auch in der Neurose ist stets ein Konflikt vorhanden, welcher in der Dissonanz zwischen diesen beiden Sexualkomponenten besteht.

Die mythologischen Begriffe von Leben und Tod werden nun in der Erde- und Wassersymbolik verfolgt. Der Baum der Erkenntnis wird in seiner zweifachen Rolle als Symbol des Todes und der Genese aufgezeigt, in welcher er auch als Kreuzholz Christi wieder erscheint. Der Lebensbaum wird auch als Brücke über das Wasser gedacht, das ebenfalls zeugende Urkraft wie die Erde ist.

Diese Beziehungen werden nun am Siegfriedmythus und an der Holländersage verfolgt und in diesem Zusammenhang darauf hingewiesen, daß die Wagnerschen Helden nach dem Rettertypus Freuds lieben, indem sie sich opfern und sterben. In diesem Sinne ist auch Christus ein Rettertypus, der sich für die Menschheit opfert.

Es wird dann auf die symbolische Bedeutung jedes Opfers hingewiesen, welches Wertvolles durch immer weniger Wertvolles ersetzt, wobei aber das Symbol für das Unbewußte den Wert des Objektes selbst hat.

Diese Beziehungen erweisen sich als durchgehende Analoga in der Menschen-, Tier- und Pflanzenwelt. Denn der Fortpflanzungstrieb fordert die Destruktion des Sexualtriebes. Der Mensch hat das Bedürfnis zu werden und zu vergehen, deshalb erscheint dem Volksbewußtsein das ewige Leben eine Last (Holländer, Glaukos[5]). Nur das Opfer kann erlösen, weil es beide Komponenten enthält: man nimmt sich die Komponente des Werdens und überläßt dem Opfer die der Destruktion. Das Opfer wird als Analogon der Versetzung in den Mutterleib dargestellt; auch der Sterbende wird in die Mutter zurückversetzt und dann wieder geboren. Der Zustand vor der Geburt wird dem Tode gleichgesetzt oder wie dieser als ein Schattendasein aufgefaßt.

So ist die Destruktion die Ursache des Werdens: die alte Form muß zerstört werden, damit die neue zustandekommt. Es gibt daher keinen

---

[5] S. die Anm. 24 des 150. Protokolls, oben, S. 303.

absoluten Todesbegriff, und was für die alte Form tot bedeutet, ist für die neue Leben. Der Tod an sich ist wohl grauenhaft, aber im Dienste des Sexualinstinktes ist er heilbringend.

Diskussion

Dr. SACHS findet den Gedankengang von der Ambivalenz des Wollens (Jung) hier nicht ganz überzeugend dargelegt. Es wurde nur an interessantem und speziellem Material bewiesen, daß in der Phantasie aller Menschen Geburt und Tod enge verbunden sind. Diese Verbindung findet ihre Vorbedingung in dem ersten und stärksten Angst-Affekt des Menschen bei der Geburt (Freud). Der Selbsterhaltungstrieb findet seine Ergänzung in der Todesfurcht. Dazu kommt die schon im Altertum und in der ganzen christlichen Mythologie ausgedrückte Identität des Lebens nach dem Tode und des Lebens vor der Geburt (Augustinus läßt die Menschen nur deshalb sterben, weil sie zeugen). Davon geht die asketische Idee des Mittelalters aus, daß die Unsterblichkeit durch die Entsagung des Geschlechtsverkehrs herbeigeführt werden kann.

Zwei Materialproben zur Symbolik von Lebensbaum und Kreuz: In einem Stücke Calderons [6] tut die Brücke alle Wunder, und die Königin von Saba verkündet den Menschen Erlösung. – In einem der älteren Eddalieder [7] hängt Wodan als Opfer an der Weltesche, was man neuestens auf christliche Einflüsse zurückgeführt hat, worin aber im Hinblick auf das mitgeteilte Material vielleicht doch ein Stück originaler Menschheitsphantasie enthalten sein mag.

TAUSK möchte den Vortrag nicht seinem Inhalt und Material nach beurteilen, sondern von dem Standpunkt, von dem die Vortragende dem Thema nahegetreten sei, der hart an der Grenze der Metaphysik liege. Es wurde das Problem aufgeworfen, ob nicht unser Leben nach Analogie irgendeines älteren Vorganges entstanden sei. Das sei Platos Frage nach der ideellen Welt, die Frage nach dem lieben Gott. Von hier aus kommt man, wie der Vortrag auch gezeigt habe, deduktiv zu allen *Fragen*, zu denen man in der Psychoanalyse induktiv gekommen ist.

Daß der Widerstand gegen die Sexualität aus der Destruktion stammt, sei ein wertvoller Gesichtspunkt. Ja, die ganze Verdrängung beruhe im

---

[6] S. oben, S. 135, Anm. 9 im 128. Protokoll.
[7] Die Sammlung alter isländischer Dichtungen aus Mythologie und Heldensage.

tiefsten Sinne nur darin, daß die Todeskomponente den Widerstand gegen die Sexualität aufgebracht hat.

Im *Meister von Palmyra* von Wilbrandt[8] werden die Beziehungen von Werden und Vergehen und der Gedanke des ewigen Lebens behandelt.

FEDERN vermißt eine präzise Zusammenfassung der aus dem Material gezogenen Schlüsse. Es liege die Vermutung nahe, daß allen diesen Beziehungen zutiefst die Angst vor dem Tode zugrunde liege und daß das erst späte Trostgedanken seien, die für den ursprünglichen Zusammenhang von Leben und Tod in dem vorgetragenen Sinne nicht beweisend seien. Die Angst habe zwei Komponenten, eine aus dem Sexuellen und eine aus dem Lebensverlust. Die Menschen stellen nun die sexuelle Angst als Todesangst dar. Die Auffassung des Opfers als Vereinigung mit der Mutter hätte nur für die Zeiten des Matriarchats Geltung. Vielleicht muß man sich überhaupt sagen, daß die Mythen nicht von Gesunden geschaffen wurden, sondern schon damals von Dementen und daß daher die Über[ein]stimmung sich erkläre.

ROSENSTEIN sieht die wichtigste Frage darin, ob der Todeswunsch und der Lebenswunsch einander korrelat seien; ob das die Norm zweier Affekte sei oder ein äußerer, objektiver Vorgang: daß jedes Leben nur möglich ist auf Grund der Zerstörung von Lebendigem. Es fragt sich, ob dieses psychologische Gesetz eine parallele Erscheinung des Weltgesetzes sei (im Sinne von Tausk). Wir können die Psyche nur biologisch nehmen, nicht metaphysisch; dann bleibt aber nur der Lebenstrieb übrig und vom Tode nur die Angst. Die Todeswünsche würden sich wahrscheinlich als Reaktionsbildungen im Sinne Stekels herausstellen (Selbstmord, wenn man einen andern töten wollte). Ferner würde sich fragen, ob das Bedürfnis, sich in dem geliebten Objekt zu verlieren, als normale Erscheinung oder gleichfalls als Reaktionsbildung aufzufassen ist; im ersten Falle könnte man eher sagen, daß in der Psyche beide Triebe vorhanden sind. – Der normale Mensch verträgt den Tod, der in der Libido liegt, der Neurotiker nicht, weil er einen stärkeren Ich- = Lebenstrieb hat. – Das Schuldbewußtsein beim Opfer ist nur Äußerung der Selbsterhaltung: man sichert sich durch das Opfer gegen den Tod.

REINHOLD weist auf die Möglichkeit hin, dem Gedanken aus all-

---

[8] Adolf von Wilbrandt, 1837–1911, österreichischer Dichter und Verfasser mehrerer Theaterstücke, war auch kurze Zeit Direktor des Wiener Burgtheaters. *Der Meister von Palmyra*, historisches Drama von 1889.

gemein biologischen Gründen näherzutreten. Diese Wertung des Todes ist biologisch gegeben; nur dadurch, daß wir sterben müssen, können wir Affekte erleben, müssen wir auch Lust empfinden. Es ist möglich, daß diese Tatsache dem Bewußtsein in irgendeiner Form zugänglich ist. So hat Plato den Eros nicht nur zur Liebe, sondern auch zum Tod in Beziehung gebracht.

STEKEL weist darauf hin, daß die Auffassung der Angst als Reaktion gegen den Todestrieb bereits in seinem Angstbuche[9] enthalten sei. Die Brücke in Träumen bedeute Phallus und Baum, aber auch die Brücke, die zum Tode führe.

FRIEDJUNG stellt sich die Arbeit, im Gegensatz zu den metaphysischen und philosophischen Neigungen mancher Vorredner, als Versuch dar, eine wissenschaftliche Tröstung für die Todesangst zu finden. Daß der Mensch für die primitivste Angst, die in sein Denken eintritt, Tröstungen gesucht hat, die sich in Mythen niederschlugen, und daß er Analoga aus der Natur dazu herangezogen hat, ist uns als gleiche Tröstung verständlich.

Frau Dr. STEGMANN bemerkt, daß Leben im Verlaufe der Diskussion nicht immer in der gleichen Bedeutung gebraucht wurde; man müsse auseinanderhalten das persönliche und das allgemeine (kosmische) Leben. Der Todeswunsch erscheint als Wunsch der Hingabe an das All. Die Furcht vor der Liebe ist Furcht vor dem Tode der Persönlichkeit. Liebe ist ja als Übergang vom kleinen, individuellen zum großen, kosmischen Leben anzusehen.

TAUSK präzisiert gegenüber Friedjung seinen Standpunkt, daß die Dinge, die ontogenetisch Gegenstand der Psychoanalyse sind, auch im allgemeinen als psychologische Probleme gefaßt werden können. Man muß die allgemeinen Projektionen, soweit sie richtig sind, wenigstens zum Vergleich heranziehen, um den Leuten einen Anschluß an die Psychoanalyse zu bieten.
Das Matriarchat (Federn) ist etwas Hypothetisches; diese Dinge haben sich ontogenetisch durch die Einstellung des Individuums gegen seine Umgebung gebildet.

STEGMANN weist auf Fechner hin, der das Verlassen des subjektiven Standpunkts in den Vordergrund gestellt habe. Nach ihm bedeutet das Sterben für den Menschen nur das Eingehen in die Allge-

---

[9] *Nervöse Angstzustände und ihre Behandlung* (aaO).

meinheit, in den Zustand der Weltseele. Auf Fechner hat dann Nietzsche seine Idee vom Übermenschen aufgebaut.[10]

FREUD stellt zunächst fest, daß das Matriarchat keine Hypothese, sondern durch historisches Material so gut wie bewiesen sei; es ist kein politisches, sondern ein soziales System.[11]

Der Meister von Palmyra bringt das Problem mit einfältigen Voraussetzungen und einer kindischen Lösung.

Die doppelgeschlechtliche Bedeutung der Symbole sei wohl häufig, aber nicht gesetzmäßig. Auch dürfe man dabei die Genitalsymbole nicht mit dem Sexualsymbol verwechseln. So ist z. B. die Schlange als Genitalsymbol immer nur männlich gebraucht, während sie als Sexualsymbol weiblich ist. Nicht selten ist in Träumen ein männliches Genitalsymbol zur Bezeichnung des weiblichen Genitales gewählt, oder umgekehrt, was dann immer einen besonderen Sinn hat, meist den, daß der Träumer im Sinne des Kastrationskomplexes die Umkehrung der Geschlechter zum Ausdruck bringen will, seine Identität mit dem anderen Geschlecht. Das heißt aber nicht, daß dieses Symbol doppelsinnig ist, es wird nur im umgekehrten Sinne verwendet.

Der Vortrag selbst gebe zu einer Kritik Jungs Anlaß, weil er in seinen neuen mythologischen Arbeiten ebenso beliebiges mythologisches Material, das massenhaft vorhanden ist, in seiner gegenwärtigen Fassung ohne Auswahl verwendet. Nun kann man aber das mythologische Material in diesem Sinne nur verwenden, wo es in seiner originalen Form und nicht in seinen Abkömmlingen auftritt. Das Material ist uns nun in einem Zustand überliefert, welcher uns nicht gestattet, es zur Lösung unserer Fragen zu verwerten. Im Gegenteil: es muß erst von psychoanalytischer Seite her die Aufklärung erfahren. Als Beispiel einer besonders starken Entstellung wird die Genesis im einzelnen nachgewiesen.

Ob sich unsere psychologische Annahme, daß die Triebe unvollständig gedämpfte astatische Paare[12] darstellen, auch auf die Sexualität

---

[10] Gustav Theodor Fechner, 1801–1887, der deutsche Philosoph und Naturwissenschaftler, dessen psycho-physische Abhandlungen grundlegend für die Einführung der experimentellen Psychologie als Wissenschaft wurden.

[11] Bis vor kurzem wurde diese Auffassung allgemein angenommen. Aber neue anthropologische Forschungen werfen die Frage von neuem auf, ob das Matriarchat wirklich je bestanden hat und nicht nur als Folge von Fehlinterpretationen sozialer Strukturen durch westliche Anthropologen in Analogie zu ihren eigenen Gesellschaftsordnungen angenommen wurde, also doch nur eine Hypothese ist.

[12] »Astatische Paare« heißt, daß Triebpaare auch gegeneinander nicht in einem Ruheverhältnis stehen, sondern verschieden schnell auf ihr Ziel zustreben. Unklar

anwenden läßt, was immerhin annehmbar sei, müßte durch individual-psychologische Untersuchungen entschieden werden. Zum Unterschied von unserer psychologischen Auffassung habe jedoch die Vortragende versucht, die Trieblehre auf biologische Voraussetzungen (wie die Arterhaltung) zu gründen.

SPIELREIN bedauert in ihrem Schlußwort, daß durch Weglassung des grundlegenden Kapitels ihrer Arbeit ›[Die] Destruktion als Ursache des Werdens‹ [aaO] eine Begriffsverwirrung die Diskussion beeinträchtigt habe. Sie fasse den Sexualtrieb als partiellen Fall des Transformationstriebes auf. Sie habe den Konflikt in bezug auf das persönliche und nicht das kosmische Ich gemeint. Ob sich die Todeswünsche gegen die eigene oder die andere Person richten, hängt vom Vorwiegen der sadistischen oder masochistischen Komponente ab. – Das Aufgehenwollen sei eine normale Tendenz und finde sich bei Frauen häufig als Destruktionsvorstellung ausgesprochen.

---

ist aber, was hier mit »unsere Annahme« gemeint sein soll. Es ist zu vermuten, daß Freud die damals geltende Auffassung einer Vielzahl von Trieben meinte, die er unter dem Begriff der Ichtriebe ja noch anerkannte.

153

Vortragsabend: am 6. Dezember 1911

[Anwesend:] Dattner, Federn, Freud, Friedjung, Hitschmann, Nepallek, Rank, Reik, Reitler, Reinhold, Rosenstein, Sachs, Sadger, Spielrein, Steiner, Stekel, Tausk, Wagner.
Gäste: Dr. Stegmann und Frau, Dozent Zappert, Dr. F. S. Krauss, [stud.] med. Marcus.

[153.] PROTOKOLL

II. Diskussion über Onanie

[Referat]

HITSCHMANN geht aus von der durch Freud erwiesenen Allgemeinheit der Onanie im Säuglingsalter wie in der frühen Kindheit, die nicht nur eine mildere Auffassung der Onanie, sondern auch die Einsicht in mancherlei Vorteile derselben für das Individuum herbeiführte. Dennoch bleibt es unzweifelhaft, daß die exzessive Masturbation bedeutsame Folgen haben kann. In psychischer Hinsicht werden die Betreffenden durch das Phantasie-Ideal verwöhnt, zeigen den Selbstvorwurf der Willensschwäche und ersparen sich den für den übrigen Lebenskampf vorbildlichen Kampf um das Liebesobjekt. Sie werden unfähig zum Ertragen der Abstinenz wie des Coitus interruptus und finden nur schwer den Übergang zur Ehe. – Von den körperlich-gesundheitlichen Folgen der exzessiven Onanie und der mit ihr in Zusammenhang stehenden gehäuften Pollution wird vor allem die von Freud beschriebene echte sexuelle Neurasthenie erwähnt; ferner anatomische Veränderungen im Urogenitalapparat und Impotenzerscheinungen, unter diesen namentlich Ejaculatio praecox und gehäufte Pollutionen, die vorwiegend auf die geistige Onanie zurückgehen. Es scheine ungezählte Übergänge von der Onanie über Onanie im Schlafe bis zur Pollution zu geben, die in gehäufter Form wahrscheinlich nicht als normales Symptom aufzufassen ist. Die dazugehörige organische Disposition sowie der Zusammenhang mit der Urethralerotik und Enuresis sind noch nicht genügend geklärt. – Ein großer Teil der neurasthenischen Symptome findet sich in ganz analoger Weise bei der Frau, bei der ja die Masturbation ebenso häufig und exzessiv wie beim Manne betrieben wird; in der Kinderzeit nach Freud häufiger an der Klitoris, später an den kleinen Labien, und zwar meist den linken, weil die rechte Hand benützt wird. Als bedeutsamste Folge erscheint bei der Frau die sexuelle Anästhesie, welche Freud auf die seinerzeit übertrieben betätigte Klitorissexualität zurückgeführt hat. Titillatio vulvae oder Änderung der Stellung im Koitus kann manchmal die Empfindungslosigkeit beheben.

Endlich wird die durch den psychischen Anteil am Masturbationsakt (Phantasien) bedingte Bedeutung der Onanie für die Entwicklung der Psychoneurosen erwähnt. Der perverse Inhalt der Phantasien, ihre Verdrängungsneigung und Eignung zur hysterischen Symptombildung (Freud) sowie ihr Übergang in die hysterischen Traumzustände (Abraham) werden hervorgehoben. Als früher sexueller Vorwurf, häufig kompliziert durch ein imponierendes Verbotstrauma, wird die Onanie zur Ursache mancher Zwangsvorstellungen, während die bekämpfte und plötzlich unterbrochene Onanie durch einsetzende Unbefriedigung zur Angst führen kann.

Prophylaxe und Therapie: die Fortsetzung oder exzessive Betätigung der wahrscheinlich normalerweise rezidivierenden Pubertätsonanie ist gewiß zu inhibieren. Sollen Ärzte und Erzieher in der Prophylaxe Erfolgreiches leisten, so ist die erste Forderung die nach ausreichendem Sexualwissen dieser Faktoren und nach einer aufrichtigen ablenkenden Erziehung, die natürlich brüske Verbote und schwere Drohungen zu meiden hat. In der schwierigen Behandlung einer bereits exzessiven Onanie darf die psychische Beeinflussung nicht unterschätzt werden.

[Diskussion]

FEDERN kann das Gesagte im großen ganzen akzeptieren. Bei den psychischen Folgen der Onanie müsse man die psychische Sexualität vor der Pubertät scharf scheiden von der Onanie. – Ob die sexuelle Anästhesie getrennt werden könne von der auf einem psychischen Oberbau entstandenen, sei noch nicht geklärt; er meine, daß jede Anästhesie psychoanalytisch beeinflußbar sei. – Beim Abwehrkampf werde wohl zu scheiden sein, wieweit die Onanie schädlich wirke, weil sie für sündhaft gehalten werde, und wieweit sie an sich schädlich sei: also die affektive Wirkung von der Komplexwirkung.

SACHS macht eine kleine literarische Mitteilung, welche die ablenkende Wirkung des Sportes bei einer sportlich so sehr hervorragenden Nation wie den Engländern fraglich erscheinen läßt. In Kiplings[1] Selbstbiographie finde sich an zwei Stellen der ausdrückliche Hinweis auf die Masturbation der Schüler im College.

STEKEL ist mit dem wenigsten einverstanden und verurteilt den reaktionären Standpunkt Hitschmanns. Gerade bei Onanisten finde man wirklich heroische Sexualakte. Der Mensch kann nur Lust empfinden, wenn er Hindernisse zu überwinden hat; darum schiebt sich zwischen den onanistischen Akt und die Ausführung das Schuldbewußtsein. Daß die Onanie Neurasthenie erzeuge, bestreite er. – Auch werden die Frauen nicht anästhetisch, weil sie onaniert haben, sondern umgekehrt, sie haben onaniert, weil ihnen der adäquate Befriedigungsakt verschlossen war (z. B. wegen Homosexualität).

STEGMANN möchte sich insofern an Stekel anschließen, als ihm kein Fall bekannt geworden sei, in dem die Onanie als körperliche Schädigung anzusehen gewesen wäre. Die Leute fühlten sich wohl geschädigt, aber es ließen sich jedesmal die psychischen Komponenten dafür aufzeigen. Diese Auffassung ist praktisch sehr bedeutsam und macht dazu geneigt, die Onanie nicht grundsätzlich auszuschalten, wo man nichts Besseres an ihre Stelle setzen kann. Das Ziel der Behandlung wird dann, die Menschen psychisch frei und fürs Leben brauchbar zu machen.

HITSCHMANN erwidert, daß gewisse organische Schädigungen des Urogenitalapparates gesichert seien. Über die Anästhesie lasse sich nicht so allgemein urteilen.

Prof. FREUD macht die methodische Bemerkung, daß die Probleme der Onanie außerordentlich kompliziert seien und daß es Aufgabe der Diskussion sei, für alle Behauptungen nebeneinander Raum zu schaffen, eine Reihe aufzustellen, in der alle möglichen Kombinationen von Ätiologie und Effekt Platz haben.

STEKEL bemerkt noch, daß der gute Erfolg des Positionswechsels bei der Anästhesie daher rühre, daß die Betreffenden dann ein bedeut-

---

[1] Rudyard Kipling, 1865–1936, der berühmte englische Dichter, erhielt 1907 den Nobelpreis für Literatur.

sames Stück ihrer Libido dann mitgenießen (häufig die homosexuelle Komponente).

HITSCHMANN hat diese ihm bekannten Momente wegen Ausschaltung der fakultativen Anästhesie nicht berücksichtigt und hält sie auch für ungenügend zur Widerlegung seiner Ausführungen.

[Referat]

TAUSK hält eine artifizielle Isolierung des weitverzweigten Themas für nötig und gibt eine schematische Übersicht der gesondert zu behandelnden Teilprobleme.

I. Auftreten der Onanie (immer und überall möglich).

II. Bei den Ursachen werden die eigentlichen Ursachen geschieden von den Anlässen. Die Ursachen liegen im Triebleben, das nach Betätigung verlangt, die Veranlassungen können verschieden sein: zu unterscheiden sind die äußeren von den durch einen Reflex hervorgerufenen inneren.

III. Der Zweck der Onanie ist damit gegeben, daß sie eine Funktion des Trieblebens mit dem Resultat der Lustgewinnung ist.

IV. Die Subjekte der Onanie lassen sich in zwei Gruppen scheiden:

1. die Säuglings- und spätere Onanie;

2. die Onanie bei Männern und Frauen.

Ad 1. ist ein großes biologisch-psychologisches Problem offen: nämlich ob die Säuglingsonanie gleichzustellen ist der Betätigung der Organe überhaupt zum Zwecke ihrer Aktionssetzung oder ob sie eine Lustgewinnung bedeutet, die über diese einfache Betätigung bereits hinausgeht. Dabei die Frage, wann sich die Lustgewinnung von der Betätigung als selbständiges Prinzip abspaltet.

V. Die Formen der onanistischen Betätigung sind zunächst nach dem Körperteil zu sondern in:

1. die genitale, 2. die anale, 3. die an anderen Zonen, 4. die psychische, die sich nur in Phantasien ausgibt, und 5. die mutuelle, die sowohl homosexuell als heterosexuell sein kann.

VI. Wirkungen der Onanie, worunter zunächst nicht die allgemeinen, sondern die schädlichen Wirkungen verstanden werden, die zerfallen:

1. in somatische Schädigungen (Überreizung des peripheren Nervensystems mit der Folge rascher Reaktion auf geringe Reize: Überreizung der sekretorischen Organe (Ejaculatio praecox, Pollutionen); Ab-

stumpfung des peripheren Nervensystems an dieser Zone; Sphinkter-
schwäche, Säfteverlust; somatische Impotenz.

2. Übergangsformen, die nicht mehr allein somatische Schädigungen,
sondern diese in Verbindung mit psychischen zeigen. Die somatischen
Schädigungen werden Objekt für die psychische Einstellung, werden
psychisch verwertet. Hierher gehören: allgemeine Mattigkeit, die einer allgemeinen geistigen Mattigkeit parallel geht, Stuhlverstopfung,
Anorexie[2]. 3. Psychogene psychische Schädigungen, die für uns eigentlich wichtigen, die durch bewußte Betrachtungen des Subjekts zustandekommen, durch ein Urteil über sich selbst.

A) wird hier genannt die *Angst* und die durch sie hervorgerufenen
Schädigungen. Die Angst ergibt sich leicht, wo der onanistische Akt
dem Individuum nur als Provisorium gilt, durch Dissoziation. Ob die
Angst somatischen (Freud) oder psychischen Ursprungs ist, bleibt hier
offen.

B) wird gezeigt, in welcher Beziehung die Onanie zu den Perversionen steht.

1. tritt sie auf als Ausdruck einer bestimmten Perversion, die entweder im Akte selbst oder in der Phantasie ausgedrückt sein kann;

2. als Fixierung einer Perversion (beim Säugling wird durch Verbot
des Spielens an der Genitalzone das Onanieren an den anderen
(perversen) Zonen direkt kultiviert);

3. kann sie aber auch eine Perversion erzeugen und wählt sie in diesem Falle zugleich aus.

C) Für die Wahl des Liebesobjektes ist die autoerotische Lustbefrie-
digung, also die Wahl des inneren Objektes, insofern schädlich, als sie
eine Verzögerung oder ein Ausbleiben der äußeren Objektwahl bewirkt. Bei diesem Übergang sind nicht alle Perversionen gleichwertig,
und die Möglichkeit des Überganges wird dadurch entschieden, ob sich
die Phantasie auf das ganze unersetzliche Objekt konzentriert hat
oder auf einzelne Eigenschaften desselben, die auch an anderen Objekten zu finden sind.

D) Folgen der Onanie für den Charakter, der die Bereitschaft des
Triebes darstellt, gewisse Objekte immer wieder zur Befriedigung zu
wählen. Diese Affektbereitschaft behält beim Onanisten ihre infantile
Form, diffus und rasch zu reagieren, woraus sich die Unfähigkeit, auf
etwas zu verzichten, ergibt (Unfähigkeit zur Abstinenz). Wenn das
Subjekt in eine inadäquate Rolle tritt, ist es immer bereit, zur Onanie
zurückzukehren. Im späteren Alter zeigt sich eine Überempfindlichkeit

---

[2] Nichtessen.

gegen Mängel des Sexualobjekts (besonders Brüste) infolge Phantasieverwöhnung. Aus dem Abgewöhnungskampf stammt einiges schon Genannte; in der Zeit eines regelmäßigen Versagens stellen sich Zweifel an der Willensstärke, Resignation und Abfinden mit Elend und Schwäche ein. Dieses Spiel vollzieht sich immer wieder im Leben des Onanisten; erwähnt wird ferner die Verschlossenheit des Onanisten, seine Scheu und Mutlosigkeit. Zu einem wesentlichen Schaden im Abgewöhnungskampf wird auch die Angst.[3]

E) Was in der Onanie mit den Triebkomponenten geschieht und in welcher Weise sie verwendet werden? Der Genitalonanist verliert die Beziehung zur Totalität des Weibes, in der er nur ein Genitale sieht, weshalb bald nach der Befriedigung die Abwendung vom Objekt eintritt. Die Synthese der perversen Komponente zur normalen Liebe mißlingt, und damit tritt eine Entwertung des Weibes ein, die eine besondere Beziehung zwischen Onanismus und Zynismus bedingt. – Auch eine durch die Selbstverachtung und den Glauben an die Asexualität der andern gegebene Hemmung in der sexuellen Aggression kann die Folge sein. Er glaubt, daß die Frauen ihn infolge der Schädigung seiner Potenz verachten müssen, und hält sie für unersättlich im Sexualgenuß, worin neben der Überschätzung auch die Unterschätzung des Weibes wieder zum Ausdruck kommt. Die Überbesetzung der Sexualsphäre beim Onanisten ist der eigentliche Grund seiner Konzentrationslosigkeit. Er ist ferner fast nie befriedigt, weil er immer auf Erlösung wartet.

Das Individuum steht dann vor der Aufgabe, diese Schäden zu paralysieren, was ihm mittels der Rationalisierung und der Reaktionsbildung gegen die Schäden oft bis zu einem hohen Grade gelingt.

Der Onanist macht ferner das Weib zur Heiligen (nach dem Vorbild der Mutter und als Kompensation auf sich selbst). Die Onanie verdirbt das Liebesleben, indem sie die Werbekraft herabsetzt und die Männer zur Prostitution treibt.

Bei Männern und Frauen findet sich ferner eine Unbeständigkeit in der Liebe, weil das gewählte Objekt nicht der Phantasievorstellung entsprechen kann. Das Schicksal der Bisexualität ist ein Hauptproblem der Onanie. Das in der Onanie kultivierte männliche Element entspricht beim Manne der homosexuellen Komponente, bei der Frau mit dem Penisäquivalent der Klitoris ihrer männlichen Komponente, die ja auch homosexuell ist.

---

[3] Angst entsteht oft auch als eine Reaktion gerade auf den Kampf mit sich selber, die Gewohnheit aufzugeben.

F) Zur Neurose hat die Onanie nicht nur insofern Beziehung, daß sie in vielen Fällen die Brücke zur Neurose ist, sondern auch Beziehungen besonderer Art, die mit der Betätigung der verschiedenen Zonen zusammenhängen, zur Neurosenwahl. Bei der Zwangsneurose scheint die anale, bei der Hysterie die genitale Zone die Hauptrolle zu spielen.

G) Endlich hat sich in beobachteten Fällen eine Eigentümlichkeit der Familieneinstellung gemeinsam ergeben. Die Betreffenden hatten durchaus sadistische Väter, und zwar sowohl von der brutalen, grausamen Art, wie die der stillen, harten Autorität (allwissend, allmächtig), welche zwei Formen auch Unterschiede im Schicksal der betreffenden Onanisten bedingten. Die Söhne hatten in allen Fällen bis spät in die Pubertät an die Asexualität der Väter geglaubt, und um das 20. Jahr hatte sich ein ausgesprochener affektiver Antagonismus zwischen Vater und Sohn herausgestellt; offenbar weil es der Vater unterlassen hatte, dem Sohne den Weg zum Weib zu zeigen. Die Heterosexualität war in allen Fällen geschädigt, dadurch daß die Sublimierung der perversen Komponente und ihre Betätigung im Sexualakt verhindert war.

Unter besonderen Umständen wird die Onanie darum schädlich, weil eine gewisse Reaktion des Milieus auf sie stattfindet, die das Subjekt nicht aufarbeiten kann. Darin ist auch das Moment der Konstitution gegeben, das in der Überbesetzung des sexuellen Bedürfnisses und speziell einzelner erogener Zonen wurzelt.

H) Was endlich die allgemeine Bedeutung der Onanie betreffe, so zeigen gewisse Kulturformen einen innigen Zusammenhang mit der Onanie, was schon dadurch verständlich wird, daß viele Subjekte, die diesen Schädigungen unterliegen, in der Gesellschaft wirksam sind. Für manche Personen bedeutet Onanie Sexualität überhaupt, so daß die Prüderie und sexuelle Verlogenheit in letzter Linie auf die Onanie zurückzuführen ist. Die Werbekraft des Mannes wird allgemein herabgesetzt, worauf wieder ein Stück der Frauenemanzipation zurückgeht. Endlich als Folge der Verdächtigung der Sexualität eine allgemeine Entfremdung der Geschlechter.

[Diskussion]

FRIEDJUNG meint, daß bei der Säuglingsonanie zwischen reiner Organbetätigung und spezieller Lustgewinnung nicht streng zu scheiden sein wird, daß es aber sicherlich solche mit spezieller Lustgewinnung gebe. — Er möchte ferner die Frage aufwerfen, ob es erwiesen sei, daß jede Onanie mit Phantasien verbunden ist. Die zweite Onanieperiode vor der Pubertät konnte vielfach auch ohne besondere Phantasien verlaufen, und vielleicht stehen gerade diese Individuen vor einer normalen Zukunft. – Der Zusammenhang von Prüderie und Sexualverlogenheit mit der Onanie sei schwer zu erweisen. Mit dem Eindringen der christlichen Anschauungen wurde der Sexualverkehr an sich als verabscheuungswürdig betrachtet. – Die Frauenemanzipation als Folge der Onanie sei ein hysteron proteron[4].

HITSCHMANN findet im psychologischen Teil der Ausführungen viel Interessantes und Geistreiches. Den grob sadistischen und sich asexuell gebenden Vater habe er auch gefunden. Es spielen jedoch da noch andere Dinge hier mit, indem ein solcher Vater zum Haß mehr Anlaß gibt und den Ödipuskomplex verstärkt. In solchen Fällen scheint der Sohn eine weibliche Einstellung gegen den Vater zu haben.

Durch Reiben mit rauhen Dingen dürfte wohl kaum eine organische, eher eine hysterische Anästhesie entstehen können. Auch wird die somatische Impotenz wohl nicht heranzuziehen sein.

SACHS: Bei der Auffassung des Weibes als Genitale durch den Onanisten erscheine die Masturbation nicht als Ursache, sondern nur als Mechanismus, durch den hindurchgegangen werden muß; und die eigentlichen Motive [müßten] tiefer liegen, nämlich in dem unvollkommenen Zusammenfassen und Ausleben der Partialtriebe, welches die Phantasie überlastet.

Dozent ZAPPERT möchte trotz aller Anerkennung der fruchtbaren Idee doch die onanistische Tätigkeit des Kindes am Genitale anders auffassen als das Lutschen. Insoweit diese Betätigungen einen Schluß auf spätere Folgen gestatten, besteht der behauptete Konnex nicht. Daß wir der Onanie in der Verursachung der Neurosen nur eine sekundäre und keine kausale Rolle zuschreiben, freue ihn zu hören. Ebenso konstatieren zu können, daß er nun die Antwort auf seine Frage, was denn die Onanie schädigend mache, gehört habe. Der Abgewöhnungskampf, der bei einem großen Teil der Onanisten besteht, ist ein schweres psychisches Moment, und bei solchen, bei denen dieser Abgewöhnungskampf ein sehr gelungener ist, wird die Onanie wenig Schädlichkeiten hervorrufen. Ob sich das Individuum in einem Kampfe

---

[4] Hier wohl im Sinne der Logik gemeint: etwas als bewiesen anzunehmen, ohne daß der Beweis erbracht worden wäre. Die andere Bedeutung, daß die Onanie die Folge der Frauenemanzipation wäre und nicht umgekehrt, scheint weniger Sinn zu geben.

befindet oder nicht, könnte entscheiden, ob die Onanie Schädigungen hervorruft oder nicht. Die Schwere des Kampfes ist schon durch anderweitige Umstände, wahrscheinlich konstitutionelle Eigenschaften, bedingt.

TAUSK bemerkt zur Auffassung des Lutschens, daß man die Wirkungen der frühen Sexualität nur auf dem Wege der Psychoanalyse kennenlernen könne, daher eine Verständigung mit den Kinderärzten schwer möglich sei, wenn diese nicht dem Standpunkt der Psychoanalyse Rechnung tragen.

STEKEL findet, der Redner habe den Bogen viel zu weit gespannt und darum Dinge einbezogen, die allgemeine Gültigkeit haben. Die Aufzählung der organischen Schädigungen müsse er als Meyer-Brockhaus-Komplex abweisen; es könne auch umgekehrt sein, daß diese Leute onanieren, weil sie diese Minderwertigkeiten haben. Die Hauptfrage sei noch immer die des Schuldgefühls und warum es bei einem auftrete, beim andern nicht. Beim Koitus wird das Schuldgefühl verringert, weil es ein sozialer Akt ist. In diesem Sinne ist das Geheimnis der Lustgewinnung bei der Orgie, daß das Schuldgefühl auf ein Minimum reduziert wird. – Die Ableitung von Prüderie und Zynismus stimme nicht. Der strenge Vater erkläre sich aus der Trotzeinstellung, wegen des Verbotes. Ein wirklich strenger Vater sei eher eine Entlastung für das Schuldgefühl.

Prof. FREUD möchte Tausk insoferne in Schutz nehmen, als auch viele von uns gewiß meinen, daß das Kernproblem der Neurosenwahl in der Onanie liege.[5]

---

[5] Das meiste von dem, was in der gesamten Onanie-Debatte, einschließlich der Diskussionen in den Protokollen des zweiten Bandes, gesagt wurde, ist wahrscheinlich richtig. Die Schwierigkeiten, die sich diesen Bemühungen um eine umfassende Theorie der Onanie entgegenstellten, lagen wohl zum Teil darin, daß die einzelnen Diskutanten von verschiedenen Gesichtspunkten ausgingen und jeder den seinen für den wesentlichsten hielt. Andererseits mag es aber auch sein, daß eine so umfassende Theorie überhaupt nicht aufgestellt werden kann.
Zwei mit der Onanie verknüpfte Erscheinungen sind für uns von besonderem Interesse: 1. das Schuldgefühl und 2. die Angst. Ad 1.) Nach der wohlbekannten biblischen Legende strafte Gott Onan, weil er sich weigerte, die Witwe seines Bruders zum Weibe zu nehmen, und statt dessen seinen Samen auf die Erde verschüttete. Die Legende bekundet, daß schon im Altertum die Onanie als etwas Verwerfliches galt. Symbolisch verstanden, bedeutet Onans Akt, daß er seinen Samen der Mutter (Mutter Erde) gab. Seine Sünde besteht also im Inzest. Vielleicht wäre der Kern des Schuldgefühls, unter dem der Onanist leidet, darin zu suchen.
Ad 2.) Wir wissen, daß, ganz allgemein ausgedrückt, neurotische Angst als Re-

aktion auf eine innere Gefahr entsteht. Solange der Onanist sich damit beschäftigen kann, Selbstbefriedigung zu suchen, ist er angstfrei; ist er aber aus äußeren oder inneren Gründen verhindert, sein Ziel zu erreichen, dann wird er von Angst ergriffen. Mit anderen Worten, wenn er nicht imstande ist, seinem Trieb Befriedigung zu verschaffen, dann entsteht Angst. Daraus ergeben sich zwei Folgerungen: erstens, Angst tritt auf, wenn die Spannung des Sexualtriebes nicht abgeführt werden kann, und zweitens, die Onanie hat, zumindest in frühem Kindesalter und in der Pubertät, einen biologischen Zweck, nämlich Spannungsabfuhr. Die Aufgabe weiterer Studien wird es sein, diese beiden Aspekte der Masturbation miteinander in Einklang zu bringen. [H. N.]
Im Hinblick auf die in den letzten Jahren, nach Nunbergs Tod, publizierte Literatur, in der die Masturbation sogar empfohlen wird, sei der Leser noch auf die späteren Diskussionen (Bd. 4 der vorliegenden Veröffentlichung) verwiesen. – Wenn auch heute noch die Bedeutung der sexuellen Selbstbefriedigung in psychoanalytischer Sicht nicht völlig verstanden ist – als *bewußtes* Sexualverhalten ist ihre Unschädlichkeit allgemein anerkannt; ihre Nützlichkeit für den am normalen Sexualverkehr Verhinderten wird von vielen hervorgehoben (z. B. empfiehlt man sozialgefährlich Pervertierten Pornomaterial zur entsprechenden Anregung und Unterstützung). Exzesse im Rahmen dieser Praktiken werden als Symptom geistigen Fehlverhaltens, nicht als dessen Ursache erkannt.

154

Vortragsabend: am 13. Dezember 1911

[Anwesend:] Brecher, Dattner, Federn, Freud, Friedjung, Hitschmann, Nepallek, Rank, Sachs, Sadger, Spielrein, Steiner, Stekel, Tausk, Wagner, Reik.
[Gäste:] Stegmann und Frau, Dozent Dr. Hans Kelsen (III. Marokkanerg. 20)[1].

[154.] PROTOKOLL

Über Naturgefühl[2]
[Vortragender:] Dr. Hanns Sachs

In Anwendung der zwei Prinzipien des seelischen Geschehens[3] auf das Verhältnis des Menschen zu seiner Umgebung gelangt man zu einer doppelten Konsequenz: 1. sucht der Mensch die Natur zu beherrschen (Realitätsprinzip), 2. Lust aus ihr zu ziehen (Lustprinzip), was wir eben Naturgefühl nennen (die Naturwissenschaft nimmt eine Mittelstellung zwischen beiden ein). Als eine Vorstufe der künstlerischen Wiedergabe der Natur gehört das Naturgefühl in die Ästhetik, ist aber der Untersuchung wegen des Wegfalls der individuellen und spezifisch künstlerischen Momente leichter zugänglich.

Als Beispiele zeitlich weit entfernter, klar umschriebener und allgemein bekannter Typen des in verschiedenen Zeitaltern wechselnden Naturgefühls wird das frühgriechische, wie es in den homerischen Epen gekennzeichnet ist (Stelle aus der *Odyssee*, V. 63[ff.]), und das

---

[1] Da gewöhnlich in der Liste der Anwesenden Adressen nicht angegeben sind, ist anzunehmen, daß Kelsen bei dieser Sitzung zum Mitglied gewählt wurde. In der Mitgliederliste des Jahres 1911/12 ist er dann auch angeführt.
[2] Der Vortrag wurde unter dem gleichen Titel in der Zeitschrift *Imago*, Bd. 1, 1912, S. 119–31, veröffentlicht.
[3] Vgl. S. Freud, ›Formulierungen über die zwei Prinzipien des psychischen Geschehens‹ (1911; aaO).

moderne, wie es etwa durch die Namen Rousseau, Goethe, Eichendorf[4], Böcklin[5] gekennzeichnet ist (Stelle aus *Werther*), angeführt. – Der Hauptunterschied liegt darin, daß die Wertherstelle außerordentlich gefühlsbetont ist, während in der Homerstelle das Gefühl gänzlich mangelt. Bei Griechen äußert sich eben das Naturgefühl in der Bildung der Göttergestalten, also nicht durch Schilderung, sondern durch Personifikation. Zur Erklärung dieser Tatsache zieht der Vortragende die Erklärung heran, daß der sozial werdende Mensch durch die notwendige Verdrängung des Autoerotismus in einen Zustand sexueller Spannung versetzt wird und zur Entladung derselben alle von ihr ausgehenden Sensationen sexualisiert: die angenehmen direkt, die unangenehmen über die Angst, was durch den ambivalenten Charakter der Sexualtriebe möglich ist. Die Personifikation ist der Mechanismus, durch den sich diese Sexualisierung in Erscheinung setzt, und die Wiederkehr des verdrängten Autoerotismus zeigt sich darin, daß jede Personifikation ursprünglich nichts als eine Projektion des Ich in die Natur ist. Doch bleibt es nicht bei dieser Projektion, bald tritt der Ödipuskomplex hinzu, und entsprechend dieser Verdrängung bekommt die Gestalt neue Züge, von denen immer einer den anderen überlagert, eine Untersuchung, die bereits in das Gebiet der Mythologie fällt. Die Naturereignisse sind bei dieser weiteren Ausgestaltung der Personifikationen nur das auswählende und formgebende, nicht das eigentlich bildende Moment. Der Vortragende gelangt auf Grund dieser Ausführungen zu folgenden Ergebnissen:

1. Das Naturgefühl ist ein Ausdrucksmittel verdrängten Trieblebens, insbesondere des autoerotischen;

2. Es ist das Ergebnis der Sexualisierung des Verhältnisses zur Außenwelt, die teils direkt, teils auf dem Umweg des Angstmechanismus erfolgte;

3. Diese Sexualisierung fand ihren Ausdruck in der Personifikation der nun libidobesetzten Natureindrücke;

4. Bei der Personifikation diente die Denkvereinfachung, die darin liegt, die Außenwelt dem Innenleben (primäres Beobachtungsobjekt) analog darzustellen, als Vorlustprämie;

5. Die Personifikation selbst ist eine Projektion des als direktes Lustobjekt verbotenen Ich in die Außenwelt, also die Rückkehr des verdrängten Autoerotismus in der Verdrängung;

---

[4] Joseph Freiherr von Eichendorff, 1788–1857, der berühmte deutsche Romantiker.
[5] Arnold Böcklin, 1827–1901, der Schweizer Maler, dem jetzt wieder erneutes Interesse entgegengebracht wird.

6. Diese so geschaffene Persönlichkeit wurde zur Darstellung von Phantasien benützt je nach Fortschritt des Verdrängungsvorganges und nach Eignung der betreffenden Naturphänomene.

Diese Rückkehr zur Autoerotik mittels des Projektionsmechanismus und der damit verbundenen, besonders für die Mythologie charakteristischen Abspaltungen des Ich erinnert an die gleichen Vorgänge bei der Paraphrenie[6] (Dementia praecox), die auf diese Art eine intensiv übertriebene Rückkehr zu einem Zustand wäre, der einmal in der Entwicklung der Menschheit notwendig und wesentlich war, also sich als Folge einer Regression darstellt.

Zum modernen Naturgefühl übergehend, wird als Gegensatz zur antiken Hochschätzung des Objektes die Uneingeschränktheit in der Wahl desselben hervorgehoben (Naturalismus). Ferner betont die Moderne das Gefühl selbst sehr stark, während die Antike darauf keinen Wert legt. Das steht in direktem Gegensatze zu dem, was Freud in der *Sexualtheorie* von der Stellung des antiken und modernen Menschen zum Sexualtrieb gesagt hat[7]; es ist eben die Ergänzung dazu: das eine ersetzt das andere. Freud hat einen Verdrängungsvorgang geschildert, seine Wirkungen sehen wir im Naturgefühl. Das moderne Naturgefühl ist der Ausdruck einer sehr weit fortgeschrittenen Verdrängung, die vollkommen auf die Personifikation verzichten muß infolge der vorherrschenden Geltung des Realitätsprinzips. Wir müssen unsere Affekte direkt in die Natur hinausprojizieren, wo sie uns assoziative Anknüpfungen bietet: wir nennen dies Stimmung. Ein weiterer Unterschied liegt darin, daß die Antike an die Realität ihrer Projektionen glauben konnte, während uns die Selbstkritik nie zu einer vollkommenen Befriedigung gelangen läßt. So ist der damals sozial wichtige Mechanismus heute nur noch in spielerischer Wirkung tätig.

(Im Verlaufe seiner Ausführungen hat der Vortragende einen kleinen Exkurs in die Metaphysik unternommen, um seine Auffassung von der Gleichsetzung der ambivalenten und der sexuellen Triebe zu stützen. Von einem metaphysischen Standpunkte gesehen, könnte dann der Sexualtrieb für die Erhaltung des Individuums die Bedeutung haben, daß seine latente Ambivalenz eine vollkommene Befriedigung

---

[6] Eine von mehreren Bezeichnungen für die paranoiden Geisteskrankheiten, wie auch Dementia praecox, die erste von Kraepelin, die zweite von Morel eingeführt. Bleuler faßte dann alle diese Namen unter der Gruppe der Schizophrenien zusammen. Heute wird auch dieser Begriff bereits wieder in Frage gestellt.
[7] Gemeint ist eine Fußnote in den *Drei Abhandlungen zur Sexualtheorie* (1905; aaO), die Freud in der 2. Auflage 1910 hinzugefügt hat (*G. W.*, Bd. 5, S. 48; *Studienausgabe*, Bd. 5, S. 60).

des »Willens«, als dessen Objektivation der Mensch im Sinne Schopen-
hauers[8] aufzufassen sei, verhindere.)

Diskussion

REIK teilt zum Beweise, wie sich dieser psychische Mechanismus in
den Träumen spiegle, einen in [Gerhart] Hauptmanns [Reisetagebuch]
Griechischer Frühling enthaltenen Traum mit.

TAUSK findet im eigentlichen Inhalt des Vortrags bedeutsame und
wertvolle Aufklärungen, findet aber den ersten Teil, der die Grundlagen enthält, terminologisch und psychologisch unzureichend. – So
könne nach seiner Auffassung die Ambivalenz nicht im Affekte gelegen sein, der als eine ausgesprochene Stellungnahme zu einem bestimmten Objekt mit Rücksicht auf ein bestimmtes Ziel erscheine. Es
sei nicht klar, worauf sich die Ambivalenz beziehe. Ebenso seien andere Dinge zu sehr als Voraussetzung hereingebracht. – Der Homo
sapiens beginne nicht erst dort, wo das Individuum auf Lust verzichten kann, sondern schon dort, wo er sich gegen nicht imminente Gefahren zu schützen sucht. Die Aufstellung, daß der Mensch zuerst
autoerotisch sei und dann zur Allsexualität übergehe, widerspricht
der Rankschen Auffassung von der ursprünglichen Allsexualität. Die
Autoerotik gelte für den primitiven Menschen vielleicht nur in dem
Sinne, wie wir mit einem uns aus der späteren Zeit geläufigen Ausdruck von einer Säuglingsonanie sprechen.

SACHS entgegnet, die meisten Einwendungen beruhen auf Miß-
verständnissen, die oft nur sprachlich seien, wie die Gleichsetzung von
Affekt und Trieb. Mit der Autoerotik meine er dasselbe, was mit der
Allsexualität gemeint sei; diese Gleichstellung bestehe so lange zu
Recht, als die Außenwelt nicht Subjekt, sondern Objekt ist. – Die Sicherung vor nicht drohenden Gefahren habe er in der Menschwerdung
hervorgehoben. – Im ganzen habe er auf den allgemeinen psychoanalytischen Voraussetzungen gebaut, die gewiß im Detail noch zu klären
sein werden.

Prof. FREUD betont, daß der Vortragende eigentlich die Entstehung der animistischen Weltanschauung erklärt habe, die sich bei den
Naturvölkern in gleicher Weise wie bei Homer als Vorläufer der reli-

---

[8] Arthur Schopenhauer, 1788–1860, *Die Welt als Wille und Vorstellung*, 3. Buch,
31. Kapitel.

giösen und späteren naturwissenschaftlichen Weltanschauung finde.
Nur wäre statt des Autoerotismus der Terminus Narzißmus einzuführen. Von Autoerotismus sprechen wir insoferne, als einzelne Triebkomponenten ihre Befriedigung an der eigenen Person finden. Der
Narzißmus dagegen verdiene als eine Stufe gesonderte Hervorhebung,
auf der schon die Zusammenfassung der Partialtriebe gelungen ist
und nicht mehr die einzelnen Organe, sondern das ganze Ich das Objekt des Triebes wird. Die Alten haben die animistische Anschauung
und wenig ästhetisches Naturgefühl. Sachs hat darauf hingewiesen,
daß mit dem Untergang des Animismus die Ästhetik, das Naturgefühl,
beginnt. Erst mit Entgötterung der Welt tritt das Naturgefühl allmählich auf, also mit der Abziehung der Libido von den früheren Objekten. Dieser Vorgang wird uns verständlich auf Grund seiner Parallele bei der Dementia praecox, die drei Reihen von Phänomenen biete:
1. das Phänomen der Libidoentziehung (manchmal nur dieses), 2. das
Phänomen der Wiederkehr der Libido, die eigentliche Krankheit, die
wir als aussichtslosen Heilungsversuch auffassen müssen, und 3. die
Phänomene des Kampfes zwischen diesen beiden Vorgängen. Diese sekundäre Libidobesetzung (Stadium der Hysterisierung), die bei der
Demenz als Affektation auftritt, kennen wir am Naturgefühl als Sen-
timentalität, die das moderne, auf dem Wege der sekundären Libidobesetzung entstandene Naturgefühl von dem primitiven und primären
unterscheidet.

Auch die Idee des Vortragenden, daß der Animismus mit dem So-
zialwerden des Menschen beginne, läßt sich von anderer Seite her
stützen. Die Neurosen sind psychische Produktionen, von derselben
Art wie das Wertvollste, was wir haben. Der Unterschied liegt nur
darin, ob diese Produktionen rein individuelle sind oder ob sie die
Menschheit als ganzes mitmacht, also in der sozialen oder asozialen
Schöpfung. So ist jede Hysterie eine individualisierende Kunst, jede
Religion eine universelle Zwangsneurose und jede Philosophie eine
Paranoia. Wenn es aber das Zurücktreten des sozialen Faktors ist,
was die hochwertigen Erscheinungen an den Neurosen erniedrigt, so
muß wohl ein anderer Faktor die Oberhand haben: nämlich der sexuelle.
Ähnlich müssen wir uns auch die Fiktion des primitiven asozialen
Menschen vom Narzißmus beherrscht denken; mit dem Sozialwerden
kommt er zu einer Art Objektliebe und wird auch in bezug auf die
Welt Animist.

Was die psychologischen Voraussetzungen betreffe, so liege im Wesen der Psychoanalyse, von keinerlei Voraussetzungen über Trieb, Affekt etc. auszugehen. Die Psychoanalyse macht den umgekehrten Weg,

indem sie über das Verständnis der einzelnen Erscheinung zur Klärung der letzten Grundlagen zu gelangen sucht. Auch die Annahmen des Vortragenden über das Triebleben erscheinen nicht durchwegs im Material gerechtfertigt. So sei die Berechtigung für eine Gleichsetzung der ambivalenten und sexuellen Triebe zweifelhaft, ebenso, ob die Ambivalenz ein ursprünglicher Charakter der Sexualtriebe sei. Daß der Sexualtrieb die Fähigkeit habe, nicht restlos zu befriedigen, sei unzweifelhaft, aber wohl einer anderen Erklärung fähig, die auf seine Ablösung vom Tier hinwiese. Diese Eigentümlichkeit enthält nämlich die Möglichkeit unserer ganzen Kulturentwicklung, weil sie die Grundlage der Sublimierung ist. In der Frage der Ambivalenz ist besonders vor naheliegenden und recht gefährlichen Schlüssen zu warnen, wie etwa ihre Zurückführung auf die Tatsache der beiden Geschlechter etc.

Vielleicht wäre in diesem Zusammenhang auch eine Analogie zwischen der Ästhetik und der Kunstübung herzustellen, die ja auch zu den sekundären psychischen Leistungen gehört. Die Kunst, die früher die höchsten und deutlichsten Tendenzen hatte, ist tendenzlos geworden (l'art pour l'art). Dasselbe ist mit der Ästhetik der Fall, die auch eine sekundäre psychische Leistung ist, die erst möglich wird, nachdem etwas vor ihr untergegangen ist, nämlich die animistische Weltanschauung. So scheint es nichts in unserer Mitte zu geben, was der Erklärung fähig wäre, ohne daß wir auf die ganze Vorgeschichte zurückgreifen.

SACHS möchte in dem vielen und überwältigend Neuen nur wenig berühren. An das Verhältnis zum Narzißmus habe er wohl gedacht, es aber nicht so scharf zu fassen vermocht. Bei der Entstehung des Animismus müssen die einzelnen Vorgänge der Libidoentstehung und Wiederbesetzung zeitlich wohl nicht streng geschieden sein. Daß sich die neurotische Leistung von der kulturell hochwertigen durch das mangelnde soziale Element unterscheidet, habe er gelegentlich der Besprechung des Spitzerschen Buches über Wortneubildungen im *Zentralblatt* ausgeführt und dort auch folgende Reihe aufgestellt: Traum – Kunst, Fehlleistung – Witz, Zwangsneurose – Religion.[9] Übrigens habe Prof. Freud diesen sozialen Gesichtspunkt vor einigen Jahren bereits in der Vorlesung betont.

TAUSK möchte die Priorität des Gedankens, daß der Sexualtrieb nicht imstande sei, ganz zu befriedigen, für sich in Anspruch nehmen, soweit sie nicht Prof. Freud für sich in Anspruch nehme. Der Kampf

---

[9] Vgl. Anm. 3 des 122. Protokolls, oben, S. 85.

zwischen dem Ich und dem Sozialen geht daraus hervor, daß in jedem unserer beiden Grundtriebe zwei einander widersprechende und unvereinbare Tendenzen liegen, die der Arterhaltung untergeordnet sind. Daß also der Freßtrieb, der primär dem Individuum und sekundär der Arterhaltung dient, ebenso zu Konflikten führen kann wie der Sexualtrieb, der primär der Arterhaltung und sekundär dem Individuum dient.

Die von Prof. Freud ausgegangene Warnung vor dem Hereinbringen psychologischer Voraussetzungen kann sich nicht auf alle Stücke beziehen, weil sie uns sonst lahmlegen würde.

FEDERN erwähnt, daß Prof. Freud gelegentlich einer Diskussion über die Freundschaft als Quelle derselben auf den Autoerotismus hingewiesen [hat] (alter ego), und die Tatsache, daß die Freundschaft bei den Griechen eine so große Rolle spielte, gewänne vielleicht im Rahmen der heutigen Ausführungen dadurch an Bedeutung.

Zur Erklärung des Animismus scheine der Narzißmus nicht auszureichen, sondern wir müssen dazu auf die Träume zurückgehen, die ja auch dramatisieren, weil eben die primitive Psyche nicht anders vorgehen kann, als daß sie alles, was durch sie hindurchgeht, lebendig zu gestalten sucht. Der Primitive macht den umgekehrten Weg: er denkt symbolisch und setzt das dann gleich einem psychischen Vorgang. Der Animismus ist also durch die notwendige primitive Denkart der Psyche entstanden und wurde dann nur vom Autoerotismus besetzt. Aus einzelnen neurotischen Fällen, die nach der Analyse erst zu einem Naturempfinden kamen, erwies sich, daß gerade die mangelnde Sublimierung des Autoerotismus die Entstehung des Naturgefühls verhindert hatte, daß also die psychische Anästhesie, soweit sie sich auf die Natur erstreckt, eine Entwicklungsstörung des sonst sublimierten Autoerotismus ist. Das Naturgefühl recht normaler Menschen scheint dagegen heterosexuell zu sein und weist in der Betrachtung der Natur als Staffage der sexuellen Erlebnisse nichts Sentimentales auf.

REIK erwähnt zu den Freudschen Ausführungen über die Kunstübung und ihre Beziehung auf die Tendenz der Kunst (l'art pour l'art) ein Buch, das diesen Gedanken sehr nahestehe: Guyau: *Les problèmes esthétiques*.[10]

RANK kann sich unter dem hier gebrauchten Begriff der Ambiva-

---

[10] Jean-Marie Guyau, 1854–1888, französischer Philosoph, *Les problèmes de l'esthétique contemporaine*, Alcan, Paris 1884.

lenz nur die Fähigkeit zur Triebveränderung vorstellen, wie er dies auch in der Trieblehre durchzuführen versuchte.

Die alltägliche Beobachtung zeige uns schon die zwei vom Vortragenden als kulturhistorisch bedeutsam geschilderten Typen des Naturempfindens in den Menschen, welche die Natur nur allein genießen können, und in denen, die erst mit ein[em] geliebten Objekt und durch dasselbe hindurch zum Naturgefühl kommen.

SACHS möchte den Einwand bezüglich der Ambivalenz mit dem Hinweis erledigen, daß die Ambivalenz als Bedingung der Verdrängung zu gelten habe. – Die beiden Typen möchte er so fassen, daß nur der allein im Genuß der Natur schwelgende das echte, auch zur künstlerischen Gestaltung führende Naturgefühl habe, während sie dem andern meist Mittel zum Zwecke sei.

Prof. FREUD empfiehlt, bei der Ambivalenz auf folgende Punkte Rücksicht zu nehmen. Die Verdrängung ist ein Spezialfall, neben dem wir noch andere Triebschicksale unterscheiden können: die Abwehrvorgänge (die ursprünglich die Verdrängung eingeleitet haben), die Triebverwandlung (Triebumkehrung), die Verwandlung eines Triebes aus der Aktivität in die Passivität, die Wendung des Triebes gegen die eigene Person. Ambivalent heißt man Triebe, die eine Verwandlung aus dem Aktiven ins Passive zeigen.

FRIEDJUNG möchte zu bedenken geben, daß wahrscheinlich Goethe und Homer einander so nahestehen wie der einfache griechische Landmann unseren heutigen urwüchsigen Bauern, die beide kein Naturgefühl zeigen und darin den infantilen Standpunkt beibehalten haben. Das Naturempfinden ist ein sekundäres Produkt des Kulturmenschen sowohl im Altertum als in der Moderne, das einen starken Verdrängungsprozeß voraussetzt. Solange der Mensch auf dem Standpunkt der Rankschen Allsexualität steht, hat er kein Naturempfinden. Erst auf einer späteren Stufe, wo er sich auf sich zurückzieht und sich mit allem identifiziert, entwickelt sich das ästhetische Anschauen der Natur.

155

Vortragsabend: am 20. Dezember 1911

[Anwesend:] Brecher, Dattner, Federn, Freud, Friedjung, Hitschmann, Nepallek, Rank, Reik, Reitler, Rosenstein, Sachs, Sadger, Silberer, Spielrein, Steiner, Stekel, Tausk, Wagner, Winterstein.
Krauss, Marcus [als] Gäste.

[155.] PROTOKOLL

III. Onanie-Debatte

[Referat]

Der Vortragende RANK gibt eine kurze Skizze des psychoanalytischen Standpunkts in der Frage der Onanie und geht besonders auf die Genese des Schuldgefühls ein, das er im Gegensatz zu der landläufigen Auffassung nicht als Folge äußerer abschreckender Einflüsse, sondern als Rationalisierung der im Gefolge des inadäquaten Aktes auftretenden Angst (analog Freuds Angstneurose) auffaßt.

Zum eigentlichen Thema seiner Ausführungen übergehend, bespricht er eine Reihe von psychischen und charakterologischen Eigentümlichkeiten, die sich bei nicht neurotisch gewordenen Individuen als Folgen des Abwehr- und Verdrängungskampfes der Onanie einstellen können. So den *Hang zur Heimlichkeit* in den verschiedensten Formen als *direkte Folge* der geheimgehaltenen Sexualbetätigung, eine bestimmte Form des *lügenhaften Charakters*, nämlich den trotzigen Zwang zur Ableugnung der Wahrheit (wie er glänzend im Grimmschen Märchen vom Marienkind, No. 3, geschildert ist[1]) als *Reaktionsbildung* gegen die verdrängte Sexualwahrheit, den Selbstvorwurf der Masturbation und den *Wahrheitsfanatismus* im Sinne einer *Sublimie-*

---

[1] Vgl. Anm. 2 des 75. Protokolls in Bd. 2 der vorliegenden Veröffentlichung.

rung als sekundäre Reaktionsbildung gegen den lügenhaften Charakter, der in gleicher Weise wie die Masturbation selbst verpönt ist. Als Gegenstück zur pathologischen Lügensucht in der bestimmten Form der Verheimlichung der Wahrheit wird die *kleptomanische Neigung* hervorgehoben, in der die *unvollkommen verdrängte Sexualhandlung* (»etwas Verbotenes heimlich zu tun«, O. Groß[2]) in Form einer Ersatzhandlung durchbricht, wie sich im Lügenzwang die *mißglückte Abwehr* offenbart.

Von den übrigen Eigentümlichkeiten, die dem unter Schwierigkeiten frei gewordenen Masturbanten verbleiben können, werden schließlich noch einige genannt, die auffällige Beziehungen zu den Zügen des Analcharakters aufweisen, was mit den ein Stück weit in gleicher Weise verlaufenden Befriedigungs- und Verdrängungsvorgängen an diesen beiden erogenen Zonen in Zusammenhang gebracht wird. So der *Reinlichkeitsfanatismus* in bezug auf den eigenen Körper (Genitalien), der auf der einen Seite in die anale Sauberkeit, die den Objekten gilt, auf der andern Seite in den neurotischen Waschzwang übergeht. Ferner eine über die Brücke der Samensparung auf die verschiedensten Dinge übertragene *Sparsucht* (der anale Geiz gilt dem Gelde) oder Sammellust, die sich nicht selten mit Kleptomanie verbunden findet. Bezieht sich diese Sparsucht auf das Essen, so dient sie in Form einer Buße der Bestrafung für die Nichtabgewöhnung des Lasters wie im Falle Binswangers (*Jahrbuch* I, Patientin Irma)[3] und führt dann infolge Verschiebung des Abwehrkampfes auf die Mundzone zu mannigfachen Eß- und Sprechstörungen. Endlich wird die übertriebene *Pünktlichkeit*, die auch Beziehungen zur Pedanterie des Analcharakters hat, auf die für den Abgewöhnungskampf typischen Zwangstermine zurückgeführt, die auch Binswangers Fall deutlich zeigt. – Zum Schlusse werden noch einige psychische Besonderheiten kurz erwähnt und auf die Beziehungen des mißglückten Abwehrkampfes zu den Selbstmordversuchen hingewiesen.

[Diskussion]

STEKEL vermißt den stringenten Beweis, daß die geschilderten Charakterzüge tatsächlich der Onanie zuzuschreiben seien, was man aus

---

[2] Otto Groß, *Das Freudsche Ideogenitätsmoment und seine Bedeutung im manisch-depressiven Irresein Kraepelins*, Vogel, Leipzig 1907.
[3] Ludwig Binswanger, ›Versuch einer Hysterieanalyse‹, *Jahrbuch*, Bd. 1, 1909, S. 174–356.

ihrem Vorhandensein neben der Onanie noch nicht schließen dürfe. – Wertvoll sei die Bemerkung, daß die Reaktion auf die Onanie auch spontan auftreten könne, daß beim Onanisten ein Schuldbewußtsein vorbereitet sei, das auf Auslösung warte. Aber man findet dasselbe Schuldgefühl bei Menschen, die nicht onaniert haben. Die Onanie ist somit nur ein Reservoir für das Schuldbewußtsein, das aus den Phantasien stammt und dazu führt, daß der Mensch sich jede Lust versagt. Alle verbotenen, verbrecherischen Phantasien werden dazu führen, sich das Beste zu verbieten, worunter auch die Onanie ist. Bei Menschen mit sehr starken Trieben herrscht eben die Tendenz, diese Triebe als schlecht zu empfinden und sich dafür durch Entziehung von Lust zu bestrafen.

Daß die Homosexuellen onanieren, könne man nicht sagen, denn sie begehen keinen autoerotischen, sondern einen sozialen Akt.

Starke Angst im Gefolge der Onanie hat er nicht beobachtet; die Angst tritt erst ein beim Aufgeben der Onanie, und zwar oft als Angst vor der Onanie. Auch scheine das Schuldgefühl bei katholischen Kindern größer, weil diese schon früh den Begriff der Sünde kennenlernen. Gesellschaftsscheu kommt bei Leuten vor, die nie onaniert haben, [sie] ist ein Ausdruck der Minderwertigkeit.

Das Märchen vom Marienkind sei tatsächlich für Onanie beweisend. Andere Märchen, wie ›Fitchers Vogel‹ stellen direkt einen Hymnus auf die Onanie dar. So richtig auch der psychische Mechanismus der Lügenhaftigkeit geschildert sei, möchte er doch den Zusammenhang mit der Onanie bestreiten. Das Wort »du darfst nicht, du sollst nicht« spielt im Leben des Neurotikers auch sonst eine große Rolle. Die Auffassung der Kleptomanie wäre sehr verlockend, erweist sich jedoch in anderen Fällen als Ersatz eines anderen verbotenen erotischen Aktes.

Bei Onanisten finde sich nicht nur der Reinlichkeitswahn, sondern oft genug Schmutzliebe. Ebenso sei zu bestreiten, daß das Aufsparen des Besten (Freud) mit der Onanie zusammenhänge. Es bezieht sich oft auf etwas anderes Unerreichbares (Mutter etc.). Auch die Zurückführung des Fastens auf den Abgewöhnungskampf sei nicht richtig. Es sei eine der Formen der asketischen Regungen, die sich an ein sehr frühes Schuldbewußtsein knüpfen, das gewiß häufig das der Onanie ist. Die Lüge ist oft nur ein Prüfenwollen der Umgebung; das Kind will sehen, ob die Eltern es merken, wenn es lügt.

Prof. FREUD bezeichnet es mit Marcinowski[4] als eine Überschrei-

---

[4] Freud bezieht sich wahrscheinlich auf Jaroslaw Marcinowskis Arbeit ›Zur Frage der infantilen Sexualität‹, *Berliner klinische Wochenschrift*, Bd. 46, 1909, 1. Halbjahr, S. 927–28.

tung, wenn Stekel die anstößigen Triebe des Kindes kriminelle nenne. Das sei der Standpunkt der Außenstehenden. Außerdem liege ein methodischer Fehler darin, denn kriminell sei ein äußerst komplizierter sozialer Begriff und kein psychologischer, weshalb wir bis jetzt neben den sexuellen Trieben nur von egoistischen, den Ichtrieben gesprochen haben. Wenn also Stekel sagte, das Schuldbewußtsein komme von den kriminellen Trieben, so haben wir damit gar nichts erfahren, denn das Kriminelle muß erst aus der Psychologie erklärt werden und kann nicht umgekehrt zur Klärung psychologischer Probleme verwendet werden.

Auch habe Stekel die infantile Onanie (von 3—5 Jahren) nicht gesondert von der späteren Pubertätsmasturbation. An anderen Stellen befinde er sich nur in scheinbarem Gegensatz zum Vortragenden. So, wenn er unterscheiden wolle, ob etwas von der Onanie oder von der Sexualität überhaupt komme, während doch der Vortragende zu Anfang hervorhob, daß die Onanie gleichzusetzen sei der infantilen Sexualität, sie sei nur das Manifestwerden derselben. Vom Typus des aufsparenden Kindes habe er in der letzten Zeit wieder ein Beispiel gesehen, das den Zusammenhang mit der Onanie erwiesen habe.

Mit dem Vortragenden stimmt Redner zumeist überein und findet vieles für wichtig und schön erwiesen. Nur wäre dem Punkt, ob die Onanie entdeckt wurde oder Geheimnis geblieben ist, mehr Aufmerksamkeit zu schenken.

FEDERN ist in vielen Dingen mit dem Vortragenden einverstanden, vor allem darin, daß er die Onanie vornehmlich als Symptom und nicht als Ursache betrachtet habe.

Der Hinweis [Havelock] Ellis' dürfte sich nicht so sehr auf ein gesteigertes Selbstbewußtsein als auf den Wunsch zu gelten beziehen. — Daß die Angst beim Kinde durch die psychische Unzulänglichkeit entstehe, sei richtig; beim Erwachsenen aber, wenn er die Onanie aufgibt. Die Verstimmung als Folge der Angst sei nicht sicher.

Gegen den zweiten Teil der Ausführungen habe er zwei prinzipielle Einwände. 1. sollte es sich um Symptome handeln, die bei Nichtneurotikern vorkommen, während man Zwangslügen und Zwangsstehlen doch nicht als normal bezeichnen könne; 2. sei zu bestreiten, daß die pathologische Lügenhaftigkeit von der *exzessiven* Onanie komme. Wenn der Wahrheitszwang mit der selbständig überwundenen Onanie zusammenhängt, so würde man erwarten, daß die von Rank erwähnte Form der Lügenhaftigkeit (trotzig und zwanghaft) damit zusammenhängt, daß diese Personen schon als Kinder lügen mußten, um die Masturbation zu verheimlichen. — Er habe das heimliche Lügenmüssen bei zwei Neurotikern beobachtet, die als Kinder spontan die Sexualität entdeckt haben und der Meinung waren, daß nur die Kinder sexuell sind. Diese Individuen haben ein beständiges Geheimtun von der ersten Kindheit mit sich herumgeschleppt. Es sind Menschen, die aus einer gewissen Lügenhaftigkeit ihre Sexualität geheimhalten müssen, aber es zu einer moralischen Reaktion nicht gebracht haben. – Das Zwanghafte sei vielleicht zurückzuführen auf eine intensive, früh erwachte und verdrängte, in der Pubertät wiederaufgefrischte Onanie; es käme zustande, weil aus dem Unbewußten die erste intensiv verdrängte heimliche Sexualität dabei mitwirkt, was keinen Widerspruch zu den Ausführungen des Vortragenden bedeuten würde. Es sei auch zu fragen, ob diese Kinder nicht auch als die jüngsten oder schwächeren das Lügen als Schutz gebraucht haben. – Manche bilden den Imperativ »Du darfst nicht lügen« nicht direkt nach der Masturbation, sondern lassen sich eine gewisse Freiheit in einem »Du brauchst nicht mehr zu lügen« als Ausdruck dafür, daß sie ihre sexuelle Aggression nach außen frei haben. – Das Wechseln im Entschluß und Nichtausführen-Können sei vielleicht nicht Folge der Masturbation, wie Rank meine, sondern, daß umgekehrt den willensschwachen Menschen die Masturbation so schwer zu schaffen macht. Wir dürfen nicht immer die Charakterbildung als Zeichen der sexuellen Entwicklung hinstellen. – Im Märchen wäre vielleicht in dem goldenen Finger ein Hinweis auf die infantile Form der Onanie (After) gegeben.

SADGER findet die Ausführungen sehr wertvoll, namentlich soweit sie zur Frage der Symptomatologie und Charakterologie des Masturbanten beitragen. Sie wären einer Vertiefung fähig in der Richtung, welche Charaktereigenschaften dem noch ausübenden Masturbanten zukommen und welche mit Überwindung der Masturbation manifest werden. Den von Stekel geforderten Beweis des strikten Zusammenhanges mit der Masturbation könne er an einem durch außerordentliche Pünktlichkeit ausgezeichneten Manne erbringen, der in diesem Punkt weniger übertrieben wurde, nachdem er die Masturbation aufgegeben hatte.

REIK knüpft an die Bemerkung Freuds über den asozialen Charakter der Neurosen an und meint, daß der gleiche Charakter der Onanie vielleicht die Aufklärung gebe für den Zusammenhang bestimmter charakterologischer Phänomene mit der Onanie und dem Analcharakter. Die Beziehung zu Arroganz und Schüchternheit ließe sich so erklären, daß der Betreffende in die Frechheit flüchtet, um seine Schüchternheit zu verbergen.

ROSENSTEIN wirft zunächst die Frage auf, ob die »spontane psychische Reaktion« erwiesenermaßen ohne jegliche Einwirkung von anderer Seite erfolgt sei, was jedenfalls schwer zu beweisen sei. Ist dies jedoch der Fall, dann ergeben sich eine Menge Schwierigkeiten. Ist nämlich die Onanie nur der Ausdruck der infantilen Sexualität, so ist ein Widerspruch darin zu erblicken, daß diese jedem Individuum zukommende Sexualität normalerweise Angst hervorrufen soll. – Die Frage, ob die Onanie Angst hervorrufe, sei überhaupt zweifelhaft. Freud habe im Gegenteil behauptet, die Angst entstehe erst, wenn das Individuum die Onanie aufgibt. – Das Problem liegt offenbar darin, warum man die als verwerflich erkannte Onanie nicht aufgibt und den normalen Geschlechtsverkehr aufnimmt. Er stimme mit Stekel darin überein, daß der Kausalnexus fehle; es handle sich einfach um Reaktionsbildungen der verschiedensten Art, wobei alle verbotenen Dinge Schuldbewußtsein hervorrufen und auch nicht speziell die Onanie die bestimmten Charaktereigenschaften hervorruft. – Auch möchte er die Frage aufwerfen, woher man weiß, daß die Masturbation eine Wiederholung der Reizungen des Säuglings sei.

SACHS beschränkt sich auf eine Antikritik Stekels und möchte den Vortragenden dagegen in Schutz nehmen, als wollte er das Schuldbewußtsein nur aus der Onanie ableiten: er habe nur auseinandergesetzt, welches Verhältnis das Schuldbewußtsein zur Onanie habe. Ebenso unberechtigt sei der Vorwurf, daß er alles aus der Onanie abgeleitet habe; selbstverständlich sei immer vorausgesetzt, daß andere Dinge dabei auch einen Anteil haben, die jedoch nicht alle zugleich erörtert werden.
Die Deutung von ›Fitchers Vogel‹ finde er noch ein bißchen unbegründet und getraue sich mit ebensoviel Berechtigung die entgegengesetzte zu vertreten, die dann mit der des ›Marienkind‹ parallel liefe. Über den Begriff der Kriminalität habe Prof. Freud bereits das Wesentliche gesagt; seine Einführung sei keine psychoanalytische Erklärung, sondern eine Substitution. Das richtige Wort sei antisozial. – Daß die Kinder-Onanie normalerweise Angst hervorrufe, sei kein Widerspruch (Rosenstein), sondern eine Erklärung; denn die Angst ist etwas so Allgemeines, daß sie ihre Ursache ebenfalls in etwas Allgemeinem haben müsse.

HITSCHMANN findet viele interessante Punkte hervorgehoben, die eine endgiltige Beantwortung wünschen lassen. Daß das Schuldgefühl auch andere Wurzeln haben muß als die Onanie, scheine auch daraus hervorzugehen, daß schon die erste Pubertätsonanie Schuldgefühle zeigen kann. Die ganze kindliche Sexualität ist die Ursache des Schuldgefühls, das jedem gesteigerten Sexualtrieb entspricht. — In einem Falle beklagte sich ein Mädchen darüber, daß sie keine Wahrheit sagen könne, und als Ursache stellte sich die vor den Eltern verheimlichte Sexualität heraus. — Fasten und Essen als Buße und [5] Onanie sei ihm auch begegnet. Von hier aus ergeben sich weitere Perspektiven für die Abstinenz vom Fleisch (fleischlich) und den ganzen Vegetarismus. Alle hygienischen Vorschriften in Altenbergs *Pròdromos* [6] seien Reaktionen auf sexuelle Sünden. — Das gesteigerte Selbstgefühl mache einen mehr äußerlichen Eindruck, als Reaktion auf eine geringe Selbstachtung. Als Detail zum Waschzwang sei noch die Bevorzugung besonders parfümierter Seifen erwähnt.

DATTNER möchte zur Frage, ob die Onanie ohne äußere Einwirkung ein Schuldgefühl erzeugen kann, zunächst festgestellt wissen, was man in diesem Falle unter äußerer Einwirkung zu verstehen habe. Innerhalb des Lebens im Familienverband kann auch ohne ausgesprochene Einwirkung ein Schuldgefühl entstehen, da sich das Individuum durch die Masturbation in Gegensatz zur Familie stellt, die es geliebt hat. Auch haben die Patienten die erste Einwirkung vergessen, die erst spät im Verlauf der Analyse zum Vorschein kommt. — Die unaufgeklärten Masturbanten glauben Stigmen der Masturbation zu tragen, die ihr Laster jedem ersichtlich erscheinen lassen, und das Schuldgefühl wäre darum so hervorragend, weil es sich immer wieder aus den Stigmen erzeugen läßt. — Zum Bezeichnen der Tage und dem Tagebuchführen weist Redner auf die in der Pubertät so häufige Geheimsprache und Geheimschrift hin, in der sich die Leute oft ihre Masturbationstage und die Form der Betätigung signieren.

TAUSK beschäftigt sich zunächst mit Stekel, der in seiner Auffassung des Kriminellen widerspruchsvoll gewesen sei, indem er auch die Bezeichnung antisozial akzeptierte.

Für sich allein betrachtet, müßte die Onanie eine geringe Anzahl von Symptomen hervorrufen. Die Sexualität wird sich vielfach ihrer nur als Brücke bedienen, um sich in der sozialen Einstellung durchzusetzen.

Frage: Wie ist es mit dieser spontanen psychischen Reaktion in der Kindheit? Darüber gibt der Bericht über zwei Knaben, Brüder im Alter von 8—10 Jahren, Aufschluß, von denen der ältere gar kein Schuldbewußtsein zeigt und auch die Mitteilung von der Schädlichkeit auf

---

[5] Statt »und« sollte es wohl »für« heißen.
[6] Peter Altenberg, *Pròdromos*, S. Fischer, Berlin 1906. — Vgl. auch die Angaben über Altenberg in der Anm. 3 des 24. Protokolls in Bd. 1 der vorliegenden Veröffentlichung.

ihn keinen Eindruck macht, während der jüngere starkes Schuldgefühl hat, die Onanie leugnet, errötet ist [und] ängstlich geworden
[war]. Der Unterschied erklärt sich daraus, daß der jüngere Inzestphantasien auf seine Mutter hat und gegen den Vater die ablehnende
Einstellung, was beim älteren nicht der Fall ist. Wenn er sich vor dem
Vater fürchtet und das Objekt ein verbotenes ist, dann wird sich das
Schuldgefühl einstellen. Das Schwergewicht liegt auf der Einstellung
zum Verbot, zum sozialen Leben. Es scheine jedenfalls, daß man die
Onanie nicht abgewöhnen könne, ohne ein schweres Trauma zu setzen,
was für ihre biologische Nützlichkeit spräche. – Daß Angst immer entstehe, wenn Libido gestaut werde oder die Reaktion nicht adäquat sei,
habe er wiederholt ausgeführt. Dadurch, daß mit dem Akt die verbotene
Phantasie mitläuft, ist die Konzentrierung auf den Akt gehemmt. Das
Inadäquate der Abreaktion besteht in der schon dem Knaben irgendwie
bewußten Tatsache, daß dazu das Weib oder ein anderes Objekt gehört.

Prof. FREUD bemerkt dazu, es sei im allgemeinen sehr unwahrscheinlich, daß die Ablehnung der rein autoerotischen Betätigung zunächst mit dem Anschicken, den nächsten Fortschritt in der Sexualentwicklung zu vollziehen, zusammenhängen dürfte.

STEKEL wendet sich gegen die Umdrehung der Märchendeutung
durch Sachs, da man auf diese Art alles beweisen könne. Das Kriminelle
sei für ihn nur ein im Gegensatz zum Sexuellen stehender Begriff für
die Ichtriebe, deren Anteil Freud nicht genügend gewürdigt habe.

RANK weist darauf hin, daß er die von Tausk hervorgehobene
Rolle der Objekttendenz an der Unbefriedigung und der Verdrängung der Masturbation nachdrücklich betont habe. Die spontane Entstehung des Schuldgefühls sei durch die verschiedenen Einwände nicht
widerlegt, sondern das Problem nur verschoben worden; denn auch
bei äußerer Einwirkung wäre erst zu erklären, warum diese so enorme
psychische Folgen für das Individuum hat.

TAUSK rekurriert auf Stekels Ersetzung des Kriminellen durch
das Antisoziale und hebt hervor, daß eben die Sexualität dann das
Asoziale sei, und das Kind lehne sich mit seiner Sexualität gegen das
Verbot auf.

SACHS repliziert nochmals auf Stekels Begriff der Kriminalität
und die Märchendeutung.

MARCUS meint, daß Onanie und Schuldgefühl insofern mit Angst
zusammenhängen, als die Angst sich darauf beziehe, diese Art der

Lustgewinnung zu verlieren. Es sei nicht einzusehen, warum eine In-
zestphantasie dem Kind a priori als schlecht erscheinen müsse.

FEDERN betont, daß die Frage, ob die kriminellen oder antisozia-
len Tendenzen Mitursachen bei den Neurosen seien, das große Thema
wiederaufnehme, das Adler berührt habe, ob Strebungen nur, wenn sie
libidinös sind, pathogen werden oder ob dies auch bei anderen Regungen der Fall sei.

In praxi sei es schwer zu trennen, was beim Kind spontan auftritt
und was Wirkung eines Verbotes sei. Trotzdem habe auch er den Eindruck, daß das Kind spontan Handlungen verwirft und aufgibt, sozusagen infolge der organischen Sexualverdrängung. Man kann sehen,
wie manche Kinder gerade auch Inzestphantasien verlassen (Marcus),
ohne daß es verboten wäre.

ROSENSTEIN wendet gegen Sachs' Auffassung der Angst ein, daß
diese durchaus nichts Normales sei, wie die berechtigte Furcht vor einer Gefahr, und daß er darum die allgemeine Ableitung aus der Kin-
deronanie nicht akzeptieren könne. − Auch sei das kleine Kind selbst
nicht rein autoerotisch, sondern liebe bereits Objekte.

REIK beanstandet, daß Tausk den Sexualtrieb asozial genannt habe.

TAUSK erwidert, daß der Sexualtrieb eine soziale und eine egoi-
stische Komponente habe und daß er bei bloßer Lustgewinnung asozial
und antisozial sei.

Prof. FREUD bemerkt dazu, daß er primär asozial sei und erst sekundär sozial.

SPIELREIN findet es schwer zu entscheiden, ob die Autoerotik oder
die Heterosexualität das Primäre sei. Das Kind kann nicht aggressiv
sein und versetzt sich vielleicht deshalb an die Stelle der machthaben-
den Eltern, um sich selbst von seiten der Eltern zu befriedigen. Den
Ausführungen des Vortragenden sei der Vorwurf zu machen, daß sie
allgemeine Eigenschaften auf ganz spezielle Ursachen zurückzuführen suchen. So kann zum Lügen und zum Drang nach Wahrheit auch
oft führen, daß die Eltern dem Kinde die sexuellen Fragen verheim-
licht haben; daraus kann sich der Drang nach Wahrheit, nach dem
Warum und Wozu aller Dinge entwickeln, wie sich anderseits dabei
auch für das Kind Gelegenheit zum Lügen und Märchenspinnen ergibt. Dieser Fragezwang des Kindes tritt dann später als Frageangst
auf. Das Verbot bestand darin, daß man über etwas Verbotenes fragen
wollte.